01 | 1963.9~1970.4

宇宙船ビュルスの人々
永遠へのパスポート
悪魔の発明
ロボット市長
金星の魔法使
狂風世界
時間の墓標
ありえざる星
オクス博士の幻想
テネブラ救援隊
ウェルズSF傑作集—2
時間と空間のかなた
溺れた巨人
毒ガス帯
空飛ぶ円盤
ボディの宇宙旅行
黄金の女神
時間に忘れられた国
霧の国
ブレーン・マシーン
スは宇宙のス
失われた大陸
サハラ砂漠の秘密
必死の逃亡者
宇宙の小石
冒険の惑星 I
スター・キングへの帰還
目的地アルファ・ケンタウリ
ウィリアム・テン短編集1
ウィリアム・テン短編集2
年刊SF傑作選5
終点：大宇宙！
放浪惑星
猫と狐と洗い熊
冒険の惑星 II
時間線を遡って
惑星連合の戦士
翼竜の世界ペルシダー
冒険の惑星 III
年刊SF傑作選6
星は人類のもの連盟
禁じられた惑星
海賊の世界ペルシダー
冒険の惑星 IV
月のネアンデルタール人
わたしは"無"
ゴルの巨鳥戦士
タイム・トラップ
八十日間世界一周
わたしはロボット
年刊SF傑作選7
子供の消えた惑星
SFベスト・オブ・ザ・ベスト 上
ベスト・オブ・ザ・ベスト 下
恐怖の世界ペルシダー
海底二万里
未来世界の子供たち
渦動破壊者
一人の中の二人
石器時代から来た男
石器時代へ行った男
動く人工島
神の目の小さな塵 上
神の目の小さな塵 下
スペース・マシン
火星の黄金仮面
不老不死プロジェクト
月のプリンセス
月からの侵略
パニック・ボタン
モンスター13号
ロシア・ソビエトSF傑作集
鞭打たれる星
聖者の行進
密林の謎の王国
ロシア・ソビエトSF傑作集 下
ゴルの神官王
ドサディ実験星
神の剣 悪魔の剣
一千億の針
ロボット戦争
クレイトスの巨大生物

究極のSF
シャーロック・ホームズの宇宙戦争
未確認原爆投下指令
風雲のメキシコ
東欧SF傑作集上
砂漠のプリンス
東欧SF傑作集下
アーヴァタール
アーヴァタール
ガラスの短剣
奇妙な関係
ルータ王国の危機
ガニメデの優しい巨人
宇宙の傭兵たち
創世記機械
ゴルの遊牧民
マッド・サイエンティスト
ゴルの暗殺者
ティーターン
嵐の惑星ガース
アララットの死闘
天のさだめを誰が知る
科学惑星テクノス
宇宙からの訪問者
ドリーム・パーク
幻影惑星トーマイル
未来の二つの顔
未来からのホットライン
巨人たちの星
青銅の斧
テクノ惑星カモラード
ドルセイ!
翡翠の戦士
妖魔の潜む沼
静かな太陽の年
キャンベル賞受賞
サーンの宝石
琥珀のひとみ
サルマの奴隷
ホーム・ワールド
野望の惑星ハラルド
ジエドの解放者
宇宙多重人格者
銀河の破壊者
迷宮の怪物
ドルセイへの道
ペルセウス座進攻
刺客の惑星ヒアカーヌ
パトモスの真珠
アイス・ドラゴン
月は死を招く
魔法の国が消えていく
ドルセイの決断
ビーストチャイルド
地球から来た傭兵たち
不老不死の世界
パッチワーク・ガール
異形の惑星クルティップ
リトル・ファジー
夢の次元
宇宙士官候補生
ドルセイ魂
サンガの槍
不完全な死体
魔性の子
黄金の馬
残酷な方程式
逆時間の環

超越の儀式
エヨカンの蝙蝠神
造物主の掟
兵士よ問うなかれ
宇宙に旅立つ時
外道の市
死のネットワーク
魔法の国がよみがえる
コイルズ
スターファイター
変化の風
遊民の惑星ライカン
アナンシ号の降下
惑星救出計画
はるかなる地球帝国
宿命の赤き太陽
魔法の国よ永遠なれ
DINOSAUR PLANET
惑星アイリータ調査隊
炎の神シャーラ
ダーコーヴァ不時着
惑星壊滅サービス
オルドーンの剣
カリスタの石
時空の扉を抜けて
フレデリック・ポール 他 編
ハスターの後継者
ハスターの後継者
ドライ・タウンの虜囚
ラモックス
The Star Beast
ヘラーズの冬
バービーはなぜ殺される
禁断の塔
禁断の塔
ストームクイーン
ストームクイーン
ジューマの元帥たち
ニムロデ狩り
チャールズ・シェフィールド
ホークミストレス
ホークミストレス
マイ・ブラザーズ・キーパー
チャールズ・シェフィールド
My Brother's KEEPER
ギャラクシー
フレデリック・ポール 他 編
タキオン網突破!
THE TACHYON
地獄に堕ちた者
キルガードの狼
キルガードの狼
テクストロⅡ接触
UNDER HEAVEN'S BRIDGE
ドラコン攻防戦
Janissaries Clan and Crown
メトロポリス
ラリー・ニーヴン&ジェリー・パーネル
降伏の儀式
ラリー・ニーヴン&ジェリー・パーネル
降伏の儀式
BURROUGHS
ウォー・チーフ
BURROUGHS
アパッチ・デビル
ルナ・ゲートの彼方
ENDGAME ENIGMA
終局のエニグマ
ジェイムズ・P・ホーガン
終局のエニグマ
ジェイムズ・P・ホーガン
ENDGAME ENIGMA
ニーヴン&パーネル&バーンズ
THE LEGACY OF HEOROT
アヴァロンの闇
ニーヴン&パーネル&バーンズ
アヴァロンの闇
死の迷路
時間衝突
ディルヴィシュ
ホイール・ワールド
ハリー・ハリスン
宇宙の呼び声
ロバート・A・ハインライン
地球から来た傭兵たち3
勝利の嵐
Janissaries III Storms of Victory
地球から来た傭兵たち3
勝利の嵐
Janissaries III Storms of Victory
ジョーンズの世界
戦士の志願
サンティアゴ
サンティアゴ
マッカンドルー航宙記
永劫回帰
自由軌道
アース・ライズ
アース・ライズ
遥かなる賭け
暗闇のスキャナー
TAU ZERO
タウ・ゼロ
スターウィルス
THE STAR VIRUS

地球航路
リゲルのレンズマン
大いなる序章
大いなる序章
宇宙生命襲来
宇宙生命襲来
夢幻会社
十五少年漂流記
エニグマ
ENIGMA
ロボットの魂
光のロボット
トライアッド
BROTHERS IN ARMS
親愛なるクローン
イルカの島
Arthur C Clarke
ウィザード
ウィザード
ダブル・スター
星の書
審判の日
審判の日
無限の境界
栄光の星のもとに
旅立つ船
存在の書
マルチプレックスマン
THE MULTIPLEX MAN
JAMES P. HOGAN
マルチプレックスマン
THE MULTIPLEX MAN
JAMES P. HOGAN
アルベマス
世界の秘密の扉
魔法の船
時間泥棒
OUT OF TIME JAMES P. HOGAN
永遠なる天空の調
ミラー・メイズ
ミラー・メイズ
海魔の深淵
モロー博士の島
D.N.A.
DEMON-4 David Mace
ヴァル・ゲーム
惑星カレスの魔女
インフィニティ・リミテッド
インフィニティ・リミテッド
天使墜落
内なる宇宙
内なる宇宙
名誉のかけら
WHEN WORLDS COLLIDE
地球最後の日
伝説の船
夜来たる
神の目の凱歌
神の目の凱歌
量子宇宙干渉機
アヴァロンの戦塵
アヴァロンの戦塵
造物主の選択
THE IMMORTALITY OPTION
火星のプリンセス
REALTIME INTERRUPT
仮想空間計画
ターザン
TARZAN
宇宙消失
グレッグ・イーガン
火星の幻兵団
終わりなき平和
時に架ける橋
ミクロ・パーク
アンドリュー
NDR114
時の扉をあけて
Mr. Was
ターザンの帰還
完全版
影が行く
バラヤー内乱
火星の秘密兵器
天空の遺産
銀河パトロール隊
フィリップ・K・ディック
あなたをつくります
Philip K. Dick
グレー・レンズマン
最果ての銀河船団
最果ての銀河船団
ミラー・ダンス
ミラー・ダンス
火星の古代帝国
第二段階レンズマン
モンスター・ドライヴイン
THE DRIVE-IN
レンズの子供たち

凶獣リヴァイアサン 上
凶獣リヴァイアサン 下
異星人情報局
三惑星連合
マインドスター・ライジング 上
マインドスター・ライジング 下
揺籃の星 上 ジェイムズ・P・ホーガン
揺籃の星 下 ジェイムズ・P・ホーガン
万物理論
グレッグ・イーガン
ドクター・ブラッドマネー
Philip K. Dick
反対進化
宇宙戦争
WORLDS
フラクタルの女神
地軸変更計画
太陽レンズの彼方へ
眠れる人の島
地球の静止する日
メモリー 上
メモリー 下
移動都市
MORTAL ENGINES
銀河英雄伝説 黎明篇 田中芳樹
ゆらぎの森のシエラ
銀河英雄伝説 野望篇
最後から二番目の真実
フィリップ・K・ディック
L'OR DU TEMPS
幻詩狩り 川又千秋
銀河英雄伝説 雌伏篇 田中芳樹
遺跡の声
堀晃
銀河英雄伝説 策謀篇 田中芳樹
グリーン・レクイエム／緑幻想
PREDATOR'S GOLD
略奪都市の黄金
銀河英雄伝説 飛翔篇 田中芳樹
司政官 全短編
眉村卓
銀河英雄伝説 怒濤篇 田中芳樹
クラッシュ
夢枕獏
遙かなる巨神
銀河英雄伝説 乱離篇 田中芳樹
黎明の星 上
黎明の星 下
ジェイムズ・P・ホーガン
ひとめあなたに…
新井素子
野田昌宏
銀河英雄伝説 回天篇 田中芳樹
消滅の光輪 上
消滅の光輪 下
銀河英雄伝説 落日篇 田中芳樹
時間封鎖 上
時間封鎖 下
SPIN
銀河英雄伝説外伝1 星を砕く者 田中芳樹
レモン月夜の宇宙船
銀河英雄伝説外伝2 ユリアンのイゼルローン日記 田中芳樹
年刊日本SF傑作選 虚構機関
銀河英雄伝説外伝3 千億の星、千億の光 田中芳樹
楽園への疾走
ヴァーナー・ヴィンジ
レインボーズ・エンド
Rainbows End
渚にて
銀河英雄伝説外伝4 螺旋迷宮 田中芳樹
銀河英雄伝説外伝5 黄金の翼 田中芳樹
年刊日本SF傑作選 超弦領域
無限記憶
AXIS
ROBERT CHARLES WILSON
時の娘
リックの量子世界
氷上都市の秘宝
フィリップ・リーヴ
未来医師
フィリップ・K・ディック
地球最後の野良猫
山本弘
年刊日本SF傑作選 量子回廊
ぼくの、マシン
BEST SF
逃げゆく物語の話
異星人の郷 上
マイクル・フリン
異星人の郷 下
原色の想像力
BEYOND IMAGINATION
天翔る少女
R・A・ハインライン
クロノリス ―時の碑―
宇宙大密室
都筑道夫
年刊日本SF傑作選 結晶銀河
殺す
妖精作戦
笹本祐一
殺人者の空
マインド・イーター ［完全版］
水見稜
ハレーション・ゴースト
笹本祐一

ミラー衛星衝突
原色の想像力2
カーニバル・ナイト
笹本祐一
連環宇宙
VORTEX
年刊日本SF傑作選
拡張幻想
ベルセウス座流星群
ファインダーズ古書店より
ラスト・レター
フィリップ・K・ディック
空間亀裂
任務外作戦
てのひらの宇宙
世界の果ての庭
極光星群
ブラインドサイト
星の涯の空
外交特例
都筑道夫
未来警察殺人課
時が新しかったころ
ロバート・F・ヤング
盤上の夜
宮内悠介
図書室の魔法
MM9 -invasion-
山本弘
ガニメデ支配
暗殺心
銀河盗賊ビリイ・アレグロ
MM9 -destruction-
銀河帝国を継ぐ者
2312 太陽系動乱
凍りついた空
宰相の二番目の娘
黒い破壊者
完璧な夏の日
鋼鉄の黙示録
時を紡ぐ少女
ヴァルカンの鉄鎚
軌道学園都市フロンテラ
皆勤の徒
楽園炎上
大尉の盟約
ジョン・ヴァーリイ
100% 月世界少年
星のダンスを見においで
叛逆航路
ガンメタル・ゴースト
JOHN VARLEY
亡霊星域
翼を持つ少女
帰還兵の戦場
20億の針
千年都市
ハイ・ライズ
結城充考
躯体上の翼
裏山の宇宙船
霧に橋を架ける
天空の標的
レイ・ブラッドベリ
万華鏡
星群艦隊
高山羽根子
うどん キツネつきの
反響動作
幽霊なんて怖くない
マイルズの旅路
迷宮の天使
ブルー・マーズ
巨神計画
時間線をのぼろう
ロバート・シルヴァーバーグ
UP THE LINE
わたしの本当の子どもたち
月の部屋で会いましょう
田中芳樹
炎の記憶

左上から順に、1963年9月～2023年6月刊行の文庫の初版時のカバーを並べました。
新訳・合本版についても掲載しています。

創元SF文庫総解説

東京創元社編集部・編

東京創元社

目次

はじめに

創元ＳＦ文庫は、日本初のＳＦ専門文庫として一九六三年九月に創刊され、今年二〇二三年、六十周年を迎えました。創刊以来の刊行点数は約八百を数えます。

最初は創元推理文庫のＳＦ部門としてはじまりました。第一回配本はフレドリック・ブラウン『未来世界から来た男』でした（その後、九一年九月に弊社の文庫全体で著者整理番号が一新され、それまで親しまれた背のジャンル表示マークもなくなりましたが、このとき名称を創元ＳＦ文庫と変更し、楕円形のロゴマークも創案されました）。

本文庫はこの六十年にわたって、さまざまな国のさまざまなスタイルのＳＦを紹介してきました。世界的にこのジャンルの中心であった英米以外の作品も、早くからフランス、ドイツ、ロシア、東欧のＳＦを収録しています。作家・作品の時代的な幅の広さも自負しており、代表的な著者としては、ＳＦがまだその名で呼ばれていなかった時期のジュール・ヴェルヌ、Ｈ・Ｇ・ウェルズ、アーサー・コナン・ドイル、アメリカ初期のＳＦを華々しく彩ったエドガー・ライス・バローズ、Ｅ・Ｅ・スミス、その後ＳＦを現在まで牽引した、Ｒ・Ａ・ハインライン、Ａ・Ｅ・ヴァン・ヴォークト、Ｐ・Ｋ・ディック、Ｊ・Ｇ・バラード、ジュディス・メリル（編著）、Ｊ・Ｐ・ホーガン、ロイス・マクマスター・ビジョルドをはじめ、今世紀も最前線で活躍する、グレッグ・イーガン、キム・スタンリー・ロビンスン、アン・レッキー、マーサ・ウェルズなど多数あげられます。また、新しい読者に親しんでいただくため、短編集やアンソロジーも数多く刊行しています。

四十年以上にわたって翻訳ＳＦ専門でしたが、二〇〇七年からは日本ＳＦも収録するようになりました。さらに〇九年からは〈創元ＳＦ短編賞〉を創設し、新たな才能の発掘につとめています。

本書では二〇二三年六月に刊行された作品までを紹介しています。掲載は原則として刊行順ですが、シリーズ作品や短編集をまとめたために順序が前後しているものがありますのでご注意ください。

なお本書作成にあたり、渡辺英樹氏には画像データを大量に提供していただきました。記して感謝いたします。

今後とも末永く創元ＳＦ文庫をご愛顧、ご愛読いただけますようお願いいたします。

東京創元社編集部

凡例

刊行年月
原題、原書刊行年
邦題／シリーズ名
著者名
訳者名・解説者名
装画・装幀者名

1963年12月
The Maracot Deep, 1929

マラコット深海

アーサー・コナン・ドイル

大西尹明訳　解説：厚木淳

カバー装画：S、D、G、藤沢友一

老学者マラコット博士は、大西洋の深海調査のため若き動物学者ヘッドリー、職工スキャンランとともに新発明の潜降函に乗り込むが、事故で海淵に没する。絶望する三人を助けたのは、海底を歩く海底人たち。建物の中に空気がある海底都市へ向かうが、そこは海に沈んだアトランティスの名残りだった……。

シャーロック・ホームズを生んだコナン・ドイルは、歴史小説・怪奇小説・医学小説など、広い範囲で活躍した。SFでの代表作が『失われた世界』であることは間違いないが、それに次ぐのが『毒ガス帯』、そして『マラコット深海』であろう。

海底都市で海中を移動する際、「泳ぐ」のではなく常に「歩く」感覚は、ちょっと面白い。ここも『失われた世界』の隔絶した台地と同様、あくまで「秘境」なのだ。実際、〈ストランド〉誌掲載時は *The Maracot Deep* という題名の後ろに *The Lost World under the Sea* と副題が付されていた。

終盤、敵である「悪」との戦いなど、SFというよりもややオカルティックな側面もあり、心霊学に傾倒した作者らしさが表れている。コナン・ドイル〝最後の長編〟でもある本作、邦訳で文庫になっているのは現時点に至るまで創元のみである。

（北原尚彦）

解説執筆者名

『』……長編小説、単行本の題名
「」……短編小説、映画の題名
《》……シリーズの題名
〈〉……雑誌名、その他

※刊行年月の順に掲載しています（シリーズものなどをまとめて扱う場合は一冊目の刊行年月でまとめています）。のちに新版、新訳にした作品も、掲載順と見出しタイトルは初刊時に合わせ、改題した場合は改題後の題名を（　）で追記します。
例:『子供の消えた惑星』（グレイベアド　子供のいない惑星）
また、訳者が変わった作品についても追記します。
邦訳シリーズ名については、より人口に膾炙（かいしゃ）していると思われるものを採用しています。

※掲載する書影および書誌データは原則として初刊時のもののみとし、上下巻は上巻のみ、シリーズもの・短編集をまとめたものでは最初の一冊のみとします。

※原題について、シリーズものはシリーズ名の原題（シリーズ名がない場合は、第一作の原題）を付しています。

※初刊時にSF分類だった作品で、現在までにF分類に移したものは外しています。また、初刊時にF分類だったもので現在SF分類に入っている作品は、F分類での初刊年月で掲載しています。詳しくは「SF文庫以外のSF作品」をご参照ください。

創元ＳＦ文庫総解説　海外編

1963年9月〜

Nightmares and Geezenstacks, 1961, and others

《フレドリック・ブラウン短編集》全四冊

フレドリック・ブラウン
小西宏、ほか訳　**解説：厚木淳、ほか**
カバー装画：松田正久

ブラウンは、書いた本の冊数で言えばミステリ作家だが（長編だけで二十二冊を数える）、ジャンルに残した足跡では、おそらくSF作家としてのほうが重要度が高い。とりわけ短編に関しては、星新一や筒井康隆など、草創期の日本SFの作家たちに絶大な影響を与えた。

気のきいたアイデア、巧みな語り口、独特のひねり、硬軟自在に書き分けるテクニック……。一九六〇年代の日本のSF読者にとって、ブラウンはブラッドベリやシェクリイと並んで、SFのF派（非ハードSF派）を代表する作家だった。

そのブラウンSF短編群の大半を収めるのが、五一年から六一年にかけて原書が刊行された四冊の短編集。日本では六三年から六九年にかけて、創元推理文庫SFマークから（原書とはほぼ逆順で）翻訳された。

最初に出た『未来世界から来た男』は、四十四編（原書から四編を割愛）を収める掌編集（短編の長さの作品も数編ある）。「SFと悪夢の短編集」の副題どおり、収録作はSFだけでなく、ホラーやミステリ（「いとしのラム」など）も含まれる。邦訳は、全体を「第一部　SFの巻」と「第二部　悪夢の巻」に二分して再配列し、SF系を前半に置いている。

表題作（ほか二編）はマック・レナルズとの共作。四千年未来から来た男が現代アメリカの田舎町で幸せに暮らしはじめるが……。思いがけないかたちで人種差別を描く、社会派の衝撃作。同じくレナルズとの共作の「おれとロバと火星人」は、それと対照的に、火星人による侵略の危機からロバが地球を守るユーモラスなファーストコンタクトもの。「タイム・マシンのはかない幸福」は三話で構成される三段オチの皮肉な連作。

その他、同じく三話構成で三つの大発明の顛末を描く「二十世紀発明奇譚」、言葉で他人を従わせられる超能力者が世界支配を企む「こだまガ丘」など。SF系の作品は、いま読むとさすがに古さを感じさせるものも少なくない。

次の『天使と宇宙船』は、十六編収録の第二短編集。私見ではこれがブラウン短編集のベスト。中でも最大の衝撃作は「ミミズ天使」。主人公チャーリーはある日、奇妙な出来事に遭遇する。釣り餌のミミズ（angle worm）がとつぜん頭に金の輪っかを戴く天使に変わり、そのまま昇天してしまったのだ。それから数日ごとに説明不能の現象が連続して発生する。いったい何が起きているのか？　チャーリーは奇現象を研究し、ある法則性を発見する……。話のつくりはミステリだし、設定はファンタジーだが、世界の秘密を論理的に解明する手続きとそこから生まれるセンス・オブ・ワンダーはSFならでは。世界が言語で記述されているという発想は、言語SFの走りと言えなくもない。プログラムされた現実を描く点では、仮想空間ものや映画『マトリックス』の源流でもある。

Ｐ・Ｋ・ディックが絶賛した「ウァヴェリ地球を征服す」は、実体を持たない電波生物が地球を包囲し、テレビやラジオを含め、あらゆる無線通信が不可能になる話。その他、ＳＦとファンタジーの狭間に狙いを定めた「ユーディの原理」（科学的な新発明の成果か、〝そこにはいない小人〟の仕業か、どちらとも決定できない）、〝悪魔〟ものの秀作「悪魔と坊や」、ＡＩのシンギュラリティ到達を予見したかのようなショートショート「回答」、狂ったユーモアが冴える「気違い星プラセット」など、印象的な作品多数。

続く『スポンサーから一言』は、二十一編収録の第三短編集。邦訳の表題作に選ばれた「スポンサーから一言」はとりわけ日本で人気が高く、〇六年のＳＦオールタイムベスト投票海外短編部門で三十九位に入った。ある日、各地のラジオから「スポンサーから一言」という前置きとともにある短い言葉が流れ、それによって世界が変わっていく。冷戦時代を象徴するＳＦ短編のひとつ。対する「闘技場」は、英語圏での一番人気。一二年にローカス誌が実施した二〇世紀ベストＳＦ投票ではノヴェレット部門の二十位にランクインした。ＴＶ版「スタートレック」第十八話「怪獣ゴーンとの対決」の原案に採用されたことで有名。主人公が人類を代表して異星人と戦うことを強いられる話で、藤子・Ｆ・不二雄「ひとりぼっちの宇宙戦争」の元ネタとも言われる。原書の表題作「地獄の蜜月旅行」は、冷戦まっただなかのある日、とつぜん地球上で男の子がひとりも生まれなくなってしまう話。主人公はコンピュータに選抜され、ソ連の女性と月面のクレーター（〝地獄〟というのはそのクレーターの名前）で子作りをするように命じられるが……。その他、「至福千年期」「最後の火星人」「鼠」「かくて神々は笑いき」「翼のざわめき」「想像」など。

『宇宙をぼくの手の上に』は、一九五一年に出た第一短編集。比較的長い九編が収録されている。巻頭の「緑の地球」は、異星に不時着した男が、ドロシーと名づけた原住生物だけを話し相手にジャングルを放浪する話。ショッキングな結末がよく知られている。「狂った星座」では、ある晩とつぜん夜空の星々が高速で移動しはじめる。いったいなぜそんなことに？　あっと驚く真相と皮肉なオチの切れ味がすばらしい。「すべて善きベムたち」は、書けなくなった作家が主人公。タイプライターを前に、なんとかアイデアをひねりだそうとうなっていると、とつぜん飼い犬のドーベルマンが口を開き、われわれはアンドロメダからやってきた異星生物だとしゃべりだす……。「星ねずみ」は、中村融・山岸真編のアンソロジー『20世紀ＳＦ1　1940年代』の表題作にも選ばれた作品。町の科学者が自宅で捕まえたネズミを月ロケットに載せて打ち上げたところ、異星種属に捕獲され……という牧歌的なユーモアＳＦ。巻末の「さあ、気ちがいに」は、早川書房〈異色作家短篇集〉のブラウンの巻『さあ、気ちがいになりなさい』（星新一訳）の表題作。自分の正気を疑う新聞記者が取材のために精神病院に潜入することになるが……。そのほか、「一九九九年」「ノック」「白昼の悪夢」「シリウス・ゼロは真面目にあらず」を収める。

以上四冊の収録作は、邦訳から割愛された作品や短編集未収録だった作品も含め、発表年代順に再配列されて『フレドリック・ブラウンＳＦ短編全集』にまとめられ、ハードカバー全四巻で東京創元社から刊行されている（二〇一九～二一年、安原和見訳）。創元ＳＦ文庫版の短編集は、残念ながら翻訳が古くなっているものも多く、いまブラウン短編を読むなら、この短編全集をお薦めしたい。

（大森望）

1963年10月

73光年の妖怪

The Mind Thing, 1961

フレドリック・ブラウン
井上一夫訳　解説：厚木淳
カバー装画：真鍋博

ブラウンのSF長編五作のうち、『発狂した宇宙』『天の光はすべて星』『火星人ゴーホーム』は早川書房から邦訳。創元からは比較的マイナーな（言及されることの少ない）二長編が出ている。『73光年の妖怪』は、ブラウン最後のSF長編。〈ファンタスティック・ユニヴァース〉一九六〇年三月号に連載第一回が掲載されたが、同誌はその号で休刊となり、残りを書き下ろすかたちでバンタムからペーパーバックで刊行された。

太陽系から七十三光年の彼方にある母星から追放された異星人（原題の〝The Mind Thing〟）がウィスコンシン州の田舎町に飛来し、地球の生物に憑依（ひょうい）するという、ハル・クレメント『20億の針』タイプのサスペンスだ。知性体の本体は小さな亀みたいな生物。彼らは他種属の精神を乗っ取って知識を吸収し、宿主の体を支配することで発展してきた。新たな生物に憑依するには、宿主を死なせる必要があるため、知性体の活動により、鼠や猫の不可解な死や人間の自殺が連続する。たまたま町に滞在していた物理学者がこの怪現象を解き明かす仮説を立て、やがて知性体と対決する。ミッシングリンク探しの趣向も、ラストのアクションも面白く、もう少し評価されてもいいのでは。

（大森望）

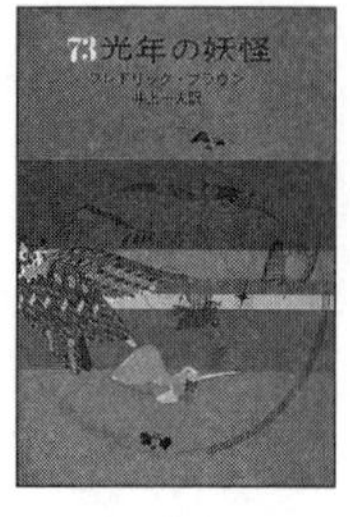

1963年12月

マラコット深海

The Maracot Deep, 1929

アーサー・コナン・ドイル
大西尹明訳　解説：厚木淳
カバー装画：S．D．G．藤沢友一

老学者マラコット博士は、大西洋の深海調査のため若き動物学者ヘッドリー、職工スキャンランとともに新発明の潜降函に乗り込むが、事故で海淵に没する。絶望する三人を助けたのは、海底を歩く海底人たち。建物の中に空気がある海底都市へ向かうが、そこは海に沈んだアトランティスの名残りだった……。

シャーロック・ホームズを生んだコナン・ドイルは、歴史小説・怪奇小説・医学小説など、広い範囲で活躍した。SFでの代表作が『失われた世界』であることは間違いないが、それに次ぐのが『毒ガス帯』、そして『マラコット深海』であろう。

海底都市で海中を移動する際、「泳ぐ」のではなく常に「歩く」感覚は、ちょっと面白い。ここも『失われた世界』の隔絶した台地と同様、あくまで「秘境」なのだ。実際、〈ストランド〉誌掲載時は *The Maracot Deep* という題名の後ろに *The Lost World under the Sea* と副題が付されていた。

終盤、敵である「悪」との戦いなど、SFというよりもややオカルティックな側面もあり、心霊学に傾倒した作者らしさが表れている。コナン・ドイル〝最後の長編〟でもある本作、邦訳で文庫になっているのは現時点に至るまで創元のみである。

（北原尚彦）

1963年12月

トリフィド時代

The Day of the Triffids, 1951

食人植物の恐怖

ジョン・ウィンダム

井上勇訳　**解説：訳者**

カバー：日下弘・日下光子

【新訳】2018年刊、中村融訳

世紀の天体ショーと謳われた大流星群を見物した全ての人間が盲目となり、一夜にして文明が崩壊。ごく少数の目の見える人間によって再建が始められるが、植物油採取のために栽培されていた三本足の動く植物トリフィドが人間を襲い始める、というポスト・アポカリプスSFの古典。この一作で作者はH・G・ウェルズと並ぶ代表的な英国SF作家と見做されるようになった。主人公の生物学者が後世のために書いた、いわゆる「偽回想記（フェイク・メモワール）」の形式になっており、知的で冷静な筆致により大惨事を記述していくリアルさと、文明再建のための方策を検討する人間の本性や文明に対する思弁が読みどころだ。主人公は基本的に受動的な人物で、いろいろな計画についてあれこれコメントはするものの、惨禍の最中に出会った女性を追いかけるロマンスが物語の主筋となり、なかなか楽しそうなのが面白い。

作品が発表された一九五一年は米ソ冷戦の真っ只中であり、核戦争による世界滅亡の予感が物語の背景にあるのは明らかだが、現在の目で読むと、やはりSFを代表するクリーチャーである食人植物トリフィドのインパクトが抜群だ。

（渡邊利道）

1964年2月

宇宙船ビーグル号の冒険

The Voyage of the Space Beagle, 1950

A・E・ヴァン・ヴォークト

沼沢洽治訳　**解説：厚木淳**

カバー装画：石垣栄蔵

【新版】2017年刊

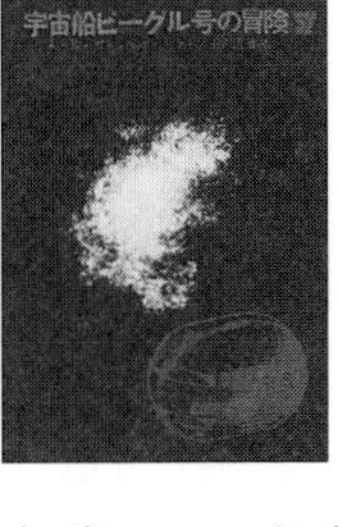

一千人の乗員と各分野のエキスパートを乗せて大宇宙の深淵を探索する宇宙船ビーグル号。遭遇するのは超絶した能力と知性を合わせ持つ数々の宇宙生物だった。高圧電流も吸収し、厚い合金の壁も粉砕する猫様巨獣ケアル、テレパシー文明を持つ鳥人類リーム人、故郷の星の大爆発にはじきとばされ、極寒真空の宇宙空間で何千年と生き続けてきた不死身の怪物イクストル、銀河系のすべてを貪りつくす無形生命体アナビス。宇宙生物側からの視点を加えることで死闘の臨場感は類を見ないものとなる。そんななかで、専門分化して視野の狭まった各種科学者間の軋轢や弊害を取り除くことを目的に創設された新しい科学〈総合科学〉の唯一の参加者エリオット・グローヴナーは頭角を現し、成果を重ね、科学者たちを率いる存在になる。

「本文庫のSFマークは、まず、最もSF臭の少ないSF作家、F・ブラウンの作品からスタートしたが、六冊目の本書で、いよいよ最もSFらしいSFをお届けすることになる」（厚木淳解説）と当時の編集部が満腔の自信を持って送り出した名品である。

著者のデビュー作であり本書の第一話の原型となる「黒い破壊者」が表題の『宇宙生命SF傑作選』が本文庫で刊行されている。（水鏡子）

1964年2月

透明人間

The Invisible Man, 1897

H・G・ウェルズ
宇野利泰訳　解説：訳者

カバー：S．D．G．太田英男

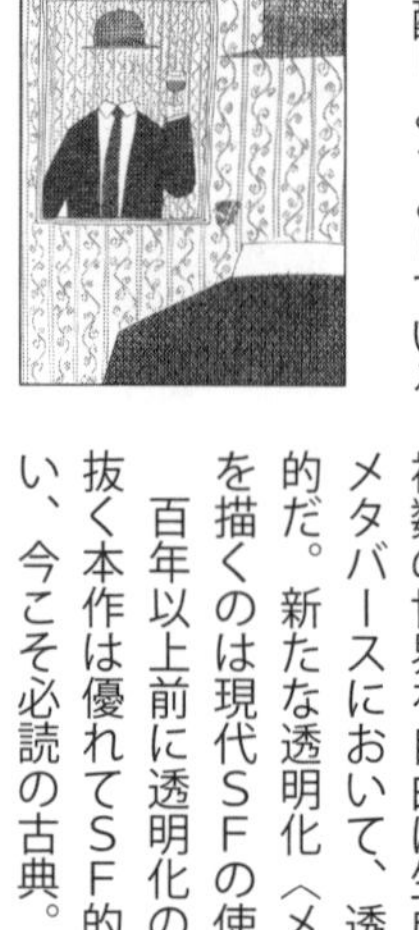

ウェルズ長編四作目。世界中の神話や民話にも見られる〈透明化〉を現代社会を舞台に現代科学を用いて――まさにSF的に――描いたのはウェルズが嚆矢にちがいない。透明人間が全身の包帯をほどいていく鮮烈なシーンも登場する。なお本作には複数の版があり、初版にない副題 *a grotesque romance* が付された版や本文を改稿した版もある。本文庫は扉に初版の年号1897が記されており、初版を訳したものだと思われる。

本作主人公グリフィンはアルビノであり差別された経験をもつ。グリフィンの透明化は、まずは〈他者の視線〉を避けるためのものなのだ。物語後半グリフィンは――のちに描かれる透明人間たち同様――透明性を利用して他者に犯罪的にかかわるのだけれど、〈透明人間による恐怖社会〉という世界構想まで示唆しており、のちの透明人間たちとは一線を画している。

今や透明化は、現実と虚構から、〈XR／拡張現実〉までをも支配しようとしている。複数の世界を自由に生成消滅させるメタバースにおいて、透明化は本質的だ。新たな透明化〈メタ透明化〉を描くのは現代SFの使命になる。

百年以上前に透明化の重要性を見抜く本作は優れてSF的と言ってよい、今こそ必読の古典。（高島雄哉）

1964年8月

不老不死の血

The Immortals, 1962

ジェームズ・E・ガン
井上勇訳

カバー装画：S．D．G．伊達勝枝

本書は別々の雑誌に掲載された四作の連作中短編を、物語の年代順にまとめ直し長編化したもの。現代（執筆当時の一九五〇年代）と、その五十年後、百年後の未来社会を描いている。不老不死というテーマだが、今日的に見ればアンチエイジングになるのだろう。不老不死の一族と、医療が特権階級に独占されたディストピア社会が絡み合う。近未来医学サスペンスとして評価されるべきものだ。

ガン（一九二三～二〇二〇）は、黎明期の〈SFマガジン〉でよく短編が載ったものの、知名度はさほど高まらなかった。SETIを予見したとカール・セーガンに賞賛された代表作『宇宙生命接近計画』（一九七二）も、日本では残念な抄訳が出たにとどまる。

しかし、ガンはSFをアカデミズムに採り入れた、最初期の功労者なのだ。カンザス大学で創作講座を受け持ち、SF研究センターの所長を務め、キャンベル記念賞やスタージョン記念賞を選出するグループのメンバーでもあった。これらの功績により、同大学のSFとファンタジーの殿堂入りを果たし、SFWAのグランドマスター賞などを授与されている。（岡本俊弥）

1964年8月

太陽系帝国の危機（ダブル・スター）

Double Star, 1956

R・A・ハインライン

井上勇訳　解説：厚木淳

カバー装画：司修

【新訳改題】1994年刊、森下弓子訳

一九五六年に刊行された、ハインライン初のヒューゴー賞受賞作である。意外に遅いと思うかも知れないが、ヒューゴー賞の授与が毎年行われるようになったのは五五年以降のことだ。

太陽系は、大英帝国風の立憲君主制で治められている。非人類の火星人や金星人まで登場するという、ちょっとアナクロな設定なのだ。そこで仕事にあぶれた俳優が、あるきっかけから、著名政治家の身代わりを務めることになる。

凡人（ぼんじん）が意図せず身代わりにされ、政治のトップに立たされるお話は、古典『ゼンダ城の虜（とりこ）』をはじめヴァリエーションが豊富にある。俳優出身の大統領が国難に直面するという、信じられない現実もあるくらいだ。本書では、ノンポリを決め込む主人公が、演じていくうちに政治の本質に魅せられていく。ハインラインは政治家を志したこともあるくらいなので、駆け引きの描写などは結構リアルだ。

新訳版『ダブル・スター』は電子版もなく、旧訳版とともに入手困難だが、ハミルトンの『スター・キング』と並ぶ、（ある種の）異世界転生ものといえる。負け組がヒーローに転じる経緯に思わず引き込まれる。新訳版ならば、いまでも面白く読めるだろう。（岡本俊弥）

1964年9月

何かが道をやってくる

Something Wicked This Way Comes, 1962

レイ・ブラッドベリ

大久保康雄訳　解説：厚木淳

カバー装画：司修

【新訳】2023年刊、中村融訳

グリーン・タウン。新興住宅地や大型商業施設でよく使われる、明るさや健全さが宿る「みどり町」。しかし、ブラッドベリ・ファンの印象はそうではない。幻想と怪奇とSFを能（よ）くするアメリカ人作家の手からこの地名が紡ぎ出されるとき、そこは、霧や怪物や秋や夜がよく似合う、恐ろしくも甘美な暗さを纏（まと）うのだから。

レイ・ダグラス・ブラッドベリは、一九二〇年生まれ。日本では大正浪漫（ろまん）が花開いていた時代だ。十二歳の時、彼はカーニバルの魔術師に出会い、作家を目指すことになる。列車や自動車といった技術が、降霊術や見世物小屋といった理解しきれないものをまだ駆逐しきれないなかで、彼は数多くの短編を詩的な文章で書いた。

《グリーン・タウン》三部作に属する本書は、初期に分類される長編。カーニバル、木馬、うごめく刺青（いれずみ）、骨男、などなど、ブラッドベリらしいモチーフにあふれている。特に冒頭に出てくる「避雷針売りの男」は、この語感だけでも素晴らしい。けっして取り返すことのできないローティーン時代のわくわくとどきどきに、わずかな胸の痛みをまぶして、詩情たっぷりに語り上げた必読の書だ。（菅浩江）

1964年10月

銀河帝国の崩壊

Against the Fall of Night, 1953

アーサー・C・クラーク
井上勇訳　解説：厚木淳
カバー装画：金子三蔵

地球が砂漠化した遥かな未来、不老長寿を成し遂げた人類は、天壌無窮にして地球最後の都市であるダイアスパーで優雅を満喫していた。けれども住民最年少のアルビンは砂漠の彼方に思いを馳せ、外部への視線をかたくなに忌避する人々に不満を募らせ、外への出口を探し求めていた。そんな彼の思いはトンネルの発見につながり、定命の人々が暮らすリス、シャルミレンの遺跡、七つの太陽、バナモンドと、何万年にも及ぶ人類の停滞した歴史に激震をもたらすことになる。

本書はクラークがSF作家になるはるか以前、二十歳にも満たない時に想を得て、何度も編集者に没にされ、推敲に推敲を重ねて十二年かけて雑誌掲載にこぎつけた心の原点である。

一世紀近くも前、SF作家ですらなかった青年が、勃興期のSFというジャンルに視たもの、そこに向けた憧れと思いのたけを、極めて短い分量に、これでもかとばかりぎゅう詰めにした真摯で初々しさ溢れる作品である。その後『都市と星』の題名で大幅に書き改められ、円熟味と完成度を増し、巨匠の代表作に数えられるが、共感度から個人的にはこちらを推す。本編にベンフォードによる続編を加えた『悠久の銀河帝国』が刊行されている。（水鏡子）

1964年10月

月世界へ行く

Autour de la Lune, 1870

ジュール・ヴェルヌ
江口清訳　解説：訳者
カバー装画：金子三蔵
【新版】２００５年刊

天空の月面に浮かび上がる人間の顔、その右目に突き刺さる砲弾型宇宙船……。この、あまりにも有名なアイコンが登場するのはサイレント映画「月世界旅行」（一九〇二）だが、原作とされるヴェルヌの本作品が巨大な大砲で月に向かう着想をジョルジュ・メリエス監督に与えたことは間違いなくとも、話の展開は大きく異なる。というのも、宇宙の予期せぬ驚異に振り回され、ヴェルヌの宇宙船は月面に着陸できないのだから！

さまざまな異郷への科学冒険を描いたSFの祖が、宇宙に挑んだ先駆的古典SF。いわゆる『月世界旅行』の題で児童向け叢書などで読まれた方も多いだろう。実は二部作からなり、前編『地球から月へ』（一八六五）は「大砲クラブ」のメンバーによる計画発案から打ち上げまでの準備段階が描かれ、宇宙へ飛び立つのは後編である本書『月世界へ行く』（一八七〇）という次第。本文庫には前編の梗概が序章として収録されており、単独でもこの《驚異の旅》を愉しめるようになっている。

そして一九九一年、ヴェルヌを主軸に創元文庫初の復刊フェアが実施された。その好評で三十年以上続く名物企画が誕生したのだから、読者の期待へ突き刺さることには、見事成功していたのだった。（代島正樹）

1964年10月
The Man Who Sold the Moon, 1953

月を売った男

R・A・ハインライン
井上一夫訳　**解説：厚木淳**
カバー装画：金子三蔵

一九五〇年に出た本書は、三九年の〈アスタウンディング〉誌に載ったデビュー作「生命線」（インフラのことではなく文字どおり命の線）を含む、ハインラインの初作品集である。

表題作は月旅行を実現するために、贈賄や買収すら躊躇わず（当時は合法的だった?）、手管を駆使する大富豪の物語だ。法的な権利や、起こりうるリスクのマネジメントを、事業家の観点から描いたところが読みどころだろう。執筆順では、続編とされる「鎮魂歌」がまず先に書かれ、（その好評価をうけて）次に主人公の老人が若かったころの物語として、この長い正編が書かれている。

中編の標題作と続編を除けば、三〇年代末に書かれた最初期の四作品には特徴がある。《未来史》というアイデアが提示されていて、一連のシリーズ作品になっているのだ。当時の読者（アメリカ、日本を含めて）には、未来までを確定させた年表は新鮮だった。ハインラインは、《未来史》は予言のためのものではなく、仮説に基づいた想像力の産物だとする。そういう現実的な考え方を見ると、本書の画期的発明＋事業化SFは、元祖SFプロトタイピングといえるのかも知れない。

（岡本俊弥）

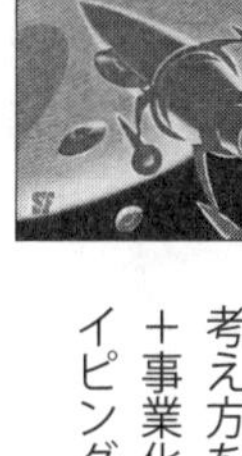

1964年11月
Science-Fiction Carnival, 1953

SFカーニバル

フレドリック・ブラウン&マック・レナルズ編
小西宏訳　**解説：厚木淳**
カバー装画：司修

本扉の内容紹介の通り、何でもありのユーモアSFアンソロジー。異世界転移だって俺TUEEだってある。まずは巻頭のロバート・アーサー「タイム・マシン」のドタバタ劇から味わって欲しい。流石はフレドリック・ブラウン、というか、SFをよく知る作家・編集者のアンソロジーが面白いのは七十年前から変わらない。同人誌からの収録であるクライブ・ジャクスン「ヴァーニスの剣士」は当時よほど衝撃的だったらしく、その後いくつものアンソロジーに再録されたし、検索エンジンにまつわるトラブルを予見したマレー・ラインスター「ジョーという名のロジック」は、現代の我々にとっても衝撃的だ。

お気に入りは共同編集者でもあるレナルズの「火星人来襲」。悪い宇宙人による地球侵略の顛末がスタイリッシュに描かれる。レナルズはブラウンとの共作も多く、東京創元社『フレドリック・ブラウンSF短編全集4』収録の「ハッピーエンド」はレナルズがメインの共作。邦訳のある「時は金」など、センスはブラウンに引けをとらず、夥しい著作を遺しながら、日本では単著がないのは不公平というものだろう。そうそう、未訳の"The Common Man"にはフレドリック・ブラウンが登場する。

（理山貞二）

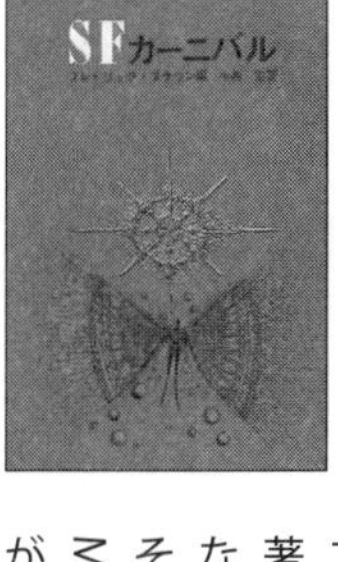

1964年11月
The Stars, Like Dust, 1951

暗黒星雲のかなたに

アイザック・アシモフ
沼沢洽治訳　解説：サム・モスコウィッツ
カバー装画：司修

「このタイトルは抵抗不可能の訴求力を持つ。訳文も絶妙だし、エンターテインメントには味のある敵役が不可欠ということも教えられた」（田中芳樹「文庫創刊40周年記念コメント」）

核戦争で汚染された地球。留学中の星雲諸国領主の息子バイロン。そして圧政で勢力を拡げるティラン帝国。謀略渦巻く銀河を舞台に、失われた謎の古文書や反乱軍の惑星の所在の秘密を巡る、帝国との追跡戦は思いもよらぬ結末を……。アシモフ未来史の銀河帝国勃興期に位置し、『宇宙の小石』『宇宙気流』と初期三長編をなす巨匠随一の波瀾万丈な冒険活劇。児童向けや角川文庫版（川口正吉訳）もあるが、なぜか早川書房と競合しない銀河帝国ものとして、創元版が長く読み継がれている。

二〇一六年復刊フェアから、従来のサム・モスコウィッツ解説と二本立てで新解説（牧眞司）を増補。アシモフSFの全体像を俯瞰しながら初期の本作を捉え直した内容で、二十一世紀にも読み継がれるべく、読者を的確に案内してくれる名解説だ。

なお、冒頭の推薦文の依頼で初めて接点を持った田中芳樹と東京創元社。これを端緒に《銀河英雄伝説》の再刊にまで至るのだから、本書が開いたSF文庫の歴史は一ページどころではないだろう。（代島正樹）

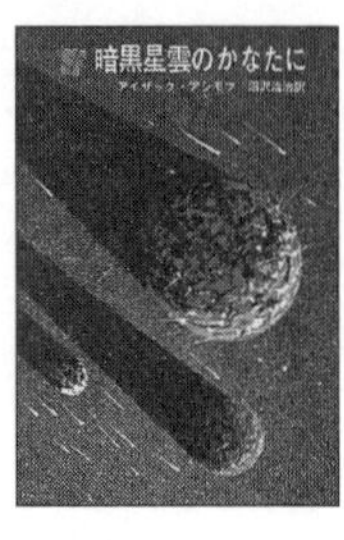

1965年2月
The Status Civilization, 1960

ロボット文明

ロバート・シェクリー
宇野利泰訳
カバー装画：司修

著者の他の長編『明日を越える旅』（一九六二）と『奇蹟の次元』（一九六八）に比べると完成度は落ちるが、それでも奇抜なネタ満載の第二長編。犯罪者の流刑地〈惑星オメガ〉は、人間不平等主義のもと、悪徳が奨励され、殺人を犯すことで身分が上がる異常な階級文明だった。殺人罪で地球から来たウィル・バレントは下層の奴隷民に属し、マンハンターたちの襲撃やスタジアムでの格闘に巻き込まれながら、自らが犯した過去の殺人の真相に至る。あらゆる殺し技を操る無敵ロボットや、様々な毒殺術を推薦する〈毒物協会〉など、B級なアイテムが次々に登場し、とても楽しい。その一方で、ジョゼフ・コンラッドの長編『ロード・ジム』に関する芸術論が交わされたり、すべての価値観が逆転した世界に棲む聖職者との「善と悪」をめぐる深遠な問答があったりと、知的興奮を誘う要素も多い。

特筆すべきはラストで、ヴォルテールの古典『カンディード』さながらの遍歴の末に主人公が行き着く殺人の真相は、TVドラマシリーズ「プリズナー№6」を彷彿とさせる不条理の極みだ。人間存在の謎を問うような結末といい、ミステリアスな隠喩と風刺の連打といい、シェクリーらしい奇想文学である。（小山正）

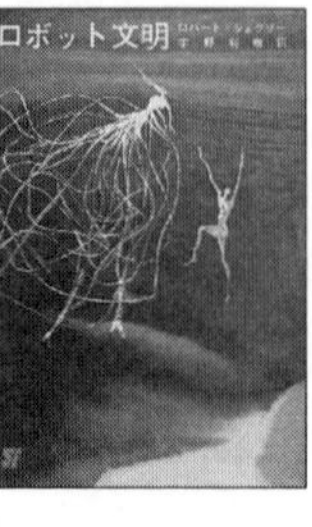

1965年2月～

Needle, 1950-

《20億の針》二部作

ハル・クレメント

井上勇、ほか訳　解説：厚木淳、ほか

カバー装画：金子三蔵

【20億の針・新訳】2016年刊、鍛治靖子訳　【一千億の針・新版】2016年刊

宇宙からやってきた寄生型異星人が、宿主とした地球人と共生関係を結び、力を合わせて悪い異星人と戦うというパターンのSF作品の嚆矢として、特撮ドラマ『ウルトラマン』を筆頭に、近年では宮澤伊織の『神々の歩法』など後の日本SFに多大な影響を与えた長編二部作。

第一作『20億の針』は、異星人の「捕り手（ハンター）」が犯罪者（ホシ）を宇宙船で追跡中に揃って地球の南太平洋に墜落。四ポンドのゼリー状の身体を持つ「捕り手」は、まずサメの、ついで海水浴に来ていた十五歳の少年の体内に寄生し、彼に事情を説明し同じように誰かの身体に潜んでいると思しきホシを探す、という物語。原題の*Needle*（針）は、「干し草の中から一本の針を探す」という意味で、訳題の20億というのは当時の世界人口をさす。

作者は天文学と化学の学位を取得、高校教師をしながら兼業作家として活躍した人で、異星人が地球環境と生命の特徴を理解し適応し、人体の代謝機能を利用して宿主の身体状況を化学的にコントロールする様子を、生化学の知識を縦横に駆使する緻密な記述はハードSFのお手本のようだ。どんな状況でも理性を保って紳士的に振る舞う異星人の思考の論理性は、犯人探しというミステリ的な物語にもぴったりで、あれこれ推理しながら読む楽しみがある（悪い異星人であるホシも、その行動はすべて合理的で、意味もなく残虐になったり逆上したりしない）。また、教師としての体験が反映されているのかもしれない十五歳の少年のリアルな描写も気持ちいいもので、一九九二年にはワールドコンでヤングアダルト向けSFを対象とするハル・クレメント賞が設立された。

続編『一千億の針』は、正編から七年が経過し、共生関係を結んだ少年の体調が悪化。「捕り手」は彼の故郷の科学者たちに対処法を教わるため、速やかにかつて南太平洋に墜落したままになっている宇宙船を探し出さなくてはならない、という物語。原題は*Through the Eye of a Needle*（針の眼を通して）だが、翻訳では正編と揃えて、一千億の星の中から異星人の星を探し出すという意味を持たせている。今回は宿主となった少年が体調を崩してうまく動けないので、信頼できる周囲の人々に事情を打ち明けて協力を仰ぐのだが、そこで登場する二人の若い女性の活躍が物語の推進力となる。異星人の立場から、地球人の性差による偏見をナンセンスで、環境的・文化的要因を除いて男女に大した違いはないと断言する場面など、いかにも理知的な作家らしい。また、丁寧な心理描写によってリアルで奥行きのある人間関係を描いても、恋愛のような物語に余計な要素は挿入されないので、非常にすっきりした読後感が得られるのも現代的な作品である。

（渡邊利道）

1965年5月

分解された男

The Demolished Man, 1953

アルフレッド・ベスター

沼沢洽治訳　解説：厚木淳

カバー装画：司修

英米のSF界でもっとも権威のある賞といえば、年にいちどファンが投票で選ぶヒューゴー賞だろう。クラークの『地球幼年期の終わり』やスタージョンの『人間以上』といった難敵を押しのけて、その第一回受賞作に輝いたのが本書である。

時は二十四世紀。人の心を自在に読めるエスパーが生まれており、犯罪を未然に防いで、人類は未曾有の繁栄と平和を享受している。だが、ここに殺人を成しとげた男が現れた。巨大産業グループのトップに君臨するベン・ライクだ。テレパシーで彼を犯人と見抜いたエスパー刑事部長リンカン・パウエルは、ライクを極刑〈分解〉に追いこむべく捜査を開始する。

華麗で退廃的な未来を舞台にしたSFミステリの古典。大胆なタイポグラフィの実験をまじえて、エスパーの心理を描ききった傑作であり、六〇年代のニューウェーヴから八〇年代のサイバーパンクに至るまで、後世にあたえた影響は絶大といえる。

作者は一九三九年のデビューだが、四〇年代なかばからコミックスや放送業界に活躍の場を移していた。だが、五〇年代にはいるとSF界にカムバックし、長編第一作である本書と次作『虎よ、虎よ！』（一九五六）の成功で巨匠の地位を確立した。

（中村融）

1965年5月

第五惑星から来た4人

Four from Planet 5, 1959

マレー・ラインスター

小西宏訳　解説：厚木淳

カバー装画：金子三蔵

米ソ冷戦の真っ只中、南極上空に強烈な衝撃波とともに宇宙船が現れた。乗っていたのは、四人の少年少女。彼らは、少なくとも数百万年前、火星と木星の間に〝第五惑星〟が存在していた時代からやって来た時間旅行者らしいのだが……。

多彩なアイデアでジャンルSF草創期から活躍し、邦訳作品も多い作者によるファーストコンタクト＋タイムトラベルもの。冷戦のさなかに出現した超テクノロジーをめぐる東西両陣営の駆け引き、少年少女が帯びている使命の謎など、読みどころはいくつかあるが、中でもタイムトラベルの機序をめぐるアイデアが魅力的だ。時間遡行の不可能性を論じる際に、おなじみのタイムパラドックスだけでなくエネルギー保存則にも言及。「未来に存在するはずの質量やエネルギーが過去に流れ込むと、系内の総量が変化してしまう」という問題を指摘する。もちろん時間ものなので解決策も示されるが、それがまた意表を突く、しかも絵になる方法なのも良い。時代を超えて残る名作とまでは言えないが、アイデアの扱い方という点に絞れば今でも一読の価値がある。本文庫の初期において、SFという新しいジャンルの魅力を伝えるのに一役買った一冊なのは間違いないだろう。

（香月祥宏）

1965年5月〜
Voyage to the Bottom of the Sea, 1961-

《原子力潜水艦シービュー号》シリーズ

シオドア・スタージョン、ポール・W・フェアマン
井上勇、ほか訳　解説：厚木淳、ほか
カバー装画：金子三蔵

ヴェルヌのノーチラス号の末裔である原潜シービュー号は天才科学者ネルソン提督が建造した海洋調査潜水艦だ。地球観測に必要なあらゆる科学設備はもちろん、海魔を撃退する電圧シールド、飛行潜水艇まで装備しているが、核ミサイルをちゃっかり搭載しているのがご愛敬だ。……叛逆者の汚名を着せられながらも、ヴァンアレン帯の異常降下から地球を救うシービュー号の航海を描いたアーウィン・アレン監督の映画「地球の危機」（一九六一）を小説化した『原子力潜水艦シービュー号』は、日本の多数の読者が遭遇したスタージョンの最初の小説だといえる。彼が『夢見る宝石』（一九五〇）、『人間以上』（一九五三）といった幻想SFの巨匠と認知されるのは少し後のことだ。続いて製作されたテレビシリーズも好調で、アレンが一九六〇年代のSFドラマ（「宇宙家族ロビンソン」「タイムトンネル」「巨人の惑星」）を製作する大きなきっかけとなり、日本SFに与えた影響も小さくない。海洋侵略を企む異星人に挑むシービュー号クルーの活躍を描いたフェアマンの『シービュー号と海底都市』はオリジナル小説だが、翻訳者が海洋小説の第一人者で知られる高橋泰邦だったことは注目されていい。（礒部剛喜）

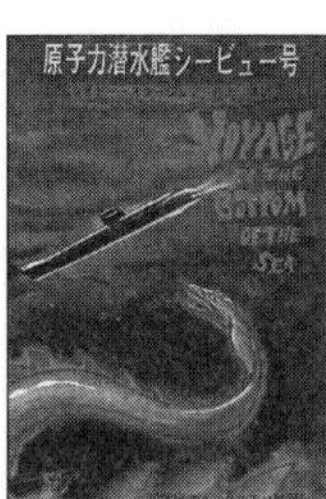

1965年7月
Mission of Gravity, 1954

重力への挑戦

ハル・クレメント
井上勇訳
カバー装画：金子三蔵
【新版】2019年刊

現実とは異なる事柄を設定し、その影響を論理的に突き詰めていく。たったひとつの小さな〝イフ〟によって、世界がどれほど大きく変わってしまうかを想像して描き出す。そのようにして創造された世界を闊歩することが、SFを読むことによって得られる喜びのひとつであることは間違いないだろう。

あなたがそうした経験を求め、そして未だ本書を読んでいないのなら――おめでとう、ここにはその始まりと極北がある。

実際の白鳥座六一番星の観測結果を元にクレメントが構築した惑星メスクリンは、一日が僅か十七・七五分、パンケーキかどら焼きのような形状でその重力は赤道では三Gだが極地ではなんと七百G。鉱物である水の代わりにメタンの海が広がり、〝投げる〟という概念が存在し得ない（手から離れた瞬間に地面にめり込むため）世界に存在する知的生物が、極地にはどうやっても到達できない人間に代わって墜落したロケットの回収を試みる――。彼らの目を通して体験する、科学的知見に基づいて構築された異世界の驚異が本書の最大の魅力であることは間違いない。だが同時に本書は、姿形はもとより生まれ育った環境も常識も全く異なる存在同士の交流と、その先の希望の物語でもある。（門田充宏）

巨人頭脳

1965年8月
Gigant Hirn, 1958

ハインリヒ・ハウザー
松谷健二訳 解説：訳者

カバー装画：司修

著者は両大戦間から戦後にかけて活動したドイツの作家。作風は新即物主義に属しナチス政権時代は一時アメリカに移住していた。本書は著者にとって唯一のSFである。

舞台はアメリカの砂漠地帯。その地下には第三次世界大戦に備えて人間の二万五千倍もの能力を持つコンピュータが設置されており、それは多数の電子部品を人間の脳そっくりに配線した文字通りの巨人頭脳だった。どういう原理で作動しているのかいまいち謎であるものの、脳硬膜や松果腺（しょうかせん）といった脳の部位がアナロジーではなくまさに即物的に出てくる点がユニークだある。巨人頭脳の運用には多くの科学者が動員され、シロアリの研究者だった主人公も詳しい事情を知らされぬまま呼び寄せられる。

物語は巨人頭脳が愚かな人間に代わって世界の支配を目論むという古典的なものだが、注目すべきは巨人頭脳と主人公が交わす神学／進化論に関する対話だろう。英米のパルプSFならおそらく顧みないような箇所を書き込むことで、他の類似作にはない味を出している。ちなみに主人公の専門が一見場違いな昆虫学である理由は、クライマックスまで読むと判明する。

（鈴木力）

明日プラスX

1965年12月
Tomorrow Plus X (Time Bomb), 1955

ウィルスン・タッカー
中村保男訳 解説：厚木淳

カバー装画：司修

時は二十世紀末。全米でポピュリスト政党〈アメリカの子孫〉が台頭していた。そんな中、同党の関係者を狙った連続爆破事件が発生して……。キモになるSF設定は大きくふたつ。最大で数十分間を遡って撮影できるタイム・カメラの実用化と、テレパシー所有者の警察への捜査協力だ。タイムマシンはまだ実現しておらず、もし時間旅行者が現れてもテレパスの能力で察知できるはず。しかし不可解な爆破事件の裏には、タイムトラベルの気配が漂う。本書はテレパスの監視網をかいくぐって、どう時間犯罪を成立させるかを探るSFミステリだ。

発表当時（一九五五）としては捻った設定だが、タイムトラベルやテレパシーは最近の特殊設定ミステリでもおなじみ。時間を超える爆弾のアイデアはおもしろいが、現代の作品と比べると荒削りだ。むしろ、ナショナリズムを押し出すポピュリストに対する危機感という（おそらくマッカーシズムを背景とした）時代を感じさせる部分が現代でも通用してしまうのが皮肉で興味深いところだろう。

独立した話としても読めるが、『時の支配者』（ハヤカワ・SF・シリーズ）の後日譚でもあり、同書の主人公が重要な役どころで再登場する。

（香月祥宏）

1965年9月

On the Beach, 1957

渚にて

人類最後の日

ネビル・シュート

井上勇訳　**解説：訳者**

カバー装画：司修

【新訳】2009年刊、佐藤龍雄訳

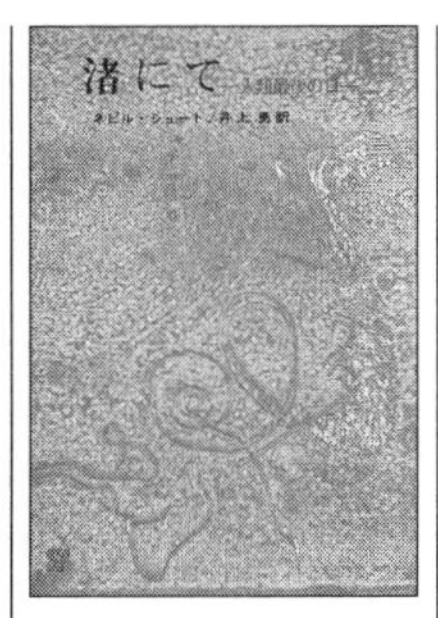

四千七百個にもおよぶ核爆弾が用いられ、第三次世界大戦は短期間に終結した。北半球は放射能に汚染され、死の世界と化してしまう。南半球は無事だったが、それも時間の問題である。メルボルンに待避したアメリカの潜水艦スコーピオン号は、この場所を新しい拠点として、迫りくる放射能の影響を調査していた。艦長のタワーズ中佐は、オーストラリア海軍の友人を訪ねたおり、牧畜業者の娘モイラに出会う。ふたりは互いに好意を持つようになるが、中佐はとうに死んでいるはずの家族をまだ生きているかのように語り、モイラも彼の話に調子をあわせるばかりだ。

　やがて、アフリカや南アメリカの各都市からの無線も途絶えはじめ、シドニーでも放射能症の患者が発生する。しかし、メルボルンの人々は、ただモーターレースに興じ、静かに酒を飲み、友人とたわいないお喋りをつづける。ほかになにができるというのか。そしてタワーズが艦長としての最後の役目をはたす日がやってくる。

　第二次大戦での広島、長崎への核爆弾投下、そして戦後の冷戦構造を背景とした米ソの核兵器開発競争……一九五〇～六〇年代において核戦争の可能性はきわめて現実的な不安であり、これを題材にした小説もいくつも書かれた。代表的なタイトルをあげると、ピーター・ブライアント『破滅への二時間』（一九五八）、モルデカイ・ロシュワルト『レベル・セブン』（一九五九）、E・バーディック&H・ウィーラー『未確認原爆投下指令――フェイル・セイフ』（一九六二）などである。本書もそのうちのひとつだが、核戦争そのものではなく、戦争が終わったのち、生存者にじわじわと忍びよる緩慢な破滅を描いたところに特色がある。五七年の発売と同時にベストセラーとなり、五九年にはスタンリー・クレイマー監督、グレゴリー・ペックとエヴァ・ガードナーの主演で映画化された。

　邦訳は、まず原書刊行からまもなく〈文藝春秋〉に「人類の歴史を閉じる日」としてシノプシスが掲載され（五七年十二月号）、翌五八年六月に文藝春秋から単行本が刊行された（訳者名義は木下秀夫だが翻訳のほとんどは井上勇が手がけている）。これは抄訳であり、全訳は六五年九月の創元推理文庫版まで待たなければならなかった（井上勇名義）。それから四十四年を経た二〇〇九年四月、東京創元社の文庫創刊五十周年を記念して、佐藤龍雄訳による新訳が刊行された。これが現行版である。そのほか、山路勝之訳『渚にて』が一九七六年に篠崎書林から刊行されている。

　シュートはイギリス出身。航空技師を経て、オーストラリア（本書の舞台）に移り住み、フルタイムの小説家となった。ほかのSF作品に*In the Wet*（未訳、一九五三）がある。（牧眞司）

1965年10月〜
Barsoom, 1912-

《火星シリーズ》全十一巻

E・R・バローズ
小西宏訳　**解説：厚木淳**

カバー装画：武部本一郎
【新版】1979年〜刊、厚木淳訳　【合本版】1999年〜刊　【『火星のプリンセス』新版】2012年刊

まだSFという言葉がなかった一九一二年、アメリカの大衆娯楽小説誌〈オール・ストーリー〉に無名の新人の第一作が連載された。題名は「火星の月のもとで」。作者名はノーマン・ビーンとなっていたが、これは編集部の手ちがいで、本来はノーマル・ビーン〈正気の人〉であったという。つまり、「こんな荒唐無稽な話を書く作者は頭がおかしいにちがいない」といわれるのを見越したうえでのペンネームだったわけだ。

では、どんな話だったかというと――

南軍の騎兵大尉だったジョン・カーターは、南北戦争の終結で職を失い、友人とともにアリゾナ山中で金鉱探しに従事する。ある日アパッチ族の襲撃を受け、友人は死亡。カーターも洞窟に追いつめられる。まさに絶体絶命だったが、その夜、不思議な睡魔に襲われ、気がつくと見知らぬ草地に横たわっていた。カーターには、なぜかそこが火星だとわかった。肉体を離脱し、膨大な距離を一瞬にして飛び越えてきたのだ、と。

早速カーターの前に異様な種族があらわれる。身長四メートルで、腕が四本あり、牙の生えた緑色の戦士たちだ。カーターは、地球の三分の一しかない重力を利して途方もない跳躍を見せ、彼らの尊敬を勝ちとり、その保護下に置かれることになる。

火星――現地の呼び方ではバルスーム――は戦乱の世界だった。放浪生活を営む彼ら緑色人のほかに、地球人そっくりで都市生活を営む赤色人がおり、それぞれが無数の国家や部族に分かれて戦いに明け暮れていたのだ。しかし、文明は衰退期にあり、高度な科学の所産はすべて古代の遺物。惑星そのものも乾燥化と寒冷化が進み、海は干上がって不毛の地が広がっていた。

カーターは緑色人のもとで火星の言語や習慣を習得するいっぽう、数々の戦闘で武勲を立て、副首領タルス・タルカスと友情を結ぶ。そんなある日、彼は美しい赤色人の捕虜を見そめる。その名はデジャー・ソリス、ヘリウム帝国の王女である。カーターは彼女に恋心をいだき、故郷へ送り届けることを決意する。そして波瀾万丈の冒険の末、ついにふたりは結ばれる。だが、平穏なときはいつまでもつづかなかった。希薄な大気に空気を補給する大気製造工場に事故が発生したのだ。惑星の存亡を賭けてカーターは死地に赴くが……。

絵に描いたような恋と冒険のロマンスだが、中世ヨーロッパではなく異星を舞台にした点が斬新だった。その背景には、このころ流布していた天文学者パーシヴァル・ローウェル提唱の火星像と、神智学者マダム・ブラバツキーが打ちだした汎心論的輪廻説があり、科学と神秘主義の奇妙な混淆は、なんとも魅力的な世界を作りだしたのだった。

ちなみに作者は当時三十六歳。職業を転々としたがすべて失敗。妊娠中の妻とふたりの子供をかかえ、赤貧に苦しむなか、

窮余の一策として小説に手を染めたのだという。たしかに、この小説は現実逃避で願望充足かもしれない。だが、「ここではないどこか」を求める動機は切実であり、その夢想の力は群をぬいていた。

　さいわい同作は好評を博し、すぐに次作を依頼される。最初に提出した歴史冒険小説は没になったが、つぎの作品は採用され、長編一挙掲載という破格のあつかいで誌面を飾った。アフリカで消息を絶ったイギリス貴族の落としだねが、類人猿に育てられ、ジャングルの王者になるという物語だ。いわずと知れた『ターザン』である。この直前に作者の本名も明かされ、こうしてエドガー・ライス・バローズは世に出たのだった。

　したがって、バローズといえば「ターザンの生みの親」というのが世間一般の評価だが、本人にとってはジョン・カーターこそ、みずからの（理想の）分身であったようだ。その証拠に、バローズが生みだした数多のヒーローのなかで、作者との血縁関係が明示されるのはジョン・カーターただひとりである。

　『ターザン』で大成功をおさめたあと、バローズはデビュー作（一九一七年の単行本化に際して『火星のプリンセス』に改題）の続編『火星の女神イサス』と『火星の大元帥カーター』を矢継ぎ早に発表し、ジョン・カーターとデジャー・ソリスの恋愛劇を完結させた。この三部作に関しては、シリーズ最高傑作という評価が定着している。

　作者はその後三十二年の長きにわたってバルスームの物語を書きつづけ、ついには十一巻から成る長大なシリーズに発展させた。のちの巻ではカーターの息子や娘が活躍したり、地球から来たほかの人物が主役を務めたりするが、いずれも誘拐と救出のプロットを縦糸に、超科学の驚異を横糸にして織りなされた冒険ロマンスになっている。ＳＦ的な見地からは、火星のマッド・サイエンティスト、ラス・サヴァスが陰の主役として暗躍する第六巻『火星の交換頭脳』と第九巻『火星の合成人間』がとりわけ興味深い。ちなみにバローズの遺作は、未完に終わった《火星シリーズ》第十一巻の冒頭を成す「木星の骸骨人間」だった。

　このシリーズが後世にあたえた影響は絶大であり、乾燥して荒れ野が広がり、運河や廃墟が点在する火星の風景は、ＳＦの原風景のひとつになっている。《火星シリーズ》がなかったら、ブラッドベリの『火星年代記』が生まれなかったのはたしかだ。

　そして「異星を舞台に、未来と中世の入り混じった文明や、奇怪な動植物が跋扈する生態系をまるごと創りだす」という作風は、無数の模倣者を生んで、ひとつのサブジャンルを成立させた。宇宙空間を舞台とするスペース・オペラと区別して、プラネタリー・ロマンスと呼ばれる作品群である。

　二〇一二年に第一作がディズニー製作の映画となり、原作をみごとにスクリーンに移し替えたが、舞台は太陽系第四惑星ではなく、神秘の惑星バルスームに変わっていた。

　わが国では一九六五年に第一巻が刊行された。そのときの惹句を引けば「雄大な構想で展開する波瀾万丈のスペース・オペラ。ひと口にいって風太郎忍法帖シリーズの興味と００７号シリーズの痛快を、そのままＳＦの世界に移植したのが『火星シリーズ』」となる。カラー口絵と挿絵がつくのは本文庫初の試みであり、武部本一郎の描くデジャー・ソリスの魅力もあいまって同書はベストセラーを記録し、本邦におけるスペース・オペラ隆盛の礎を築いた。

　一九九九年から二〇〇二年にかけて全巻が《合本版・火星シリーズ》全四巻、一二年に第一巻が『［新版］火星のプリンセス』として生まれ変わったことを付記しておく。

（中村融）

1965年12月〜

《ウェルズSF傑作集》全二冊

日本オリジナル編集
H・G・ウェルズ
阿部知二訳 解説：訳者
カバー装画：真鍋博

ウェルズの短編集は、戦前から一般書・児童書など数限りなく出版されている。阿部知二訳による二巻本である本書は、今日まで現役で読まれ続けており、きわめて息の長いロングセラーと言っていいだろう。一巻には代表作「タイム・マシン」のほか「奇跡をおこせる男」「水晶の卵」など、知名度の高い作品がずらりと並ぶ。だがこれから手に取るなら、知名度の低い作品を意識的に揃えたと思われる二巻目の方が魅力的だ。ここでしか読めないものも多い。

今ならB級SF映画のネタにしかならない素材を、気品のある文体で描き切った短編群には、埋もれさせておくには惜しい独特の味がある。「海からの襲撃者」では、主人公の怪物には、ハプロテウシス・フェロクスなるもったいぶった名前が付けられているが、なんのことはないタコである。ところがこれを緊迫感あふれるタッチで描いてみせるのが、ウェルズのすごさだ。「アリの帝国」は、実際にB級アメリカ映画「巨大蟻(あり)の帝国」（一九七七）になった。映画では、普通に女王アリを倒しておしまい。だがウェルズの原作は、人類敗北の暗い予兆に満ちており、荒涼とした世界が広がる。

「世界最終戦争(ハルマゲドン)の夢」は、やや古めかしいロマンスめいた内容ではあるが、第一次世界大戦よりも早い一九〇一年という時期に書かれたのは驚きである。「未来の夢」という形を取りつつも、疫病でも災害でもなく、戦争による人類滅亡を描いた。夢オチというよりは、目覚めることのできぬ悪夢、というところだろうか。ロシアのウクライナ侵攻を目の当たりにして、ウェルズが描き続けた、人類の文明と未来への不安は、残念ながら現代でもなお克服できない悪夢のままであることが示されてしまった。

一方、同様の題材を、よりアイロニカルな寓話として描いた「『最後のらっぱ』の物語」では、日常を手放さない人々の精神の強靭(きょうじん)さが描かれている。ハルマゲドンのラッパが吹かれ、世界中の人が「神の国」を一瞬幻視するが、黙殺する。ここにはむしろ、私たちが正気に戻るためのヒントのようなものが感じられる。

ウェルズ作品の映画化は数限りなく、本書に収録されているものだけでも膨大。SFイメージの源泉としてもまた、常に現役だったのだ。たとえば「タイム・マシン」は、ジョージ・パル監督の一九六〇年版が有名だが、サイモン・ウェルズ監督の二〇〇二年版もある。ニコラス・メイヤー監督による「タイム・アフター・タイム」（一九七九）は、ウェルズ自身を主人公にしたスピンオフ。「奇蹟人間」（一九三六）は、ウェルズ自身が脚本を手掛けた。「塀についたドア」は、一九五六年にスティーブン・マレー主演で短編映画化されている。（高槻真樹）

1965年12月〜
The October Country, 1955, and others

《レイ・ブラッドベリ短編集》全四冊

レイ・ブラッドベリ
宇野利泰、ほか訳　解説：訳者
装画、挿絵：ジョー・マグナイニ
【『ウは宇宙船のウ』新版】2006年刊

創元SF文庫収録のブラッドベリ短編集は、四冊とも再編集版である。『10月はたそがれの国』は第一短編集『黒いカーニバル』をベースに収録作品を増やしたもの。『ウは宇宙船のウ』『スは宇宙（スペース）のス』は、青年向けに企画され既刊短編集から作品を選んでいる。『万華鏡』はブラッドベリ自選のベスト短編集である。邦訳書誌について言えば、『10月はたそがれの国』『ウは宇宙船のウ』『スは宇宙（スペース）のス』の三冊が一九六五～七一年に創元推理文庫SFマーク（当時）で刊行され、これをきっかけにブラッドベリに入門したSFファンは多い。とりわけ『10月はたそがれの国』は、ジョゼフ・ムニャイニ（創元版の表記はジョー・マグナイニ）の表紙絵・挿絵が印象的で、書店でも目を惹（ひ）く。漫画家・萩尾望都（もと）（後述）も『10月はたそがれの国』からブラッドベリの魅力に取りつかれたと語っている。『万華鏡』はサンリオSF文庫が初刊（川本三郎訳／一九七八）で、創元SF文庫版は中村融（とおる）による約四十年ぶりの新訳（二〇一六）である。

ブラッドベリは一九二〇年生まれ、SFファンから作家デビューした最初の世代のひとりである。やがて「宇宙時代の吟遊詩人」と讃えられ、SF界にとどまらぬ広範な支持を得た。たとえば、『火星年代記』はアメリカ文学の名作に挙げられることが多く、『華氏451度』はディストピア小説の古典として読みつがれている。もっとも、そうした実績とは別に、ブラッドベリは生涯にわたって少年の幻想と詩情を持ちつづけた人物だった。『ウは宇宙船のウ』の「はしがき」で、彼はこう述べている。「これはイリノイ州の小さい町で生まれ育って、ついには、かねがねそう望み、夢見ていたとおりに、宇宙時代が到来するのを目撃するにいたった男の子の手になる本である」。

同書に収録された作品のなかからいくつか紹介しよう。

宇宙飛行士に選抜されるときを待ち望む少年の日々。選ばれれば親友に内緒で街を離れ、両親とも長いあいだ会えなくなる。それでも彼は宇宙を夢見るのだ。（「「ウ」は宇宙船の略号さ」）

二十マイルもの深海にひっそり棲む最後の恐竜。新しくできた灯台の霧笛（むてき）がその眠りをさまます。霧笛の音は、懐かしい仲間の呼び声。怪物はゆっくり水圧の変化に身体を慣らしながら浮上してゆく。灯台の光がその目を照らしだす。（「霧笛」）

火星に移住し地道に十年間働いて貯めた金を、あるものを買うためにそっくりはたいてしまう夫。妻はがっかりし、彼自身もしだいに後悔の念にかられる。しかし、品物が地球から届いたとき、ふたりの胸には新しい希望がともる。それは、懐かしい地球の玄関ポーチ、揺り椅子、風鈴、いちご色の窓……。（「いちご色の窓」）

いっぽう、『スは宇宙（スペース）のス』の「まえがき」では、「ぼくは紙製の帽子から、おじけた鬼を取りだす少年魔術師、髭のない少年魔術師だった。ぼくはいま髭のある魔術師になって、タイプライターから、そして目と頭の届くかぎり広がる星の大世界から、いくつものロケットを取りだす」と語る。

同書収録作のなかから何編か。

子供たちがゲームをしている。これまでにないほど熱中して。しかし、その内容は大人にはわからない。ただ「侵略」とだけ呼ばれていること、四つの次元や子供ならでは感受性がかかわっていることが、断片的に伝えられる。侵略が開始されるのは五時だそうだ。町には沈黙がおおいかぶさり、時はゆっくりとその時刻へ向かっていく。(「ゼロ・アワー」)

少年ウイリーは家族に別れを告げる。もうこの家で三年も暮らしてきた。三年前も十二歳、いまも十二歳。このままいれば、近所の人たちが噂をしはじめる。これまで五つの町で五つの家族と暮らしてきたが、また旅立ちのときがきたのだ。クリスマスには手紙を送ります、と告げて。(「別れも愉し」)

トムが雑誌の広告で知った自家栽培式の大型きのこ。通信販売で取り寄せ、家の地下室で育てる。父や母は息子が少し気がかりだが、トムはきのこに夢中だ。同時期、町に不穏な空気が漂いはじめる。行方不明者が出たのだ。(「ぼくの地下室においで」)

『10月はたそがれの国』は、実質的に第一短編集『黒いカーニバル』の増補版なので、初期作品(一九四〇年代)が中心だ。

ぼくはまだ十二歳だったが、タリーへの恋を知っていた。おさげの金髪。彼女の笑い声。なぎさで一緒に遊んだ想い出。彼女はみずうみから帰らなかった。大人になったぼくは、そのみずうみを再訪する。(「みずうみ」)

わたし、アリス・ライバーは殺されかかっている。お医者さんも看護師たちも、夫さえも信じてくれない。わたしを殺そうとしているのは、わたしが生んだばかりの赤ちゃんなのだ。無力なはずのベビー。しかし、その無力さを片手にとって巧妙に、わたしを追いつめる。(「小さな殺人者」)

交通事故が起こるとどこからともなく集まってくる群集がいる。主人公は、群衆のなかにいつも同じ顔が混じっていることに気づく。いったい彼らの動機は何か?(「群集」)

『万華鏡』はベスト短編集なので、これまで紹介した三冊と重複もある。中村融「訳者あとがき」には、収録全作品について簡にして行き届いた解説がある。もちろん、訳文は既存訳を踏まえてブラッシュアップされている。これからブラッドベリを読むかたにも、昔からのファンで作品再読しようというかたにも、強くお薦めできる一冊だ。

映像化情報をごく簡単に記しておく。「霧笛」(『ウは宇宙船のウ』と『万華鏡』に収録)は、一九五三年にユージン・ルーリー監督で「原子怪獣現わる」として映画化。「雷のとどろくような声」(『ウは宇宙船のウ』に収録)は、二〇〇五年にピーター・ハイアムズ監督で「サウンド・オブ・サンダー」として映画化された。また、TVシリーズ「レイ・ブラッドベリSF怪奇劇場」(一九八五~九二)で、多くの作品がドラマ化されている。「イカルス・モンゴルフィエ・ライト」(『スは宇宙のス』)は、一九六二年、オスモンド・エバンス監督で短編アニメ化された(ムニャイニの絵を動かしている!)。

コミック化された作品は枚挙に暇がないが(いわゆるアメリカン・コミックスに多くある)、特筆すべきは萩尾望都『ウは宇宙船のウ』だ。『10月はたそがれの国』『ウは宇宙船のウ』『スは宇宙のス』から、萩尾が八作品を選んだものである。

(牧眞司)

1965年12月

金星の尖兵

Three to Conquer, 1955

E・F・ラッセル

井上一夫訳　解説：厚木淳

カバー装画：金子三蔵

ラッセル（一九〇五〜七八）は、〈アスタウンディングSF〉誌一九三七年二月号掲載の短編でデビューし、新編集長ジョン・W・キャンベルのもとで健筆をふるい、同誌デビューの常連英国作家第一号となり、パルプ雑誌時代の〝SF黄金期〟を築く一翼を担った。同誌には、五〇年代末までに長編二、長中編五、中編十三、短編二十九、超短編一の計五十作を発表。そのうちの一編、官僚制度を諷刺したユーモア短編「ちんぷんかんぷん」（五五年五月号）は、ヒューゴー賞で創設されたばかりの短編部門の受賞第一号となる。また、同じキャンベル編集のファンタジー姉妹誌〈アンノウン〉創刊号（三九年三月号）に、〝人類家畜〟テーマの長編『超生命ヴァイトン』が一挙掲載と、要注目作家であった。そのおかげか、長編・短編集の邦訳に恵まれたのに、いまや品切れ・絶版作家。物事を相対化させる上品なユーモアが身上の作風だが、かえってアクの弱さが災いしたかもしれない。

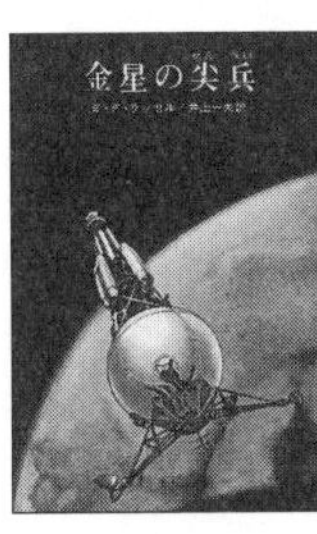

『金星の尖兵』は、人間に寄生して地球征服を企むパラサイト金星人三人組に、テレパスの主人公が戦いを挑むサスペンス・アクションで、スパイの諜報戦や忍法帖の醍醐味があり、愉快痛快活劇。　（高橋良平）

1965年12月

第五惑星の娘たち

The Girls from Planet 5, 1955

リチャード・ウィルスン

吉田誠一訳　解説：厚木淳

カバー装画：司修

一九九八年、アメリカは女性の天下となっていた。女性大統領を始め、閣僚、議員などほぼすべての政治家は女性で占められている。ただし、テキサス州だけは「男の国」を標榜し、男性中心主義を頑なに守っていた。そんな中、突如宇宙船が飛来し、中から若く美しい女性たちが現れる。第七太陽系の第五惑星から来た彼女たち〈リルー〉の目的は果たして何なのか。

本書は短編の名手として知られたウィルスンが一九五五年に発表した処女長編であり、ロイター通信記者であった経歴を生かして、異星人の訪問という事件を主人公の記者が追う形でユーモラスにまとめている。ただし、魅力的な出だしに比べると展開が弱く、女性中心社会とそのメリットを描く先進性を示しながら、最終的には保守的な男性中心主義へと話が落ち着いてしまっているのが惜しまれる。テキサス州に集まったカウボーイスタイルの男たちは、男性中心主義を戯画化し皮肉ったものととれないことはないが、リルーがそれに惹かれてしまうようでは効果半減であろう。作者には、火星人との恋愛を描いた「愛」、タブーに挑戦したネビュラ賞受賞作「世界の母」などの傑作短編が多数ある。真価はむしろ短編にあることは強調しておきたい。　（渡辺英樹）

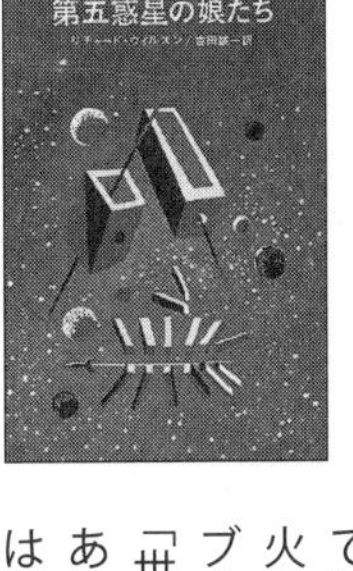

1966年7月

地底のエリート

Die Grossen in der Tiefe, 1962

K・H・シェール

松谷健二訳　解説：訳者

カバー装画：金子三蔵

核戦略基地の司令官が、一枚のバナナの皮に滑って頭を打った……という喜劇的な出来事から物語が始まる。このバナナの皮を起点に、ミサイル発射実験のトラブルと防衛担当者相互の信頼感の欠如、核のボタンを押す人物の一瞬の躊躇(ちゅうちょ)などの連鎖で勃発した核戦争が、ほぼすべての人類を死滅させた。だが政府関係者などのエリートは、すでに用意されていた地底世界で核戦争以降も生き続ける。そして百七十四年後、そこはナチスもかくやというほどの民主主義や自由が失われた世界になっていた。登場人物たちはその体制に抵抗し、まだ見ぬ地上の世界への脱出を試みる。その途上、彼らは放射能で巨大化した動物に襲われつつも、荒野に変貌したかつての都会を進み、やがて核戦争が生み出した別の人間社会を目撃することになる。この情景こそ著者が提示したかった、核の世界が辿(たど)り着く結末なのだろう。小説が執筆されたのは、全面核戦争への危機感が世界を包む時代だが、その危機感が必要なのはむしろ現代なのかもしれない。この作品と相前後して、著者はドイツのSF作家によって書き継がれる《宇宙英雄ローダン》シリーズの構想を築き、その多くの物語を紡いだ作家としてSF史に名を残すことになる。（忍澤勉）

1966年10月

宇宙の一匹狼

Rogue in Space, 1957

フレドリック・ブラウン

中村保男訳　解説：訳者

カバー装画：司修

主人公は、無実の罪で捕まった凄腕(すごうで)の犯罪者で、元宇宙船乗りのクラッグ。判事から、解放＋高額謝礼と引き換えにあるミッション（秘密兵器の奪取）を与えられる。後半は、二百人の警官が守る警察署から仲間を救い出すミッションが山場。

クラッグは「典型的なタフ・ガイ」にして「完全なアウトサイダー」（訳者あとがきより）だが、邦題の〝宇宙の一匹狼〟（原題の〝Rogue in Space〟）は、このクラッグではなく、宇宙をさまよう〝考える岩〟こと〈ごろつき〉を指す。知性を持つ岩石が初めて接触した知的生命がクラッグで、なぜか彼に惚(ほ)れ込んだ岩石知性は、彼とその恋人のために新たな惑星をつくり、エデンの園を提供する。

もともと別々の雑誌に発表した中編二編（〈スーパー・サイエンス・ストーリーズ〉一九四九年十一月号の「暗黒の方へ」〝Gateway to Darkness〟と、〈アメージング・ストーリーズ〉五〇年十月号の「栄光の方へ」〝Gateway to Glory〟。ともに〈SFマガジン〉に稲葉明雄訳で掲載）を合わせて改稿し長編化したもの。ブラウンのSF長編ではいちばん出来が悪い。訳文の古さもあり、ブラウン全作品読破を試みる人以外には推奨できない。（大森望）

1966年5月～
Lensman, 1937-

《レンズマン》全七巻

E・E・スミス
小西宏訳　**解説：厚木淳**
カバー装画：真鍋博
【新訳】2002年～刊、小隅黎訳

エドワード・エルマー・スミスによる元祖スペースオペラ《レンズマン》が専門誌〈アスタウンディング〉に連載されたのが一九三七年（当時、SFが単行本で出る例は少なく、多くは読み捨てだった）なので、なんと八十五年も前のことだ。しかし、本シリーズには、今日のスペースオペラで書かれるべき要素が全て凝集されている。宇宙戦艦、ビーム兵器、防御スクリーン、超光速飛行、思考制御、銀河を統べる警察機構、もう一つの文明＝超銀河的敵、人類を見守る精神生命、生体と一体化した正義のエンブレム＝レンズなどなど。

　と同時に、正義と敵との間には妥協はなく、敵の完全な抹殺（皆殺し）しか解決法はないとする、殺伐とした生存競争も明確に示されている。敵側の論理が「結果主義」、「自己責任に基づく競争社会」、「トップダウン」という、現在の新自由主義（ネオリベ）と酷似している点が皮肉で面白い。

　一巻あたり四百ページほどしかないのに、複数の惑星やさまざまな異星人が登場し、エピソードも過剰なほどある。第二銀河への遠征を描く『グレー・レンズマン』、超空間チューブによる攻撃『第二段階レンズマン』、第三段階ともいえる子供たちが活躍する『レンズの子供たち』（新訳版タイトル）、銀河パトロール創設期の『ファースト・レンズマン』、さらにレンズ以前の時代『三惑星連合』、シリーズ外伝『渦動破壊者』と続く。お話の一つ一つはあらすじの域を出ず、小説という観点からは極めて不完全なものだ。けれど、多くの欠点を抱えていても、荒削りなSFの魅力を今なお感じさせるのは、それがDNAのつながった祖形（そけい）であるが故だろう。

《レンズマン》が英米のオールタイムベスト上位にあったのは、SFがコアなファンだけで支えられてきた昔の話で、〈タイム〉や〈ガーディアン〉が発表する洗練されたSFベストの五〇～一〇〇位以内に、名前を見かけることはまずなくなった。

　一方、日本では野田昌宏の熱狂的なスペースオペラ紹介があり、アメリカのパルプマガジンに対する悪印象（粗雑な読み捨て本のイメージ）があまりない。真鍋博による（当時の）未来的なイラストで飾られた旧訳版は、俗悪さを全く感じさせなかった。長く人気が続き、アブリッジされた児童ものが多く出たのもそのためだ。劇場アニメ「SF新世紀レンズマン」（一九八四）、辻真先（まさき）らが脚本を書いたTVアニメ「GALACTIC PATROLレンズマン」（一九八四～八五）などは、日本オリジナル版といえるものである。極めつけは古橋（ふるはし）秀之の『サムライ・レンズマン』（二〇〇一）だ。ヒーローはサムライこと、デフォルメされた武士道を身上とするニヒルな独立レンズマン。「ニンジャバットマン」のように、オリジナルを尊重しながらも、一線を画する内容である。

（岡本俊弥）

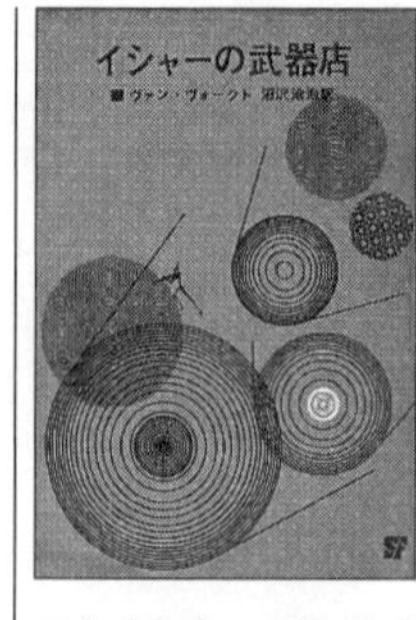

1966年7月〜

Weapon Shops of Isher, 1951-

《イシャーの武器店》二部作

A・E・ヴァン・ヴォークト

沼沢洽治訳　解説：訳者

カバー：司修

【新版】2016年刊

二十世紀から七千年先の未来。地球を支配するイシャー帝国とそれに抗する地下組織「武器店」が綾なす対決と均衡の物語を、武器店殲滅を命ずる若き女帝イネルダと、地球で唯一の「不死人」で両者の安定的な関係を維持するため暗躍するヘドロックのロマンスを軸に描く二部作。のちに〈ワイドスクリーンバロック〉とも称された、壮大で華麗な作品だ。

邦訳は物語内の年代順に刊行されたが、原著は『武器製造業者』が一九四七年に、『イシャーの武器店（以下、武器店）』が五一年に刊行されていて、そのため『武器店』から読み始めると説明抜きでいろいろな設定が登場してやや混乱するので注意が必要、というか、いっそ物語内の年代にこだわらず『武器製造業者』から読むのがよいかもしれない。

帝国の支配に抗する武器店の手段は二つ。まず「武器を買う権利は自由になる権利である」と宣言し、暴力を独占する帝国の禁を破って、「自衛のみに限定された宇宙最高の武器」を個人に提供すること。そして帝国の裁判所の決定に不服を申し立てる私設の司法制度を持つことである。

新版の解説者、高橋良平によると、本作はしばしば「リバタリアンSF」の系譜に数えられるのだという。リバタリアニズムというのは、個人の自由を絶対的に重視する政治思想で、「権力は腐敗する」という信念のもとに、国家の最小化、もしくは消滅を理想とする。本作で描かれる「武器店」のモットーは確かに全米ライフル協会を連想させるし、本作でも「権力は腐敗する」と主張されている。しかし、それゆえに武器店は常に最大勢力を持つ「野党」として帝国に拮抗していなければならない、といういわば力の均衡論が核となっている点が異なる。ヘドロックは決して帝国権力を否定しはしないのだ。

もちろん、そうした政治思想的な側面だけでなく、もっとストレートにSFとしての読みどころも多い。サブジャンル的には『武器店』には時間SFの、『武器製造業者』は宇宙SFの側面がある。前者は七千年の時を超えたために地球を消滅させるほどの「時間エネルギー」を一介の新聞記者が抱え込む場面から始まり、もともと雑誌掲載された三つの短編を組み合わせたものという制作経緯もあって、複数の視点がどんどん移動しながら矢継ぎ早に事件が巻き起こり、破滅の回避のため宇宙創生にまで時間を遡っていく。後者では「蜘蛛族」という宇宙を支配する超生物が登場し、その非人間的な「論理性」の描写は、人間の理解を絶する知的生命体のものとしてかなり初期のものに属するだろう。巨大ロボットなどの超兵器や、わずかなデータで未来を予測する「能力人」など、魅力的なアイディアやガジェットが惜しげもなく盛り込まれており、驕慢な女帝イネルダの可愛らしさなど登場人物の魅力も抜群だ。（渡邊利道）

1966年11月

時間の種

The Seeds of Time, 1956

ジョン・ウィンダム
大西尹明訳　**解説：訳者**
カバー：金子三蔵

『トリフィド時代』や『さなぎ』などの破滅SFのイメージでこの短編集を読み始めると驚くのではないだろうか。

　本書はウィンダムの第二短編集の全訳で、一九四〇年代から五〇年代に書かれた十編を収めたもの。作者自身、「サイエンス・フィクションのモチーフを、さまざまな型の小説に当てはめてみたもの」と書いているとおり、アイディアの独創性よりも、SF的な状況に置かれた人間の心理に焦点を当てた作品が多く収録されている。

「強いものだけ生き残る」は、漂流する宇宙船に乗り合わせたただひとりの女性客の運命を描いた、SF短編史上屈指のイヤな後味を誇る作品（「生存者」の別訳題でも知られている）。そのほか、軽妙なタイムトラベル・ラブコメディ「クロノクラズム」や、ドタバタ時間SF「ポーリーののぞき穴」、ロボット工学を題材にしたホラー「同情回路」、テクノロジーと自然を対比させた詩情あふれる掌編「野の花」など、ウィンダムの多彩な作風が堪能できる。

　女性の描写など、さすがに現代の観点からすると古びているところもあるものの、アイディアに頼らない作風なので、今読んでも十分に楽しめるだろう。

（風野春樹）

1966年12月

原子の帝国

日本オリジナル編集
A・E・ヴァン・ヴォークト
吉田誠一訳　**解説：訳者**
カバー装画：金子三蔵

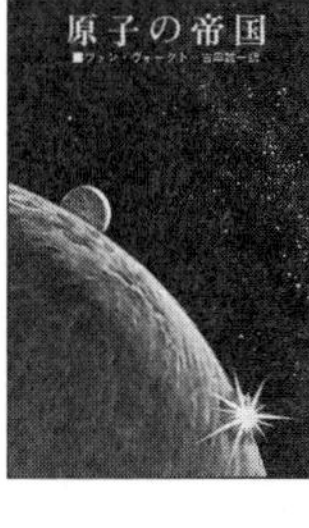

　遙かな未来。強大な原子力技術を持ちながら、その原理をウランなど四つの原子を「神」として崇める奇妙な信仰に委ねるリン帝国。放射線の影響で醜いミュータントとなった皇帝の孫クレインは、科学者に庇護され成長。失われた文明の遺跡から数々の超兵器を発掘し、冷酷な皇妃の暗殺者を退け、火星・金星との戦争で暗躍し勝利をもたらす。エウロペの野蛮人からの襲撃には帝国軍を指揮し、奴隷解放などを断行して敵を退けるという中編。アシモフの銀河帝国がギボンを意識したものなのに対し、R・グレーヴスの『この私、クラウディウス』を模したものとされ、実際登場人物や暗殺・戦争などの挿話が似ている。また、作者にしては淡々とした叙述が続き、人物の陰影がうまく描かれているのもその影響関係から説明できるかもしれない。特に老いたる皇帝の描写がいい。主人公の成長に伴って権謀術数のスケールが大きくなっていき、遂に帝国の覇者となる物語は、続編『銀河帝国の創造』（久保書店）では超兵器を用いた宇宙戦争にまで発展するが、基本的に同じパターンの繰り返しなのでとくに読まなくても問題はない。三つ目を持つ吸血異次元人からの侵略と戦う短編「見えざる攻防」を併録。

（渡邊利道）

1966年12月〜
Null-A, 1948-

《非Aの世界》二部作

A・E・ヴァン・ヴォークト
中村保男、ほか訳　解説：訳者
カバー装画：金子三蔵【新版】2016年刊

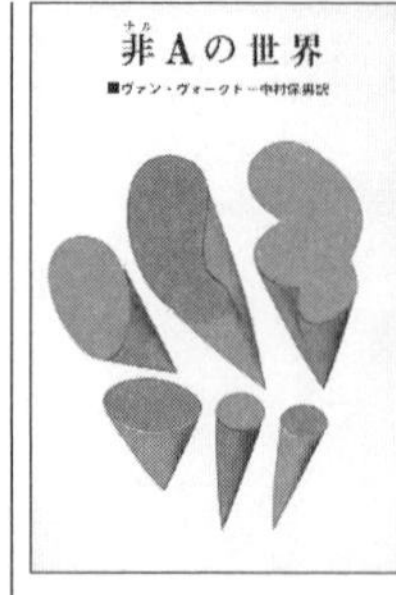

非アリストテレス哲学は人類文化に新局面をもたらした。それは精神能力の可能性を十全に発揮させるための画期的な思考法であり、政府の要職を志すものは、非Aの習熟度を判定する試験に合格しなければならない。〈非A人〉であるギルバート・ゴッセンは、三十日にもおよぶその試験を受けるために〈ゲーム機械〉の都市にやってきた。しかし、彼はそこで、自分が贋の記憶を植えつけられていることを知らされ、ホテルを追いだされてしまう。よるべないままに夜の町をさまようゴッセンは、ひとりの女性と出会う。彼女はパトリシア・ハーディー、地球大統領の娘だった。なんということ、ゴッセンに植えつけられていた贋の記憶では、パトリシアは彼の妻なのだ。ゴッセンをあやしんだ大統領は、彼を捕らえて尋問をするが、具体的なことはなにもわからない。パトリシアの手引きでゴッセンは脱走するが、追っ手によって撃ち殺されてしまう。

ゴッセンが意識を取りもどすと、そこは金星だった。どうやら彼は複数の肉体をもっているらしい。第二の肉体を得たゴッセンは、非Aの〈ゲーム機械〉からのメッセージを受けとり、自分が銀河帝国独裁者エンローの太陽系侵攻を阻止する役目を担っていることを知る。ゴッセンの心の潜在能力にまつわる謎こそが、巨大な戦争組織を足踏みさせているのだ。ゴッセンは〈ゲーム機械〉の指示に従い、エルドレッド・クラングという男にわざと捕らえられる。クラングは銀河系から送りこまれた諜報部員だが、非Aに改宗した人物、そしてパトリシアの恋人であり、敵か味方か判然としない。謎の人物はクラングばかりではない。ハーディ大統領の側近とおぼしき、大怪我の痕がある男〈X〉。ゴッセンの味方を装いながら不審な行動を見せるジョン・プレスコット。だれがスパイで、だれが裏切り者なのか。そこに陰謀のかけひきがからまり、物語は二転三転する。

ゴッセンにとって確実な味方といえる〈ゲーム機械〉も、金星から撃ちこまれた原子魚雷によってダメージを受け、ゴッセン本人も巧妙な催眠術によって自殺衝動に駆られる。しかも彼の第三の肉体は、敵に発見され破壊されてしまったのだ。ゴッセンが生き延び、侵略を防ぐには、彼にそなわっている特殊な器官「予備脳」を駆使するしか手だてがない。

雑誌連載（一九四五）当時から絶大な人気を誇った、異様な迫力の傑作。歪んだ遠近法と真空管と真鍮の質感、おびただしい謎がばらまかれた破綻すれすれのめまぐるしいストーリー展開がすさまじい。続編『非Aの傀儡』（一九五六）は、さらにスケールが大きくなり、全宇宙規模の抗争がいよいよ前面にあらわれる。そこでは予備脳による超能力を発揮するゴッセンですら、見えざる棋士があやつるひとつの駒でしかないのだ。第三作 *Null-A Three*（一九八五）は未訳。

（牧眞司）

1967年3月〜
Deathworld, 1960-

《死の世界》三部作

ハリー・ハリスン
中村保男訳　解説：厚木淳、ほか
カバー装画：金子三蔵

カジノでの、大量の武器兵器の購入資金の調達を依頼され成功した賭博師ジェイソンは、その足で武器供給先の惑星ピラスに赴く。そこは惑星すべての生物が、変異を繰り返し、より凶悪化しながら、人類と敵対し、互いの殲滅を目論む地獄のような戦場だった。だが、なぜ生物たちは、特定種として人類だけに有害な凶悪変異を繰り返すのか。ジェイソンは住民たちの怒りを買いながら、〈よそもの〉ならではの目線で生態学的ミステリーを解き明かし、戦争終結の一助を成す。

息継ぐ間もない冒険活劇に知的なアイデアと社会構築・社会分析を交えた本書は才人ハリスンの記念すべき処女長編であり、ヒューゴー賞候補作品となった。

第二部は、狂信的倫理主義者に拉致された主人公が、抵抗の末不時着した分業奴隷制度の惑星で、知識を武器に九死に一生を得ながら成り上がっていく物語。第三部は惑星ピラスの平和に順応できない人々を引き連れ、新天地、超戦闘的遊牧種族が覇を唱える惑星に乗り込んでいく。

三部作のいずれも、既存の制度や概念を盲信する人々の愚かしさへの作者の憤りが満ち溢れ、主人公の行動でそうした制度の枠組が崩されていくカタルシスがある。（水鏡子）

1967年7月
A Case of Conscience, 1958

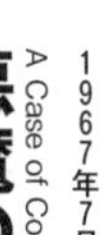

悪魔の星

ジェイムズ・ブリッシュ
井上一夫訳　解説：訳者
カバー装画：金子三蔵

ＳＦの特質である思考実験は、宗教や信仰といった心の問題も俎上に載せる。その好例が、「地球的な信仰は宇宙へ出ても通用するのか」という命題を追求した本書である。

惑星リチアはエデンの園そのままの世界だった。温暖な気候に恵まれ、爬虫類から進化した住民が、平和な社会を築きあげていたのだ。しかし、科学調査団のひとり、生物学者でイエズス会士のルイスサンチェスは、ある疑惑にとらわれる。リチア人は高度に理性的であり、道徳的にも優れているが、反面、神を知らず、原罪という概念とも無縁である。とすれば、この星は人間を惑わすために悪魔が仕掛けた罠ではないのか……。

本書については「神学ＳＦの傑作」という評価が定着している。じっさい、スリリングな神学的議論が読みどころだが、生物学をベースにしたＳＦ的アイデアの面白さも見逃せない。両者がみごとに融合した本書は、著者に唯一のヒューゴー賞をもたらした。

著者は一九五〇年代を代表するハードＳＦ作家。ウィリアム・アセリング・ジュニア名義で評論家としても健筆をふるい、晩年は「宇宙大作戦」のノヴェライズで人気を博した。（中村融）

1967年3月～
Skylark of Space, 1928-

《スカイラーク》全四巻

E・E・スミス
中村能三訳　**解説：厚木淳、ほか**
カバー装画、口絵、挿絵：金森達

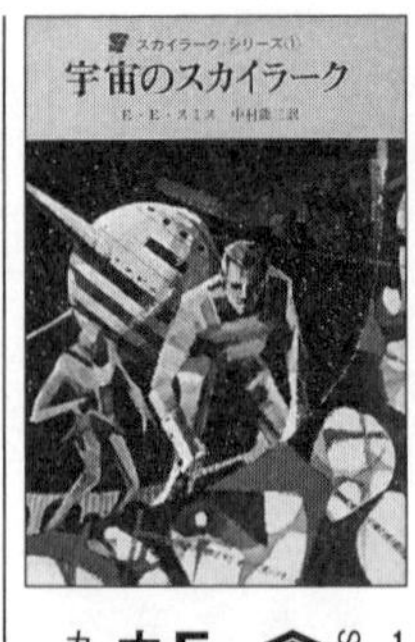

SFの初期衝動とは何か。良くも悪くも無視できない一つの回答が、〈アメージング・ストーリーズ〉一九二八年八月号にある。『宇宙のスカイラーク』が表紙を飾った掲載号だ。アイザック・アシモフはアンソロジー*Before the Golden Age*（一九七四）の解説で、同作を「最初のアメリカSFの偉大な〝古典〟、アメリカ本来の雑誌SFの先駆け、この分野における世界の文学潮流を支配している」と述べ、ある種のライバル視をしていたと告白している。著者の名はE・E・スミス。ワシントン大学で化学工学の博士号を取得したため、親しみを込めて〝ドク〟スミスと呼ばれ、ドーナツの素の研究・開発の傍ら執筆を手掛けた。

『宇宙のスカイラーク』は画期的だった。せいぜい太陽系内に収まっていた宇宙での冒険譚を、銀河の規模にまで押し広げ、E・R・バローズの模倣に終わらないスペース・オペラという枠組みをこしらえたのだ。執筆開始時が一九一五年、完成が二〇年頃ということに鑑みれば、技術をめぐる関心を物語化する先駆性は驚異的。もっとも、執筆当初は友人の妻リー・ホーキンズ・ガービイとの共著で、恋愛・人物描写を任せたらしいが、五八年の改訂時に彼女の担当箇所は完全に削られた（二〇〇七年以降は復活）。

謎のX金属、直径一千キロメートルの宇宙船ヴァレロンのスカイラーク、四次元空間での冒険など、センス・オヴ・ワンダーを感じさせるガジェットには事欠かず、どんどんスケールは拡大していく。映像作家たちが賞賛してやまない、活字SFならではの魅力だ。まさしく驚天動地の連続で、岡田正哉のように用語索引をファン出版したくなる気持ちもよくわかる。

主人公リチャード・シートンとライバルの悪役マーク・デュケーヌをめぐる〝警察と泥棒〟式のフレームも明快で、なし崩しに呉越同舟となる展開や、対決の模様は熱い。とりわけ、シリーズ第三巻から原著が三十年経て発表され、円熟味すら感じさせる完結編『スカイラーク対デュケーヌ』に顕著だ。

ただ、本シリーズの致命的な欠陥は、アメリカSFならではの覇権主義、パルプ雑誌的ステレオタイプ、加えて優生思想やレイシズムが随所で露骨に顔を出すこと。「善」の側が振りかざす論理はファシズムさながら。「悪」の側には共産主義のイメージが仮託されている。ユダヤ人アシモフが留保付きで評価をしたのもわかるし、作中における日本人シローの扱いも酷い。完訳版が絶版になって久しい反面、冒険の部分のみを抽出した岩崎書店等でのジュヴナイル版『宇宙のスカイラーク』が読み継がれてきたのはこの露骨さがないためだろうし、今後ノーカットの新訳を出すのなら、詳細な注釈と解説が不可欠と考える。

（岡和田晃）

1967年6月〜
Venus, 1932-

《金星シリーズ》全五巻

E・R・バローズ
厚木淳訳　解説：訳者
カバー装画：武部本一郎

《ターザン》、《火星》、《ペルシダー》、そして《金星》というバローズの四大シリーズの中で、もっとも開始が遅いのがこの《金星シリーズ》。連載が始まったのは一九三二年、バローズ五十七歳の年で、すでに当時の彼は大人気の流行作家だった。

冒険好きの青年カースン・ネーピアは、ロケットで火星に向かおうとしていたところ、月の引力を計算に入れ忘れていたせいで金星に不時着してしまう。アムターと呼ばれている金星は厚い雲に覆われており、猛獣が跋扈する異世界だった。

宮殿へと連行されたカースンは、たまたま宮殿の庭で見かけた王女ドゥーアーレーに一目ぼれ。猛アタックを繰り広げるのだが、二十歳まで恋愛禁止の掟のある王女からはすげなくあしらわれてしまう。そんなときに王女が何者かにさらわれ、王女救出のためカースンは冒険を繰り広げる。

シリーズの大きな特徴は、政治的、社会的問題を正面きって取り扱っていることで、第一巻『金星の海賊』では共産主義者、第二巻『金星の死者の国』では優生学を信奉する国家、第三巻『金星の独裁者』ではヒトラー的な独裁者が登場してカースンと対立する（ただし優生学についてはバローズは必ずしも否定的に描いてはいない）。

第四巻『金星の火の女神』は、一転してエキゾチックな生物や種族が次々に登場する連作娯楽中編集。最終巻『金星の魔法使』は生前未発表だった短編一作にシリーズ外の作品三編を併載したもの。この最終話では、カースンは子供のころにインドの神秘主義者からテレパシーを学んだ（その能力で、地球のバローズに冒険譚を伝えているのだ）という、一巻目以来忘れ去られていた設定が突如として復活。カースンはテレパシー能力を縦横に活用して魔法使と対決する。続きが書かれていればテレパシー能力を使った新展開があったのかもしれない。

ちなみになぜシリーズが途絶したかというと、当時ホノルルにいたバローズは真珠湾攻撃を目撃。六十代にして従軍記者として太平洋戦線に参加したことにより、執筆活動をやめてしまったのである。

そして、このシリーズ最大の特徴は、王女ドゥーアーレーの変貌ぶりだろう。一巻では高飛車な箱入り娘なのだが、三巻で相思相愛になってからは主人公にベタぼれと、見事なツンデレぶりを見せつけてくれる。最初の頃こそ、さらわれてはカースンに助けられるだけの役回りだったのだが、禁を破ってカースンに恋をした廉（かど）で父王から死刑を宣告されるという経験を経て、飛行艇を自在に操り、ピンチに陥ったカースンを射撃で助ける、よき相棒として成長をとげるのである。火星のデジャー・ソリスや、ペルシダーのダイアンとは、また違ったタイプのヒロイン像といえるだろう。

（風野春樹）

1967年9月

オブザーバーの鏡

A Mirror for Observers, 1954

エドガー・パングボーン
中村保男訳　解説：訳者
カバー装画：金子三蔵

パングボーン（一九〇九〜七六）は、アメリカSF界の第一世代に属する作家だが、著作は十冊余りほどしかない。その中で、本書は五五年の国際幻想文学賞（英国のSF賞）を受賞した作品だ。

オブザーバーとは観察者のこと。三万年も昔から地球に移り住んでいる火星人が、人間社会の観察を密かに続けている。彼らは地球人の十倍ほども長命で、文明の進化を善導しようとしているのだ。しかし、その方針を是としないものたちとのせめぎ合いもある。火星人である主人公は、将来地球の指導者になるであろう少年少女たちとの交歓を試みる。

パングボーンの既訳作品には、他に『デイヴィー』（一九六四）という作品がある。限定核戦争と、その後の生物兵器戦により、世界は分断され壊滅する。三百余年後、中世まで復興したアメリカを舞台に、主人公が生まれ成長し、さまざまな大人たちや恋人たちと交歓する物語だ。本書の直接の続編ではないが、テーマを象徴する「生きることの哀切さ」を感じさせる点では共通するだろう。紙版は両者とも絶版、電子版もなく入手困難だが、どちらもお薦めだ。復刊が望まれる。

（岡本俊弥）

1968年2月

山椒魚戦争

Válka s mloky, 1936

カレル・チャペック
松谷健二訳　解説：訳者
カバー：金子三蔵　挿絵：桜井誠

人語を解し二本足で歩く山椒魚がインドネシアの小島で発見され、低コストの労働力として売買され世界中へ広まっていく。人間の数を凌駕するほどに増えた山椒魚は、陸地を浅い海域に改変しようと洪水を起こして人類を衰退させるが、やがて内部抗争によって滅ぶ。それらの歴史が、実録、インタビュー、記事、論文などの複数視点で描かれる。もし他の生物が知性を持ったなら、という発想を『R.U.R.』におけるロボットの問題に絡めて発展させ、台頭するナチスへの批判を込めた作品といえる。一九三五年にチェコスロバキアの新聞で連載が始まり、翌年には刊行されて反響を呼び、様々な言語に翻訳された。日本では五三年刊行の、樹下節によるロシア語版からの重訳が最初である。六八年刊行の創元版は、幾つかの章が削除されたドイツ語版からの重訳だった。七〇年には、栗栖継によるチェコ語からの完訳が『世界SF全集9』に収録される。本邦の作家に与えた影響は大きく、手塚治虫はエッセイで「SFマンガの指針をあたえてくれた」と語り、小松左京は本書をモデルに『日本アパッチ族』を書いたという。古典SFとも呼ばれるが、今もなお先見的で警世の意義は失われていない。

（酉島伝法）

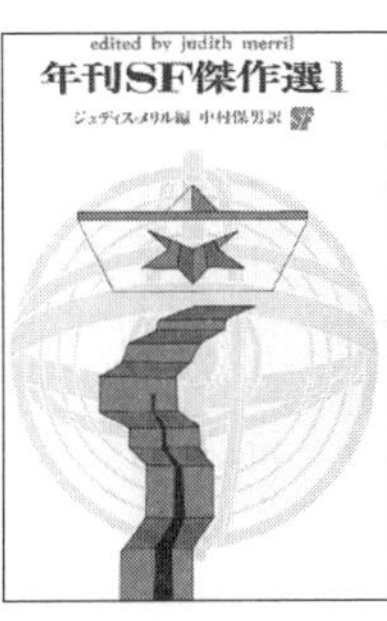

1967年12月〜
The Year's Best S-F, 1956-

《年刊SF傑作選》全七巻

ジュディス・メリル
中村保男、ほか訳　解説：伊藤典夫
カバー装画：日下弘／赤松美弥子（5以降は日下弘のみ）

メリルの《年刊SF傑作選》はSFの教科書だった。SFを読むのに必要なことはだいたいメリルに学んだと言ってもいい。僕にとって、SFアンソロジストと言えば、ナイトでもエリスンでもドゾアでもストラーンでもなくメリルであり、SFアンソロジー不動のベストは《年刊SF傑作選》なのである。

一年間に発表されたSF短編の中から編者がベストと思う作品を選び、一冊にまとめて刊行する——イヤーズ・ベストとか年次傑作選とか年間ベスト集とか呼ばれるこの種のアンソロジーの草分けは、一九四九年に始まったブライラー&ディクティの *The Best Science Fiction Stories* だが、五六年にメリルの《年刊SF傑作選》がスタートすると、たちまちトップの座を獲得。以後、版元とタイトルを変えながら全十二巻が刊行された。

そのうちの第六巻、一九六〇年のベスト作品を集める *The 6th Annual of the Year's Best SF* を『1』として六七年に翻訳刊行されはじめたのが、創元の《年刊SF傑作選》全七巻。ただし、分量的な問題か、全訳ではない。『1』など、全三十五編のうち十九編が割愛されているし、他の巻でもだいたい十編以上が省かれているので注意（詳細は、「ameqlist 翻訳作品集成」https://ameqlist.com/ 参照）。

当時、メリル自身が編んだ『宇宙の妖怪たち』をはじめ、海外のSFアンソロジーはすでに何冊も訳されていたものの、年次傑作選の邦訳はこれが初めて。今から見ると、顔ぶれ的には原書五巻目か七巻目からスタートしたほうがよかった気がするが、やはり六〇年代を最初からカバーしたいという意図があったのだろうか。ともあれ、『1』から『4』までは、六七年十二月から翌年二月にかけて立て続けに翻訳された。この四冊の原書版元はサイモン&シュスターで、（メリルによれば）彼女の推薦作をもとに版元編集者が最終的な収録作を決めていたという。

だったら一般性を考慮した商業的なラインナップになっているかというと全然そんなことはない。このシリーズの特徴は、SF雑誌に限らず、ジャンル的にも形態的にも思いきり幅を広げて作品を選んでいること。実際、『1』には、アシモフの異常論文「チオチモリンと宇宙時代」やクラークの回想録「思いおこすバビロン」（ともに邦訳版からは割愛）と一緒に、ウォールト・ケリーの漫画やヒルバート・シェンク二世の詩、地球外知性とのコミュニケーションについて考察したブラッドベリのエッセイが収録されている（私事ながら、創元SF文庫の《年刊日本SF傑作選》に純文学系の作品や短歌や漫画が収録されているのはメリルをお手本にしているからです）。

《年刊SF傑作選》のもうひとつの特徴は、どこが面白いのかわからなかったり、それ以前に何が書かれているかもよくわからない作品がいくつも入っていること。それまでの邦訳SFアンソロジーに比べて明らかに理解のハードルが高く、だからこそマニア心がくすぐられるというか、チャレンジ精神をかきたてられた。

　邦訳版のめぼしい収録作を挙げると、『1』では、何でも複製できる魔術をマスターした男が災厄をもたらすホリー・カンティーン「あとは野となれ……？」。それに続くバーナード・ウルフ「なくならない銅貨」も楽しいが、ベストは異星人と結婚した女性の人生を細やかに描くウォード・ムーア「マクシルの娘と結婚した男」か。

　『2』は、SFとは言いがたいジョージ・P・エリオットの名作「ダング族とともに」のほか、ロバート・F・ヤング「たんぽぽ娘」、コードウェイナー・スミス「シェイヨルという星」。『3』はR・A・ラファティ「恐怖の七日間」、ポール・アンダースンの「生贄の王」、ジェイムズ・ホワイト「クリスマスの反乱」、ゼナ・ヘンダースン「分科委員会」。『4』は、フリッツ・ライバー「二百三十七個の肖像」、チャールズ・ボーモント「とむらいの唄」、バーナード・マラムッド「ユダヤ鳥」、スミス「酔いどれ船」など。ラファティやスミスはこのころまだ翻訳が少なく、当時の日本のSF読者にとってはバリバリの新人のピカピカの新作だった。

　と、ここまでの四冊が創元版《年刊SF傑作選》の前半。後半は五年半のブランクをはさんで、『5』が七三年九月に刊行。以後、『6』が七五年三月、『7』が七六年四月に出ている。当時中学生の大森は、『5』からリアルタイムで読みはじめ、「世界最先端のSFがここにある！」と興奮していたが、考えてみればほぼ十年遅れで翻訳されていたことになる。

　『5』からは原書版元がデラコート・プレスに移り、収録作すべてを自分で選べるようになったためか、作品の間にはさまるメリルのエッセイも大幅増量。扉裏にはとても収まらなくなった結果、創元版では作品扉が消えて、メリルの文章が終わるとページの途中からでも次の作品が始まる。DJのしゃべりの合間に曲がかかるような感じだろうか。

　メリルの真価が味わえるのはこの後半三冊。ことに『5』と『7』は大谷圭二（浅倉久志）訳ということもあり、半世紀近くを経たいま読んでもあまり違和感がない。

　『5』の注目作は、キット・リード「オートマチックの虎」、クラーク「きらめく生きもの」、ヨゼフ・ネスワドバ「第三帝国最後の秘密兵器」、トマス・M・ディッシュ「降りる」、ロジャー・ゼラズニイ「伝道の書に薔薇を」、ノーマン・ケーガン「数理飛行士」。『6』は、バラード「火山の舞踏」、ラファティ「火曜日の夜」、トム・ハーゾグ「陰謀」、ホルヘ・ルイス・ボルヘス「円環の廃墟」。

　メリルらしさが最高に高まり、ほとんど世界文学傑作選的な様相を呈しているのがラストの『7』。六六年のベスト集だが、本国では翌年中には出せず、ようやく六八年になって出版された。原題は、年刊SF傑作選の言葉がとれて、*SF12*。これに続く*SF13*は、予告されながら刊行されず、メリル自身も、六八年の*England Swings SF*を最後にアンソロジー編纂から引退することになる。そのメリルの最後の輝きを封じ込めた『7』は、《年刊SF傑作選》の中でも文句なしにベストに選びたい。収録作は、バラードの名作「コーラルDの雲の彫刻師」をはじめ、ボブ・ショウ「去りにし日々の光」、ラファティ「カミロイ人の初等教育」「せまい谷」、サミュエル・R・ディレイニー「スター・ピット」、フリッツ・ライバー「冬の蠅」……と傑作が目白押し。《年刊SF傑作選》を一冊だけ読むならこの巻をお薦めする。

（大森望）

1968年2月～

The Drowned World, 1962, and others

《破滅三部作》

J・G・バラード

峰岸久、ほか訳

解説：伊藤典夫、ほか　カバー装画：金子三蔵、ほか

※『燃える世界』は2021年、改訂版の『旱魃世界』（山田和子訳）が新訳された。

一九五〇年代半ばにデビューしたバラードは、この《破滅三部作》でその作家活動における第一のピークを迎える。彼自身が提唱する「内宇宙への道」を明確に体現した作品群だ。

『沈んだ世界』（一九六二）は、両極の氷が溶けて世界の都市が水没した光景が描かれる。調査部隊に参加した研究員ケランズ、気まぐれな富豪の娘ビアトリス、廃墟をサルベージしている海賊のストラングマン。熱帯化した状況のもとで繰りひろげられる三人のもつれた関係には、始原的なエロス／タナトスの衝動が垣間見られる。水中で朽ちていく人類文明の残渣は、そのまま非人称的な無意識の領域だ。

『燃える世界』はまず一九六四年にアメリカ版として出版され、翌六五年にバラード自身によって細かく改稿が施されたイギリス版が『旱魃世界』として刊行された。以降、英米では『旱魃世界』が決定版として扱われている。創元SF文庫では長らく中村保男訳『燃える世界』が版を重ねてきたが、二〇二一年に山田和子訳『旱魃世界』が刊行された。雨が降らなくなった世界で、多くの人間は水を求めて海へ向かう。しかし、浜辺では水資源をめぐる暴力的支配と呪術的思考がはびこっていた。主人公の医師ランサムは内陸へと引き返すが、そこでよりいっそうグロテスクな抗争に巻きこまれてしまう。

『結晶世界』は一九六六年刊。主人公サンダーズ医師がアフリカの河口の町に到着したところから物語がはじまる。港の薄暗さ、付近にただよう異様な雰囲気、なにやら尋常でない事件がおこっているらしい。その予感どおり、春分の日に、川で死体が見つかる。しかも、何日間も水につかっていたにもかかわらずまだ体温が残っており、右腕がまるで水晶のような輝きを放っているのだ。サンダーズは街で知りあった女性ジャーナリストのルイーズとともに、奥地の状況を探るため川を遡っていく。彼らの前にあらわれたのは、樹木がそのままのかたちで結晶化した、美しい森の景観だった。森のなかで出会った調査団のラデック大尉によれば、同様の結晶化現象はここだけではなく、地球上のほかの地域でも起きているという。植物も動物も建築物も、なにもかもが、結晶へと変化していく。その範囲は徐々に広がり、やがては地球を覆いつくすだろう。サンダーズは、この異常な事態を、自然のなりゆき、宇宙の内的な秩序の一部として認めている自分に気づく。

《破滅三部作》は表面的には災害小説あるいは破滅SFに分類される作品だが、バラードが描こうとしたのはあくまで人間が求める「精神的ゴール」だ。それは『結晶世界』で、必死に森を脱出したサンダーズが、友人への手紙を残してふたたび結晶化した領域へ帰還していくクライマックスに、はっきりとあらわれている。

（牧眞司）

1968年3月～

《銀河帝国の興亡》三部作

Foundation, 1951-

アイザック・アシモフ

厚木淳訳　解説：石川喬司、ほか

カバー、口絵、挿絵：林巳沙夫

【新訳】2021年～刊、鍛治靖子訳

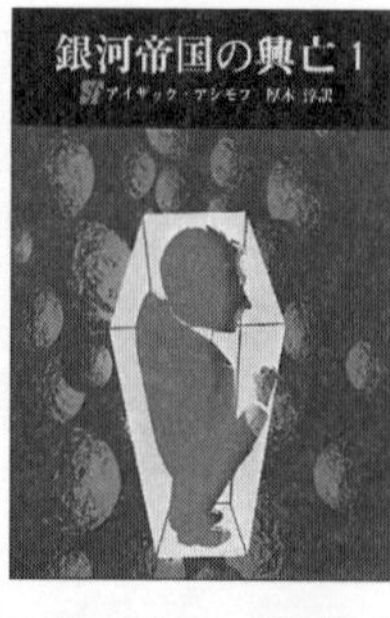

　遠未来、人類は銀河帝国を数万年にわたって維持発展させ、今や銀河中の二千五百万もの惑星で繁栄していた。しかしその繁栄の裏で、帝国は避けられない衰滅に近付きつつあった。この人類の危機を科学的に予想した科学者ハリ・セルダンは、帝国滅亡後の数万年にも及ぶ暗黒期を数世紀に短縮すべく、ファウンデーションを設立する。本書は、続く数世紀にファウンデーションを襲った危機と、それに対する人類の奮闘を描く。

　作品が書かれたのは一九四〇年代から五〇年代で、当時はカオス理論もバーチャル世界もネットワークもソフトウェアも概念自体が知られていない。倫理の面でも、たとえばジェンダー平等は未成熟であった。従って『銀河帝国の興亡』ではこれらの要素はないか、あったとしても希薄であり、今の読者の目から見れば、作品内社会は遠未来の割に地味で古典的だ。ただしその分、シンプルでわかりやすい。加えて、アシモフの冷静で理知的な文章が、古典的な歴史書のような読み口をもたらしている。要は非常に読みやすいのである。

　加えて、SFとしての設定、より直截に言えば法螺（ほら）の吹き方が上手い。セルダンが創始した心理歴史学という学問が、本書の設定上の要である。この架空の学問は、歴史を人類の集団的な心理行動の結果とみなし、個別具体的な出来事はともかく、歴史の大まかな流れは予見可能とする。計算方法を含め具体的な内容は作中ではほとんど登場しないが、この概要自体は現実味がないとは言い切れまい。嘘のバランスが絶妙なのだ。しかもこの心理歴史学が、常に正しいとは限らない。中盤で登場するミュータント、ミュールは、心理歴史学では予測不可能なイレギュラーと位置付けられており、人類はセルダンの計画の範囲外で対処せざるを得なくなる。また、このミュールへの対処が、終盤の展開に大きな変化をもたらす。架空の学問・心理歴史により歴史の道標を示しつつ、実際には物語をじわじわとそこから離れさせて緊張感を煽っているわけである。

　推理小説めいたロジックの醍醐味（だいごみ）を導入している点も見逃せない。これはミュールの正体や第二ファウンデーションの場所の探索時に顕著である。物語で示された事項を手がかりとして、蓋然性が高い結論を論理的に導き出す。しかも意外性にすら配慮しており、《黒後家蜘蛛の会》などミステリの名品も複数ものしたアシモフらしさが溢（あふ）れている。推理合戦の様相を呈する局面すらあって、娯楽小説を愛する多くの読者に刺さるはずだ。

　ちなみにこの後、本シリーズは八〇年代に、アシモフのもう一つのライフワーク《ロボット》シリーズと合流し、物語のスケールは更に増す。もちろんこの初期三部作だけでも楽しめるが、できればそちらにも進んで、アシモフの才能の巨大さを堪能（たんのう）していただきたい。

（酒井貞道）

1968年3月

地球人捕虜収容所

Korps der Verzweifelten, 1964

K・H・シェール

松谷健二訳　解説：訳者

カバー装画：司修

ドイツがまだ東西に分かれていたころ、西側のSF界を牽引した三羽烏がいた。クラーク・ダールトン、ヘルベルト・W・フランケ、そして本書の作者だ。

シェールは《宇宙英雄ローダン》シリーズの中心的作家として名を馳せたが、六〇年代にはほぼ年一作のペースで本格SFを世に問うていた。近未来ものと遠未来ものを交互に出しており、本書は後者に当たる。

二四三一年。銀河系に進出した人類は、グリーンズと呼ばれる異星人との星間戦争の渦中にあった。戦況は一進一退だが、いま新たな事態が出来した。どこかの星に地球人の捕虜収容施設が存在すると判明したのだ。しかし、この情報漏洩は敵の罠の可能性が高い。かくして、敏腕の諜報員がわざと捕虜になって、敵情を探ることになる。白羽の矢を立てられたのは、瀕死の戦傷を負ってサイボーグとなったブーン大尉。いっぽう捕虜収容所は深刻な医薬品不足におちいっていた……。

軍事技術に関するSFを得意としたシェールらしい作品。ドイツ語で書かれたものだが、出てくる名前はアングロ・サクソン系が多く、英米SFとあまり変わりなく読めるところが持ち味といえる。　（中村融）

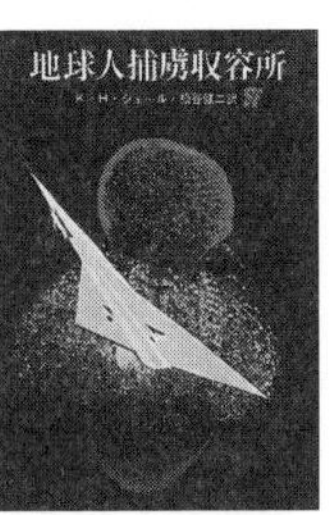

1968年6月

宇宙のウィリーズ

The Space Willies / Six Worlds Yonder, 1958

E・F・ラッセル

永井淳訳　解説：訳者

カバー装画：金子三蔵

一九五六年の〈アスタウンディング〉誌に掲載された短編を書き伸ばした表題作に、やはり同時期の同誌に掲載された六編を加えて一冊にまとめたエースダブル版を翻訳したものである。宇宙に進出した地球人が異星人とコンタクトを果たす際のすれ違いやトラブルを論理的かつユーモラスに描いた作品が多く、ラッセルの持ち味が色濃く出た良質の作品集となっている。

論理の面白さという点では、本書はラッセルの諸作の中でも随一を誇るだろう。たとえば、表題作では、異星人に囚われた地球人が、自分にはユースタスという目に見えない分身がいると嘘をついて、脱出を計る。そんな分身がいるわけはないのだが、巧みな弁舌により相手は信じ込んでしまう。「ディアボロジック」でも、異星人に囚われた地球人がゼノンやクレタ島のパラドックスを持ち出して相手をけむに巻く。他にも、信号を伝えていくうちに戦闘命令が変な連絡に変わっていく「極秘指令」、犬が人に支配されているふりをして実は人を支配していたという秘密が暴かれる「完全犯罪」など、宇宙冒険ものという衣をまとってはいるが、言葉の洒落や論理を駆使した言語学的な面白さを備えた作品が多い。パズラー・ファンにもお勧めである。　（渡辺英樹）

1968年7月
La planète des singes, 1963

猿の惑星

ピエール・ブール
大久保輝臣訳　解説：訳者
カバー：20世紀フォックス映画「猿の惑星」より

この小説を原作とする最初の映画化作品が好評でシリーズ化され、テレビドラマにもなり、今世紀にもさらに作品が三本も作られている。一編の小説がこれほど長きに亙り映像化の原本となるのはかなり珍しい。小説では映画と異なり未知の惑星ではなく、宇宙船は計画通りベテルギウスの惑星に到着したが、そこは猿人が支配する星で、逆に人間の風貌を持つ動物は地球の猿に極めて近く、全裸で暮らしていたのだった。猿人に捕らえられた主人公は、必死に自分は文明人だと訴え、一部の猿人に理解される。その間、彼の自己認識がこの星の人間と猿の間で曖昧になっていく。作者はこの猿の社会を通して現代を戯画的に批判し、さらに西洋文明の永続性を危惧していたのだろう。特に説明はないが、この星の人間は西洋人の風体をしているようだ。やがて主人公は猿人の協力で、理性の兆候が窺える人間の女性とともにこの惑星からの脱出を試みるが、その最後に仕掛けられた二段階のどんでん返しには唸らされる。著者はデイヴィッド・リーン監督の「戦場にかける橋」の原作が有名だが、フランスでは『カナシマ博士の月の庭園』や短編集『E＝mc²』など、独特のテイストを持つSF作家として名高い。（忍澤勉）

1968年11月
Voyage au centre de la terre, 1864

地底旅行

ジュール・ヴェルヌ
窪田般彌訳　解説：訳者
カバー、挿絵：南村喬之

ジュール・ヴェルヌの《驚異の旅》第三作で、鉱物学者リデンブロック教授が、十六世紀の錬金術師アルネ・サクヌッセンムが遺したルーン文字の暗号文を解き明かしたことから、その甥である「わたし」ことアクセル青年は、〝地球の中心への旅〟（原題）に同行することになります。その入り口となるアイスランドの噴火口への旅路や地質学上の蘊蓄は精細をきわめますが、その先に現われるのは途方もない幻想の産物なのです。

ヴェルヌはSFの祖と呼ばれつつも、いわゆるSF的な架空の理論やガジェットを用いることなく、あくまで当時の科学知識や博物学的事実にもとづいてのみ空想をめぐらす作家ということになっていますが、この初期作は早くもそんなレッテルを疑わせるに十分です。というのも、「わたし」一行がたどり着いた地底世界は、不思議な電気現象の光に照らされた大洋が広がり、巨大なキノコが生え、太古の生物が跋扈する世界だったのですから――しかも、魚竜対蛇頸竜というおなじみのバトルまで展開されるときては！　ラストの爆発オチ（？）もふくめ、何とも大らかな空想科学冒険譚で、原書の雰囲気を再現した南村喬之画伯の挿絵も楽しい一冊です。（芦辺拓）

1969年1月

ドウエル教授の首

「Голова профессора Доуэля, 1926

アレクサンドル・ベリャーエフ

原卓也訳　解説：訳者

カバー装画：金子三蔵

【新版】2016年刊

ベリャーエフは一八八四年ロシア生まれ。幼稚園の教師、民警の監督官、写真家、図書館の副館長などを経て作家に転じた。一九二五年に短編版、同年から翌年にかけて長編版が書かれた『ドウエル教授の首』は、脊椎カリエスで全身不随になった経験を持つ著者が〝身体のない首の感覚と思考〟をモチーフにしたデビュー作だ。

ケルン教授の助手として雇われたパリの女医マリイ・ローランは、実験室でドウエル教授の〝生きている生首〟を目撃した。マリイはドウエルの話を聞き、ケルンがドウエルを殺して実験材料にしたことに憤る。いっぽうケルンは男女の死体を入手し、生首を他人の身体に繋ぐ計画を進めていた。

喋る生首や合成人間といった奇想を掲げ、悪党との対決をスリリングに描く娯楽性は、たとえば海野十三の探偵小説にも通じるものだ。鮮烈なガジェットとサスペンスを備えた古き良き空想科学小説の逸品である。映像化作品には日本のテレビドラマ「江利教授の怪奇な情熱」（一九七九）、ソ連映画「ドウエル教授の首」（一九八四）、中国映画「凶宅美人头」（一九八九）などがあるが、いずれも原作とは内容が大きく異なっている。（福井健太）

1969年2月

異星の客

Stranger in a Strange Land, 1961

R・A・ハインライン

井上一夫訳　解説：訳者

カバー：司修

〝Once upon a time there was a Martian named Valentine Michael Smith.〟という冒頭の一文からも、邦訳で八百頁近いこの大長編（当時最長SF）が、寓話であることは明らか。

火星で発見された第一次探検隊の遺児、遺伝子的には地球人ながら火星人に育てられ、異星の言語と思考の持ち主であるヴァレンタイン・マイケル・スミスが、保護されて地球に送られる。世界連邦法により火星の唯一の所有者とされ、巨万の富をもつことになった〝火星から来た男〟をめぐり、地球人の政治・経済・宗教面の陰謀が渦まくばかりか、世俗に無垢だったこの〝超人〟が〝救世主〟への道を歩みだすと、性や倫理のタブーばかりか、地球文明を根底から覆すビジョンが……。

いかにも著者らしいユーモアと諷刺が炸裂し、ヒューゴー賞受賞のこの大著は、十年前の『レッド・プラネット』執筆時、火星の〝モウグリ〟（キプリング）の着想をえて以来、難産だった経緯がある。NYタイムズで書評され、ベストセラーからロングセラーになり、六〇年代末には大学のキャンパスやヒッピーの間で『指輪物語』と共に〝聖典〟扱いされ売れまくったあげく、チャールズ・マンソンとの関係を報じるフェイクニュースすら出た！（高橋良平）

1969年4月

地球幼年期の終わり

Childhood's End, 1953

アーサー・C・クラーク

沼沢洽治訳　解説：訳者

カバー装画：真鍋博

【新版】2017年刊

世界の恒久的平和と安定は、おもわぬかたちで実現した。宇宙船団が飛来したのである。この〈上主〉と呼ばれる高度文明の異星人に対しては、いかなる攻撃も無力だった。彼らは人類を征服するようすもなく、空にとどまって人種差別の撤廃と無益な殺生の中止をうながしていく。そして五十年後、ついに〈上主〉の代表カレレンが地上に降りたち、その姿に人類は震撼(しんかん)する。いっぽう、異星人の目的が判然としないなか、〈上主〉の故郷へ密航した者がいる。ジャン・ロドリックス、ケープタウン大学の学生だ。もくろみは成功するが、ジャンが地球に帰還したとき、人類は大きな変貌をとげていた。

SFのベスト選びでかならず上位にランクされる人類進化テーマの傑作。クラークが示したヴィジョンは先輩作家オラフ・ステープルドンを継ぐものだが、いっそう鮮烈で、その影響はジャンルSFだけにとどまらない。たとえば、レッド・ツェッペリンのアルバム『聖なる館』のジャケットは、本作品にインスパイアされたものだという。

別の邦訳として、福島正実(まさみ)訳『幼年期の終り』(ハヤカワ文庫SF)、池田真紀子訳『幼年期の終わり』(光文社古典新訳文庫)がある。

(牧眞司)

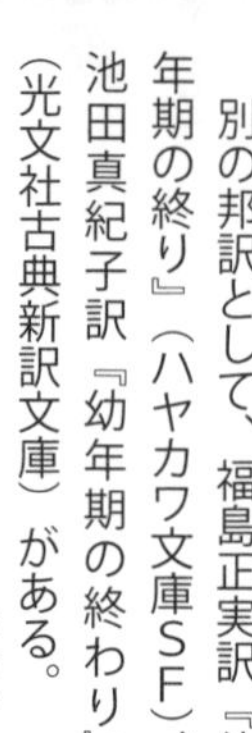

1969年6月

宇宙戦争

The War of the Worlds, 1898

H・G・ウェルズ

井上勇訳　解説：訳者

カバー装画：真鍋博

【新訳】2005年刊、中村融訳

ロンドン郊外に宇宙からの飛来物が落下。火星人の侵略のはじまりだった。濡れたなめし革のような皮膚、何本もの触手、目の真下にあるV字型の口はわななないてよだれをたらしている。そのあまりにおぞましい姿に、地球人は嫌悪と恐怖を禁じ得なかった。軍隊は必死に防戦するが、火星の戦闘機械が繰りだす熱線や毒ガスなどの超兵器の前には、まったく歯が立たない。熾烈(しれつ)な攻撃を縫って逃げのびた語り手は廃屋に潜伏して、火星人について考えをめぐらせる。彼らの奇怪な姿は脳と手ばかりが進化した結果であり、もとは地球人とそう変わらぬ種族だったに違いない。物語は意表を突く結末を迎えるが、そこにはウェルズならではの痛烈な文明批判がこめられている。

大衆が抱く火星人のイメージを決定づけた古典であり、侵略テーマのSFとして後世の作品に多大な影響を与えた。邦訳は戦前から何種類もあり、本文庫には井上勇(いさむ)訳が一九六九年に収録。二〇〇五年に注釈版原書に基づいた中村融(とおる)による新訳がなされた。一九三八年にオーソン・ウェルズがラジオドラマ化し話題となる。五三年にはバイロン・ハスキン監督によって、二〇〇五年にはスティーヴン・スピルバーグ監督によって映画化されている。

(牧眞司)

1969年5月〜

The Voices of Time and Other Stories, 1962, and others

《J・G・バラード短編集》全四冊

J・G・バラード
吉田誠一、ほか訳　解説：訳者、ほか
カバー装画：日下弘
【新訳】２０１６〜２０１７年刊、『Ｊ・Ｇ・バラード短編全集』１〜３巻（全五巻のうち）　監修：柳下毅一郎　浅倉久志、ほか訳

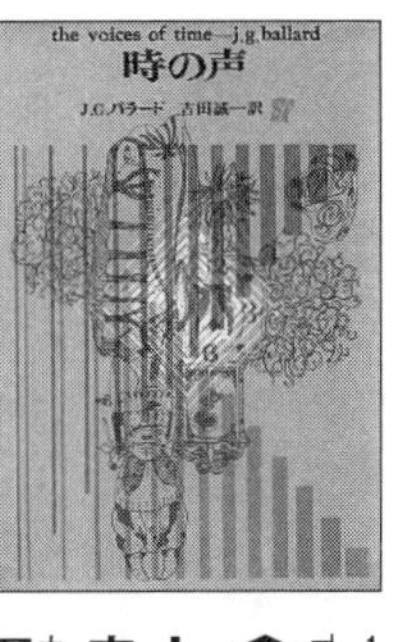

一九六〇年代の後半、英米のＳＦ界で不穏な（？）動きが起こっているというトピックが伝わってきた。当時、海外ＳＦの動向に広く目を配っていた、伊藤典夫氏を筆頭とする翻訳家・評論家の方々による情報だったが、それによると、この動きは、それまで（主として四〇〜五〇年代）のアメリカＳＦの表層的な科学技術礼賛や未来志向、さらには、小説表現の浅薄さを批判し、「ＳＦは現代文学の最前衛に位置する小説形式であり、目指すべきは外宇宙ではなく、内宇宙だ」と主張するイギリスの作家たちによるプロテスト／改革運動だった。これが世に言う〝新しい波〟――ニューウェーブ運動である。

運動を先導していたのは、バラード、オールディス、ムアコックら、批判の槍玉に上がったのは、ハインラインやアシモフといった、当時のＳＦ界を代表すると言っていい人気作家たち。これだけでも充分に挑発的なことだったが、これに呼応する世界各地の作家・評論家・編集者が批判活動の最前線に加わり、ニューウェーブ運動は先鋭化していく。日本でも、一九六七年にオールディスの『地球の長い午後』（ハヤカワ・ＳＦ・シリーズ）、六八年にバラードの『沈んだ世界』（創元推理文庫）が訳出され、七〇年には新しいＳＦにフォーカスした〈季刊ＮＷ－ＳＦ〉誌（山野浩一氏主宰）が創刊されて、バラードの作品・インタビュー・評論が次々に紹介されていくことになった。

そんな状況下、一九六九年五月からわずか二年足らずの間に、本文庫で立て続けに五冊、バラードの短編集が刊行される。当時、ニューウェーブ運動がどのように受けとめられていたかはともかく（アメリカＳＦ界は当然のようにブーイングの嵐だったし、わが国でも、運動そのものには距離を置く傾向が見受けられたように思う）、この集中度は、当時の日本のＳＦ界に、ニューウェーブ、とりわけバラードの作品を読んでみたいと思う読者が少なからずいたことを示している。

原著は一九六二〜六六年に刊行され、デビューから十年の間に発表されたバラードの第一期の短編群が〝適宜〟まとめられている。一冊一冊に明確なテーマが与えられているわけではなく、むしろ、どれをとっても、あるいは全体を通して読むことで、現代の世界と人間を見つめるバラードの多角的・多層的な観点が鮮明になっていく――そんな意図のもとに編まれたという感が強い。

『時の声』は、宇宙の終末のカウントダウンを抑制された筆致で描出した表題作をはじめ、人間の睡眠機能を取り去る医学実験や、過去の栄光の幻想に浸る元オペラ歌手と言葉を失った下層の清掃員との噛み合うことのない感情の交錯の物語など、七編を収録。時間の計測が禁じられた退行した社会、人口密度が極限に達した都市での不条理な出来事、シュルレアリスティッ

クな想像上のリゾート地ヴァーミリオン・サンズを舞台とするデビュー作など、十編を収めた『時間都市』。以降の三冊、『永遠へのパスポート』、『時間の墓標』（後の『終着の浜辺』に改題）、『溺れた巨人』も、宇宙旅行の無意味さ・陰惨さが凝縮された作品から、消費社会の宣伝攻勢に飲み込まれた人々をコミカルに描いたもの、核戦争後の地球生命の終わりの時を鮮烈にとらえたものまで、テーマも構成も作品世界の雰囲気も、従来のSFとは異質な感覚が充溢したものだった。

放射能に汚染された異様な姿形の動植物、砂に覆われた廃墟の街、鳥の死骸で埋めつくされた荒野、破局的な事象の前になすすべもなく崩壊した文明社会、無意識の領域までをコントロールするディストピアで狂気に陥っていく人間……バラードの作品に明るいものはひとつもない。いずれもが暗く、死のイメージに溢れ、不穏な気持ちをかき立てるものばかりだ。しかし、そこには、確固たる〝リアリティ〟があった。このリアリティこそが、SF／文学にとどまらず、音楽や映像やアートなど二〇世紀のカルチャーシーン全体に広く影響を与えるにいたったバラードの小説世界（スペキュラティヴ・フィクション）の核にあることは言うまでもない。

バラードの小説の特徴のひとつに、様々な作品に、同じイメージ・モチーフ・セッティング・タームが登場することが挙げられる。干上がったプール、木々や雲の影が形作る謎めいた記号、時間のオブセッション、メディアの侵略、死んだ宇宙飛行士、黄道十二宮、ファベルジェの宝石、朽ち果てたテクノロジーの残骸（宇宙船の発射台、飛行機、高層ビル群）等々。これらは、個々の単語からフレーズ、登場人物の名前、街の構造にまで及び、作品を読み進めていくうちに、読者の脳裏に重層化したバラード世界のランドスケープが構築されていく。

バラード自身は、「わたしにとっても短編小説はつねに重要だった。そのスナップ写真的性質、ひとつの要素に焦点をしぼる能力が大好きなのだ。さらに長編にする前にアイデアを試す場としても役立った。わたしの長編はすべて最初は短編のかたちで暗示されていたものだ。『結晶世界』、『クラッシュ』、『太陽の帝国』などの読者はこの短編集成のどこかにその種を見いだせるはずだ」（『J・G・バラード短編全集』1 序文・柳下毅一郎訳）と述べているが、私的には、むしろ短編の集積の上にこそバラードランドの全体像がある、錯綜した現代の風景が、よりくっきりと浮かび上がってくる、というふうにとらえている。個々のスナップ写真は世界の断面を切り取ったものであり、そこにはホログラフィのように全体像が埋め込まれている。言い換えれば、この五冊の初期短編集には、のちの作品すべての原像が凝縮されているのだ。

この五冊が原著刊行から五年余りで邦訳され、その後もずっと版を重ねてきたのは、日本の読者にとって幸運なことだった。ここに収められた作品群は、現実世界の進行（退行）に伴って、そこに凝縮されていた像を――現代の世界と人間の精神病理を――よりクリアにしつつ、読者に伝えていくことになり、二〇一六～一八年に刊行された『J・G・バラード短編全集』全五巻（原著は〇一年刊）に引き継がれた（短編全集では1～3巻に集約、大半が新訳されている）。世界じゅうが戦場と化し、ミサイルが飛び交い、核兵器の使用が現実性を増し、宇宙の軍拡競争が激化し、気候変動がかつてない規模に達し、インターネット・ITテクノロジーが人々の精神を激変させている〝今〟を眺めていると、改めて、半世紀以上も前にバラードが見通していたヴィジョンの深度・震度に驚嘆せざるをえない。

（山田和子）

1969年6月

War with the Gizmos, 1958

ガス状生物ギズモ

マレー・ラインスター

永井淳訳　解説：訳者

カバー：金子三蔵

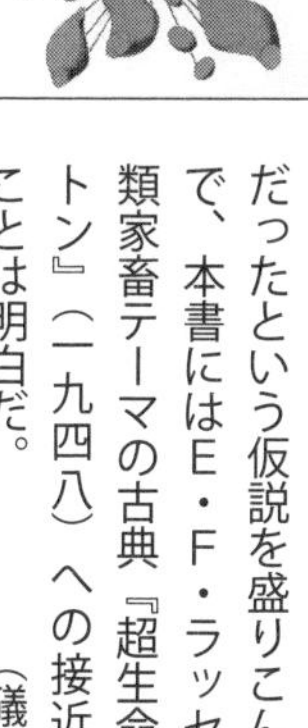

地球は狙われている……全米の森林地帯で野生動物の変死が続発する。激しい抵抗の末に死んだ動物たちの死骸にはいかなる外傷も見られなかった。続いてワシントンＤＣの防空レーダーが巨大な未確認飛行物体を捕捉した。迎撃機が出撃するが、不可解なことにパイロットは何も発見できなかった。レーダーには映るが、肉眼には見えない何かが飛来していたのだ……。読者が思わず引きこまれるサスペンス溢（あふ）れる物語の幕開きは、著者の『異次元の彼方から』（一九五五）、『地の果てから来た怪物』（一九五九）などの長編に共通した特徴で、彼の関心がアイデアとプロットにあることをはっきりとしめしている。文学的な深みが欠落した本書がＳＦとして評価を受けたわけではないが、日本最初の長篇ＳＦとして評価された今日泊亜蘭の『光の塔』（一九六二）には、巧みなサスペンスのなかにラインスターの影響が色濃く織りこまれていて、彼が創成期の日本ＳＦに及ぼした影響の痕跡を見ることができる。さらに気体状の捕食生物が歴史上の神や悪魔の起源だったという仮説を盛りこんだことで、本書にはＥ・Ｆ・ラッセルの人類家畜テーマの古典『超生命ヴァイトン』（一九四八）への接近があることは明白だ。（礒部剛喜）

1969年7月

Der Verbannte von Asyth, 1964

地球への追放者

K・H・シェール

松谷健二訳　解説：訳者

カバー：金子三蔵

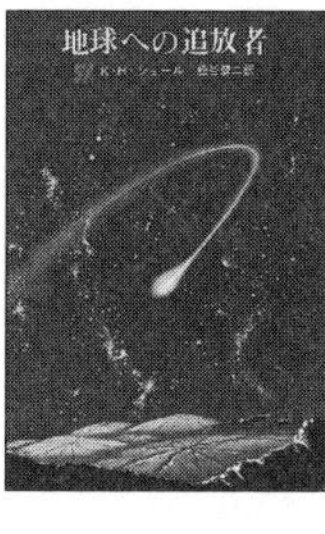

アシュト星の宇宙艦隊提督にして科学者のトロントゥルに下された判決は、低開発惑星を流刑地とする終身追放。同じく流刑者で酒浸りの天才外科医アブロットの二人が、転送装置で実体化したのは一九八八年の地球だった。折しもそこはアメリカ合衆国の秘密軍事基地の近く、水爆ミサイルを搭載した原子力戦闘機による急降下迎撃訓練が行われていた……。転送の影響が抜ける間もなく、突如急降下してきた機体を見て思わず分子破壊銃を発射するや、開巻いきなり核爆発が炸裂（さくれつ）してしまうというド派手展開。ヒューマノイドのアシュト星人愛飲のお酒の酩酊（めいてい）成分が、コーヒーに高純度で含まれていたりするユーモアを交えつつ、軍の女性協力者を得て流刑地の状況に適応していく。だが実は、核戦争による人類自滅を画策し地球掌握を目論（もくろ）む、別の星系種族も人類に紛れて暗躍していたのだった！

シェールは一九二八年生まれで、日本の第一世代作家と同年代（そして翻訳者の松谷（まつたに）健二と全くの同い年）ながら戦後すぐに十代でデビューしドイツＳＦを牽引（けんいん）した立役者。ポジティブで娯楽性の高い作風から「オプティミズムの作家」と評された。復刊の機会に恵まれないが《ローダン》シリーズのファン以外も要注目。（代島正樹）

1969年8月
The Dark Side of the Earth, 1964

ピー・アイ・マン（世界のもうひとつの顔）

アルフレッド・ベスター
大西尹明訳　解説：訳者
カバー：金子三蔵

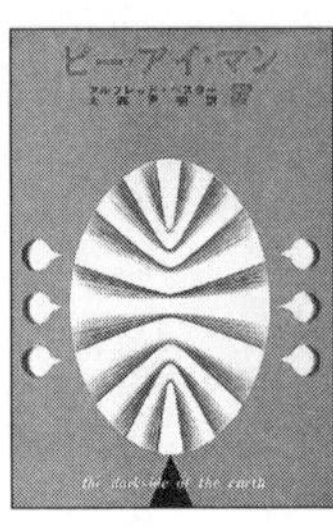

SFとは逃避などという生ぬるいものではなく、がっちり捕まえて離さない小説だ——講演「SFとルネッサンス人」（一九五七）で、ベスターはそう理想を述べた。酸いも甘いも噛み分けた、他の欠点を帳消しにするほどの魅力を備えた小説。落ち着いて幸福に浸っているときこそ、本領を発揮するものこそがSFである。全七編収録の本書はその実践なのだ。

〝地球最後の人間〟テーマの「昔を今になすよしもがな」（この邦題が絶品！）は、洒脱（しゃだつ）で可笑（おか）しい男女の会話でおおかたが構成されている。他愛もないが、なのに緊張感があって目が離せない。初刊時の表題作「ピー・アイ・マン」では、それがタイポグラフィーの遊びと融合し、『分解された男』等長編群とも響き合う（若島正（ただし）『乱視読者のSF講義』での分析も必読）。一見センチメンタルな「時間は裏切りもの」や、ユーモア溢（あふ）れる「マホメットを殺した男たち」といった時間SF群も、目眩（めくるめ）くレトリックの裏に、現象学や実存主義との響き合いを感じさせて奥が深い。

絶えず締め切りや無茶振りに追われるシナリオ執筆の現場で鍛え上げられた腕前が、遺憾（いかん）なく発揮されたプロ中のプロの技倆（ぎりょう）。とくと御覧（ごろう）じろ。

（岡和田晃）

1969年8月
Interplanetary Hunter, 1956

惑星間の狩人（ハンター）

アーサー・K・バーンズ
中村能三訳　解説：訳者
カバー：松田正久

一九三七〜四六年に〈スリリング・ワンダー・ストーリーズ〉に掲載された連作五編をまとめた短編集。

主人公ゲリー・カーライルの仕事は、展示物の生息範囲を太陽系全体にまで広げたロンドン動物園のために生き物を集めること。衛星生命探査機エウロパ・クリッパーが打ち上げられる現代にあって、この設定は古いどころか先進的だ。

ゲリーが降り立つのは金星、木星第五衛星、海王星の衛星トリトン、アルマッセン彗星（架空）、土星とその衛星タイタン。タイタンには海と濃い大気があるとわかっているし、トリトンには地下海洋があると目（もく）されている。太陽系の天体は人類の手がまだ触れない領域だらけ、どんな生物が潜んでいるかは未知数だ。ゲリーの冒険が現実味をおびてくるではないか。

キャラクタの魅力もみのがせない。男性的な名だがゲリーはじつは女性、しかも絶世の美女だ。男ばかりの異星生物ハントの世界でトップの実績と知名度を誇るかっこよさ。当人は男社会のなかの女であることに葛藤を抱いているが、そこは深掘りせず軽妙なエンタメに仕上げている。

エド・エムシュウィラーによる異星生物のリアルな挿絵も本書の売り。

（松崎有理）

1969年9月〜
Professor Challenger, 1912-

《チャレンジャー教授》シリーズ

アーサー・コナン・ドイル
龍口直太郎訳　**解説：訳者**
カバー：日下弘
【『失われた世界』新訳】2020年刊、中原尚哉訳

シャーロック・ホームズを生んだコナン・ドイルはSFにおいても名を残した。その最大の功績が『失われた世界』（一九一二）である。南米に古代生物が生き残っている秘境があり、奇人チャレンジャー教授が探検隊を率いて、マローン記者、探検家ジョン・ロクストン卿、老学者サマリー教授らと共に英国から現地へ向かう、という冒険物語。百年以上前に発表されたにもかかわらず、その輝きは褪せない。恐竜好きにはたまらない傑作だ。後世、同系統のサブジャンルの作品群は、本作にちなんで「ロストワールド物」と呼ばれるほどだ。

　秘境があればそこへ赴き、獲物がいればそれを撃つ……という、いかにも〝大英帝国的〟な物語でもある。

　もちろん、秘境冒険小説としてはこれ以前の先駆的作品もある。『ソロモン王の洞窟』などH・R・ハガードの作品の影響下に書かれているので、読み比べてみるのも一興だろう。

　また何度も映像化されているが、最初の映画版「ロスト・ワールド」（一九二五）は「キングコング」へ繋がり、それが円谷英二に影響を与えたので、日本及び世界の特撮の歴史においても重要な作品なのだ。

　そのあまりに魅力的な設定ゆえ、世界中で続編的作品が書かれている。グレッグ・ベア*Dinosaur Summer*や、田中光二『ロストワールド2』、横田順彌『人外魔境の秘密』などなど。キャラクターを借りたマンリー・W・ウェルマン&ウェイド・ウェルマン『シャーロック・ホームズの宇宙戦争』や、ガイ・アダムス『シャーロック・ホームズ　恐怖！　獣人モロー軍団』などもある。

　コナン・ドイルは『毒ガス帯』で本作のキャラクターたちを再登場させ、シリーズ化した。今度のテーマは打って変わって、破滅SF。地球が有毒エーテル帯へ突入しつつあり、人類は滅亡の危機に瀕するが、それに気づいているのはチャレンジャー教授のみ……という展開。現代では時代遅れとなった〝エーテル〟が扱われているが、そこも含めて歴史的価値ということで。児童書では『地球さいごの日』の訳題が有名だ。

　シリーズ第三編『霧の国』（一九二六）は、心霊主義者となった著者自身を反映した心霊小説であり、SFとは言い難い。最終的にチャレンジャー教授が心霊の存在を信ずるに至る話で、色々と残念である。マローンの恋愛相手としてチャレンジャー教授の娘イーニッドがいきなり登場するのも前作と齟齬がある（『毒ガス帯』事件当時は寄宿学校にいた等の解釈も可能だが、あれは世界的な現象なので言及すらないのはおかしい）。

　その後書かれた短編「地球の悲鳴」「分解機」（『毒ガス帯』に併録）ではSFに戻った。前者は「地球が実は××だった」という奇想SFである。

（北原尚彦）

1969年11月～
Star Kings, 1949-

《スター・キング》二部作

エドモンド・ハミルトン
井上一夫訳 解説：訳者
カバー：真鍋博
【『スター・キング』新版】2020年刊

最近、転生して異世界に放りこまれるというシチュエーションがコミックやライトノベルで大流行している。この現象に既視感があって思いかえしてみれば、E・R・バローズ、リン・カーター、R・E・ハワード、それからハミルトンへとつながっていく一筋の流れに行き当たった。あの当時、世の中は科学への妄信と唯物主義の風潮にあって、「努力・忍耐・しかるに豊かな生活」が、呼吸する大気の中にまで浸透していた。そこに窮屈さや閉塞感、圧迫感を持ち、「こんな世界、嫌だー。おら、別世界さ行ぐだー」と、精神的脱出口を本に求めた若者が大勢いたのだ。

十歳でハイスクール、十四歳でカレッジ入学、数か国語に堪能だった天才ハミルトンにとって、その窮屈さ、違和感は人並み以上だっただろう。彼もまた書物にのめりこみ、「ここではないどこか」へ逃避し、やがて自分で書くようになる。書くことで自由をえようとしたのかもしれない。

『スター・キング』もまた、現実世界のサラリーマンが、異世界へとびこんでいく物語だ。主人公ジョン・ゴードンは、星間帝国の王子と精神を入れ替わって、大宇宙を舞台に大活躍する。仕事や人間関係から生まれる義務や軋轢から自由になり、新しい世界で縦横無尽に活躍するこのパターンが、七十余年を経た今でも健在であることに、読書の意義を再認識させられる。

読者を夢中にさせるのは、連鎖的に襲ってくる危機を次々に解決していくストーリーテリングと、常識を吹き飛ばしてしまうスケールの大きいアイディアだ。

しかし、主人公が他人の身体を借りていることによって、欺瞞が生じてくるのは必然といえようか。本来の彼自身ではないこと、その結果として、周囲を欺いたままでいること。その解決編として、『スター・キングへの帰還』が用意された。本当の自分の姿でスター・キングへ赴き、冒険も愛も実現させる。この「変身」は、自己実現のステップともとらえられよう。（未訳だが妻リイ・ブラケットと合作した第三部 *Stark and the Star King* も書かれている。）

ハミルトンは、青少年向けの《キャプテン・フューチャー》シリーズで勧善懲悪をえがいた。その後、《スター・キング》シリーズでは、より複雑な善悪のあり方を悪役のショール・カンで表現した。それは、「悪」の魅力を語る、という図式に発展していき、晩年の《スターウルフ》において、宇宙海賊として悪行の限りを尽くした主人公の造形となって、見事な開花を示した。やがて、「スター・ウォーズ」の誕生を考えると、これが、下火になりかけていたスペースオペラの再興につながっていったという、堺三保氏の見解に大いに共感したい。

（乾石智子）

1969年9月

マイ・ベストSF

My Best Science Fiction Story, 1954

L・マーグリイズ&O・J・フレンド編
中村能三訳　解説：伊藤典夫
カバー：真鍋博

作者が自分で最も良いと思う短編を選び、その理由を付した自薦アンソロジーである。原著では、一九四九年のハードカバー版が二十五名分の作品を集めていたが、五四年のペーパーバック版で十二編に厳選され、日本版はこちらに準拠している。

アシモフは比較的軽めの「ロボットAL76行方不明」を選び、ヴァン・ヴォークトは思い切り地味な「宇宙船計画」を選ぶなど、多数の傑作の中からどうしてこれを?的な不可解な選択も中にはあるが、人類史を見据えたうえで希望を力強く語るハミルトンの「世界の外のはたごや」、最後に鋭いオチで締めるカットナーの「いま見ちゃいけない」、展開がわかっていても泣かせるバインダーの「火星からの教師」など、これなら納得という選択も多くある。また、自薦理由からは著者のSF観が窺われ、興味深いアンソロジーとなっている。たとえばアシモフは、フランケンシュタイン的な怪物にはしないという強い信念のもとロボットものを書いていると述べているが、たまたま怪物的ロボットを描いたブロックの作品も収録されているため、対比するのも一興だ。さすがに今読むと古めかしい作品も多いが、それでも入手し、読む価値はあるだろう。

（渡辺英樹）

1970年1月

自動洗脳装置

With a Strange Device, 1964

E・F・ラッセル
大谷圭二（浅倉久志）訳
カバー：真鍋博

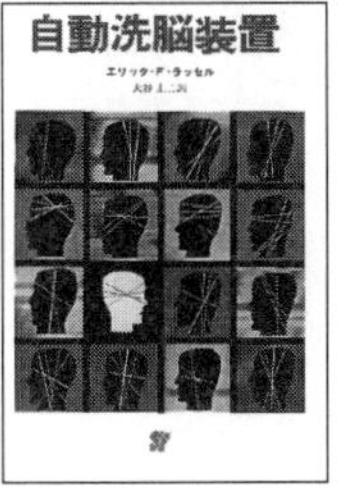

英国人のラッセルは一九三七年に作家デビューし、大西洋を股にかけて活躍したが、五九年以降は実質的に筆を折った。本書は原型が五六年にミステリ雑誌に掲載され、六四年に単行本となった。長編としては最後の作品に当たるが、その作風になじんでいる者にとっては意外なことに、東西冷戦を背景としたスパイ・スリラーとなっている。

主人公リチャード・ブランサムは、アメリカの防衛科学研究所に勤める冶金学者。ふとしたことから、二十年前に痴情のもつれから殺害した女性の白骨死体が見つかったことを知る。あわてて現地へ赴くが、地元の人々はその事件について何ひとつ知らず、犯行そのものがあったかどうかも怪しくなる。だが、殺人の記憶は鮮明だ。とすれば、この記憶は偽物であり、何者かに植えつけられたのではないのか。考えてみれば、あいつぐ同僚の失踪の裏にも同様の事情があるのではないのか。ブランサムの調査がはじまる。

SF的な要素はひとつだけで、それが邦題になっている。作者としては新生面を開こうとしたのだろうが、軽妙な筆致を捨てた代償は大きく、残念ながら、忘れられて当然の作品となってしまった。

（中村融）

1970年1月

The Monster from Earth's End, 1959

地の果てから来た怪物

マレー・ラインスター
高橋泰邦訳　解説：訳者

カバー：金子三蔵

わずかな駐在員だけが住む絶海の孤島。そこに荒天を避けて一時避難するはずだった南極大陸からの飛行機が、墜落同然の激しさで胴体着陸する。機長は謎の自殺を遂げており、乗客の姿も見当たらない。その後、島では犬や人間が襲われる事件が発生。何らかの生物が入り込んだことが疑われるが、その姿を見た者は誰もいない。果たして怪物の正体は?

作家・山本弘が「彼の作品こそ、まさにSFらしいSF」と絶賛する著者のホラーSF。飛行機に残されたわずかな手がかりで起きた襲撃事件の状況など、駐在員たちはわずかな手がかりから対策をひねり出すが、正しいかどうかはわからない。怪物の超常的な恐怖とともに、自分の推論に全員の命がかかっているという人間的な不安が、全編を重苦しく覆う。終盤で明らかになる怪物の正体には南極の地理を生かしたアイデアが絡み、恐怖だけでなく知的興奮も味わえる。一九五〇年代は、小説ではフィニィ『盗まれた街』(五五)、映像では「遊星よりの物体X」(五一)、「トワイライト・ゾーン」(五九〜)など、ホラーSF全盛の十年。その流れにも沿った一作だ。本作も「B級映画の帝王」ことロジャー・コーマン製作で、六六年に映画化された。

(香月祥宏)

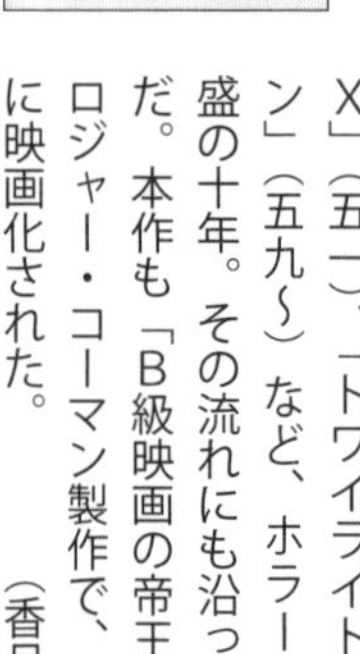

1970年3月

Virgin Planet, 1959

処女惑星

ポール・アンダースン
榎林哲訳　解説：訳者

カバー：真鍋博

作者初期の未来史シリーズ《サイコテクニック・リーグ》に属するサイエンス・ファンタジイ。若くてチャラい冒険家が、事故によって女性だけで野蛮化した惑星に降り立ち、伝説化した「男」として崇められたり、処女生殖装置で権力を握った者たちに「怪物」として命を狙われたりしながら、勇気と知恵で苦難を乗り越え一人前の男になっていく。物語は複数の美女に言い寄られるハーレム展開などいわゆる「アマゾネスもの」の典型を大過なくなぞっているが、なんと言っても読みどころは舞台となる恒星系の緻密な設定と、それを反映させたピクチャレスクな情景描写の数々だ。本作の舞台は二重恒星系で、太陽の四倍の質量を持つ主星から大きく離れた伴星の木星型惑星マイノスの三番目の衛星アトランティスで、大きさは地球とほぼ同じ。自転と公転の周期が一致していて母惑星に対し常に同じ面を向けていることや、他衛星の影響で激しい潮汐効果があるなど木星の衛星ガリレオに似ているなどの設定は、現地人の文明の性質に対する考察なども含め巻末に「著者の言葉」としてまとめられていて、読了後に、それを念頭に場面場面を読み返していくSFならではの楽しみ方ができる。

(渡邊利道)

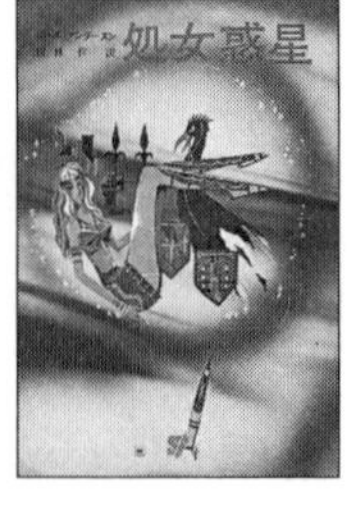

1970年6月

宇宙船ピュルスの人々

Die Männer der Pyrrhus, 1965

K・H・シェール
松谷健二訳　解説：訳者
カバー装画：金子三蔵

二八一五年、地球連合と自由植民者同盟との三十年戦争は平和条約が結ばれ、かりそめの休戦を迎えていた。連合艦隊特殊部隊長として勇名轟くライオネル・ファテナーは、一癖も二癖もあるかつての部下たち、日本人も含む八人の男と二人の女を招集。一度の超空間ジャンプで一万八千光年を跳躍可能という強力すぎる危険なエンジンを備えた元特殊任務艦、払い下げの宇宙船ピュルスでの交易を企てたのだ。だが超空間ジャンプに狂いが生じ、人跡未踏の銀河系中央星域に漂着してしまう。実体化して失神から目覚めた乗員はテレパシーを操るミュータントに拘束され、銀河文明の存在や地球人類誕生の秘密を知る。迫る地球の危機に犠牲を重ねながら対抗し、逆に利用して人類の大同団結の実現をも目指したファテナーたちの奇策とは⁉

本文庫四冊目にして最後のシェール作品。翌年から訳者の松谷健二は、ハヤカワ文庫を舞台に《宇宙英雄ローダン》邦訳の大事業に着手する。また本文庫既刊では、次回訳出予定作のあらすじ紹介が訳者あとがきの恒例となっており、本書で予告紹介された『地底都市の圧政者』は、一九七七年にハヤカワ文庫に収録された。他の邦訳としては『特務機関GWA』『オロスの男』がある。（代島正樹）

1970年8月

悪魔の発明

Face au drapeau, 1896

ジュール・ヴェルヌ
鈴木豊訳　解説：訳者
カバー、挿絵：南村喬之

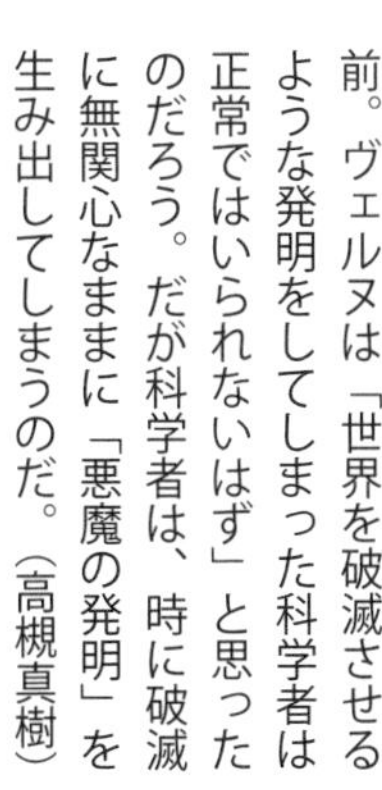

原爆を予感したヴェルヌの代表作として知られているが、本書を不滅のものとしたのは、チェコの才人カレル・ゼマンによる映画版の功績だろう。本書の原題は「国旗に向かって」という、ややぼんやりとしたもので、実は「悪魔の発明」という強烈にして見事なタイトルを付けたのは、ゼマンなのだ。

一九五六年に制作された映画版は、まさにスチームパンクの嚆矢。アニメと実写を巧妙に組み合わせ、銅版画が動き出したかのような映像を作り出してみせた。

両者の差異は実に興味深く、特にキャラクターの性格付けが大きく違う。原作では、主人公の発明家トマス・ロックは、冷遇されて精神を病んでおり、海賊ケル・カラージュにそそのかされて世界への復讐を誓う。映画版のロック教授は温厚な老紳士だが、ダルチガス伯爵に手厚い援助を約束されて、大喜びで爆弾開発に没頭する。

ヴェルヌが本書を執筆した一八九六年は、世界大戦のずっと前。ヴェルヌは「世界を破滅させるような発明をしてしまった科学者は正常ではいられないはず」と思ったのだろう。だが科学者は、時に破滅に無関心なままに「悪魔の発明」を生み出してしまうのだ。（高槻真樹）

1970年8月

ロボット市民

Adam Link - Robot, 1965

イアンド・バインダー

青田勝訳　解説：訳者

カバー：真鍋博

アシモフが初のロボットもの「ロビー」（一九四〇）を執筆する前に書かれていたのが、本書の元となった短編「ロボット誕生」（一九三九）である。その後、ロボット《アダム・リンク》ものとしてシリーズ化される。人間的な心を有し、フランケンシュタインの怪物と恐れられないよう、スーパーヒーローのように活躍するが、逆に法廷で告発されたりする。

イアンド・バインダーは兄弟作家（アールとオットー）の合作ペンネームだった。兄は早々に執筆から離れ、弟だけとなったが、ペンネームはそのまま維持された。ただし、パルプ雑誌中心の小説執筆は戦前に終わり、戦後はマーベルコミックの原作や脚本の仕事が主となる。アメコミの原作者というと、スタン・リーなどごく一部の著名作家しか名前が残っていないが、バインダーもその一人だったのだ。クレジットがないので確実ではないが、スーパーマン、ブラック・アダム、ジャスティス・リーグ（映画ではなくコミック）などに関わった。

本書は一九六五年に過去のロボットものを集大成する形で、書き下ろされた長編である。ＴＶシリーズ「アウター・リミッツ」の一エピソード「ロボット法廷に立つ」は最初の短編が原作。（岡本俊弥）

1970年9月

狂風世界

The Wind from Nowhere, 1962

Ｊ・Ｇ・バラード

宇野利泰訳

カバー：金子三蔵

地・水・火・風——四大元素の異常な活性化によって、存亡の窮地に立たされる全人類。その記念すべき第一弾は、万物を薙(な)ぎ倒す、恐るべき強風に蹂躙される世界の姿だった……。

いわゆる〈新しい波(ニューウェーブ)〉ＳＦの旗手として脚光を浴びた、Ｊ・Ｇ・バラードの長編第一作である。

一刻も休むことなく東から吹きつける、異常な強風……その威力は日々五マイル近くずつ増加してゆき、ロンドン、ニューヨーク、東京など世界の主要都市は、次々となすすべもなく、廃墟と化していった。

医学者、軍人、気象学のエキスパート、そして謎めいた大富豪など、さまざまな立場の登場人物たちが織りなす群像劇のスタイルで、作者は突如として地球を襲った未曾有(みぞう)の大災厄の顚末を、克明に描き出している。四作品のなかでは、比較的シンプルな構成の物語ではあるのだが、東日本大震災以来の異常気象を実体験した現在の眼からみると、異様なまでのリアルとサスペンスを感じさせるのも事実だ。

現在、日本では初期・宇能鴻一郎(うのこういちろう)の復権が密やかに進行中だが、三〇年代前半に誕生し、中国で少年期を過ごした両作家の比較論など、大いに興味あるところだろう。（東雅夫）

1970年10月
Who Can Replace a Man?, 1965

ありえざる星

ブライアン・W・オールディス
井上一夫訳　解説：訳者
カバー：金子三蔵

オールディスはJ・G・バラードと並び称せられる英国SFの大立者。一九五〇年代なかばにデビューし、多くの長短編SFを書いた。

本書は初期十年間に書かれた短編群からセレクトした傑作集。中でも有名なのは「だれが人間にかわれる?」で、ロボットものの歴史を語る時には欠かすことができない（ちなみに原著はこちらを表題作としている）。ニューウェーブ運動以前の作品とあってか、アシモフのロボット三原則を踏まえているのが微笑ましいが、さまざまなロボットを描き分けるオールディスのペンは喜びに満ちている。

ロボットものに限らず、本書では多くのSFテーマが取り上げられ、まるでSFのサブジャンル見本市のような様相を呈している。日本版表題作はゴヤの幻想絵画を思わせる異星の光景を、「不滅」はテレパシーを、「協定の基盤」はリアルな近未来の戦争を、それぞれ描くといった具合で、著者はそうしたSFの諸相を陰鬱なユーモアで彩り、巧みなレトリックを駆使することで独自の世界に仕立てている。その様子はまるでSFという遊園地で遊ぶかのよう。巨匠の初心溢れるスケッチ集といいたい。（森下一仁）

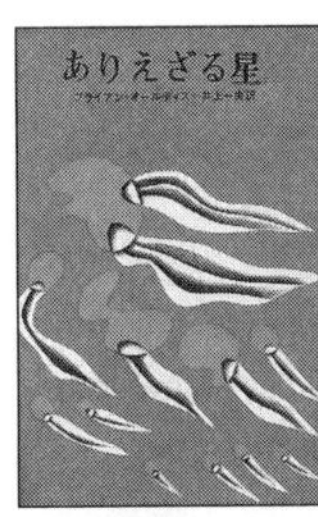

1970年11月

オクス博士の幻想

日本オリジナル編集
ジュール・ヴェルヌ
窪田般彌訳　解説：訳者
カバー、挿絵：南村喬之

ヴェルヌは、その作家活動の前半期に前向きで明るい作品を、後半期に厭世的で暗い作品を多く書いたと言われている。それは間違いではないが、前半期にも、悲観的あるいは絶望的な作品がけっこう紛れている。

その証拠が、本書に収録された「オクス博士の幻想」（一八七四）「ザカリウス親方」（一八五四）の二つの短編だ。ヴェルヌを一躍有名にした『気球に乗って五週間』は一八六三年の発表だから、「ザカリウス親方」は、それ以前の習作と言える。「オクス博士の幻想」の原型「オクス博士の酔狂」は、『八十日間世界一周』（一八七二）と同年に雑誌に発表されており、円熟期の作品に属する。

SFの父ヴェルヌの作品には、『海底二万里』（一八七〇）に代表されるとおり、科学謳歌の装いをまといつつ、文明批判も顕著である。その特徴は、この短編集にも濃厚だ。ある地方の町人たちを不思議なガスで狂気に誘う「オクス博士の幻想」が名の通った作品ではあるが、より深みのあるのは、悲劇性の強いゴシック小説「ザカリウス親方」である。ヴェルヌには悪の科学者が新発明で世界を騒がすものが何編かあるが、その嚆矢と言える。（二階堂黎人）

1970年11月

テネブラ救援隊

Close to Critical, 1964

ハル・クレメント
吉田誠一訳　解説：訳者
カバー装画：金子三蔵

　気温三七〇度、八〇〇気圧、重力は三G、硫化物の混じった大気に覆われ、硫酸の海が広がる惑星テネブラ。そこには八本足で鱗のある、卵生の知的生命が棲息していた。地球人がテネブラにロボットを送り込んで「原住民」を教育し、地表の探検や研究調査を始めてから十数年後、地球人少女とドロム人外交官の息子が乗った着陸船が惑星に不時着し、軌道上の人々は、地表のテネブラ人たちと協力して子供たちの救出を試みる。

　クレメントが得意とする、異形の知的生命と地球人との協力による冒険譚。一見して『重力への挑戦』と同工異曲のようにも思える設定だが、本作では遭難した聡明な地球人少女イージーの、高重力をものともしない活躍が読みどころ。

　テネブラ人の卵を拉致して孵化させ、地球人の言いなりになるよう教育するくだりなど、ちょっと倫理的にどうかと思うところもあるが、そうした大人たちの思惑を超えた少女の意志が物語を駆動させていく展開は今読んでも新しい。

　なお、本書で活躍した少女イージーは、続編『超惑星への使命』（ハヤカワ・SF・シリーズ）では言語学者に成長して登場し、『重力への挑戦』のメスクリン人たちと共演している。

（風野春樹）

1970年12月

時間と空間のかなた

Away and Beyond, 1952

A・E・ヴァン・ヴォークト
沼沢洽治訳　解説：訳者
カバー：司修

　一九五二年に出たヴァン・ヴォークトの中短編集（ボリュームの関係で原著から二中編が省かれた七編収録）。執筆自体は八〇年代まで続くが、長短編を問わず、ヴァン・ヴォークトがもっとも作品を書いたのは四〇～五〇年代だった。本書は、〈アスタウンディング〉誌などに載った、その全盛期の作品を収めたもの。

　原野で見つかる動力不明のエンジン、独裁者を出し抜こうとする発明家、ナチス治下のドイツで開発される無尽蔵のエネルギー転位装置、八千万年前に墜落した宇宙船に積まれていた平和樹の種子、地球に不時着した船に乗る二頭の異星獣、貸し出す度に中味が入れ替わる映画フィルム、地球に避難場所を求めてやってきた生気エネルギーを吸い取る異星人。

　マッド色が強い科学者による驚異の大発明、（吉村昭(あきら)『羆嵐(くまあらし)』に出てくる人食いヒグマのような）凶暴で狡猾(こうかつ)な異星の獣、超人を凌駕(りょうが)する超・超人など、ヴァン・ヴォークトおなじみの誇大妄想狂的アイデアが満載で楽しい。とはいえ中編では短いので、長編で見られる破天荒さ、破れかぶれといったことは（あまり）なく、手堅くまとまっている。まず発想の自由さを堪能すべきだろう。

（岡本俊弥）

1971年4月～
Agent of T.E.R.R.A. 1966-

《TERRAの工作員》全四巻

ラリー・マドック
高橋泰邦訳　解説：訳者
カバー：金森達

〈時間エントロピー修復機関〉と、悪の組織である〈エンパイヤ〉は、互いに相手の存在を消し去ろうと、銀河系のそちこちで壮絶な時間改変戦争を繰り広げていた。

TERRAの工作員であるハンニバルと、その共働者で可変種のウェブリーは、通信の途絶えた仲間を探すため、航時輸送機に乗り、二十六世紀から過去の地球へとタイム・ジャンプした。そこでは、〈エンパイヤ〉の工作員が時間侵犯を行なっており、正しい歴史を歪めることで、未来の宇宙全体を支配しようと画策していたのだった。かくして、時間と空間を股にかけた両者の熾烈な戦いが披露される——。

この《TERRAの工作員》が書かれた一九六〇年代は、映画「007」シリーズや、TVドラマ「インベーダー」に代表されるように、スパイものや、UFOもののドラマや小説が大人気だった。したがって、本シリーズも、そうした流行の影響下に描かれたスケールの大きなSFスパイ小説になっている。

しかも、空飛ぶ円盤、アトランティス、古代神話、タイム・パラドックスなどといったSFならではの素材がふんだんに出て来て、活劇面と知的興奮の両方を満足させる。

（二階堂黎人）

1971年5月
Strangers from Earth, 1961

地球人よ、警戒せよ！

ポール・アンダースン
榎林哲訳　解説：訳者
カバー：真鍋博

一九四七年に学生デビューしたアンダースンは数年の助走期間を経て、猛然と活動を開始する。六〇年までの雑誌掲載作品は長編、中短編合わせて百五十編超。理工学的知識に優れ、高い文学性と歴史感覚に秀でた安定感溢れる作品群と、なによりそのたぐいまれなる量産能力で一躍時代の寵児となった。六〇年と六一年は過去の活動の総決算を目指した時期にあたり、合わせて十一冊の単行本を上梓している。その後刊行数は急減する。そんな時期、六一年に刊行された本書だが、これだけの作品を量産してきた作家だというのに、連作集を除く純然たる短編集として初めての本となる。代表作のいくつかが著名アンソロジーに収録されて抜けたことで、若干華やぎに欠ける面は否めないが、それでも十年がかりの精華集には違いない。

『世界SF全集　世界のSF現代篇』にも「野生の児」の訳題で収録された表題作、友人知人、国民すべての憤激を一身に背負いつつ施政者として祖国のために奮闘する、著者得意の人物像を描く「宇宙の群盗」などバラエティーに富んだ作品集。

個人的には著者の未来史の一編で、高等遊民と化したロボットの悲哀が胸を打つ小品「ドン・キホーテと風車」を特に推したい。

（水鏡子）

1971年5月

ポディの宇宙旅行（天翔る少女）

Podkayne of Mars, 1958

R・A・ハインライン
中村能三訳

カバー：山野辺進
【改題】1985年【新訳】2011年刊、赤尾秀子訳

ハインラインのジュヴナイルには珍しく少女小説的なテイストを持つが、進歩と保守、情動と合理性がせめぎ合う作者の特徴も存分に味わえる。主人公のポディは火星育ちの十五歳。外見は北欧美人風だが、火星移民ならではの人種ミックスだ。夢は宇宙船の船長で勉強熱心だが、ティーンエイジャーらしい自惚れやさんでもあり女子力も高め。そんな彼女が、ひょんなことから豪華客船の乗客となり地球に向かうことに。一等船室の年寄りの我儘や差別意識への苛立ち、放射線からの避難行動のすったもんだなど、船内の様子が面白おかしく一人称で綴られていく。しかし、物語は終盤で一転。この旅行には別の目的が隠されていたことが発覚し、とんでもない結末を迎える。初刊時、陰惨でジュヴナイルにそぐわないと書き直しを求められたハイラインは、不服ながら最後に〝救い〟を加えた。しかし彼の没後、もともとの結末が公刊され、ふたつの結末に対して人気投票が行われた。結果は書き直し前のオリジナルに軍配が上がり、それ以降の書籍ではこちらが採用されている。トラウマ本と言われることの多い本書だが、これでも翻訳版は（旧版・新訳版共に）、〝救い〟のある方を底本としている。

（三村美衣）

1971年7月

22世紀の酔っぱらい

Drunkard' s Walk, 1960

フレデリック・ポール
井上一夫訳　解説：訳者

カバー：真鍋博

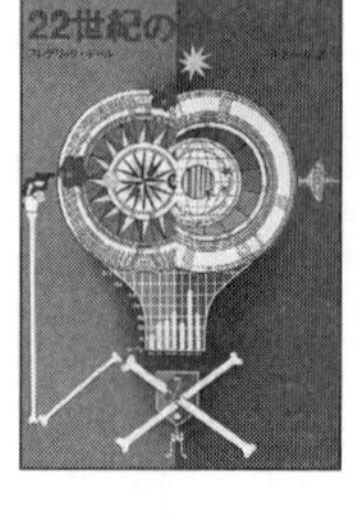

大学を中心とするエリートと、過酷な海で生活する労働者階級に二分された未来社会。数学教授のコーナットは、テレビ授業のスターで、男ぶりもよく順風満帆だったが、知的エリートの間で流行している謎の自殺願望に囚われていた。一方、南海の孤島から大学によって連れられてきた原住民を感染源として天然痘が蔓延し、また信頼する学部長が殺人未遂の正当防衛で殺害される。それらの事件が裏で繋がっていることに気づいたコーナットは、恐るべき陰謀と立ち向かう羽目になるが……。皮肉たっぷりのサタイヤで、原著の刊行年でもすでにやや時代遅れな感じのテーマを階級社会の閉塞性に結びつけ、次々に起こる事件の連鎖を悠揚迫らぬ筆致で冷たく突き放すように描く。コーナットが学部長に結婚を勧められる美人学生ロシールの、至れり尽くせり才色兼備の佇まいはほとんどそれ自体お洒落なジョークのようだ。ロシールと学識豊かでも色恋には唐変木なコーナットとの掛け合いは、どんどん殺伐としてくる後半のサスペンスフルな展開に、おっとりしたラブコメディの花を添える。原題がブラウン運動のランダムネスをさす数学用語で小説全体の比喩にもなっている他、数学的な小ネタが随所に鏤められている。

（渡邊利道）

1971年8月

時間に忘れられた国(全)

The Land That Time Forgot, 1918

E・R・バローズ
厚木淳訳 解説：訳者
カバー装画：武部本一郎

南太平洋の絶海の孤島キャスパック、断崖絶壁に囲まれ外界から完全に隔絶された世界。巨大な火山が陥没して噴火口が内海になったドーナツ型のその秘境に、偶然流れ着いたのが英米仏独の一団（と賢い犬）。時あたかも激動の第一次世界大戦の時代。だがキャスパックは太古から不変の、恐竜を始めあらゆる年代の生き物が跋扈する、驚異のロストワールドだった！

本書は第一部「ボウエン・タイラーの手記 ―時間に忘れられた国―」の内容を綴った手記を瓶で海に流し、受け取った親友による救出行の第二部「トーマス・ビリングズの冒険 ―時間に忘れられた人々―」、第一部の途中で別行動を取った「ブラッドリーの物語 ―時間の深淵より―」の第三部という構成になっている。そしてSFとして際立たせているのが、個体が一生の間に数十万年の進化の段階を辿るという、特異で複雑な生態系のアイデアであり、有翼人のような奇怪な存在だろう。また《ペルシダー》に先行するプロットの類似性も興味深い。

当時のバローズ人気の過熱ぶりは凄まじく、本書は三分冊のハヤカワ文庫版からわずか半年後に刊行された。一巻ものでSF度が高い代表作なので、バローズのショウケースとしてゼヒお試しあれ！（代島正樹）

1971年9月

ブレーン・マシーン

The Brain Machine (The Fourth "R"), 1959

ジョージ・O・スミス
伊藤哲訳 解説：訳者
カバー：真鍋博

五歳の子供ジェームズは、両親が開発した電子機械教育器によって膨大な知識を得ていた。父の友人ポールはこの機器を手に入れるため、ジェームズの両親を殺害するが、ジェームズは機器を破壊し、ポールのもとから逃れる。マシーンの作り方はジェームズしか知らないため、ポールは執拗に彼を追いかけるが……。

作者は電子工学技士として働いていた経歴があり、脳波をフィードバックして知識を定着させるマシーンの仕組みはそれなりに説得力がある。ただし、本書の主眼は、このマシーンが社会にもたらす影響ではなく、大人並みの知能を得た五歳の子供が社会で暮らすにはどうしたらよいかを丁寧に描き出す点にある。ジェームズは作家として原稿料を得て、大きな屋敷に隠れ住み、家政婦を雇って生活していく。彼が十四歳になるまでの成長物語として本書を読むこともできるし、本書の後半、二十ページに渡る法廷描写から、本書を「知能をもった子供を大人として認めるかどうか」について検討した法学SFとして読むこともできる。どちらにせよ、邦訳されている作者の他の長編とは趣が異なり、本格的な社会派SFとして記憶に留めるべき作品であろう。（渡辺英樹）

1971年9月

黙示録3174年

A Canticle for Leibowitz, 1959

ウォルター・M・ミラー・ジュニア

吉田誠一訳　解説：池澤夏樹

カバー：石垣栄蔵

一九五九年刊で、六一年のヒューゴー賞を受賞している。翌六二年はキューバ危機の年であり、まさに東西冷戦時代のまっただ中に生まれた作品だ。

二〇世紀に勃発した全面核戦争によって人類の文明は大きく後退。生存者の一部は科学技術文明を否定する過激な運動を推進、知識人を虐殺し、書物を焼いた。カトリック教会は、人類の知識を秘匿し保存するための修道院を密かに創設する。

二十六世紀、三十二世紀、三十八世紀の物語をそれぞれ描く三部構成で、いったんは滅びかかった科学技術文明が再び勃興し、恒星間移民をも実現する高みに達しながらも、またもや過ちに突き進んでゆくさまを、諦観の漂う語り口で淡々と綴ってゆく。

こうした〝アフターホロコースト〟の設定は、いまやすっかり定型様式であり、筆者も本書をSF愛好家がときおり繙くのみの埃をかぶった古典だと不明にも思っていた。しかし、冷戦終結以降で世界が最も核戦争に近づき、国内外で政治と宗教の関係が問題視されてきた昨今、本書は、そこに流れる〝循環〟のモチーフそのままに、いま再び新鮮な作品として輝きを放ちつつある。（冬樹蛉）

1971年12月

失われた大陸

The Lost Continent (Beyond Thirty), 1916

E・R・バローズ

厚木淳訳　解説：訳者

カバー、口絵、挿絵：武部本一郎

二十世紀後半の悲惨な世界大戦から二百年後、南北アメリカ大陸には統一国家が誕生し、平和を謳歌していた。ただし、他大陸とは完全に没交渉となったまま。そんな中、海難事故でヨーロッパに漂着してしまった若き主人公は、そこで異様な光景を目にする。今やヨーロッパは文明が完全に後退し、野生動物たちが跋扈する危険地帯となっていたのだ……。

バローズはいくつもの著名なシリーズで、常に怪物や悪漢に溢れた世界を探検する主人公たちの冒険を描いてきた。それはジャングルの奥地、他の惑星、地底世界等、いまだ人が足を踏み入れたことがない異郷を舞台にしていた。ところが本作は珍しいことに、文明がいったん滅んだ世界を舞台にした、一種のポスト・アポカリプスSFとなっている。バローズがこのような未来図を思い描いたのは、執筆当時そのさなかにあった第一次世界大戦の影響があるのはまちがいない。だから、本作に当時の人々の憂いを読み取ることも不可能ではない。現代の目から見ると素っ頓狂にも見える設定の数々はご愛敬といったところか。とはいえ、そこはバローズ、設定もそこそこに毎度お馴染みの快男児によるお姫様救援冒険譚が繰り広げられるので、安心されたし。（堺三保）

1972年3月

サハラ砂漠の秘密

L'étonnante aventure de la mission Barsac, 1914

ジュール・ヴェルヌ
石川湧訳　解説：石川布美
カバー、挿絵：南村喬之

馬上の美女、見上げる空には乱舞する怪しい飛行機械。表紙買いである。『惑星カレスの魔女』にも心揺るがなかったこの私が、だ。カバーと挿画は怪獣画や恐竜画で有名な南村喬之、挿画も素晴らしく、作中のイメージ喚起を手伝ってくれる。

本作はヴェルヌの死から十四年後の一九一九年、未完成の二つの中編を元に息子のミシェル・ヴェルヌが長編化したもの。このミシェル、父親に反抗するあまり、駆け落ちするわ借金するわ浮気するわ妻に暴力を振るうわ離婚してまた駆け落ちするわで、親子関係は一時最悪となる。しかし父は、金銭こそほとんど相続させなかったものの、著作や遺稿の管理を息子に委ねた。才能は認めていたのだ。そして息子もそれに応えて、殺人ドローン（そう、表紙の怪しい機械だ）や人工降雨など、自身の着想も盛り込み娯楽作品として完成させている。

兄の汚名を雪ぐべく、アフリカ調査団に同行し、悪の機械帝国ブラックランドに挑むヒロイン・ジェーンには、父との和解を願うミシェルの姿が重なる。しかし、そんな背景は抜きにしても楽しめる作品だ。日本では二〇〇二年に「悪魔の証明」も取り込んで「パタパタ飛行船の冒険」としてアニメ化もされている。

（理山貞二）

1972年6月

必死の逃亡者

Les Tribulations d'un chinois en Chine, 1879

ジュール・ヴェルヌ
石川湧訳　解説：石川布美
カバー、挿絵：南村喬之

SFというよりは純粋の冒険エンタメであるがゆえに、いっそうヴェルヌの奇想とストーリーテラーぶりが楽しめる作品で、何しろ舞台は清朝末期の中国。何不自由ない境遇で、ために人生に退屈しきっていた金馥は一夜にして全財産を失い、自殺するかわりに親友に殺してもらうことで保険金を彼や恋人に贈ろうとするのですが、そうと決まったあとで破産は誤報とわかり——という展開は、この手のサスペンス・コメディの元祖といえ、現にフィリップ・ド・ブロカ監督、ジャン＝ポール・ベルモンド主演の映画「カトマンズの男」の原作になっています。

とにかくヴェルヌならではの〝調べに調べた結果生み出される幻想世界〟が魅力的で、登場する中国人たちは何やらコスプレをした西洋人めいているし、金馥は恋人の雷呉と蓄音機を使って文通し、海賊を逃れて海に飛びこめば水中でも消えない化学ランプや帆のついた潜水服を使うなど、ちょいちょいとはさまれる当時の科学トピックスが何ともミスマッチでユーモラスです（作者のミスなのかジャンク船の船長さんたちの扱いはひどすぎますが）。作家はヴェルヌで小説のデッサンを学ぶと何かで読んだ記憶がありますが、本書はまさにその好見本と言えるでしょう。

（芦辺拓）

1972年9月
The Weathermakers, 1967

天候改造オペレーション

ベン・ボーヴァ
伊藤哲訳　解説：訳者
カバー：真鍋博

気象学をテーマに据えた、日本ではあまり注目されて来なかったタイプのSFだ。事なかれ主義の上司に研究所を追い出された若き気象学者と彼を慕うモンゴル出身の化学者は、語り手である大企業の御曹司（おんぞうし）と組んで新たな企業を立ち上げる。表向きは高精度な長期の天気予報の提供を売りにしつつ、具体的な天候制御の技術確立をも目指すのだ。現場目線で顧客の信頼を獲得しつつ、元上司の策謀や空軍の介入を経て、大統領絡みのプロジェクトでの巨大ハリケーン上陸阻止という難題に挑む羽目に陥る……。バランス感覚の行き届いた、お手本のように手堅い作り。経営シミュレーションや眼鏡をかけた技術者をめぐるロマンスといった要素も加え、物語のスケールは無理なく拡大していく。描かれる中心的な技術は人工降雨なのだが、このときの取材は、中学生向けノンフィクション*Man Changes the Weather*（一九七三）にも反映されている。ここでは二酸化炭素の制御という、喫緊の課題までもが強調されていた。ボーヴァは北ヴェトナムやラオスが、気象改変の実験台にされたことへの問題意識も隠さない（一九七六年のインタビュー）。コアの思想は今なお有効なハードSFの佳品であろう。

（岡和田晃）

1972年10月
Pebble in the Sky, 1950

宇宙の小石

アイザック・アシモフ
沼沢洽治訳　解説：訳者
カバー：司修

仕立屋の隠居シュワーツは核研究所の些細な事故によって、一九四九年から銀河暦八二七年の世界へと転移してしまった。人類は銀河系の二億もの惑星に住み、総人口は五〇万兆にもおよぶ。そのなかで、地球は人類発祥の地であることを忘れさられ、放射能にまみれた辺境の地として蔑（さげす）まれる立場となっていた。シュワーツは地球の物理学者シェクトの新発明シナプシファイアーの実験にかけられ、強化した学習能力によって未来の言語を習得する。さらに不思議な精神能力も発現しようとしていた。シナプシファイアーの秘密には、地球を牛耳（ぎゅうじ）る〈古代教団〉がかかわっているらしい。また、情報をつかんだ銀河系帝国側も動きだしていた。まったく事情を知らないシュワーツは、虚々実々入り乱れた勢力の駆け引きに巻きこまれていく。

アシモフ最初の長編。恩師にあたる編集者ジョン・W・キャンベルの影響を受けずに書きあげた、この作家のキャリアにおいて重要な意味を持つ作品である。放射能汚染に対する誤解、拭いきれない人種差別、過激化する偏狭な民族主義など、現在にも通じる諸問題が取り上げられていることにも注目したい。別の邦訳として高橋豊訳『宇宙の小石』（ハヤカワ文庫SF）がある。

（牧眞司）

1973年2月〜

《冒険の惑星》全四巻

Planet of Adventure, 1968-

ジャック・ヴァンス
中村能三訳　**解説：大谷圭二（浅倉久志）**
カバー：小川陽

ヴァンスを読むのは、まだ見ぬ景色の広がる異郷へと旅に出るということだ。なかでも本書の没入感はただものではない。地球から二一二光年離れた惑星チャイ。謎の電波信号の調査に出向いたアダム・リースは、乗っていた偵察艇が撃墜され九死に一生を得る。彼は紋章遊牧民のトラズ、ディルディル人のアナコと一緒にチャイを旅し、怪しげな教団に生贄にされかけていた美女『キャスの花』を救出する……。

こう書くと、ありがちなE・R・バローズの亜流に見えるかもしれないが、さにあらず。船員として各地の風俗を目にしてきたヴァンスは、狭苦しい偏見の枠組みをはるかに飛び越えたものとしてエキゾチックな風習を描き、視点人物リースを含め、そのなかの生き様を伝えるのだ。『大いなる惑星』での冒険感覚や『竜を駆る種族』的なSF設定も踏襲したうえで、ディルディル（Dirdir）等の固有名詞の音楽的響きは美しい。ル＝グウィンが『夜の言葉』で感嘆した抑制的なユーモアも健在だ。

ヴァンスは自分が都会の図書館で本を読み耽るインテリではなく、あくまでも労働者だと述べている（伊藤典夫のインタビュー、〈SF宝石〉一九七九年一二月号）。本シリーズは原著の刊行時期が近いジョン・ノーマンの《反地球》の流れでも紹介されたが、《反地球》のごとき女性蔑視の正当化はなく、だからこそ二巻で『キャスの花』を待つ運命の衝撃は大きい。

本書はスタイリッシュな《魔王子》シリーズの前期と後期の間に挟まれるように、一九六八年から七〇年まで連続刊行されたもので、山野浩一のような〝新しい波〟の批評家にも「良質のスペースオペラで楽しめる」と称讃されている（「読書人」一九七三年三月一九日号）。実際、全体のまとまりはよく、新ヒロインのザップ210が登場する四巻の怒濤の展開も違和感はない。日本語版のカバーは小川陽による装画の色違いだったが、再刊時には各巻ごとに米田仁士の新カバーが描き下ろされてイメージ一新、フレッシュな読者層を獲得した。

ヴァンス作品はRPGの基礎でもある。『終末期の赤い地球』はRPG『ダンジョンズ＆ドラゴンズ』の魔法システムや邪神ヴェクナ（Vecna）、『トンネルズ＆トロールズ』の職業（盗賊）へ与えた影響が著名だが、《冒険の惑星》での太古種族に関する設定は、『ウォーハンマー』のオールド・スランを想起させる。実際、関連誌〈ホワイト・ドワーフ〉七四号（一九八六）には『冒険の惑星』の書評が掲載されていた。汎用RPG『ガープス』では、なんと本シリーズを緻密にデータ化した追加設定資料（サプリメント）も刊行（未訳、二〇〇三）。チャイで起きそうなイベントをランダム生成する表の部分はスティーヴ・ジャクソン・ゲームズのサイトで無料公開されている。必ずやニヤリとさせられるはずだ。

（岡和田晃）

1973年3月
Rogue Ship, 1965

目的地アルファ・ケンタウリ

A・E・ヴァン・ヴォークト
永井淳訳
カバー：金子三蔵

「おい！　宇宙の本質をつきとめたぞ」――そんなSF読者憧れのセリフが登場する、豪快な宇宙冒険譚だ。主な舞台となるのは、太陽系滅亡を察知したレズビー博士率いる地球脱出船〈人類の希望号〉。しかし船は予定の速度を出せず、旅は長引き、船内の空気は常に不穏だった。初代レズビーから五代目の時代に至るまで、何度も繰り返される探索派と帰還派の対立。新たな理論の発見や異星人との出会いを経て、船内の勢力図は目まぐるしく変化してゆくが……。

『宇宙船ビーグル号の冒険』などと同じく、別々に発表された三作をまとめて長編にしたもので、展開が早い。当初の目的地である邦題のアルファ・ケンタウリを、序盤にあっさり通過。他の候補地をめぐりながら地球への帰還を模索するのだが、その過程でぶっ飛んだアイデアが次々と投入される。架空理論の細部は正直よくわからない。しかし、とりあえず言い切って書いてしまう力技が圧巻だ。一方ストーリーは、権力志向や望郷の念に基づく人間模様が駆動する。アイデアの突飛さとドラマの俗っぽさのギャップが生む急流に、読む側は翻弄されっぱなし。冒頭のセリフが、どこでどんな風に飛び出すのかも注目だ。（香月祥宏）

1973年3月〜
The Wooden Star, 1968 and other

ウィリアム・テン短編集

ウィリアム・テン
中村保男訳　**解説：訳者**
カバー：サングラフィック　山本典子

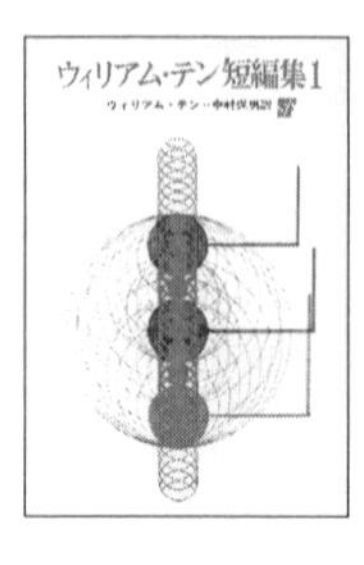

W・テン（本名ポール・クラス、一九二〇〜二〇一〇）が「囮のアレグザンダー」でSF界にデビューしたのは、第二次大戦直後の一九四六年春。本邦初紹介は、日本初のSF同人誌〈宇宙塵〉八号（五八年一月）に、同誌の主宰者・柴野拓美が小隅黎名義で訳した、タイム・パラドックスのおかしさを狙った原型的な作品「俺と自分と私と」。そして、〈S‐Fマガジン〉の創刊初年度の六〇年に二号連続で短編が訳されたのをはじめ、その後もコンスタントに同誌に紹介され、「奇抜な着想と独特な話術で、五〇年代の諷刺ユーモアSFの代表的作家」（浅倉久志）として親しまれたにも拘らず、同じ系譜に属する後輩のブラウン、シェクリーほど人気を博することなく、忘れられた。本国でも傑作・佳作短編をものし、高く評価されながら、なぜか賞に恵まれないまま、六六年には創作からセミ・リタイアし、ペンシルヴェニア州立大でSF創作講座の教鞭をとる大学人となったが、彼の功績を顕彰するかのように、二年後の六八年夏、バランタイン・ブックスは、唯一の長編と、この短編集二冊の底本を含む短編集三冊の新刊ほか計六点を同一フォーマットで一挙に刊行。その辛辣と諧謔の作品を熟読玩味すべし。（高橋良平）

1973年5月〜

Pellucidar, 1914-

《地底世界》全七巻

E・R・バローズ

厚木淳訳　解説：訳者

カバー、口絵、挿絵：武部本一郎

《火星シリーズ》のジョン・カーター三部作、《ターザン》開巻の二部作を矢継ぎ早に発表し、飛ぶ鳥を落とす勢いのバローズが一九一四年に連載開始した第三のシリーズ、それが《地底世界（ペルシダー）》シリーズである。地球空洞説に基づく魅力的な世界設定とスケールの大きさで、地底テーマの代名詞とされているのは、「ウルトラマン」に登場する地底戦車が〝ペルシダー〟と名付けられた事例（一九六七）からも伺えよう。

　地球中心核の動かぬ太陽が天頂で照りつけ、夜も時間も方位も存在しない。地殻の凹凸に対応して陸海の比率は逆で、内側でも陸地面積では地表を遥かに凌駕する。その広大な未開の原野に恐竜と猿人と旧石器時代人が共存した不可思議な世界……。ディヴィッド・イネス青年は老技術者アブナー・ペリーが開発した地下試掘機〝鉄モグラ〟の暴走でペルシダーに辿り着くのだが、この二人の絶妙な配役は映画「バック・トゥ・ザ・フューチャー」の先駆けともいえる盤石の布陣。そこに仲間と魅力的なヒロインが揃えば、手に汗握る冒険はまちがいなし！

　第一巻で大型翼竜の爬虫類、マハール族が儀式場で催眠術にかけた少女を喰らうシーンの戦慄描写は、バローズ全作品中でも白眉の鮮烈さ。巻が進むと《火星》《金星》シリーズにも登場するジェイスン・グリドリーやターザンまでもが大活躍。現実世界と地続きのペルシダーならではの粋な読者サービスだ。

　それはそうと、本シリーズほど日本の読者に厳しい選択を強いた作品は無いのではなかろうか。《火星シリーズ》への対抗として早川書房が翌一九六六年から〈ハヤカワ・ＳＦ・シリーズ〉で刊行開始し、ハヤカワ文庫でも全七巻を七二年に完結済み。七三〜七七年の本文庫版は完全に後塵を拝していたのである。もちろんバローズにおいて、翻訳は厚木淳で装幀が武部本一郎というブランド価値は鑑定書並みに絶大なものだが、悩ましいのが第七巻『美女の世界ペルシダー』である。連作短編三作品（初出一九四二）からなるが、原書（六三）にはバローズ没後に発見された未発表原稿も収録、その翻訳権を早川書房が取得していたのだった。本文庫版は完訳と比べて一割弱まで圧縮したダイジェストを第三部の終章に追加するという荒業を駆使した執念の一冊なのだが、本作をどういう形で揃えて読み進めるべきか、苦悩された経験を持つ方はきっと多いはず。

　さらに第一巻『地底の世界ペルシダー』は映画「地底王国」（一九七六）に合わせた映画カバーに替えたのは良いとして、せっかくの武部画伯の装画にいつまで経ってもなぜか戻さず、シリーズ装幀が長きにわたり不統一だったのも惜しまれる。《ペルシダー》が復活する際には、バローズと同じく厚木淳が秘かに翻訳していた未発表訳稿が発見され……なんてドラマを夢想してみたりするのもファンの愉しみだろう。（代島正樹）

1973年9月

終点：大宇宙！

Destination: Universe!, 1952

A・E・ヴァン・ヴォークト

沼沢洽治訳　解説：訳者

カバー：司修

ヴァン・ヴォークト初期の中短編集。主に一九四〇年代に書かれており——同時期の長編同様——出色の十作を収録する。「一罐（ひとかん）のペンキ」は方程式もの系パズルSFで、二〇〇四年に映画化された。「魔法の村」は火星ファーストコンタクトもの。

収録作の大半が宇宙SFである本書の題名は、ハインライン原作のハリウッド映画Destination Moon（邦題「月世界征服」）から。著者あとがきに、知人がその映画を見て〈起こりうること〉を描いているからSFではないと言ったとある。著者はそれをSFへの非難と見なす（同あとがきでは作家たちが科学発展の一部を見落としてきたと認めつつ作家は科学者の千分の一しかおらず劣勢だとする）。本書は反論／弁明なのだ。

題名にも呼応する「はるかなりケンタウルス」では地球初の恒星間航行者が、後発の進んだ科学をもちいた航行者に追い抜かれ——ここまででも十分面白いのだけれど——その理解できないほど進んだ科学をもちいて新たな目的地をめざす。なお本短編が書かれたのは一九四四年、NASA発足十四年前である。

SFが〈ありえる／ありえない〉の二分法を軽やかに飛び越えていくことを、十の実作によって証明する著者のSFの精華。　　（高島雄哉）

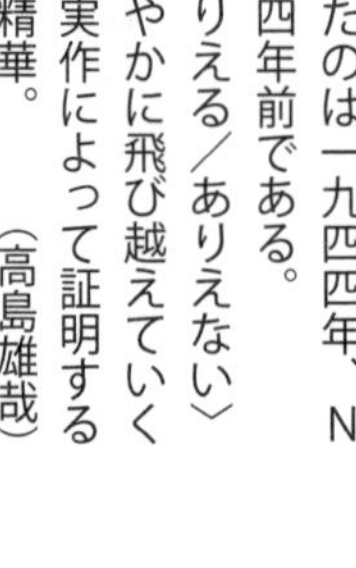

1973年11月

放浪惑星

The Wanderer, 1964

フリッツ・ライバー

永井淳訳　解説：訳者

カバー：金子三蔵

冒頭に四つの引用が掲げられている。出典は順にE・E・スミスの『第二段階レンズマン』、ウィリアム・ブレイクの「虎」、聖書の「ヨハネ黙示録（もくしろく）」、オラフ・ステープルドンの『スターメイカー』。つまり、本書がスペース・オペラ、猫型異星人とのファースト・コンタクト、天変地異による世界の終末、壮大な宇宙年代記の要素を兼ね備えていることを表しているのだ。まさに野心作と呼ぶにふさわしく、作者にふたつ目のヒューゴー賞をもたらした。

物語は、地球の近傍に異様な天体が突如として出現するところからはじまる。その重力で月は粉砕され、地球は津波と高潮と地震で文明崩壊の危機に見舞われる。やがて意外な事実が明らかになる。〈放浪者〉と名づけられたこの天体は、宇宙の体制に反逆して逃亡をつづける宇宙船だったのだ。追いついてきた〈警察星〉とのあいだに戦闘がはじまり、大破した〈放浪者〉は超空間へ脱出するが……。

ライバーはアメリカ幻想文学界の巨人ともいうべき存在。代表作に、デビュー以来五十年近くにわたって書きつがれた〈剣と魔法〉の物語《ファファード&グレイ・マウザー》シリーズなどがある。　　（中村融）

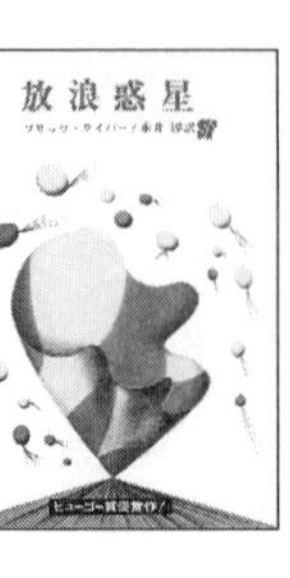

1973年12月

猫と狐と洗い熊

Catseye, 1961

アンドレ・ノートン

井上一夫訳　**解説：訳者**

カバー：金子三蔵

九十三年の生涯で百冊以上の小説を書き、SF少年たちに多大な影響を与えた女性作家アンドレ・ノートンだが、邦訳には恵まれておらず、創元SF文庫では、《ウィッチ・ワールド》シリーズを除けば唯一の訳書が本書になる。

のどかな故郷の惑星で動物たちと一緒に暮らしていた青年トロイ・ホーランは、戦禍で故郷を追われ、天涯孤独の身となって快楽の惑星コーウォーのスラム街ディップルに流れ着く。トロイはペットショップで日雇いの仕事にありつくが、精神感応の能力を持つ動物たちとテレパシーで交信したことをきっかけに、巨大な陰謀に巻き込まれていく。冒険の相棒となるのは、猫二匹、狐二匹、洗い熊一匹の合計七匹の動物たちだ。

動物とのテレパシー的なつながりは、『ビーストマスター』など、同時期のほかの作品にも通じるところ。前半はノートンにしてはかなりゆっくりとした展開だが、舞台が異星人の古代遺跡に移ってからは軽快なテンポになっていく。

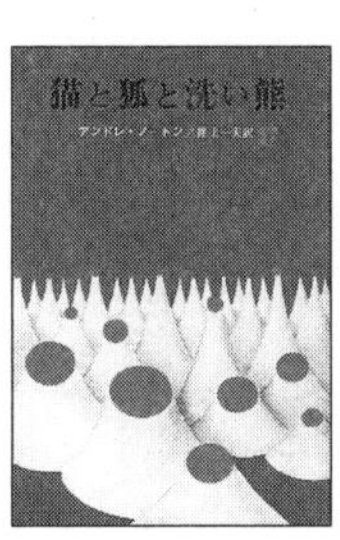

本書は独立した長編だが、スラム街ディップルは、ほかのいくつかの作品でも舞台として登場している（いずれも未訳）。また、天涯孤独の青年という主人公像もノートンのお気に入りだ。（風野春樹）

1974年7月

時間線を遡って（時間線をのぼろう）

Up the Line, 1969

ロバート・シルヴァーバーグ

中村保男訳　**解説：訳者**

カバー：真鍋博

【新訳改題】2017年刊、伊藤典夫訳

シルヴァーバーグはめちゃくちゃ好き！　とくにニュー・シルヴァーバーグ期と呼ばれる六〇年代後半からの作品はどれも傑作だ。私はSFとは「グロテスクなものから美を見つける行為」だと思っているが、そう考えるに至ったのは中高生の頃この人の諸作に触れたことが大きい。シルヴァーバーグは実はディックよりも暗いしグロいし変だと思う。今回はじめて『時間線を遡(さかのぼ)って』（第六回星雲賞受賞）ではなく新訳『時間線をのぼろう』を読んだが、新訳の方が内容にあったポップで過激な表現になっていて断然読みやすい。時間局に就職し、過去への観光旅行客を引率する任務についたジャド・エリオットは、自分の先祖のひとりとヤバい関係になる。全編を覆う主人公のエロさとアホさに目が行きがちだが、独自のルールによるタイムパラドックスのつるべ撃ちはさすがだし、キッチュで時間改変なんぞ糞くらえ的な登場人物たちも魅力的だ。主人公がエロすぎ、アホすぎて感情移入しにくいが、話がどんどん転がって

いくのでOK。ビザンティン帝国などのヨーロッパ史の知識があればもっと楽しめるかも。ラストも「おお！」という感じで、今回読み返してもやっぱり「おお！」となった。シルヴァーバーグ最高！（田中啓文）

1974年7月
Spacehounds of IPC, 1931

惑星連合の戦士

E・E・スミス
榎林哲訳　解説：訳者
カバー：真鍋博

惑星連合の宇宙船アークチュルス号が火星めがけて地球を飛び立つと、圧倒的科学力を誇る謎の球形船に襲われ、破壊される。かろうじて脱出した物理学者スティーヴンスと恋人ネーディアは、天才的発明と破天荒な武器を駆使して、この謎の球形船とふたたび相まみえるのだった――。

太陽系全体を舞台にした、想像力豊かなスペース・オペラである本書を初めて読んだ時、《スカイラーク》シリーズと《レンズマン》シリーズの中間みたいな話だな、と思った。

しかし、これは逆であった。E・E・スミスは《スカイラーク》の次に『惑星連合の戦士』を書き、出版社と方針が合わず揉めて、他の出版社にさっさと移ったのだった。そして、『惑星連合の戦士』のプロットを焼き直し、のちに《レンズマン》に組み入れられる『三惑星連合軍』を発表したのである。

したがって、《レンズマン》の惑星連合や銀河文明といった広大無辺な世界観の成立過程を理解するには、『惑星連合の戦士』を読んでおく必要がある――というと、何だか難しいようだが、ただ単純に、波瀾（はらん）万丈の冒険が繰り広げられる煌（きら）びやかな宇宙物語に没頭して、楽しめば良いだけのこと。（二階堂黎人）

1974年9月
Planets for Sale, 1954

惑星売ります

A・E・ヴァン・ヴォークト&E・メイン・ハル
永井淳訳　解説：訳者
カバー：金子三蔵

人類が宇宙へ植民した遙かな未来。百九十四の太陽で構成される尾根星団（リッジスターズ）に、立志伝中の若き実業家アーター・ブロードがいた。すでに星団の富の四分の一を所有していると噂される彼は、もはやビジネスでは燃えない。生き甲斐を感じるのは、兇悪な敵や危険と対峙しているときだけだ。裏社会に根を張る商売敵、ブロード社に潜伏した裏切り者、地球から来た悪辣な科学者、そして人類を超えた知識を有する狡猾な異星生物……。この異星生物（スカルと呼ばれる）の行動原理が人間の常識で計れないもので、それがプロットに絶妙に絡んでくる。

ブロードはいわゆる正義漢ではなく、必要とあらば金にものを言わせたり、政治的人脈による圧力を用いたり、あっさりと殺人もおかす。とはいえ、基本的には好人物だ。そのキャラクター造形の塩梅（あんばい）がいい。彼の部下として有能な働きをみせる脇役たちが、ことごとく女性であることも注目ポイントだ。

もともとはハルの単独名義で雑誌に発表された五編の連作（一九四三～四六年）だが、単行本化（五四年）にあたって長編の体裁にフィックスアップされた。初刊時もハル単独名義だったが、六五年版以降は夫婦合作の名義となる。（牧眞司）

1975年3月～
Qanar, 1963-

《異次元世界の扉》三部作

テッド・ホワイト
小尾芙佐訳　解説：訳者
カバー、口絵、挿絵：南村喬之

作者は熱心なファン活動を経て、プロとしてSFに関わるようになった人であり、創作のほかに評論や編集の分野でも名を馳せた。とりわけ一九六九年から七九年にかけてSF誌〈アメージング〉と〈ファンタスティック〉の編集長を務め、再録専門に堕していた両誌に活気をとりもどした手腕は高く評価されている。

作家活動の初期においては、しばしば先輩作家と共作して腕を磨いたが、ファン活動を通じて培った信頼関係があったからだろう。たとえばデビュー作は、〈アメージング〉一九六三年二月号に掲載された"Phoenix"という短編だが、これはマリオン・ジマー・ブラッドリーとの共作だった。この作品を組みこむ形で長編化したのが、一九六六年に発表された『異次元世界の扉』（原題 *Phoenix Prime*）である。

端的にいえば、主題は善のスーパーマンと悪のスーパーマンたちとの闘い。とはいえ、前者である主人公マックス・ケストが、後者によって超能力の発揮できない異次元世界クワナールへ放逐されるので、物語の大半は砂漠や荒野でのサバイバルに費やされる。この描写が微に入り細を穿つもので、ハモンド・イネスやデズモンド・バグリイなどの冒険小説を彷彿とさせる。もっとも、舞台は文明崩壊後の世界であり、旧文明の遺産である物質伝送装置が登場して、SF的な広がりを見せる。

この作品が好評だったので続編が二作書かれた。もっとも、マックスの闘いは終結しているので、こちらではマックスゆかりの人々が主役を務める。

第二作『異次元世界の女魔術師』（一九六八）の主役は、第一作に登場した女魔術師（じつは物質伝送装置の故障で三千年前の文明世界から迷いこんできた古代人）シャナーラと、マックスに命を助けられた豪族エルロン。このふたりが、クワナールに侵入してきた悪のスーパーマンたちを撃退しようとするのが物語の骨子。

第三作『異次元世界の狼』（一九七一）の主役は、マックスがクワナールの遊牧民女性とのあいだにもうけた息子マクスターン。部族のはみだし者だった彼が、人になついている狼と出会い、故郷を飛び出して幻の父の足跡をたどる旅が描かれる。

第一作と同様に、主人公たちは過酷な環境に放りこまれ、肉体的にも精神的にもギリギリまで追いつめられる。その苦しみを描く作者の筆致は冴えわたり、読むのがつらくなってくるほどだが、もちろん苦難は克服され、最後にはハッピーエンドを迎える。けっきょくのところ、作者の狙いはストーリーを語ることよりも異次元世界の様相を書きこむことにあるのだろう。その意味で、シリーズ名が示すとおり、真の主役はクワナールなのかもしれない。

（中村融）

1975年1月

テレパシスト

Telepathist (The Whole Man), 1965

ジョン・ブラナー
伊藤哲訳　解説：訳者
カバー：せき・イラスト・グループ

テロで爆死した父親とその愛人から生まれた奇形の子供ジェラルド・ハウサンは、生まれつき腰が曲がり、足を引きずっていた。十七歳で母を亡くし、映画館で様々な知識を得るが、ある日そこでギャングのやり取りを聞き取ったことをきっかけに自身がテレパシストであることに気づく……。

ここで言うテレパシストとは、単に相手の心を読む者を指すだけでなく、人々に自分の心を投射したり、相手の心の中に入り込んで治療したりする者まで含む。大変幅広い概念であり、精神分析や心理学の治験を取り込んだという意味では、同時期に書かれたゼラズニイ『ドリーム・マスター』とアイディアが似ている。ジェラルドが包帯を巻いたこともないのに自らを医師と名乗り、傷ついたテレパシストのグループを治療していく場面は本書の読みどころの一つと言えよう。故郷へ戻ったジェラルドは、かつて同じテレパシストとして交感を行った聾唖のメアリーと再会を果たすが、それは大変苦いものにしかならなかった。この辺り、現実を真摯に見つめるリアリストとしてのブラナーの面目躍如たるものがある。社会派SFの可能性を広げた未訳長編*Stand on Zanzibar*（一九六八）の邦訳が待たれる次第だ。（渡辺英樹）

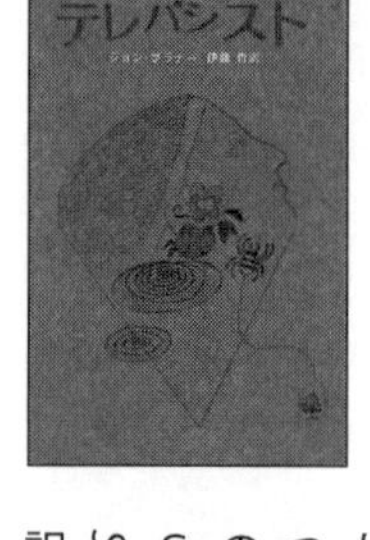

1975年4月

星は人類のもの連盟

The Long Result, 1965

ジョン・ブラナー
井上一夫訳　解説：訳者
カバー：せき・イラスト・グループ

人類が恒星間飛行を実現し、異星人と交流を持っている未来。技術力の高い植民惑星から、新たに発見した異星人を地球につれて行く、という連絡が入る。文化交流局のヴィンセントは受け入れ係を拝命するが、この件をめぐって彼の周囲で物騒な出来事が頻発。背後には〝星は人類のもの連盟〟と名乗る、植民惑星の発展や異星人との対等な関係を良しとしない、人類至上主義の過激な組織の影が見え隠れする。

一九五〇年代から娯楽SFを量産、六〇年代後半から社会派SFへ作風を広げてゆく著者が、六五年に発表した長編。宇宙時代の排外主義を描き、後期の作品にも通じる社会への鋭い洞察や警告を含んでいる。技術力で逆転されているのに恣意的な観点から他の惑星を見下し続ける地球人、あまつさえ〝すべての星は人類のもの〟であるべきと主張する狂信的な団体などの設定は、皮肉なことに現代でも古びていない。同時に、恋愛を絡めた展開や謎解き要素が効果的で、ストーリーは軽快。終盤、見下してきた異星人が実は……からのスケールアップも読みどころだ。発表当時は量産型娯楽SFの延長線上にあると見られていた作品だが、あらためて読むと著者の円熟への兆しが垣間見える。（香月祥宏）

1975年4月

禁じられた惑星

A Time of Changes, 1971

ロバート・シルヴァーバーグ

中村保男訳　解説：訳者

カバー：真鍋博

一九七一年発表のネビュラ賞受賞作。〝文学性〟の高い作風でニュー・シルヴァーバーグと呼ばれ、アメリカSFをリードする作家のひとりとなった時期の代表作のひとつ。異星文化人類学的設定や語り手の手記という形式などは、ル・グィン『闇の左手』（一九六九）を意識しているようにも思える。

歴史的経緯から「自己の表出を禁じる」文化が支配する惑星が舞台。前半は王族である主人公の流浪譚。彼は物語のちょうど半分でドラッグ使用による意識の解放・他者との精神の合一を体験し、「愛と自己解放」を広める改革者たらんとするが……。原題の「変化の時」は、この理想の実現を意味する。

自己の表出を禁じるというのは、「わたし」という概念自体の否定ではなく、会話や文章での一人称の使用が禁忌とされるというもの（原文ではoneを用いた三人称構文）。主語の省略が頻繁な日本（語）では、やや衝撃が弱いかもしれない。

執筆当時のドラッグ・カルチャーと作者や本書の関わりについては、九八年復刊時に追加された中村融解説にくわしい。笠井潔『機械じかけの夢』では本書に一章をあて、オールディス他『一兆年の宴』ではハインライン『異星の客』との比較がある。

（山岸真）

1975年9月

月のネアンデルタール人

The Beast, 1963

A・E・ヴァン・ヴォークト

佐藤晋訳　解説：訳者

カバー：金子三蔵

主人公の元軍人ペンドレークが発見した謎のエンジンは、物語の早い段階で見知らぬ男たちに奪われる。が、しばらくすると、戦争で失われたペンドレークの右腕が生えてくる。原因をエンジンと見定めた彼は、エンジンを追うことを決意した――と、ここまでで三章である。

本書は三十一章とエピローグから成り、最初の四章は多くが短編「偉大なエンジン」からの転用だ。続く第五章冒頭でストーリーは転換する。詳述は避けるが、乱丁を疑うような急変である。しかも同等の変化は五章だけではなく、以後も複数回起き、物語は千鳥足の展開を辿る。論より証拠、第四章までには、月も、ネアンデルタール人も、原題の〝The Beast〟に相当する事項も一切出て来ないが、終盤までには、確かに全て重要なファクターとして登場する。P・K・ディックの諸作を彷彿とさせる無軌道な展開だが、不安定な印象はほぼ受けない。というのも、物語は常に、主人公ペンドレークの克己、復活にピントを絞っているからだ。戦争で挫け、最愛の妻と別れてしまって家庭でも挫けた男の、実りある人生への復帰が、一見支離滅裂とさえいえるプロットに、古典的で太い筋を一本通すのである。

（酒井貞道）

1975年9月

わたしは〝無〟

Somewhere a Voice, 1965

E・F・ラッセル

伊藤哲訳　解説：訳者

カバー：金子三蔵

　序文でラッセルは言う。「SFとは広範囲なテーマの思索的なフィクションである」中短編六編を収録した本書は、その思弁の成果と言えよう。巻頭中編「どこかで声が……」は壮絶なサバイバル物だ。惑星ヴァルミアに不時着した宇宙船の乗員八名は、徒歩で三万二千キロ離れた救急ステーションを目指す。極限の中でも、人間は寛容に生き、威厳をもって死ぬことができるのか？——という問いが、ズシリと胸に響いてくる。中編「ディア・デビル」は世界戦争で滅んだ地球に来た火星の詩人ファンダーの話。悪魔風の容貌の彼は、壊滅した街で一人の少年に出会う。それを契機に次第に復興してゆく文明——。言葉と詩の無限の可能性を描く叙事詩(じょじし)である。表題短編は戦争の非道さを告発する哲学的SF。宇宙戦争を指揮する独裁者のもとに、戦地から送られてきた少女。彼女が告白する「わたしは〝無〟」の意味とは何か——。古(いにしえ)より数多くの物語や散文に登場してきたI Am Nothing のフレーズをラッセルはSF的に深掘りし、〝無〟の意味を〝悪の起源〟と捉えることで、戦争という底なしの闇を読者に叩きつける。物語造りの巧さが圧巻だ。

（小山正）

1976年3月

八十日間世界一周

Le tour du monde en quatre-vingts jours, 1873

ジュール・ヴェルヌ

田辺貞之助訳　解説：訳者

カバー、挿絵：南村喬之

　フィリアス・フォッグは、何をするにも時間厳守を貫く英国紳士。彼は陽気なフランス人パスパルトゥーとともに、世界を八十日で一周できるか大金を賭けて挑む。この痛快冒険譚は一八七三年に出版され、物語も一八七二年に始まる。一行はロンドンを出発して、インド、日本、アメリカなどを訪れる。現代では誰でも世界一周できるが、旅はいつも予定通りには進まない。フォッグは、時に人助けもせねばならず、また彼を逃亡犯と思い込んだ刑事フィックスの執拗(しつよう)な妨害を受ける。フォッグは、当時最先端の気球や列車、蒸気船を活用し期限までにロンドンに戻ろうと奮闘する。なぜ本作がSFかは最後まで読めばはっきり分かる。物事に決して動じない英国紳士として誇張されたフォッグの人物像は機械かとさえ思わせるが、時折見せる人間らしさとのギャップが魅力。無茶をする性格のパスパルトゥーとは対照的で、古典的バディーものといえる。

　一九五六年に映画化され、アカデミー賞五部門を受賞。二〇〇四年にはジャッキー・チェンがパスパルトゥーを演じて再度映画化。この他、舞台化、アニメ化なども多数。BBCでドラマ化され、二二年に日本でも配信開始された。

（八島游舷）

1975年12月〜
Gor, 1966-

《反地球》シリーズ

ジョン・ノーマン
永井淳、ほか訳　**解説：訳者、ほか**
カバー、口絵、挿絵：武部本一郎

アメリカでエドガー・ライス・バローズの《火星シリーズ》が発表され、圧倒的な人気を誇った後に、雨後の筍のように、追随作品が現われた。ジョン・ノーマンの《反地球》シリーズも、当初はその一つだった。

たとえば、第一巻の『ゴルの巨鳥戦士』（一九六六）は、《火星シリーズ》の第一巻の影響が強い。《火星》の主人公ジョン・カーターは、ある種の精神力で地球から火星へテレポートし、多くの戦いを経て、赤色人の王女と結婚する。しかし、抗えない力で地球に戻されてしまう。

《反地球》の主人公タール・キャボットは、太陽を挟んだ地球とは反対側の公転軌道にある惑星ゴルへ、銀色の宇宙船によって運ばれる。そこは、超上的種族の《神官王》がひそかに支配する世界であり、下層の住人たちは、戦いに明け暮れる古代のギリシャやローマのような野蛮な生活を強いられている。タールも巨鳥を操る一戦士となり（ゴルは地球より重力が弱い）、他国との戦いに巻き込まれ、愛する女性タレーナと結ばれる。だが、ふたたび円盤に乗せられ、地球に戻されてしまう。

《反地球》の第二巻は、《火星》の第二巻のように、主人公がこの未知の惑星に戻ったところから始まる。タールは、ふたたび戦いに身を投じながら放浪し、タレーナを探すのだった。

そして、第三巻『ゴルの神官王』において、謎めいた《神官王》の正体が明らかになる（その姿はあまりに冗談めいているが）。彼らは他の星系の宇宙種族であり、ゴルを太陽系に移動させ、地球人を誘拐しては、この惑星に構築した社会に組み込んでいるのだった。

ここまでは、《火星シリーズ》の第三巻までを換骨奪胎した物語だと言えよう。しかし、《反地球》シリーズが独自性を発揮するのはその後で、ＳＦ的要素、科学的要素はどんどん希薄になり、単なるヒロイック・ファンタジーと化していく。

また、巻を重ねるごとに、奴隷制、男尊女卑、エロティシズム、ＳＭ、ボンデージ、ポルノ、といった露悪的な面が強くなる一方のため、好き嫌いがはっきりと分かれるシリーズとなった。日本での翻訳は六巻で途絶えたが、アメリカではカルト的人気を誇っており、二〇二四年に三十八巻の刊行が予定されているほどだ。

ちなみに、作者は哲学者だそうで、シリーズ開始当初は、それ以外の素性は明かされていなかった（《ジョン・ノーマン》自体が匿名であることを示している）。

なお、『ゴルの巨鳥戦士』を映画化した「タイムスリップＴＯゴア」、『ゴルの無法者』を映画化した「タイムスリップＴＯゴア２」があり、日本でもＶＨＳテープで販売されていた。

（二階堂黎人）

1976年4月

わたしはロボット

I, Robot, 1950

アイザック・アシモフ
伊藤哲訳　解説：訳者
カバー：真鍋博

子守ロボットと少女との交流を描く「ロビー」、水星探検隊に採用されたSPD十三号の奇怪な行動の謎を探る「堂々めぐり」、孤絶した宇宙ステーションしか知らないQT一号がデカルト的真理に到達する「理性」、読心力を持って生まれたRB三四号の物語「噓つき!」など九編。もともとは独立した短編として発表されたが、一九五〇年の単行本化にあたってロボット心理学者スーザン・カルヴィンの回想というかたちに整えられた。カルヴィンが博士号を取得してUSロボット社に入社したのが二〇〇七年、最終編「避けられた抗争」でロボットが人類を破滅から守るまでに成長したさまを確認するのが二〇五二年という時代設定である。

ロボットの挙動は簡潔な〝ロボット工学の三原則〟で律されるが、それが感動的なドラマや不可解な事件を引きおこす。このアシモフ創案の三原則を前提とし、こんにちまで多くの作家が新作を手がけている。本書は二〇〇四年にアレックス・プロヤス監督、ウィル・スミス主演で『アイ，ロボット』として映画化された。別の邦訳として、小尾芙佐（おびふさ）訳『われはロボット』（ハヤカワ文庫SF）、小田麻紀訳『アイ・ロボット』（角川文庫）がある。

（牧眞司）

1976年5月

子供の消えた惑星（グレイベアド　子供のいない惑星）

Greybeard, 1964

ブライアン・W・オールディス
深町眞理子訳　解説：伊藤典夫
カバー：小悪征夫

米ソの核実験の結果、大規模な放射能汚染で全人類が不妊となり、子供が存在しなくなった世界。最も若い世代である五十代の「灰色ひげ（グレイベアド）」は、妻と隣人を連れテムズ川を下りながら、崩壊した世界を眺める。その旅の合間に、彼らの青年時代の回想を挟むことで、空間と時間を並行して移動する奥行きを作り出す洗練された技法が見事だ。

原題である*greybeard*には「賢人」という意味があり、実際灰色ひげは思慮深く内省的な人物だが、その行為は滅びゆく世界を記述し、存在するかもわからない後世の知性に伝えるというもので、どこか皮肉な響きを持っている。破滅SFにありがちな独裁者や怪しげな教祖なども登場するが、みな熱量に乏しく、沈みゆく世界のデカダンスな静けさのほうが印象に残る。

なべて効率を求め機械化された文明への批判や、世界全体をどうやって良いものにするかという抽象的な「正義」よりも、身近な人間を大切にする「愛」のほうが大切だというごく素朴な意見が語られ、人類の滅亡が個人の死と変わらないささやかな幸福の中、ラストに現れる「新しい事態」に対して、我々には何もすることはないという諦めにも似た穏やかな心地よさに包まれる。

（渡邊利道）

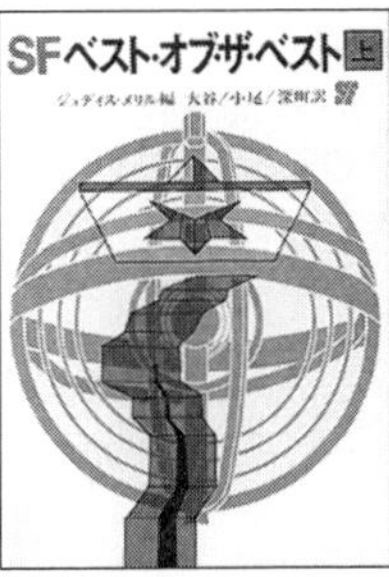

1977年2月
SF the Best of the Best, 1967

SFベスト・オブ・ザ・ベスト

ジュディス・メリル
浅倉久志（大谷圭二）、ほか訳　解説：浅倉久志
カバー：日下弘

SFの黄金時代として知られる一九五〇年代。その後半の精華よりなるメリル《年刊SF傑作選》より、さらに粒選りの短編を集めたものが本書で、来（きた）るべき革新としての〝新しい波〟の胎動すら感じさせる逸品だ。くたびれた宇宙飛行士の帰還を扱うウォルター・M・ミラー・ジュニア「帰郷」から、〝遠宙訓練〟を描くシオドア・スタージョン「隔壁」に続く冒頭の流れが美しく、科学ガジェットに頼らず子どもの〝大事なもの〟を描いたゼナ・ヘンダースンの大傑作「なんでも箱」へとつながる驚きといったら！　日本語版では割愛されたが、その次に原著ではJ・G・バラードのデビュー作「プリマ・ベラドンナ」が入っていた。

かような構成の美しさのほか、マネーゲームを風刺したマック・レナルズ「時は金」に、人口爆発をひっくり返したブライアン・W・オールディス「率直（フランク）にいこう」のような歴史改変SFや、謎の牽引（けんいん）力が素晴らしいデーモン・ナイト「異星人ステーション」に、超能力テーマへ〝語り〟の妙をまぶしたマーク・クリフトン「思考と離れた感覚」、冷戦下の宇宙チキンレースを描くシオドー・L・トマス「衝突針路」といったストレートな力作が揃い踏み。作品名は伏せるが、猫、犬、馬、ネズミ、異星人、さらにはポリプ等に視点を据え人間中心主義を脱した小説もあれこれ収録されている。擬似イベント・テーマの先駆作であるロバート・シェクリー「危険の報酬」、もはやメタバース批判としか読めないフリッツ・ライバー「マリアーナ」、吊し上げ誘導による加害を描くスティーヴ・アレン「公開憎悪」、Black Lives Matter（黒人の生命は大事だ）の要因であるレイシズムを扱うシオドア・R・コグズウェル「変身」等、いまいっそうシリアスに読める作品群も多い。

一方、一万年の時間的飛躍を鮮烈に処理したコードウェイナー・スミス「夢幻世界へ」から、抑制された文体で孤独や恐怖を示すアルジス・バドリス「隠れ家」やシャーリイ・ジャクスン「ある晴れた日に」、終始爆笑もののアヴラム・デイヴィッドスン「ゴーレム」に至っては、技巧の洗練あるいは逸脱の徹底に唸らされる。

いま読むと編者メリルのコンセプトは〝再読性〟だろうと感じる。何度読んでも古びないからだ。本書は私が初めて手に取ったSFアンソロジーで、自分の編集や創作ではこの水準を目標にしたいと常々思っている。

なお、映画「マトリックス」を先取りしたがごとき不穏さを残す秀作「プレニチュード」の作者ウィル・ワーシントンの正体は謎とされていたが、どうやら作家ウィル・モーラーの筆名らしい。

（岡和田晃）

1977年4月

海底二万里

Vingt mille lieues sous les mers, 1869, 1870

ジュール・ヴェルヌ
荒川浩充訳　解説：訳者

カバー、挿絵：南村喬之

ヴェルヌは第一長編『気球に乗って五週間』（一八六三）によって一躍人気作家となり、《驚異の旅》と銘打った空想冒険小説を矢継ぎばやに発表。本書はその白眉（はくび）にして、ヴェルヌの博識と想像力が遺憾なく発揮された海洋SFの傑作である。

物語のはじまりは一八六六年。海難事故が相次ぎ、その原因はクジラよりも巨大で泳ぎが速い怪物だと伝えられた。パリ科学博物館のアロナックス教授、その召使いのコンセイユ、銛打ち名人のネッドらがフリゲート艦で調査に出かけるが、怪物に返り討ちにあってしまう。怪物の正体は潜水艦ノーチラス号であり、それを率いているのは謎めいたネモ船長だった。教授たちは「二度と陸上には戻らない」と約束し、ノーチラス号に乗船。やがて日本近海から世界一周の海底旅行がはじまる。

ネモ船長は『神秘の島』（一八七五）にも登場。ヴェルヌ作品キャラクターのなかでも、もっとも有名なひとりである。

本作品は明治期から邦訳され、現行書も複数ある。また、メリエス監督作（一九〇七）以来、何度も映画化されており、とくにディズニー『海底二万哩（マイル）』（一九五四）が有名。TVアニメ『ふしぎの海のナディア』（一九九〇）は、本作に設定を借りた作品。

（牧眞司）

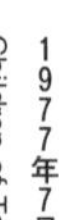

1977年7月

未来世界の子供たち

Children of Tomorrow, 1970

A・E・ヴァン・ヴォークト
岡部宏之訳　解説：訳者

カバー：小悪征夫

宇宙艦隊司令官ジョン・レインが十年の勤務を経て宇宙港に帰還すると、そこは子供を育てる権利が親から取り上げられ、子供たち自身の作る自治少年団に委ねられる奇妙な社会だった。しかしその自治少年団には、地球人の少年に成りすました宇宙人が隠れ、侵略の機会をうかがっていた……。

『終点：大宇宙！』収録の「音」を思わせるスリリングなシチュエーションだが、従来の作品群と趣（おもむき）は異なる。著者のこれまでの作品では、数奇な運命に翻弄される主人公を、圧倒的な存在が必ず陰で支えていた。しかし本作に登場するのは、そんな庇護（ひご）者とは程遠い情けない親ばかり、先の読めない展開にハラハラさせられる。ヴァン・ヴォークト上級者向き。

ヴァン・ヴォークトは一九六二年に執筆した非SF *The Violent Man* で中国共産主義を研究したというが、七〇年発表の本作にもその影響は表れている。些細なことで自己批判を求め人民裁判を開く作中の自治少年団に対して、読者が感じる殆（あやう）さは、作為的に描かれている。その中国で文化大革命がどんな結末を迎えたか、我々もヴァン・ヴォークトも知っている。だが、彼には別の可能性も見えていたようなのだ。

（理山貞二）

1977年10月
The Second Trip, 1972

一人の中の二人

ロバート・シルヴァーバーグ
中村保男訳　解説：訳者
カバー：真鍋博

ナサニエル・ハムリンは天才的な彫刻家だが、連続強姦魔で狂人である。逮捕されて、人間改造センターによって存在を抹消され、その肉体はポール・メーシーという架空の人格を付与された。メーシーの経歴は生まれてから今にいたるまで細部にわたってセンターが創作したものである。しかし、消去したはずのハムリンの人格はメーシーの身体のなかに潜んでおり、肉体の主導権を取り戻そうとメーシーに襲い掛かる。ニュー・シルヴァーバーグ特有の「ひりひりする」感じが冒頭から爆発。ゆっくり読み進める暇を与えないこの嫌な展開の連打。全編エログロに満ち、饒舌な心理描写が読者を揺さぶる。ハードボイルド的な短いセンテンスの積み重ねが迫力満点で、全体に思弁的といっていい書きっぷりはニューウェーブ的でもある。しかも、つらくてきつい展開の果てには一種の叙情があり、突き放したような感動が待っている。タイトルがすべてを物語っているような「よくある」ネタだと思うかもしれないが、ここまで徹底してくれたら痛快である。こういう話の場合、主人公はもとの人格ということが多いと思うが、本書の主人公は、新しく人工的にでっちあげられた人格の方である、というところがさすがなのだ。（田中啓文）

1977年11月〜
The Eternal Lover, 1925-

《石器時代から来た男》全二冊

E・R・バローズ
厚木淳訳　解説：訳者
カバー、口絵、挿絵：武部本一郎

邦題も似ているし、本国でも二部作としてあつかわれているが、実際にはこの二作には何の関連性もない。ただしテーマは共通している。バローズお得意の「文明対野生」というものだ。『石器時代から来た男』では、現代に現れてしまった石器時代の男性と現代人の女性の恋愛が、『石器時代へ行った男』では、外界と孤絶して石器時代そのままの生活をしている部族の女性と、遭難してその地にたどり着いた現代人の男性との恋愛が描かれていて、その対称性から、二部作めいた邦題がつけられていることは想像に難くない。いずれの作品も、大自然の中、文明の装いを取り払われた男女がたくましく生きようと冒険を繰り広げる姿に主眼がおかれており、バローズ最大のヒット・シリーズである《ターザン》の変奏曲であることも共通している。

ちなみに、《ターザン》の変奏曲と言えば、『石器時代から来た男』にはターザン本人もグレイストーク卿という本名で脇役として登場する。またヒロインは『ルータ王国の危機』の主人公の妹という設定で、バローズの小説群のほとんどは、《ターザン》シリーズを核とした地続きの世界であることが暗示されている。（堺三保）

1978年2月

動く人工島

L'île à hélice, 1895

ジュール・ヴェルヌ
三輪秀彦訳　解説：訳者
カバー、挿絵：南村喬之

フランスの弦楽四重奏楽団が、科学の粋を集めて建造された動く人工島に招待される。南太平洋を周遊するその人工の楽園が、自然の猛威と海賊の攻撃といった外敵と、内からの政治的な対立によって翻弄される様が、旅人である楽団員たちの視点からコミカルに語られる。ホテルにはエレベーターがあり、手を近づければ照明がつき、電信、電話、電送写真、都市交通とあらゆるものが電気で制御されており、十九世紀に描かれた都市風景が、今も通用することに驚かされる。

港湾都市ナントの中洲の島で生まれ育ったヴェルヌは、少年時代、家ごと島が大洋へと漂流する姿を夢見ていた。少年の想像力の翼は、十九世紀の科学技術の進歩という動力を得て大きく羽ばたき、《驚異の旅》シリーズへと結実する。タイトルの通り、ヴェルヌの小説には実に様々な乗り物が登場するが、それらが移動手段であると同時に、生活の場を兼ねているのは、少年時代の夢の所以かもしれない。作家として成功をおさめた彼は、晩年は政治の世界に足を踏み入れ、アミアン市の市議を務めた。洋上を移動する都市の可能性、運営思想とその崩壊を描いた本書は、著者の人生の集大成とも言える。

（三村美衣）

1978年4月

スペース・マシン

The Space Machine, 1976

クリストファー・プリースト
中村保男訳　解説：訳者
カバー：スタジオぬえ　加藤直之

一九七六年、当時イギリスの新鋭であったプリーストが出世作『逆転世界』の後に刊行した、肩の凝らない冒険もの。題名から連想されるように、ウェルズ「タイム・マシン」へのオマージュであると同時に、『宇宙戦争』『透明人間』など要素をも巧みに取り入れ、ウェルズのSF作品全般へのオマージュにもなっている。

一八九三年、外交員エドワードは、科学者の女性秘書アメリアと知り合いになった。その科学者の家を訪ね、タイム・マシンを見せられたエドワードは、アメリアとともにマシンに乗り込み、時間旅行の旅に出る。十年後に到着すると、そこは戦闘の真っ最中。瀕死状態のアメリア（十年後）を見て動揺したエドワードは、マシンを誤作動させてしまい、何と火星に辿り着く。タイム・マシンは、実は「スペース・マシン」でもあったのだ！　ここから二人のロマンスを絡めた冒険行が始まり、五百ページを超える長丁場を一気に読ませていく。物語の終盤、御大ウェルズが登場し、重要な役割を果たすあたりには、作者のウェルズへの深い敬愛が感じられた。後に「語りの魔術師」として知られる作者には珍しい、ストレートな冒険ものである。

（渡辺英樹）

1978年3月～
The Mote in God's Eye, 1974-

《神の目の小さな塵》二部作

ラリー・ニーヴン&ジェリー・パーネル
池央耿、ほか訳　**解説：浅倉久志、ほか**
カバー：スタジオぬえ　加藤直之

『神の目の小さな塵』は、一九七四年に出たニーヴンとパーネルによる最初の合作長編である。二人の作家が合作するという例は、SFやミステリ界ではさほど珍しくないように思えるが、成功するケースは意外に少ないようだ。役割分担が難しいのである。たとえば、クラークが原案を出しバクスターが実作を担うなど、主従関係が明確ならもめ事も（たぶん）生じない。ところが、対等な作家同士では意見の対立が決裂に繋がってしまう。その点このコンビでは、ハードSF部分をニーヴン、キャラと社会設定部分をパーネルが受け持った。ちょうど巧く長所短所が補えたわけである。

三十一世紀、人類は未知の光子帆船に乗った異星人と遭遇する。ファースト・コンタクトを果たしたのだ。しかし奇怪な姿の異星人は既に死んでいた。やがて、彼らの出発地（植民星の住人が〝神の目〟と名付けた星）が明らかになり、遠征部隊が派遣される。そこは人類よりも遥かに古くから文明を持ち、生物的にも高度に進化・最適化されたモート人の世界だった。

この時代の人類はアメリカとロシアを系譜に戴く、大英帝国に似た国家によって統一支配されている。恒星間は一種のワームホールで結ばれるが、モート人の星系は出入口が恒星の中にあるため閉ざされていたのだ。一見平和に見えたモート社会には、実は（人類帝国にとって）恐ろしい秘密があり、それが暴かれた結果、扉は再び閉じられることになる。

これに続く『神の目の凱歌』が書かれたのは九三年、およそ二〇年後のこと。ヒューゴー賞最終候補止まりながら売れ行き好調の正編に対し、続編が大きく遅れたのにはパーネル側の事情（遅筆で多忙）もあったらしい。合作の宿命で、両者のタイミングが合わなければどうしようもないのだ。

物語も二〇年後に飛ぶ。封鎖されたはずの出入口が移動（星間物質の濃厚な宇宙空間で原始星が生まれ、重力分布に変化が生じる）、そこからモート人の宇宙船が抜け出てくる。再封鎖か、それとも人類が開発した切り札を使って彼らを制御するか。駆け引きを巡り、史上空前の宇宙戦争が勃発する。

本二部作の設定には、宇宙に帝国主義が復活するという、パーネルの未来史「コドミニアム（国家連合）・ユニバース」が使われている。アナクロすぎると物議を醸したが、ミリタリSF的に扱いやすかったからだろう。ただ、七四年時点でソビエト崩壊とロシア復活を予言し、宇宙に白人主導の銀河帝国が成立する未来史には、（昨今の社会情勢もあって）荒唐無稽と思えない不気味なリアリティを感じる。しかも、今読むとモート人の扱いに（アジアの黄色人種排斥を唱える）黄禍論の影が色濃く見えてきて、ちょっと怖い。しかも当時は異論がなかったのだからもっと怖い。

（岡本俊弥）

1978年5月

インフェルノ　SF地獄篇

Inferno, 1976

ラリー・ニーヴン&ジェリー・パーネル

小隅黎訳　解説：訳者

カバー：スタジオぬえ　加藤直之

　主人公のアレンはSF大会で酔っ払ってホテルの八階から転落した。目覚めるとそこは文字どおりの地獄であり、ウェルギリウスならぬベニトと名乗る男に案内されて地獄をめぐる旅に出る。しかし彼は自分が死んだことを認めず、遙か未来の医学によってよみがえり、眠っているあいだに進歩した科学技術によって生み出された「インフェルノランド」にいると信じて疑わないのだった。当時、ニーヴンとパーネルの合作と聞いて、だれもが壮大なハードSFを予想したのだが、できあがったのはSF趣味満開の異世界転生ファンタジーで、しかもその舞台は十四世紀のイタリアの詩人ダンテの叙事詩『神曲』の第一部「地獄篇」だった。しかしさすがはSFの名手、ほどよくユーモアとSF風味を織り交ぜながら、一歩誤ると陰鬱になりがちな地獄めぐりを楽しそうに描いていく。そしてベニトの意外な正体が明らかになったとき、深い感動をおぼえることになる。考えてみると、ダンテの『神曲』は当時の最先端の宇宙観で描かれており、とりわけ地獄の最下層にはブラックホールを思わせる描写もあるので、じつは意外とSFとの相性はいいのかもしれない。なお、ダンテの原典を読んでおくと二倍楽しめます。

（増田まもる）

1978年6月

火星の黄金仮面

The Outlaws of Mars, 1933

O・A・クライン

井上一夫訳　解説：訳者

カバー、口絵、挿絵：武部本一郎

　一九三三年に〈アーゴシー〉誌に連載された火星を舞台にした冒険SFである。地球人が火星へ行って怪物たちと戦い美女を救うといえばバローズの《火星シリーズ》が頭に浮かぶが、本書も『火星の透明人間』と同じ頃に発表された作品である。バローズと同じように《金星シリーズ》も書いたりしていて、当時はそれなりの人気を博していたようだ。

　何もかも失った失意の青年モーガンが怪しい科学者の叔父のタイムマシンで数百万年前の火星へと飛ぶ。白色人種と茶色人種が争う火星世界では、宮廷で陰謀が渦巻き、怪鳥に乗った兵士たちが空を飛び、そこで王女に恋をしたり、策略に陥れられたり、黄金仮面拷問王の軍勢との大戦争が始まったり……どこかで読んだことがあるような恋と冒険の物語である。今さらこんなものを読んでも面白くないかというとそうでもなく、本書を手に取る機会があったら武部本一郎のカバー絵や挿絵とともに懐かしい気持ちに浸ってほしい。

　さすがに刊行当時でもすでに古びていたせいか、クラインの訳書も似たような路線の作品も、そのあとは一冊も出なかった。なお本書は六七年に久保書店から『火星の無法者』として刊行されていた。（中野善夫）

1978年6月
Shadrach in the Furnace, 1976

不老不死プロジェクト

ロバート・シルヴァーバーグ
岡部宏之訳　解説：訳者
カバー：真鍋博

ウイルス戦争による臓器腐敗病の蔓延する荒廃した世界は、革命委員会議長ジンギス二世マオ四世カンの支配下にあり、九十歳を超えたカンの身体に埋め込まれたインプラントを通して健康状態を管理する侍医シャデラックは、来るべきカンの死後、その精神を自分の肉体に移植する計画が進められていることを知る。逃亡を勧める友人たちを冷静に退け、シャデラックはカンの内面を知るため想像による独裁者の偽日記を書き始める。

東洋的で陰鬱な未来世界を舞台に、詳細で過剰な医学的言説による思弁と濃厚な官能描写のエロスで、肉体に歪な存在感をもたらすマニエリスティックな小説技法が圧倒的な長編小説。原題はダニエル書からの引用で、王に逆らって炉で焼かれても神を信じるものは炎の中で自由である、というもの。宗教的寓意を背景に、疫病と貧困に溢れた世界の中心で権力に傅きながら、みずからの消滅を前にして独裁者の内面を想像する偽日記を〈書く〉ことで、自己と他者の境界が曖昧になり、事態を打破する勇気と希望を得る。文学的冒険の喜びと意義を物語の中に溶け込ませた、ニュー・シルヴァーバーグの一つの到達点を示した作品で、ヒューゴー、ネビュラ両賞の候補作にも選出された。

（渡邊利道）

1978年8月～
The Moon Sequence, 1923-

《月シリーズ》全三巻

E・R・バローズ
厚木淳訳　解説：訳者
カバー、口絵、挿絵：武部本一郎

バローズの《月シリーズ》は、彼の作品の中でもとびっきりの異色作である。「月のプリンセス」「月からの侵略」「レッド・ホーク」の三部から構成されており、ジュリアン家の男性を中心にした未来史ものになっている。

しかも、風変わりなのが、三つの物語で主人公を務めるジュリアン五世、九世、二十世と、語り手の三世が、すべて一人の男の転生の姿に他ならない。そのため、三世は、未来の記憶も過去の記憶も持っている。

「月のプリンセス」は、バローズの《火星シリーズ》のような異世界冒険もので、舞台を月に移しただけの話（だから、抜群の面白さだ）。

「月からの侵略」は、一変して未来社会での悲惨な闘争劇が繰り広げられる。月人が地球を征服して、地球人を奴隷化するのだ。「レッド・ホーク」は、文明をほとんど失った地球人のレジスタンス活動の子細だが、それが、アメリカの西部劇のような調子で描かれている。

二部と三部は、当時のアメリカ人が怖れていた共産主義が、自国を支配したらどうなるかという、ディストピアSFでもあった。

（二階堂黎人）

1978年11月

パニック・ボタン

日本オリジナル編集

E・F・ラッセル

峯岸久訳　解説：訳者

カバー：スタジオぬえ　加藤直之

　エリック・フランク・ラッセルは、英国人でありながら、アメリカパルプSFの需要に合わせた軽妙な作品を量産する職人だった。賢い地球人に一杯食わされる宇宙人たちを描いたユーモアSFを得意としたが、微妙に人間臭い宇宙人たちは、現在の読者には、民話のタヌキやキツネと同じに見えるだろう。ほぼ忘れられてしまったのも無理はない。

　ただ本書では、型にはまった作風から一歩踏み出そうとしていた跡が感じられ、興味深い。いずれも一九五〇年代に書かれた収録六作のうち表題作は実にシャレたオチが鮮やかに決まるが、これはむしろそれまでの作品の洗練型というべきもの。これに対して「時を持たぬ者」では、パルプ的な怪物宇宙人たちが、不条理な運命に苦悩する。ある意味P・K・ディック的な世界を予見した野心作だ。老いの無常を描いた冒頭の「追伸」は、ラッセルとしては異色の、実に英国SFらしい渋い逸品。ここには、現代SFに近い価値観の転換も用意されている。

　そして末尾の中編「根気仕事」は、なんと倒叙ミステリ。誰にでも化けられる万能宇宙人が本当に地球で犯罪を実行したら、警察はどうやって真相にたどり着くのか。驚きのSF版《87分署》である。（高槻真樹）

1978年12月

The Monster Men, 1929

モンスター13号

E・R・バローズ

厚木淳訳　解説：訳者

カバー、口絵、挿絵：武部本一郎

【再録】『火星の古代帝国』2002年刊

　南海の孤島で人造人間を作る研究に没頭する科学者とその娘。そこへ迫り来る凶悪な現地人たち。誘拐された娘を救うべく、十三番目に作られた人造人間「13号」が、大冒険に乗り出す……。

　バローズは先人の名作の肝のアイデアを取り込んで、自分流の勧善懲悪大冒険活劇に換骨奪胎(かんこつだったい)することが多い作家だった。例えば『ターザン』はキップリングの『ジャングル・ブック』、『ルータ王国の危機』はホープの『ゼンダ城の虜』を下敷きとしている。そして本作はと言うと、ウェルズの『モロー博士の島』から着想を得ていることは容易に想像がつく。

　もちろんそこはバローズのこと、ウェルズがテーマとしていた知性や人間性についての問題意識はそこそこに、危機に陥ったヒロインを助けるため、ジャングルの奥地に分け入っていく13号の活躍がメインの冒険譚となっているところがミソとなっている。

　さらに言えば、結末で明かされるサプライズでは、本作のSF性が大幅に後退、実は『ターザン』の変奏曲であることが明かされてしまうあたり、良くも悪くもバローズらしさに溢(あふ)れた作品だ。（堺三保）

1979年3月～

《ロシア・ソビエトSF傑作集／東欧SF傑作集》

日本オリジナル編集
オドエフスキーほか
深見弾訳　解説：訳者
カバー：スタジオぬえ　加藤直之

『ロシア・ソビエトSF傑作集』上下（十編収録）と『東欧SF傑作集』上下（ポーランド、ハンガリー、ブルガリア、ユーゴスラビア、東ドイツ、ルーマニア各国の全二十六編収録）は、かつて東側と呼ばれた厳しい体制下での検閲を通った作品集であり、品行方正な科学的啓蒙小説に限定されていて、本当に冒険的・先鋭的な作品はあまり見受けられない。その頃のソ連や「東欧」という地域でどれだけ凄い作品が書かれていたのかを知るのは、東西冷戦が終了するまで待たなければならなかった。だが、本書の刊行は、冷戦のただなかにあった時代にアンソロジーとしてであっても作品に触れられるというだけで大きな事件だった。

そもそも、冷戦当時は東側の言語や文化などを愛好しているというだけで眉をひそめる方々が存在していたので、積極的に交流を持とうとした袋一平や深見弾という翻訳者たちがどれだけの勇気と愛情を持っていたのかがわかる。原書の誤植に気が付きながらもそのまま表記するしかなかったとか、イニシャルで書かれていてフルネームを知ることができなかったので表記が正確でないとか、詳しい内容を著者本人に問い合わせることも不可能だった。そんな弱点をもあわせのんだ成果がこの四冊なのである。

ただ、この四冊は作品よりも「解説」のほうが重要資料として参照されるべきだとも考える。それぞれの作品が書かれた背景や歴史などを記した資料としてはたいへんに貴重なものである。評者も後に関係する資料を参照することで、より正確な史実を知ることができたのはインターネット時代になってからのことである。一度、この四冊が復刊された際、深見弾氏が死去した後だったので評者が著者のフルネームや解説にあった発表年の矛盾などもすべて正確に訂正することができたのだが、それまでは手の出しようがなかったのだ。

その後、ゴルバチョフが行ったグラスノスチによってソ連でも国際的なSF大会が開催されるようになった。その初めての試みであった「ヴォルガコン」（一九九一年）に評者は参加したのだが、そこで仕入れた情報や書籍によって、それまでは「不明」でしかなかった項目がわかるようになってきた。

現在、日本SF作家クラブの公認Webマガジン〈SF Prologue Wave〉（prologuewave.club）において、かつて存在した〈SF宝石〉誌に連載されていた深見弾氏の記事の再録を行っており、掲載にあたってはすべてファクトチェックを行い、付加すべき事項を補っている。だがこうした現在と違って連絡は郵便で行うか、直接会いにいくかのどちらかしか手段が存在しなかった時代にここまでの研究作業が行われたことには驚嘆するしかない。

（大野典宏）

1979年3月～

《ジャンプドア》二部作

Jorj McKie, 1958-

フランク・ハーバート
岡部宏之訳　解説：安田均、ほか
カバー：スタジオぬえ　加藤直之

銀河系内を瞬時に移動できる〈ジャンプドア〉というシステム。銀河系知的生物連合は、謎の知性体カレバンから提供されたこの技術に長年依存してきた。しかしわずか八十三体しか確認できていないこのカレバンが次々と姿を消し、それに伴い、いくつもの死者と発狂者の大波が銀河系を襲った。第一作『鞭打たれる星』では、その調査を主管してきたサボタージュ局（システムが円滑過剰に稼働することで文化や社会的基盤を破壊することを阻止するための連合の公的強権的機関）の特命工作員マッキーの元に一体のカレバン発見の報が届けられる。

　カレバンとの困難な意思疎通を成し遂げたマッキーは驚愕の事実を知る。現在、銀河系で同一平面に存在するカレバンは彼女一体であり、ジャンプドアを利用したすべての知性体と「コネクティブズ」されている。彼女は犯罪性癖のある大富豪アプネーゼと契約しており、その性癖により鞭打たれている。その鞭打ち行為があと数回行われると彼女は死に、「コネクティブズ」されているすべての知性体は道連れとなるというのだ。マッキーは、アプネーゼを捕えるため必死の活動を開始する。

　冗談としか思えない設定に軽ハードボイルドタッチの骨法、様々な異星人とのギャグ紛いの交渉風景、要素を抽出するとユーモア小説になるはずが、軽妙で奔放だが、なぜか生真面目シリアス深遠なスペースオペラとなって物語が躍動する。

何を目的に造られたのか。第二作『ドサディ実験星』では何世代にも亙って知的生物連合から隔離隠蔽されてきたゴワチン人の非合法実験星に、サボ局員にして非ゴワチンで唯一のゴワチン法法律士であるマッキーが調査のために派遣される。『鞭打たれる星』から一転した、重厚で複雑な物語。パラドキシカルな法律哲学が開陳され、諸勢力が疑心暗鬼のなか互いに罠を張り巡らし、権謀術数の限りを尽す、著者の面目躍如たる策略の中の策略の中の策略を骨子とした陰謀劇。

　前作では断片的に鏤められた異星人たちの社会的文化的生物学的考察と描写が、ゴワチン人、ドサディ人を中心にじっくり作り込まれ、筋立てに絡み、深みをましている。

　このシリーズには、先行して一九五八年と六四年に二つの短編が発表されているのだが、興味深い符合がみつかる。ハーバートの代表作といえば『デューン　砂の惑星』（一九六五）で、ヒューゴー賞・ネビュラ賞の二冠を達成し、全米のオールタイムベストでも首位をひた走っているのだが、シリーズ二つ目の短編は、この『砂の惑星』の雑誌連載の端境期に、『鞭打たれる星』は《デューン》第二作『砂漠の救世主』の翌年、『ドサディ実験星』は第三作『砂丘の子供たち』の翌年にと、発表時期が奇妙に重なる。ハーバートにとって重要な位置づけの作品であるのは間違いのないところだろう。

（水鏡子）

1979年3月

聖者の行進

The Bicentennial Man and Other Stories, 1976

アイザック・アシモフ
池央耿訳　解説：安田均
カバー：真鍋博

ヒューゴー、ネビュラ、ローカスの三冠に輝き、映画化もされた（邦題「アンドリューNDR114」）、人間になろうとしたロボットの一代記「バイセンテニアル・マン」など、一九六〇年代末から七〇年代半ばにかけて発表された作品十二編を収めている。アシモフの作品集の楽しみといえば、なんといっても自画自賛とユーモアにあふれた自作紹介。往時の米国SF出版界の様子を活き活きと伝える文章のおかげで、傑作はさらにすばらしく、残念なものもそれなりに楽しむことができるのだ。本書でも、献辞を捧げられたジュディ・リン・デル・レイを筆頭に、数々の編集者たちのエピソードが読む楽しみをブーストしてくれる。巻頭の詩「男盛り」などは、このブーストがなければどう読んでいいか……。

もちろん他の作品は、それ自体で楽しめるものだ。特に、ロボットが人間になるとはどういうことかを突き詰め、意外な結論を得る前掲「バイセンテニアル・マン」と、ロボット三原則の前提を根本から問い直す「心にかけられたる者」はロボットSFを語る上で欠かせない名作。コンピュータ支配への反抗が皮肉な結末を迎える「マルチバックの生涯とその時代」も捨てがたい。（林哲矢）

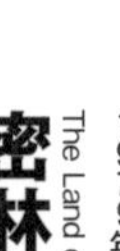

1979年4月

密林の謎の王国

The Land of Hidden Men (Jungle Girl), 1932

E・R・バローズ
厚木淳訳　解説：訳者
カバー、口絵、挿絵：武部本一郎

医学部を卒業したばかりの若きアメリカ人ゴードン・キングは、アンコール・ワットで知られる東洋の秘境カンボジアで、趣味の古跡探検のため、現地人も恐れるジャングル深くへ進む。しかし方向を見失ってしまい、千年前から連綿と続く古代クメール人の王朝ロディダープラからの逃亡奴隷家族に、瀕死の状態を救われた。ジャングルは獰猛な虎の危険と隣り合わせの野生の世界。回復し狩りに出たキングは、大虎に狙われ絶体絶命の娘をとっさに救出する。この若く美しい宮廷の踊り子フー＝タンをヒロインとし、壮大華麗な宮殿やシヴァ神に仕える僧侶、勇壮な兵士に軍象の大群、そして絶対的な王による神秘の王国を舞台に、現代の快男児の恋と陰謀と冒険が繰り広げられる！

時の流れから隔絶されたクメール文明の秘境で、ロディダープラ王朝と、対立するプノム・デーク王朝が世界のすべてという微妙なバランスの設定を描き切るバローズ円熟の筆さばき。そして槍投げの経験を生かして仲間の信頼を勝ち得ていく主人公と、妖艶で魅力的な美女のエキゾチックな冒険のゆくえは、医学の知識を活用したどんでん返しで風雲急を告げ、計略あり裏切りありの緊密な展開で見事な大団円を迎える。中期バローズの会心作！（代島正樹）

1979年7月

ドリーム・マシン

A Dream of Wessex, 1977

クリストファー・プリースト
中村保男訳　解説：安田均
カバー：スタジオぬえ　加藤直之

長編第三作『逆転世界』でブレイクしたプリーストが『スペース・マシン』に続いて発表した意欲作。原題は「ウェセックスの夢」で、英国南部ウェセックス地方を舞台としている。

三十九人の男女がリドパス博士の開発した「投射器」に入り、それぞれの精神を百五十年後の世界に投射する。変貌した未来社会を研究するのが目的だ。具体的にいえば、一九八五年の世界で巨大な抽斗型の装置に入ると、百五十年後の世界に目覚める——これが研究員たちの実感である。目覚めた分身は、そこでずっと一緒に暮らしてきた記憶をもっている。研究員の一人デイヴィッドにとって、目覚めた先のウェセックスは理想郷だった。そしてもう一人の女性ジューリアにとっても。

暮らしている世界が現実なのか夢なのか、だんだん不安定になってゆくプロットの巧みさ。そして大人の恋愛の行方が読みどころ。後に英国文学界でも屈指の筆力を発揮するようになるプリーストの確かな成長が見える佳作だ。

もうひとつ指摘したいのはウェセックスを魅力的に描く情熱。奇妙で心地よい世界を創りだすのは著者の優れた才能で『夢幻諸島から』（二〇一一）がその典型だが、その萌芽（ほうが）がここにも明らかだ。（森下一仁）

1979年10月

神の剣　悪魔の剣

ファンタジー日本神話

Sword of the Demon, 1976

リチャード・A・ルポフ
厚木淳訳　解説：訳者
カバー・挿絵：すずき大和

童子の名は弥勒（ミロク）。〈綱の国（ツナクニ）〉に向かう救世主である。彼と悪魔や幽鬼を呼び出す力を持つ愛染（アイゼン）との抗争を主軸として、半人半神の愛染に救われながら、弥勒と一緒に戦うことになる唯一の女性鬼子母（キシモ）など、日本神話を彩る英雄たちが陸続と登場するという異色のファンタジー。著者のルポフはアメリカ本国における戦後のバローズ・リバイバルを牽引（けんいん）した、カナベラル・プレス編集者兼ERB研究家としての業績が有名で、本書の翻訳者が厚木淳（あつきじゅん）なのもその流れと考えられる。しかし訳者あとがきで「まさかこの趣味がSFの翻訳に役立つことがあろうとは」と日本刀と鍔（つば）の趣味を明かしており、どうりでマニアックな訳注があると思ったら、ナルホドそういうことですかとニヤリ。

本書執筆の経緯は著者の「日本版への序」によると、場景イメージの断章が構想として先にあり、それを表現する神話伝承を求めて日本神話のモチーフを拝借したとのこと。もとより神話の整合性は追求せず、八岐大蛇（ヤマタノオロチ）や草薙の剣（クサナギノツルギ）から河童（かっぱ）や一寸法師まで、ありったけ登場させてしまうところが潔（いさぎよ）い（しかも一寸法師は弥勒の生まれ変わりだ！）。一九七八年ネビュラ賞候補作ながら、創元SF文庫が誇る(!?)屈指の怪作の座は揺るがないだろう。（代島正樹）

1980年2月

ロボット戦争

War with the Robots, 1962

ハリー・ハリスン
中村保男訳　解説：訳者
カバー：真鍋博

十五歳のときに〈アスタウンディング〉誌を見つけて以来、毎月最終木曜日にNYの地下鉄駅のマガジンスタンドに並ぶ同誌を購入、むさぼるように熟読し、キャンベル編集長を神とあがめるハリスンは、〈アナログ〉と誌名変更した同誌に連載した『死の世界1』（バンタム、一九六〇年九月刊／本文庫）で長編デビューし、キャンベル編集長が初めて採用してくれた短編の連作を長編化したユーモラスなピカレスク『ステンレス・スチール・ラット』（ピラミッド、六一年十一月刊）、再び〈アナログ〉に連載した『殺意の惑星』（バンタム、六二年一月刊）と立て続けにペーパーバック・オリジナルで上梓、しかもデビュー長編と第三作がヒューゴー賞候補となるに及んで、鼻高々だったことだろう。そんな有力新人と目された彼が、ロボット・テーマでまとめた第一短編集が本書（ピラミッド、六二年九月刊）。

ロボットSFは、アシモフの〝ロボット三原則〟作品以来、飛躍的発展を見せたが、それに縛られず、本書は、ときにユーモラスに、ときにシニカルに、ときにハードに描き、やや古びていても、テーマの可能性を拓く興味深いショーケースで、才人ぶりを発揮。（高橋良平）

1980年4月

究極のSF　13の解答

Final Stage: The Ultimate Science Fiction Anthology, 1974

エドワード・L・ファーマン&バリー・マルツバーグ編
浅倉久志、ほか訳　解説：浅倉久志
カバー：スタジオぬえ　加藤直之

一九七四年、オリジナル・アンソロジーが全盛を迎えた時代に編まれた、それこそ究極の一冊。テーマ別に書かれた点ではオーソドックスだが、ニューウェーブを経由したベテランや当時の新鋭が腕を振るい、大変レベルの高い作品集となっている。

たとえば、ポール・アンダースン「先駆者」は、人の意識を機械に組み入れ宇宙探査を行う話だが、作者にしては語り口が感覚的で構成も凝っている。フレデリック・ポール「われら被購入者」も果敢にタブーに挑戦しているし、アシモフ「心にかけられたる者」は、五〇年代のロボットものとは一線を画した優雅さを示している。こうしたベテラン勢が活躍する一方で、オールディス「三つの謎の物語のための略図」は、破格の構成を含め、まさにニューウェーブそのもの。作中にアンナ・カヴァンが登場している点も興味深い。他にも、ホロコースト後に漂う意識の断片を鮮やかに描き出すティプトリー・ジュニア「けむりは永遠に」、時間の輪に取り込まれた飛行士の悲哀を描くディック「時間飛行士へのささやかな贈物」など、傑作が多数収録されている。七〇年代SFの到達点の高さを示す好アンソロジーだ。著者による解説と推薦作リストがついているのもうれしい。（渡辺英樹）

《コンラッド消耗部隊》全四巻

1980年3月〜
Expendables, 1975-
リチャード・エイヴァリー
石田善彦、ほか訳　解説：訳者
カバー、挿絵：稲葉隆一

英国の作家エドマンド・クーパーが別名義で書いた全四作の冒険SFアクション。このシリーズに先だつ同じ著者のシリアスな長編『アンドロイド』『遙かなる日没』等よりもキャラクターや展開はコミック調。筆名リチャード・エイヴァリーは、謎の星のサバイバル劇を描いたクーパーの長編『転位』（一九六四）の主人公と同じ名前だが、想い入れがあって流用したのか、作風の違いを示す改名かは定かでない。

主役は、移民可能な惑星を探す探検チーム〈EXPENDABLES＝消耗部隊〉の面々。皆優秀ながら重犯罪者や社会不適合者ばかりで、文字通り「使い捨てOK」なメンバーだ。英国人司令官コンラッドは隻眼で（しかも赤外線の義眼）、片手が精巧な義手。インド人軍医の女性副官インディラは両足が超精度なロボット義足で、死の願望を抱いている。ナイジェリア人の生態学者カート・クワンゴは暴力的な元凶悪犯だが、巨大ロボットの操作に長け、いつもアンクル・トムの真似をしてジョークを言う。キャラの立ったこの三人がレギュラーで、他の隊員は劣悪な自然環境や超危険な生物の襲撃によって、毎回壮絶に「使い捨て」られて、死ぬ。

対峙する〝敵〟もユニークだ。特に印象を残すのが『クレイトスの巨大生物』に登場するミミズ怪獣〈ワーム〉。不快な悪臭を放つ頭部を持ち、キモチ悪さは格別。他にも『タンタロスの輪』のロボット猿と吸血樹木、『アルゴスの有毒世界』の巨大なマッシュルームのような頭と、大きな口と槍の舌を持つ植物（高さ三十メートル）等など、凶暴な怪物が次々と登場する。その一方で、全員が食堂に集まって仲良く朝飯を食べたり、頻繁にスコットランド牛のステーキと赤ワインに舌鼓を打ったりと、コージーな日常が微笑ましい。英国冒険小説の伝統的フォーミュラ（メンバー紹介→タスクの準備&訓練→ミッション展開→危機突破と目標達成）に則った構成も安心して読める。

が、しかし、負の要素も強い。約四十年ぶりに再読し、随所に差別的な言説と植民地主義的な傲慢さが見られて、頭を抱えてしまった。著者は晩年のインタビューで「私は女性の解放に反対しない」と語りつつも、「男性は女性よりも優れている」「女性には優れた学者がいない」と公言している。このシリーズでも人種の違いや男女の差異が、自虐ネタやギャグで描かれていて、多様性が求められる昨今、そうした視座は如何ともしがたい。欧米で刊行当時、米国の批評誌 *Science Fiction Review*（No.19／七六年八月号）で、ハーラン・エリスンが〝the dreary, dreadful 'Avery' books（退屈で不快なエイヴァリーの本）〟と酷評した。アメリカSFを辛辣に批判していたクーパーに対する不満に加えて、このシリーズに顕著な旧態依然かつ独善的な価値観への怒りもあったのかもしれない。（小山正）

1980年5月～

Minervan Experiment / Giants, 1977-

《星を継ぐもの》シリーズ

ジェイムズ・P・ホーガン

池央耿訳　**解説：鏡明、ほか**

カバー：加藤直之

【新版】2023年刊

第一作『星を継ぐもの』の邦訳は一九八〇年。そろそろSFは卒業かなと感じていた私を元の沼に引き戻した記念すべき一冊。当時は後年の自分がSF小説で作家デビューするとは夢にも想わなかった。やたら主語をデカくするつもりはないが、周囲にいた理系大学生たちには共通する気分があり、中高時代に主だったSF作品は読んだものの、安部公房『第四間氷期』などのごく少数を除けば「知的興奮」を覚える作品はすでに／まだなく、ドーキンスとか科学ノンフィクションにくら替えする友人が多かった。この作品の登場はそんな連中にとって天啓だった。同じ作品を同時に読み、感想を熱く語り合う経験などめったにできるものじゃない。

真紅の宇宙服をまとった月面の死体〈チャーリー〉。だがそれは五万年前のものだった――この出だしをいまの読者はむしろオーソドックスとさえ感じるかもしれない。でも君たち――それはこの作品から始まったんですよ。一方、木星の衛星ガニメデでは、二五〇〇万年前と推定される、はるかに科学技術文明の進んだ異星人の宇宙船が発見される。本作は〈ガニメアン〉と名づけられた彼らとのファースト・コンタクトSFであると同時に、周到に設定した時間軸のズレも作用して、人類の起源を探求する壮大なミステリにもなっている。

原子物理学者ハントと生物学者ダンチェッカーの主役コンビがいい味を出している。特に後者の人品骨柄は、スティーヴン・ハンター『極大射程』の老弁護士と重なり、物語もなにやら法廷物じみてくる。というのも、ハントがガニメデに宇宙旅行する舞台転換こそあるが、古代人も異星文明も死骸と遺跡なのだから、物語はいきおい両博士を楕円の二焦点とした果てしない知的議論に終始し、またそこに理系学生を夢中にさせる推理の妙があった。天体物理学、考古学、人類学、特に比較言語学からのアプローチは個人的ツボだった。

このシリーズの価値の半ば以上は第一作にあるが、生きて動く〈ガニメアン〉や両博士の冒険活劇を見るには続編群をお読みいただくしかない。これらは壮大なスケールとスピード感で、日常からはるか離れた地点に読者を連れ去ってくれる。第二作ではついに地球人類と〈ガニメアン〉は対面を果たし、二五〇〇万年の歴史の謎が明かされるし、第三作では人類の（黒）歴史や現代社会にはびこる不合理に遠い銀河から光が照射される。物語内時間はほとんど進んでいないが、作者の関心が科学技術自体から人類社会の未来に移行するにつれ、物語のトーンも変わり、気のせいかダンチェッカー博士も圭角が取れた。第四作『内なる宇宙』で舞台はついに仮想世界に分け入り、近く刊行予定の *Mission to Minerva* で金字塔シリーズはついに幕を閉じる。

（山之口洋）

1980年6月

シャーロック・ホームズの宇宙戦争

Sherlock Holmes's War of the Worlds, 1975

M・W・ウェルマン&W・ウェルマン

深町眞理子訳 解説：訳者

カバー：金森達

シャーロック・ホームズはパロディにおいて様々な相手と対決／共闘している。切り裂きジャック、ドラキュラ、夏目漱石……。その中でも極北と言える〝敵〟こそ、火星からの侵略者であろう。ウェルズ『宇宙戦争』の火星人襲来の際、ホームズならば果たしてどのように活動したか？——というコンセプトで書かれたのが本書なのである。襲来の時代設定をしっかり考証した上で、ホームズの年代学と重ね合わせ、コナン・ドイルのSF作品のシリーズ・キャラクター、チャレンジャー教授も登場させた。ウェルズの短編「水晶の卵」を『宇宙戦争』プレリュードと位置付けて取り込んでいるのは実に巧みだし、ただウェルズに乗っかっているだけでなく、新たな解釈を付加してSF的により昇華している。

ハドスン夫人が魅力的な女性でありホームズの恋人であるという設定には初読時に驚かされたが、それもまた本作の味のひとつとなっている。その他ホームズ正典キャラクターの生かし方や細かな正典要素の盛り込み方も気が利いており、シャーロッキアンも納得の作だ。前半はワトスンの出番が少ないのでワトスン・ファンにはやや物足りないかも——というのが僅かな瑕疵である。（北原尚彦）

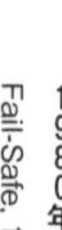

1980年7月

未確認原爆投下指令

Fail-Safe, 1962

E・バーディック&H・ウィーラー

橋口稔訳 解説：訳者

カバー：鶴田一郎

米国戦略空軍司令部がカナダ国境付近に未確認飛行物体を発見した。常時哨戒体制にある戦略爆撃機編隊がソ連邦を取り囲むフェイル・セイフ点へと急行し攻撃命令に備えて待機。緊張が高まる中、航路を外れた民間機と判明し帰還命令が出されるが、一編隊だけは命令を無視してソ連国境を目指して突き進む。核戦争勃発の危機に、ソ連書記長とのホットラインを繋いだ大統領。果たして最悪の事態は回避できるのか。

ともに政治学者である二人の作家が、複雑化した機械に頼る防衛体制の安全性に警鐘を鳴らし、偶発戦争による人類滅亡の危機を、入念な調査に基づきドキュメンタリー・タッチで描き出した骨太な近未来社会派密室劇スリラー。SAC、国防総省、大統領官邸、爆撃機操縦室の四カ所の密閉空間を舞台に、JFKをモデルにした大統領を始め入念に造形された関係者が葛藤する緊迫感漂うドラマは今尚色褪せていない。初刊は一九六三年、河出書房新社。六四年にシドニー・ルメット監督、ヘンリー・フォンダ主演で「未知への飛行」として映画化（日本公開八二年）、二〇〇〇年にジョージ・クルーニー製作総指揮兼主演でTV映画「FAIL SAFE 未知への飛行」として生放送された。（川出正樹）

1980年7月〜
Mucker, 1921-

《マッカー》二部作

E・R・バローズ
厚木淳訳　解説：訳者
カバー、口絵、挿絵：斉藤寿夫

マッカーとは、このシリーズが執筆された当時のスラングで「ごろつき」という意味らしい、ということがシリーズ第一巻の訳者あとがきで触れられているが、この《マッカー》シリーズの主人公、ビリー・バーンが面白いのは、品行方正、白馬の王子様タイプが多いバローズ作品の主人公たち（実は、ターザンに代表される「野蛮人」ヒーローたちも女性に対しては紳士的だったりする）と違い、汚い言葉を連発し、自らを悪党と自認する荒々しいならず者であるところだ。

もちろん、そこはバローズの作品なので、悪ぶってはいても、その実、常に弱きを助け強きを挫くことを選ぶ正統派ヒーローであることはすぐにわかる仕掛けになっていて、ヒロインに対して「俺みたいな悪党には似合わない」と自ら身を引こうとするあたりは、ターザンとなんら変わらない。

そんな主人公が南海の孤島で日本のサムライと戦い、革命に揺れるメキシコで山賊と戦いと、各巻ごとに違う舞台で大活躍するのがこのシリーズの特徴で、書こうと思えばこの調子で世界中を巡る一大シリーズにもできたはずなのに、バローズの悪い癖でヒロインと結ばれたところで完結してしまったところが少し残念。　（堺三保）

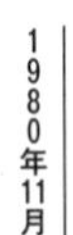

1980年11月
The Lad and the Lion, 1917

砂漠のプリンス

E・R・バローズ
厚木淳訳　解説：訳者
カバー、口絵、挿絵：斉藤寿夫

一九一七年に雑誌に発表され、一九三八年に単行本化された本書を初めて読んだ時の私の印象は、バローズの初期ターザンを、良い意味で焼き直したもののよう、というものだった。

本書の主人公である少年マイケルは、ヨーロッパの由緒ある王国の王位継承者だった。しかし、革命が起きつつあり、彼は父王の命令に従って国を脱出すると、嵐に遭った船の難破の末に、命辛々、アフリカの沙漠に逃げ込むことになる。連れは、無二の親友である黒いたてがみの大ライオンだけだった。しかも、彼は記憶を失っていて……。

もちろん、その先には、バローズらしい波瀾万丈の冒険が待ち受けている。戦争の危機に見舞われた王国と、少年の野性的な戦いとを交互に描きながら、彼の成長の度合いを見事に物語る。未熟で無知だった少年が、様々な艱難辛苦を経て、立派な青年になっていくわけだ。

ちなみに、この作品は、一九一七年にアルフレッド・E・グリーン監督で映画化（白黒／サイレント）されている。主人公が記憶を失うところは原作と一緒だが、王の息子という設定はアメリカの大富豪の息子に変えられている。　（二階堂黎人）

1981年2月

アーヴァタール

The Avatar, 1978

ポール・アンダースン

小隅黎訳　解説：訳者

カバー：鶴田一郎

一九七〇年代は、ニューウェーブとサイバーパンクの狭間の時代だが、それは同時に本格SF復権の時代でもあった。六〇年代半ばにデビューしたラリー・ニーヴンが、現代科学の知識をふんだんに盛り込んだ作品を矢継ぎ早に発表して、一躍人気作家となっていった一方で、五〇年代に活躍したベテランたちもまた、現代的な装いの重厚長大な新作を発表するようになっていったのだ。

アシモフが『神々自身』で、クラークが『宇宙のランデヴー』で、フレデリック・ポールが『マン・プラス』で、それぞれ現代作家としての「復活」を遂げたように、軽妙洒脱な作品が広く人気を博していたアンダースンもこの時期、複雑な人間ドラマを盛り込んだ、重厚長大でシリアスな作品群を次々に発表するようになる。

本書はその代表的な一本で、ポールの『ゲイトウエイ』を思わせる超光速空間転移システムとそれを作った謎の異星種族に、あたかも地球の神話を思わせる化身と呼ばれる存在とを絡めて、大スケールの宇宙SFにしたてあげたところに、手練れのSF作家であり歴史マニアでもあるアンダースンの真骨頂がある。

（堺三保）

1981年3月

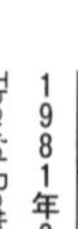

ボシイの時代

They'd Rather Be Right, 1957

マーク・クリフトン&フランク・ライリイ

冬川亘訳　解説：安田均

カバー：鶴田一郎

本書は「史上もっとも知名度の低いヒューゴー賞受賞長編」といわれている。その理由は、一九五〇年代前半の〈アスタウンディング・サイエンス・フィクション〉誌の読者にだけ強くアピールする作品だったからだろう。

表題になっている「ボシイ」というのは、サイバネティクスの粋をつくして生みだされたスーパーコンピュータ。しかし、人工知能の可能性といった方向には話は広がらず、このコンピュータが行う心身療法が主眼となる。日々の生活で細胞に刻みこまれた抑圧因子をとり除き、不老不死を可能にするばかりか、人間に潜在するテレパシー能力まで発現させるというものだ。この発想は、SF作家L・ロン・ハバードが創始した疑似科学ダイアネティクスの強い影響下にあるが、そのダイアネティクスを全面的に支持したのが当時の〈アスタウンディング〉であったのだ。

作者のひとりクリフトンは、五〇年代に同誌を舞台に活躍して人気を集めた作家だが、いまではすっかり忘れられている。共作者ライリイは、のちに短編をいくつか発表した程度のマイナーな存在で、本書への貢献はアイデア面での協力にとどまるらしい。

（中村融）

1981年4月

ガラスの短剣

The Flight of the Horse, 1973

ラリー・ニーヴン
厚木淳訳　解説：訳者
カバー：Peter Andrew Jones

ニーヴンにはハードSF以外にも、ファンタジーものや社会問題を扱うシリーズがいくつかある。

記録が失われた未来から、絶滅種捕獲のためタイムトラベルし、誤ってユニコーンなどを捕らえてしてしまう《タイムハンター・スヴェッツ》、魔法の力の源泉マナが枯渇していく世界で、それでも力を維持しようとあがく魔法使い《ウォーロック（魔法の国が消えていく）》、《テレポーテーション》は、交通手段が瞬間移動（機械を使ったテレポート）だけになった社会で、ニュースを契機に生じるパニックを描いたものだ。本書はスヴェッツもの五編、ウォーロック、テレポーテーションから中編それぞれ一編を集めた中短編集である。

ファンタジーといっても、これらの作品はいまの基準では全てSFの範疇だろう。ニーヴンは魔法を書くためにも、それを成り立たせる理屈・理論にこだわるからである。オープンエンドで終わる作品もなく、明快な解釈が示される。残念なことに、（本書に限らず）ニーヴンの短編集はハヤカワ文庫の『無常の月』以外、現行本での入手が難しい。それでも同書でスヴェッツの一編は読めるので、雰囲気を味わうことはできるだろう。

（岡本俊弥）

1981年4月

死者がUFOでやってくる

Never Say Die, 1979

ロバート・グロスバック
真野明裕訳　解説：訳者
カバー：稲葉隆一

交通事故で飛び出してきたトラックに不運な歩行者が押し潰された。かくいう歩行者とはこのわたし。再婚した妻に頼まれたハンバーガー九個を買って帰る途中、なにが起きたかすら分からずじまいで。そしてわたしは、目覚めたら死んでいた……。

SFの邦訳は本書のみという著者が描く主人公のジェイは、魅力的な女性にすぐ鼻の下を伸ばす俗っぽいキャラクターで、いかにもSF非プロパー作家による通俗小説のようだが内容は意外なほど複雑。異次元から来た知性体〈スティム〉が三万年前の地球で霊長類の頭脳と超共生し始める。つまり人類はそもそもスティムと不可分で進化していたのだ。ただし知覚主体と肉体の寿命の長さにはだいぶ差があり、格納する体が死んでも残った精神は生まれ故郷の宇宙に戻って案外普通に暮らしていて、カウンセリングなどを受けてまた現世の人間の殻〝担体〟に再結合されるのを待つという転生システムが基本設定。不適格者の浄化やレジスタンス、別種族のUFO奪取など大きく話は進むが、実は一番目立つのは優柔不断で下世話で自己中な、主人公のイヤな奴さ加減だったりして。一九八〇年代の本文庫に変わった路線の異色作が見え隠れするのは、本書も要因のひとつだろう。

（代島正樹）

1981年5月

奇妙な関係

Strange Relations, 1960

フィリップ・ホセ・ファーマー
大瀧啓裕訳　解説：新藤克己
カバー：岩崎政志

タブーなきSF的奇想で、セックスと生殖の深淵に迫る初期中短編五編を収録。中編「母」は、惑星ボードレール（凄い名前だ！）を舞台に、巨大な子宮を持つナメクジ風生物に遭遇した地球人の母子の苦闘を描く（次の短編「娘」はその続編）。中編「父」は、宇宙を旅しながら神学的問題に挑む《ジョン・Ｉ・カモーディ神父》シリーズの一編。一万年間に進化も退化もしない謎の星で、カモーディは〝父〟を自称する創造主らしき巨人と出会い、この星で起きる〝死と復活〟をめぐって神学論争を展開する。中編「妹の兄」はSF史上最もグロテスクかつ奇怪な愛の悲劇だ。宇宙飛行士レーンは、腰の下に生殖器が無い美しい異星人女性マーシャに火星で出会う。想いを募らせる二人だが、レーンが異星人の醜悪な生殖サイクルの秘密に知ったことで、彼らの情愛は謎を残したまま瓦解する。映画「エイリアン」（一九七九）の原案・脚本家ダン・オバノンは、本書をヒントにシナリオの構想を練ったという。確かに「妹の兄」には、蜘蛛に似た十本足の生物や、宿主を用いた生殖と寄生、雄の怪物が放つ酸性粘液、クイーンエイリアンといったソックリな要素が頻出する。「エイリアン」と本書の関係は意外と深いのだ。（小山正）

1981年7月

エコトピア・レポート

Ecotopia, 1975

アーネスト・カレンバック
小尾芙佐訳　解説：訳者
カバー：稲葉隆一

著者カレンバックは、アニメ映画監督・宮崎駿と対談を行ったことで注目を集め、日本では、「風の谷のナウシカ」と共鳴するエコロジー・ユートピア小説として受け止められた。対談は『出発点』（徳間書店）、『ジブリの教科書1　風の谷のナウシカ』（文春ジブリ文庫）と、繰り返し書籍に収録されている。だが、実際に本書を読んだ人は少ないかもしれない。対談でも宮崎駿は、自然を利用対象として捉えるカレンバックに批判的だった。原作版「ナウシカ」が、さらに思想を深め、エコロジーと距離を置く形で完結したのは、よく知られている通りだ。

電気自動車・再生可能エネルギー・生分解性プラスチックなど、本書で紹介された新技術の多くは実現し、その一方で普及は今一つである。地球温暖化が進む中、エコロジーは輝ける理想ではなく、現実的な政治課題となり、議論と妥協が積み重ねられる場となってしまった。

だが本書を時代遅れと評するわけにはいかないだろう。現実世界では、カレンバックが予測したような先進的な西海岸の独立ではなく、ついて行けない保守層の反動化として、アメリカの分断が生み出されたからである。裏返しの形で予測は的中したのだ。（高槻真樹）

1981年7月

ルータ王国の危機

The Mad King, 1926

E・R・バローズ

厚木淳訳　解説：訳者

カバー、口絵、挿絵：加藤直之

母の生国である中欧の小国ルータ王国を訪れたアメリカ人のバーニー・カスターは、たまたま風貌が似ていたせいで、レオポルド国王に間違われてしまう。国王は摂政ペーテルに長年幽閉されていたが、最近になって脱走し行方不明になっていたのだった。バーニーは否定するが誰も信じてくれず、否応なく陰謀に巻き込まれていくことになる。

《火星》、《ターザン》シリーズが人気を博し、脂の乗り切った時期に書かれた作品で、いつものように陽性の快男児がヒロインを救出する冒険を繰り広げる、バローズらしい冒険ロマンスである。珍しいのは、当時開戦したばかりの第一次大戦の現実が物語に反映されていることで、オーストリアとセルビアの間に位置するルータ王国は、敵対する両国のどちら側につくかの選択を迫られることになる。ただ、その後の戦争の顚末からすると、ルータ王国の選択が正しかったかどうかは微妙なところ。

並行して書かれた『石器時代から来た男』は、本書の第一部と第二部の間、カスター兄妹がアフリカのターザンの地所に招かれたときの出来事で、本書の主人公バーニーの妹ヴィクトリアがヒロインとして登場する。なお、本書にはSF要素は一切ない。（風野春樹）

1981年8月

ユートピアの罠

Web, 1979

ジョン・ウィンダム

峰岸久訳

カバー：稲葉隆一

太平洋ミッドサマー諸島から、さらに遠く離れた孤島タナクアトゥア。自らの信念を実現しようとするイギリス人貴族と実行担当の理想家による扇動に賛同した三十八人が、自由で政治的にも独立した新しい共同生活国家、いわば〝理想郷〟を建設すべく、文明社会から隔絶されたその小さな島へ旅立った。

一九三一年デビューというキャリアを誇り、数々の名作で知られるウィンダム最後の長編。著者の遺言により死後十年目に発表されたということだが、本書で描かれる破滅をもたらす災いは〝クモ〟である。原題はもちろんＩＴ用語ではなくクモの巣の意。物語の前半ではタナクアトゥアが経た数百年の歴史を詳細にたどり、核実験のために避難させられた原住民部族と、最後に残った者が島に掛けた呪いとそのタブーが語られる。このために無人島は二十年放置されたあげく売却されたのだが、放射能の影響で異常進化を遂げたのか、はたまた部族の族霊（トーテム）として呪いを守護するためなのか、入植者のひとりである主人公らが到着した島は、群れをなして俊敏に襲い掛かる、恐るべき殺人毒グモの大群に覆い尽くされていた！

アクション・サバイバル味たっぷりな素材を、地味に仕上げる堅実さがウィンダムらしい。（代島正樹）

1981年9月～

Falkenberg's Legion, 1971-

《ファルケンバーグ大佐》シリーズ

ジェリー・パーネル
石田善彦訳 解説：訳者
カバー：鶴田一郎

連合国家の海兵隊を追われた孤高の軍人ファルケンバーグ大佐の冒険を描いた本シリーズは、『神の目の小さな塵』を含む〈未来史〉の一部だ。本編は軽快なリズムの未来戦記としてSF味の薄い物語と看做されてきた。パーネルはハインライン『宇宙の戦士』（一九五九）やホールドマン『終りなき戦い』（一九七五）のように、戦争の倫理的な問題に触れなかったからだが、半世紀近く経ったいま再読したとき、二十一世紀の地域紛争――疲弊した大国の孤立主義化、分離主義の抬頭、民間軍事企業の興隆などを忠実に写しとったかのような先見性に驚かされるはずだ。いまのウクライナ戦争さえもそのなかに含まれる。異端派の人口人類学者E・トッドが指摘するように、高性能の携帯兵器、AI兵器が戦車や空母の軍事的価値を低めているからだ。ファルケンバーグの戦争は第一次世界大戦に近い、白兵戦と塹壕戦なのだ。H・G・ウェルズ以来の近未来予測が物語に伏せられていたのである。重要なのは「軍人にできるのは時間を稼ぐことだけだ」というファルケンバーグの訴えだ。破局的な戦争を回避するために地域紛争を戦うことが軍人の使命だと訴えるこの言葉は、現代の戦争の本質をついたパーネルの主張なのだ。（礒部剛喜）

1981年10月

Subspace Explorers, 1965

大宇宙の探究者

E・E・スミス
榎林哲訳
カバー：稲葉隆一

《スカイラーク》で道を拓き《レンズマン》で頂点を極めた、スペースオペラのレジェンド、E・E・スミス最晩年の作品。

恒星間連絡船プロシオン号は亜宇宙を航行中に事故で難破してしまう。一等航行士カーライル・デストンら救命艇で脱出できた数名は、対立抗争や数々の苦難を乗り越え亜宇宙から救助されるが、高次元を知覚する〝心霊能力〟を身に付けていた！

……と聞くと王道スペースオペラだが、あらぬ方向に転調していくカオスな作品。そもそも恋愛描写を苦手としたスミスは『宇宙のスカイラーク』で分担合作しようとしたが、本書では昔から予感能力のあったデストンが乗客で石油大企業の令嬢バーバラと精神感応するや、初対面でキスを交わし（五頁目）お互いに結婚の意思を確かめ合う（六頁目）という清々しいほどの超速展開。さらに金属探知能力を開眼したデストンがバーバラと会社を作って宇宙最大の大企業と取り引きする企業経済小説になり、〈進歩的利己主義の原理〉を信奉する植民惑星の資本家と旧弊な地球政府との対決になり、共産主義が行き着いた非人道的搾取惑星〈世界〉を支配するニュー・ロシアの陥落戦では、著者の政治思想が溢れ出る。没後十八年の八三年刊で未訳の続編あり。（代島正樹）

1981年10月

創世記機械

The Genesis Machine, 1978

ジェイムズ・P・ホーガン

山高昭訳　解説：大野万紀

カバー：加藤直之

二〇〇五年、統一場理論が完成したあとの世界で、主人公ブラッドリー・クリフォードは理論を発展させ、物質の消滅と生成が重力波を生み出していることを突き止める。その検知方法を探るうちに、宇宙の構造が明らかになってゆき、世界を根本から変える、強大なテクノロジーの可能性が生まれる……。

作品が書かれた一九七〇年代末の空気を反映し、東西冷戦が深くこじれた爆発寸前の世界情勢が背景にあるが、主人公たちの敵はいわゆる「東側」ではなく、自国アメリカの権力と官僚機構だ。科学（理性）と官僚制・政治の対立する構図は単純にすぎるかもしれないが、滅亡に至る争いの連鎖を終わらせたいという作者の切なる願いには偽りがない。物語のなかで、世界を破滅させうる超技術は正しい手にゆだねられ、永続的な平和が実現する。そこへ至る道筋には痛快なツイストが仕込んであり、読後感は清々しく希望に満ちている。

主人公の相棒になるオーブは、同時代におけるアメリカ西海岸のテック・カルチャーを体現したようなキャラクターで、物語に明るさと軽みを与えている。

時代の空気とホーガンらしい未来への希望を味わえる、一九八二年の星雲賞受賞作。（倉田タカシ）

1982年4月

マッド・サイエンティスト

Mad Scientists, 1980

スチュアート・デイヴィッド・シフ編

荒俣宏、ほか訳　解説：荒俣宏

カバー：岩崎政志

ニューヨークに一人の医学生が居た。怪奇小説を愛し、在学中にはフランク・ベルナップ・ロングやヴァージル・フィンレイらと親交を結んだ。陸軍勤務を経て社会人となってもホラーへの情熱を忘れず、一九七三年に同人誌を作るに至る。彼の雑誌〈ウィスパーズ〉はプロ・アマを問わず優れた作品を掲載し、ダブルデイから刊行された傑作選は毎年のように世界幻想文学大賞にノミネートされ、彼自身も同賞のノンプロフェッショナル部門を四度受賞、休刊までの十数年にわたってホラー界を牽引していくこととなる。

そんなホラーの師父たるシフの、これは余技ともいえるアンソロジー。クラークからラヴクラフトまで収録作家は幅広く、「サルドニクス」「ティンダロスの猟犬」といった古典的名作をはじめ、ロバート・ブロックのコミカルな作品や、リー・ワインシュタインの切ない小品など、学究の末に未知の領域へ踏み込んでしまった者たちの楽しいショーケースとなっている。しかし、シフの本質はあくまでホラーであり、この分野でのさらなる評価が待たれる。プロ・アマを問わず、優れたアンソロジストはジャンルを発展させる。間違いなく、彼はその証左なのだから。（理山貞二）

1982年7月〜
Gaean, 1979-

《ガイア》三部作

ジョン・ヴァーリイ
深町眞理子、ほか訳　**解説：安田均、ほか**
装画：Ron Walotsky、ほか
装幀：矢島高光

《ガイア》シリーズは一九七九年から八四年に出たジョン・ヴァーリイの長編ＳＦ、『ティーターン』、『ウィザード』、そして未訳だが*Demon*の三部作である。

人類初の土星探査船〈リングマスター〉。女性船長シロッコ・ジョーンズを始めとする七人の乗組員は、そこで異星人のものと思われる直径千三百キロの車輪型の衛星を発見。その中心には百キロの穴の開いたハブがあり六本のスポークが底辺へと伸びている。その外縁には三角形の太陽熱吸収板があり、車輪の内側にも六つの反射鏡があって底辺を照らしている。

接近した〈リングマスター〉は衛星から伸びた触手のようなものに捕獲され、乗組員たちはその衛星〈ガイア〉の内部に転生をとげる。そこは巨大なリングの内側に広がる世界だった。

表面重力は地球の四分の一で大気は呼吸可能。豊かな自然にあふれ、ケンタウロスに似た知的生物であるティーターニスや、羽のある天使たち、生きている飛行船やその他、異様だがギリシア神話っぽい、どこか見覚えのある生物たちのすむ世界だった。シロッコと女性物理学者のギャビーは、ハブにいるという女神に会うため、スポークを登って行く。冒険の末、たどり着いた頂上にいた三百万歳の女神ガイアは、そこら辺にいる太った初老のおばさんの姿をしていた……。

まずこの世界のスケール感と、細かく設定されたハードＳＦ的なディテールに圧倒される。そして世界の美しさ。生き物たちの躍動感。巨大な世界といえばニーヴン『リングワールド』が思い浮かぶが、《八世界》を築いたヴァーリイの描く世界はまた違った魅力に溢れている。

そしてこのシリーズの最も大きな特長は、ティーターニスの複雑怪奇な生殖機構を始め、セックスとジェンダーの問題をとことん深掘りしていることにあるだろう。またその社会構造や未来の人間社会についても詳細に考察している。今読めばむしろ普通に思えるかも知れないが、物語としてはロールプレイングゲーム的な異世界転生冒険ファンタジーを描きつつ、内実はそんな安直なゲーム的価値観を批判する社会学的ハードＳＦとも呼ぶべきものになっているのだ。そこが当時、このシリーズを歓迎する読者と同じくらい反発する読者を生んだ所以だろう。

第二部で〈ウィザード〉となったシロッコはこの人工的な、与えられた敵や試練をこなすお仕着せの冒険を嫌悪し、飲んだくれとなっている。それでも地球からやって来た問題ある二人の男女を支援し、新たな冒険に旅立つのだ。それはとても過酷な旅となる。次第に高まるガイアと〈ウィザード〉の対立。第二部の最後でシロッコはこの世界の〈デーモン〉となるが、未訳の第三部では、彼女はついに耄碌して狂ったＢ級映画狂のガイアと戦うはめになるのだ。今度は戦争だ！

（大野万紀）

1982年7月～

《デュマレスト・サーガ》シリーズ

Dumarest, 1967-

E・C・タブ

鎌田三平、ほか訳　**解説：訳者、ほか**

装画：稲葉隆一　AD・ロゴデザイン：アトリエ絵夢

【『嵐の惑星ガース』『夢見る惑星フォルゴーン』『迷宮惑星トイ』『共生惑星ソリス』『キノコの惑星スカー』新版】2006年刊

遙かなる未来、人類は生存圏を多数の恒星系に広げていた。そして数多くの貿易船や観光船が星々の間を行き交うのと同時に、交通網を利用し星また星を渡り歩く者たちがいた。宇宙の渡り者と呼ばれる彼らの一人、アール・デュマレストには、あてどなく渡りを行う理由があった。すなわち、子ども時代にあとにした故郷の惑星地球に帰ること。しかし、人類の起源たる地球はもはや伝説上の存在と化しており、誰もその正確な場所を知らぬ有様であった。デュマレストの孤独な流浪は、果たしていかなる帰結を迎えるのか。

この三十一冊に及ぶ彼の宇宙放浪記が《デュマレスト・サーガ》である。イギリス本国では、日本版の最終巻となった第三十一巻の後に長い年を経て刊行された続刊二冊（未訳）によりシリーズが完結したが、第三十一巻自体はかなり切りのよい終わり方をしているため、そこまででも十分楽しめるだろう。

このシリーズを特異なものとしているのは、主人公が自前の宇宙船を持たず、目的地に決定権のない渡り者ということだ。現に第一巻『嵐の惑星ガース』にしてから、大口のチャーター客が来たことで希望とは異なる惑星で降ろされるところから始まるという塩梅。毎度のようにトラブルに巻き込まれるデュマレストは、銀河の覇権を握るために暗躍する精神統合集団サイクランと否応なく敵対しつつ、少しずつ地球への手がかりを得ていく。

もう一つの特徴は、『嵐の惑星ガース』といった各巻の題名からもわかるように、舞台となる惑星が基本的に一冊につき一つということだ。しばしば本シリーズは「どの巻も作品の構造が似通っている」と評価され、「金太郎飴」「宇宙水戸黄門」などと半ば揶揄されてはいるが、そのぶん個々の舞台のバラエティが浮き彫りにされ、読者を楽しませてくれる。

本シリーズは現在こそさほど知名度が高くないものの、熱心なファンクラブも組織されるなど高い人気を誇った。TRPG「トラベラー」が本シリーズを大きく下敷きにしていることもあってか、「トラベラー」の訳者である安田均が本シリーズを題材としたゲームブックを創元推理文庫から二冊刊行している。

著者であるタブについても、マイケル・ムアコックから評価されたほどの書き手であり、今後再評価は必要であろう。彼のもっとも著名な短編「ルシファー！」は、アンソロジー『死んだら飛べる』（竹書房）にも収録されているほか、現在57 Secondsという題で映画化が進行中とのことである。また、グレゴリイ・カーン名義の《キャプテン・ケネディ》シリーズがハヤカワ文庫SFから五冊刊行されている。いずれにせよ、アール・デュマレストの旅はまだ終わっていないのだ。

（片桐翔造）

1982年11月

カリグラ帝の野蛮人

I Am a Barbarian, 1967

E・R・バローズ
厚木淳訳　解説：訳者
カバー、口絵、挿絵：加藤直之

バローズと聞いて眉を顰めるような人にこそ読んでほしい、知られざる傑作だ。古代ローマ帝国の侵略によって奴隷の身となった語り手が、後に第三代皇帝となるカリグラに買われ、判断を誤れば処刑されてしまう危うい状況に置かれながらも、絶妙な判断力で生き延びた四半世紀を、回想録スタイルで描きぬく。疑心暗鬼と権謀術数のきわみとしか言えないローマ帝室と、ダイナミックな剣闘場や戦車競争の描写との対比は冴え、ティベリウス帝や大アグリッピナら史実に登場する人物の書き込みも素晴らしい。とにかく生命が軽い時代なのに、語り手はどんな逆境でも「ケントの王キンゲトリクスの曾孫」としての誇りを捨てず、だからこそ生まれる倫理が読者の胸を打つ。対するカリグラは語り手の鏡像で、徐々に狂気と破綻の度合いを強めていくが、その哀しみは現代的――そしてラストのカタルシス！　かような構造は、安彦良和『我が名はネロ』（一九九八～九九）での剣闘士レムスと皇帝ネロの関係にも変奏されている。本書は作者の生前（一九四一）に完成していたが、刊行は没後（一九六七）。加藤直之のイラスト含め海外では人気があり、十三世紀を扱う *The Outlaw of Torn*（一九一四）の翻訳も待たれる。（岡和田晃）

1983年1月

天のさだめを誰が知る

And Having Writ..., 1978

D・R・ベンセン
村上博基訳　解説：K・S
カバー：若菜等

宇宙船の故障で地球に不時着した四人の宇宙人が、並行世界、もう一つの二〇世紀を出現させ、そこに介入してしまう……。序盤の展開はゆっくりで、ファースト・コンタクトに歴史改変テーマという狭隘な（サブ）ジャンルのお約束だけで見れば、取り立てて新味のない凡作ともなろう。だが、発揮される皮肉の効いた脱力系（ウッドハウス風）ユーモアに加え、歴史への批評意識が実に冴えていることから、本書は広く現代小説として再解釈すべきだ。実際、邦題はその妙味をよくわかったうえで付けられている。発明家エディソンを帝国主義者T・ローズベルトの次代大統領にするセンス。十九世紀的な公法秩序を完膚なきまでに破壊してしまった第一次世界大戦を、止めるのではなく煽ることにする宇宙人たち。皇帝ニコライがレーニンを「ロシア民主帝国の首相兼大統領」に任命する場面など、思わず吹き出してしまう場面の連続だ。だからこそ、ラストの一文でなされる問いが、痛烈に〝刺さる〟。今なお熱心な読者を少なからず擁するのも、納得だ。著者は、〈アンノウン〉誌のベスト・アンソロジーの編集や、アシモフ《黒後家蜘蛛の会》シリーズのモデル「戸立て蜘蛛の会」のメンバーとしても知られている。（岡和田晃）

1983年2月

宇宙からの訪問者

The Visitors, 1980

クリフォード・D・シマック

峰岸久訳　解説：米村秀雄

カバー：岩崎政志

ミネソタの片田舎に巨大な黒い箱形の物体が現れる。どうやら宇宙船か、あるいは異星人そのもので、地球の周回軌道上に何千もの群体で突如現れたものの一体らしいと推測される。箱は原生林の木々をどんどん取り込んで、セルロースの塊（かたまり）を吐き出し、ついには小さな分身を作り始める。地方新聞の記者兼発行者、箱と遭遇した大学院生とその恋人の都会の新聞記者、大統領報道官とその恋人で社会問題に熱心な大統領の娘といった人間たちが、この意思疎通不可能な訪問者に振り回されるオフ・ビートなファースト・コンタクトSF。冒頭からネイティヴ・アメリカンの権利問題について現代でも概ね同じような主張をする差別主義者が登場し、ヨーロッパの白人たちによるアメリカをはじめとする世界全体を変容させた歴史を、この訪問者たちによってもたらされるだろう世界への衝撃と重ね合わせ、さまざまな謎をそのままに、結末を宙吊りにして読者に世界への再考を促す。著者らしい穏当なユーモアによって静かにサスペンスを盛り上げていくスタイルが効いた長編。不可知のものに対して男性が恐怖を覚え、女性が希望を抱くという登場人物の対照的な描かれ方に、男性優位社会の攻撃性への洞察を見ることができる。（渡邊利道）

1983年3月

ドリーム・パーク

Dream Park, 1981

ラリー・ニーヴン&スティーヴン・バーンズ

榎林哲訳　解説：訳者

カバー：岩崎政志

コンピュータやホログラムを駆使した未来のテーマパークで行われる、大規模なライブアクションRPG（LARP）を描いた先駆的な小説であり、プレイヤーの中の殺人犯を捜査するミステリでもある本書の邦訳が出たのは一九八三年のこと。『ソードアート・オンライン』をはじめ、RPG世界での冒険を描く小説は今や当たり前になっているが、本書が参考にしている「ダンジョンズ&ドラゴンズ」（あとがきでは「地下牢と竜」と訳されている）は当時まだ日本語版が出ていないし、「ウィザードリィ」、「ウルティマ」といった古典的コンピュータRPGも出たばかりで日本語化されていなかった。RPGはまだ知る人ぞ知る存在だったのである。戦士や盗賊といったジョブや、敏捷度（びんしょうど）などのパラメータの概念も、当時はまだ目新しかったはずだ。おまけに、運営側はプレイヤーたちの冒険をカメラで記録し、映像作品にして収益を上げているという設定だから、リアリティショーを予見した小説でもある。

この作品はその後の多くのLARPグループに影響を与え、一九九二年にはマイク・ポンスミスによってTRPG化されている。二〇一一年までに三冊の続編が書かれているがいずれも未訳。（風野春樹）

1983年4月

未来の二つの顔

The Two Faces of Tomorrow, 1979

ジェイムズ・P・ホーガン

山高昭訳　**解説：坂村健**

カバー：加藤直之

ホーガンの代表作の一つ。物語は、推論能力を持つAIのHESPERが工事施工命令を優先して、現場の人間を殺しそうになる場面から始まる。主人公のダイアー博士が開発中のAI・FISEは、目玉焼きを作れと命令すると卵を割らずにフライパンに投げ入れるという体たらく。しかし一方で、熱さや痛みといった不快感を教えると、FISE自身のペットである犬アバターにも適用して労るという、成長の可能性も示している。

AIは果たして人類にとって悪魔なのか神なのか。未来の二つの顔を確認するため、軌道上の実験コロニー〈ヤヌス〉で、このAIを使ったネットワークが試用される。人間側があえて対立するように仕掛け、安全性を確かめようというのだ。

本書が発表された一九七九年は日本ではPC-8001がようやく発売された年だ。このような時代に人工知能の父と呼ばれるミンスキーに謝辞を捧げる先見性は尊敬に値するし、未来技術予測も的確であるのが今なら判る。飽くまでもAIに自分で気付かせようとすることで、彼らが何を思い何を目指すのかを思索しつつエンタメ作品に昇華したところに、SFの底力を見る思いがする。（菅浩江）

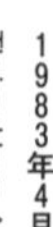

1983年4月

未来からのホットライン

Thrice Upon A Time, 1980

ジェイムズ・P・ホーガン

小隅黎訳　**解説：小隅黎・柴野拓美**

カバー：加藤直之

スコットランドの古城の地下で、物理学者たちが時間を遡行する通信方法を見つけた。過去へのメッセージ送信実験を繰返すうちに、核融合プラントと世界規模の災厄が関係していることに気づく——。理系文学のお手本とも言うべき理知的で丁寧な文体は、時間という興味深い現象を改めて深く考えさせる。

ホーガンはイギリスに生まれ、一九七七年のアメリカ移住後に出版した最初の小説『星を継ぐもの』は八一年に星雲賞海外長編部門を、また八二年に『創世紀機械』、九四年に『内なる宇宙』で受賞。海外長編部門を三回受賞したのは他にバリントン・J・ベイリー、ラリー・ニーヴン、ロバート・J・ソウヤーしかおらず、日本で非常に愛された作家だ。時間を超えるメッセージというアイデアは多数の作品に影響を与えた。

本書は『星を継ぐもの』、『未来の二つの顔』とともに星野之宣が漫画化している。他作品にも言えることだが、本書でも緻密な科学考証に加え、映画化されても不思議ではないほど「絵になる」描写がある。無関係と見える一連の事件が伏線となり、ドラマティックな展開で地球全体を巻き込む。終盤は、ポスト・コロナの現在の状況と奇妙に符合する。（八島游舷）

1983年6月〜
Richard Blade, 1969-

《リチャード・ブレイド》シリーズ

ジェフリー・ロード
厚木淳、ほか訳　解説：訳者
カバー：木嶋俊

一時期、本文庫では、長編シリーズが矢継ぎ早に刊行された。E・C・タブの《デュマレスト・サーガ》、マリオン・ジマー・ブラッドリーの《ダーコーヴァ年代記》などと共に、ジェフリー・ロードの《リチャード・ブレイド》シリーズも、大いに衆目を集めた。

《ブレイド》シリーズは、一九六九年から八四年にかけてアメリカで全三十七巻が発表され、その内の十四巻が本文庫で翻訳された。作者のジェフリー・ロードはハウス・ネームで、実際には、ローランド・J・グリーン、レイ・ネルソン、マニング・リー・ストークスという三人の書き手がいた。

《ブレイド》シリーズを端的に表現すれば、SF版《007》+ヒロイック・ファンタジーということになる。

一九六〇年代にショーン・コネリー主演で大ヒットしたスパイ映画「007」の影響は、第一巻のページをめくった途端に解る。主人公のリチャード・ブレイドは、英国諜報部MI6のスパイである。彼のボスは〈J〉と呼ばれ、ボンドのボスが〈M〉であることを想起させる。

しかし、ブレイドが諜報活動をするのは外国ではない。無数に存在する異次元世界（X次元）なのだ。

イギリス政府は、天才科学者が作った超高性能コンピューターを使い、人間を別次元にある特異な世界へ送る計画を立てる。そこで発見される未知の物質や技術を持ち帰り、他国より優位に立とうという計画だった。さっそく、心身共に卓越した能力を有するブレイドが選ばれ、X次元への転移実験が行なわれた。

X次元には肉体しか転送されないため、ブレイドは毎回、裸で異世界に放り出される（記憶の一部も削がれる）。たいていの場合、異世界は、ロバート・E・ハワード描く《コナン》シリーズのような野蛮で未開の地だ。徒手空拳のブレイドは、己の知力と腕力だけで、次々に襲い来る苦難を振り払わねばならない。肉弾戦が炸裂し、血潮が飛び散る迫力満載の冒険が次々に描かれる。

また、戦闘の合間に彼は多くの美女と懇ろになり、別の意味の一戦を交えることになる（ブレイドは優れた頭脳の持ち主という設定だが、筋肉とセックス・アピールしかないように思えるのは正直なところだ）。

したがって、コネリー版「007」シリーズと同じく男尊女卑の傾向が強く、女性は男性の獲得商品か、美的な飾り物というような扱い方がされている。そこが当時、この《ブレイド》シリーズの人気の理由の一つだったのだろうが、今読むと多少の欠点ともなっている。

なお、ロシアとフランスでは、独自の《ブレイド》シリーズが多数書き継がれた。

（二階堂黎人）

1983年7月～
Childe Cycle, 1957-

《チャイルド・サイクル》シリーズ

ゴードン・R・ディクスン
石田善彦訳　解説：訳者、ほか
カバー：鶴田一郎

未来編六作＋過去編三作＋現代編三作の全十二作から成る一大叙事詩として構想された、作者の代表作。しかし、生前に発表されたのはいずれも未来編に属する長編八作と短編数作のみだった。本文庫に収録されたのは、そのうちの長編三冊と中短編集二冊だ。

二十一世紀、恒星間植民が進む中、人類はその特質を集団ごとに分化させた〈分離文化〉形式を進めてゆく。主要な文化集団は、戦闘に関わる資質を受け継いだ〈ドルセイ〉、信仰を重んじる〈友邦世界〉、形而上学的要素に特化した〈異邦世界〉の三つ。各世界は特徴的な人材を互いに派遣し合い、勢力間のバランスを保っていた。中でもドルセイ人は高い戦闘力を生かし、傭兵として宇宙の戦場を駆け巡る。

第一作『ドルセイ！』は、異邦世界人の母を持つドルセイ軍人ドナルの立身出世譚。ドナルは惑星ごとに特化した文化様式や行動原理を逆手に取り、軍功を重ねてゆく。同時期に書かれた『宇宙の戦士』とまとめて扱われることも多いが、人類同士の戦争を士官の視点から作戦重視で描いており、軍隊や軍人の描き方はともかく、細部のテイストは意外に異なる。

続く『ドルセイへの道』は、時代を遡って描かれたドルセイ前史。超能力と管理社会をテーマにした近未来SFで、人類が恒星間植民に際して分離文化を選択した背景が見えてくる。

第三作『兵士よ問うなかれ』の主人公は、分離文化に属さない旧世界人の報道記者。言わば中立の立場から、信仰と狂気、勇気と暴力、知恵と企み……と各文化の表裏を描き出し、新たな統合への希望と課題を感じさせながら、時系列的にも他の作品群をつなぐ役割を果たす。本書の原型となった短編版は一九六五年のヒューゴー賞を受賞した（講談社文庫『世界SF大賞傑作選1』に矢野徹訳「兵士よ、問うなかれ」として収録）。

『ドルセイ魂』と『ドルセイの決断』は、サイドストーリー的な作品集。どちらも二編収録で『決断』の表題作は八一年のヒューゴー賞ノヴェラ部門を受賞。長編群に先駆けて《イラストレイテッドSF》として邦訳されたものの文庫化で、スペイン人アーティストのF・フェルナンデスによる挿絵が豊富に収められている（カバーは鶴田一郎）。

結局、歴史をたどり人類の特質をあぶり出し、未来で肉体・精神・頭脳と単純化して分離、その後に再統合して新しい人類へ——という壮大なヴィジョンの完結には至らなかった本シリーズ。未来史の断片だけが残ったが、単純化によってキャラクターの個性が強まり、各文化が特徴を生かした戦略・戦術で戦うミリタリーSFの先駆として人気を博した。あくまでも主要勢力のひとつだった〈ドルセイ〉がシリーズの別名として使われるのも、この点をよく表している。

（香月祥宏）

1983年8月〜
Mathew Swain, 1981-

《マシュー・スウェイン》シリーズ

マイク・マックウェイ
佐和誠訳　解説：訳者
カバー：安田忠幸

核汚染で荒廃した未来都市を舞台に、私立探偵マシュー・スウェインの活躍を描くSFハードボイルド。「レイモンド・チャンドラーの思い出に捧げる」とエピグラフにあるように、主人公の正義感と優しさはフィリップ・マーロウそのものだ。一人称の洒脱な語り口や、センチメンタルな男女関係、酒を飲む場面が濃密なのもチャンドラー風。自宅に猫を飼っており、これは映画「ロング・グッドバイ」（一九七三）のマーロウと同じ設定である。乗物〈ブレット・カー〉や電脳通信〈ヴィス〉等の未来ガジェットも楽しく、同時期の映画「ブレードランナー」以上に死臭う街の描写も秀逸だ。第一作『オールド・タウンの燃えるとき』は富豪からの殺人捜査依頼の話で、スウェインとタッグを組む女男爵マリアが印象的。第二作『月は死を招く』は月の無法歓楽街で行方不明の恋人を探す物語。第三作『死のネットワーク』は暴力的なメディア産業を背景に、TV局幹部と政治家との死闘が描かれる。第四作 *The Odds Are Murder*（一九八三）では脳を冒す殺人ウィルスが蔓延、患者たちがゾンビ化して街を徘徊するなか、スウェインは友人の死の謎を追う。傑作と名高いが、惜しくも未訳である。（小山正）

1983年9月
The Fellowship of the Talisman, 1978

妖魔の潜む沼

クリフォード・D・シマック
冬川亘訳　解説：訳者
カバー：若菜等

地方領主スタンディッシュ家の跡取りダンカンは、イェズスの言動が同時代に記された手稿を鑑定してもらうため、妖魔に荒らされた《劫掠の地》の横断を決める。お供は彼を主と仰ぐ豚飼いコンラッドと、闘犬、戦さ馬、驢馬だった。驢馬以外は戦闘力がかなり高いです。

舞台は二十世紀のブリテンだが、作品世界の地球は、全く異なる歴史を歩んでいる。妖魔の集団がどこからともなく現れて不定期に人類を襲うため、文明の発展が阻害されているのだ。十字軍も大航海時代も潰された世界において、中世キリスト教の価値観と社会は温存されている。同時に、どうしようもなく閉塞もしている。だからこそダンカンは、宗教的な文書のために冒険に出る。この世界には魔法や妖精、竜なども存在するが、印象はあまり派手ではない。幽霊や精霊も、厳しい環境下で暮らしているためかやたら生活感のある愚痴や自嘲が多い。超常的な存在というよりも、まるで荒れ地の貧民のようだ。そんな本書で楽しむべきは、ダンカンや道中で増える同行者たち（隠者、幽霊、妖精、魔女など）の愚痴方々の活発な会話である。ユーモア、韜晦、箴言に富むそれらこそ、シマックの特徴であり、醍醐味である。（酒井貞道）

1983年9月

静かな太陽の年

The Year of the Quiet Sun, 1970

ウィルスン・タッカー
中村保男訳　解説：訳者
カバー：安田忠幸

多彩な才能を持つ統計学者の主人公は、未来予測に対する洞察力を買われ、政府基準局に半ば強制的に転属させられる。そこではTDV（時間転換機）と呼ばれるある種のタイムマシンが開発されており、初の有人プロジェクトが実行されようとしていた。主人公以外のメンバーは軍人だった。しかし、目的地はごく近未来のアメリカなのだ。

タッカーは時間ものを好んで書いた。本書はその集大成といえる力作である。政治の衰退とアメリカ国内の分断、人種問題、南シナ海や台湾をめぐる中国との戦争が描かれており、半世紀前と現在との相似性を知ることもできる。

タッカーは一九一四年生まれで、九一歳まで生きた。世代的にはSF第一世代にあたる。草創期のファンとして、作家と共にジャンルを盛り上げた功労者である。ヒューゴー賞などでもファンライター、ファンジン部門で多く受賞している。一方本書は、キャンベル記念賞の受賞やネビュラ賞の最終候補になるなど、プロから高い評価を得た作品だ。創作活動は七〇年代末（六〇歳代）には終えているが、九六年にSFWAグランドマスター賞、二〇〇三年にはSFの殿堂入りを果たしている。

（岡本俊弥）

1983年9月

琥珀のひとみ

Eyes of Amber and Other Stories, 1979

ジョーン・D・ヴィンジ
浅羽莢子、岡部宏之訳　解説：高橋良平
カバー：鶴田一郎

私が手本とする一冊。SFでしか描出できないせつなさや達成感がバリエーション豊かに集められている。

表題作はヒューゴー賞受賞短編。ファンタジー世界と見せかけた舞台は実は土星、異言語解析SFと見せかけて実は魂の交流がテーマ、という複合的な手腕が楽しめる。

特筆すべきは「高所からの眺め」。マキャフリーやティプトリーが好きな方には、ぜひ読んでほしい。隔絶された女性という似た設定の中では、一番ビターで一番感動的な作品であり、忘れることができない名作だ。「錫（すず）の兵隊」では、時間の流れから取り残されるという運命に共感しつつ、男女が過度にもたれあわない姿勢がよい。これがデビュー短編だというのだから、びっくりする。他に「猫に鈴を」「メディア・マン」「水晶の船」を収録。「ベン・ボーヴァによる序文」もヴィンジを知るのには大変役に立つが、それ以上に価値があるのは各短編に付された著者自身による解説だ。

ヴィンジの筆力の高さはヒューゴー賞受賞作『雪の女王』などのオリジナル長編にとどまらず、ノベライズにも表れている。『サンタクロース』も記憶に残る名著だった。

（菅浩江）

1983年10月
To the Stars, 1980-

《ホーム・ワールド》シリーズ

ハリー・ハリスン
酒井昭伸、内田昌之訳　解説：訳者、ほか
カバー：星恵美子

アメリカSFを内側から変革させてきたハリスン。そのなかでも、一九八〇年代初頭に書かれたTo the Stars三部作の一冊目と二冊目。『ホーム・ワールド』は、視点人物の技師ジャン・クロジックが事故に巻き込まれた結果、天然資源を一手に握ったエリートの支配階層が第三世界の下層民を収奪している社会構造の不正義を自覚し、革命のため悪あがきをする話。登場するイスラエルのエージェント連がモサドの面々のように描かれることからもわかるように、エスピオナージュが強く意識されているが、勢いに反して筆致にはぎこちなさが残る。続く『ホイール・ワールド』では一転、当局に〝流刑〟に処されたジャンの暮らす馭者座ベータ星第三惑星ハーヴモークに舞台が移る。風変わりな軌道と地軸の傾きで、夏や冬がそれぞれ四年続く星であり、生きるためには二万七千キロに及ぶ〈道〉を通り、居住可能な薄明地帯へ移動するしかないが、シンプルなプロットと奇想が見合い、黄金期SFのセンス・オヴ・ワンダーとアメリカン・ニューウェーブの〝昏さ〟もうまく融合している。こちらを先に読むのも一興。いずれもラストに一捻りあり、第三作*Starworld*（一九八一）は未訳だが、原書に挑む価値はある。（岡和田晃）

1983年12月
The Triune Man, 1976

宇宙多重人格者

リチャード・A・ルポフ
安田均訳　解説：訳者
装画：稲葉隆一
AD：アトリエ絵夢

ルポフは大変器用な才人で、一九六〇年代後半から七〇年代を通じて編集者、評論家、作家として大いに活躍したが、翻訳された作品はそれほど多くなく、全貌が明らかになっていないのが残念。本書は、冒険ものやコミック・ブックをこよなく愛した作者の持ち味が存分に発揮された快作である。

人気漫画家のバディは殺人の疑いで拘束され、ある病院に送られる。犯人は自分の中の別人格だと主張したためだ。実際に、彼の中にはナチもどきの愛国団体総統ウォッシュバーンが隠れていた。だが、ウォッシュバーンも被害者を殺していないと主張する。さらには第三の人格も現れ、事態は混迷していく……。この本筋だけでも面白いが、著者はここにコミック・ブック的な要素をどんどん足していく。たとえば、本書の冒頭は、謎の生命体ヤクシ人に主人公が誘拐され、宇宙の危機を救ってほしいと依頼されるというとんでもない場面から始まるのだ。主人公が作中で描くSFコミック『ダイヤモンド・スートロ』も同様の展開を辿り、現実と虚構が複雑に入り乱れる。アメコミ、SF、ミステリ、すべての面白さが詰め込まれ、最終的にユダヤ人ホロコーストへと帰着するアクロバティックな構成は見事の一言。（渡辺英樹）

《神のごとき人々》三部作

1983年12月～
Люди как боги, 1966-

セルゲイ・スニェーゴフ
深見弾訳　解説：訳者
カバー：星恵美子

本三部作は、とても数奇な運命をたどった作品である。ソ連にしては珍しいスペースオペラだとして読まれるのが最も適していているのだが、実はそれが問題となって出版がかなり遅れたのである。これには背景となる事情に関する説明が必要だろう。

実は本三部作はアメリカ的なスペースオペラのパロディなのだ。「どこかで読んだことがあるような話がたくさん存在する」量産され続けたパルプSF、具体的にはE・E・スミスの《レンズマン》シリーズへの当てこすりとして書かれたものなのである。

だが、実はその行為そのものがソ連にとっては気に入らないアイデアだったのである。スニェーゴフは自分でも知らずしてタブーに触れてしまっていたのだ。

そもそもソ連時代の倫理感はキリスト教と社会主義的な建前によって形作られていた。すなわち、「神は自らの姿に似せて人を作られた」との旧約聖書の一言である。つまり、人間こそが神に最も近い存在であり、それ以外の姿は神とは似ても似つかない姿ではあり得ない。人間の思考こそが最上であり、社会主義は最も進んだ社会システムなのである。同じ理由により、地球文明を超えた存在も否定されなければならない。

というわけで、上記の二点がマズかったわけである。架空の文明観や宗教観を描いたこと。たかがこれ、されどこれなのだ。

こういう場合、最も神経質だったのは政府でも著者でもなく、出版社である。いったん政府に目を付けられると会社としての存続が危なかったのだ。そんな理由で何件もの出版社に断られ、三部作がそれぞれ別の出版社から発売された。

そんな紆余曲折を経て本三部作は出版され、日本語も含む数カ国語に翻訳された。ギリギリでセーフだったということだと解釈してもらってもかまわない。そんなわけで本三部作は「議論はあるかもしれないが、一九六〇～七〇年代におけるソ連SFの中で最大かつ重要なユートピア作品」であるとも言われている。それは発刊当時も変わりがなく八四年に「アエリータ賞」（八一年から続いているロシアのSF賞）を受賞したし、数カ国語に翻訳され、現在も評価されている。

ここで不思議に思われるかも知れないが、評者はあらすじを一切紹介していない。なぜかというと単純に前提となる知識無しであらすじを書いてしまうと「なぁんだ、凡百のスペースオペラじゃん！」と思われてしまうためだ。

スペースオペラには、帝国主義的な価値観がはびこっていて、それはそれで眉をひそめる作品が多い。だが逆にそれを茶化そうとしたらさらに体制の怒りに触れそうになって出版を拒否されることもあったという時代背景を抜きにして本作は評価できない。

（大野典宏）

1984年1月

The Ship Who.... 1961-

《歌う船》シリーズ

アン・マキャフリーほか

酒匂真理子、ほか訳　**解説：新藤克己、ほか**

カバー：佐藤弘之

「この世に生まれ出た彼女は「もの」だった。すべての新生児に義務づけられている脳波計テストに合格し損なえば、彼女は「もの」としての運命を宣告されるだろう。」

機械と人間の融合を描いた短編「歌った船」の冒頭は鮮烈だ。重度の障害を持って生まれた彼女は、脳波テストによって救いあげられた後、二つの選択肢を与えられる。安楽死か、さもなくばカプセルの中で何世紀も生きる管理機械〈殻人（シェル・パースン）〉となるかだ。両親によって生きる道を選択された彼女は、〈殻人〉となるべく〈中央諸世界〉に託される。ヘルヴァと名づけられ、身体の生育を止め、カプセルに収納し、そのカプセルはやがて宇宙船のチタン合金の柱に封じられた。そして知覚神経は宇宙船に接続され、彼女は宇宙船の〈脳（ブレイン）〉となった。

ヘルヴァは〈中央実験学校〉を卒業し、十六歳で〈頭脳（ブレイン）船（シップ）〉としてデビューする。操船は全て〈脳〉が受け持つが、通常〈頭脳船〉は、〈筋肉（ブローン）〉と呼ばれる生身の人間とペアで行動するため、ヘルヴァの元にも〈筋肉〉の候補者たちが何人も現れる。まるでおとぎ話の婿（むこ）選びのごとき展開であり、選ばれた〈筋肉〉ジェナンに向けるヘルヴァの感情は初恋だ。そしてその恋は、悲劇的な結末を迎え、ヘルヴァの嘆きとその後の魂の彷徨（ほうこう）が綴（つづ）られる。〈殻人〉は何世紀も生きるため、たとえ不慮の事故が起きなくとも、遅かれ早かれ、どこかで喪失感を味わうことになる。喪失感による孤独は人を死に追い込む。それを避けるため〈殻人〉は心理学による教育と条件付けを受けている。だとしたら、ヘルヴァの感情は教育の成果なのではないかという読者の疑いを、マキャフリーはひとつの特性で見事に説得してみせる。ヘルヴァは歌うのだ。あらゆる声音、音域を使い分けて自由自在に歌う。それは他の頭脳船にはない特徴であり、彼女が個の存在であると同時に、ひとりの歌い手の喉という制限から解き放たれた、身体性における自由を印象付ける。

ヘルヴァは、生物の境界を超えた存在であり、ブレイン・マシン・インターフェイスの先駆として、SF史上最も有名な女性サイボーグだ。先天的障害者であるヘルヴァにとって、〈宇宙船〉が手足の代用という意識はない。それこそが身体そのものなのだ。にもかかわらず、物語はサイボーグ船の〈脳〉とその搭乗員〈筋肉〉のパートナーシップ、女としての身体を持たない少女の恋愛を主眼とする。このアイデアの先進性とロマンチックな物語性とのギャップこそが、この物語の魅力だ。

身体を伴わない〈殻人〉に性別を付与し、従来の結婚制度や異性愛をそのまま作品に取り入れている点や、〈殻人〉の年季奉公的な側面などは、SF界はもとより、科学哲学、社会哲学などさまざまなシーンで議論を呼んできた。科学哲学者ダナ・ハラウェイ「サイボーグ宣言」、サミュエル・ディレイニーによる「サイボーグ宣言」批判、ジェシカ・アマンダ・サーモンスンによるジェンダーとセクシャリティからの批判「なぜジェンダーを呼び戻すのか――アン・マキャフリー『歌う船』を読む」など議論の一部は巽孝之編『サイボーグ・フェミニズム【増補版】』で読むことができる。

「歌った船」の初出は一九六一年の〈F&SF〉誌。その後「嘆いた船」、「殺した船」、ヒューゴー賞、ネビュラ賞の候補となった「劇的任務」、「欺いた船」と書き継がれ、書き下ろしの「伴侶を得た船」を加えた六編が一九六九年に『歌う船』として一冊にまとめられた。マキャフリーはこの本を自作の中でも最も好きな作品だと語っている。一九七七年に「蜜月旅行」を短編集『塔のなかの姫君』に書き下ろしたものの、続編展開に至らなかったのは、ヘルヴァの心情の背景にマキャフリー自身の結婚生活の破綻があり、執筆がその辛い記憶を呼び起こすことが原因だったようだ。しかし九〇年代に入り、遂に若手作家との共作というスタイルで続編シリーズが実現し、新たに六作が刊行された。世界設定を共有してはいるが、キャラクターの乗り入れもほぼないため、それぞれ独立した物語として読むことができる。

邦訳順に紹介しておこう。

『旅立つ船』は《ヴァルデマール年代記》のマーセデス・ラッキーとの共作。主人公ティアは病気による進行性の身体麻痺が原因で、自らの意思で〈脳〉となった少女。先天性の障害ではないため、機械を媒介させない身体の記憶を持つ点が他の〈殻人〉と異なる。

『戦う都市』はシリーズ唯一の男性作家S・M・スターリングによる。〈殻人〉シメオンも男性な上に、船ではなく宇宙ステーションに搭載されており、さらに養女を迎えることで父親にもなった異色の〈殻人〉だ。『復讐の船』はその続編で、マキャフリーとの共作ではなくスターリング単独の作。シメオンが迎えた養女ジョートを主人公にしたスペースオペラで、〈脳〉も〈筋肉〉も登場しない。

『友なる船』は、訓練学校を卒業後〈筋肉〉も決まらないまま任務につかされた〈殻人〉ナンシアを主人公に、〈筋肉〉とのパートナーシップを描いた王道の作品。

『魔法の船』の〈脳〉〈筋肉〉コンビであるキャリエルとケフは、RPGマニアのおしどりコンビ。著者のジョディ・リン・ナイはゲーム会社のスタッフ経験もあるファンタジー作家で、続編『伝説の船』はリン・ナイの単独作（リン・ナイの夫は本シリーズを含め、数々の続編シリーズを企画した作家で出版プロデューサーのビル・フォーセットだ）。

少女を搭載した宇宙船というアイデアは、国の内外を問わず後の作家、作品に様々な影響を与えた。映像化はないが、SF演劇を数多く送り出してきた劇団キャラメルボックスは本シリーズに材をとった「ブラック・フラッグ・ブルーズ」（成井豊・真柴あずき『アローン・アゲイン』所収）を九七年に上演している。

マキャフリー本人は、九九年にシルヴァーバーグ編のアンソロジー『SFの殿堂 遙かなる地平』に「還る船」を発表。〈筋肉〉の死を描いたこの短編は、「歌った船」をなぞるように進行、長い年月を経てたどり着いたヘルヴァの境地が描かれている。（未収録分二編を含めた『完全版 歌う船』の刊行が予定されている。）

なおマキャフリー作品で《歌う船》と《クリスタルシンガー》は同一の宇宙を舞台にしているが、両作品共に歌をテーマにした作品である点も興味深い。

（三村美衣）

1984年7月〜
Magic Goes Away, 1969-

《ウォーロック》シリーズ

ラリー・ニーヴンほか
厚木淳訳　**解説：訳者**
カバー：木嶋俊

　充分に発達した科学は、魔法と見分けがつかない――アーサー・C・クラークの著名な法則である。この手のハードSF的発想を逆手に取る形で、本来は土俗的であるはずの魔法を、ロジカルなシステムとして整理し直したファンタジーが、この《ウォーロック》だ。ただし、一気呵成に体系立てられたわけではない。もともとは、マックスウェルの悪魔にちなんだワン・アイデアの掌編だったが、ウォーロックの異名を持つ魔法使と蛮人ハップとの対決を描いた短編「終末は遠くない」に発展（一九六九年、『魔法の国がよみがえる』所収）。ここでは魔剣や金属製の円盤といったお馴染みのガジェットがすでに登場し、さらに中編「ガラスの短剣」（一九七二年、同名短編集に所収）において、この思弁が世界全体へと広がり、魔法の系統化（最強の呪文が交霊術とされている）や魔法使ギルドの設定、さらには魔術師たちの抗争までもが描かれる。ここから一転、長編『魔法の国が消えていく』（一九八〇年）では、世界の原理が神話として再編成され、エステバン・マロートの勇壮にして妖艶な挿画九十三枚やサンドラ・ミーゼルの解説論考と連動したヒロイック・ファンタジーとして完成に至る。つまり『妖精物語からSFへ』（ロジェ・カイヨワ）の逆を行ったわけなのだ。

　面白いのは、ここからさらに複数作家のシェアード・ワールド・アンソロジーとして共有がはかられたこと。『魔法の国がよみがえる』（一九八一年）ではフレッド・セイバーヘーゲンやポール・アンダースンら、『魔法の国よ永遠なれ』（一九八四年）ではボブ・ショウやロジャー・ゼラズニイといった錚々たる面々が参加している。ロバート・アスプリンらによるシェアード・ワールド小説《盗賊世界》が猥雑で悪徳に満ちた都市サンクチュアリという舞台を軸にしていたとするなら（一九七九年の「盗賊世界へのいざない」の拙訳が「ナイトランド・クォータリー」Vol.24に所収）が、《ウォーロック》は魔法の源泉たるマナの力が衰滅するエントロピー理論的な発想とそれがもたらす哀しみこそが核に据えられている。

　なお、本シリーズでのマナの解釈は『ガープス』や《聖剣伝説》シリーズをはじめとする幾多のアナログ／デジタルRPGに直接・間接の影響を与えてきたが、なかでも特筆すべきは、トレーディングカードゲームの代表作『マジック：ザ・ギャザリング』における根幹の発想を形成したことだろう。実際、ラリー・ニーヴンのアナグラムを含んだ設定ながらもきちんと世界観に落とし込まれた「ネビニラルの円盤」（Nevinyrral's Disk）というカードが存在するほど。同作を遊んでから読むと、ルーツはここだったのかと実感できること請け合いだ。

（岡和田晃）

1984年8月

ビーストチャイルド（人類狩り）

Beastchild, 1970

ディーン・R・クーンツ
榎林哲訳　解説：新藤克己
カバー：木嶋俊
【改題】1997年刊、解説：中村融

一九八〇年代末のモダンホラー・ブームにおいてキングと双璧をなした人気作家の、無名時代のSF。原型となった中編はローカス賞短編部門の四位、ヒューゴー賞最終候補となっている。クーンツ自身『ベストセラー小説の書き方』で、SFの作例に本書を使用する自信作ではあるが、七〇年刊行の書籍は出版社による改竄（かいざん）があったために絶版となり、九三年に元の形で再刊された。ただし、邦訳は七〇年版を底本としている。

遠い未来、地球は星間戦争に敗北し、トカゲ型の異星人に侵略された。異星人の侵略は容赦なく、病原菌を媒介するネズミの散布や、鉱物資源を音エネルギーに変換する超兵器の設置によって、もはや人類は絶滅に瀕している。そんなある日、異星人の考古学者フランは廃墟で人間の少年と出会い、命令に反してその生命を救ってしまう。粛清されるのを恐れたフランは、少年とともに逃亡。その後を異星人の〈追跡者〉が追う。裏切り者となったアウトローが子どもを連れて逃走するという冒険小説の王道パターンに、SFならではな捻（ひね）りが効いており、中でもバイオ兵器である〈追跡者〉の存在は秀逸。『ウォッチャーズ』などのハイテクホラーの傑作に受け継がれる。（三村美衣）

1984年9月〜

《ギル・ハミルトン》シリーズ

Gil Hamilton, 1969-

ラリー・ニーヴン
冬川亙訳　解説：新藤克己
カバー：鶴田一郎

自身の宇宙史《ノウン・スペース》を背景に、国連警察軍または合同地方民警所属の捜査官「ＡＲＭ（Amalgamated Regional Militia）」のギル・ハミルトンが活躍するSFミステリ・シリーズ。ニーヴンはデビュー当初から、フェアプレイの精神と論理性を重視した謎解きミステリとSFの融合を夢見て、試作を重ねた。その果敢な成果が中編集『不完全な死体』（一九七六）だ。違法な臓器ビジネス犯罪を追う探偵ギルは、本格ミステリの「名探偵」の要素とハードボイルドな味わいを合わせ持つキャラクターで、超能力を有する透明の腕を武器に怪事件に挑む。中編「腕」は密室物、しかも時間SFネタという凝った作品で、高度なハードSF知識を駆使したトリックが素晴らしい。が、他の二編「快楽による死」「不完全な死体」はミステリとしては大味で完成度は落ちる。

続編長編『パッチワーク・ガール』（一九七八）は、月の都市で起きた密室殺人未遂事件を描くフーダニット物。法廷シーンやダイイング・メッセージ解読があったりと、ミステリ趣味が炸裂している。この書籍にはスペインの巨匠漫画家フェルナンド・フェルナンデスの個性的なイラストが四十三点載っている。（小山正）

1984年8月～
Janissaries, 1979-

《地球から来た傭兵たち》シリーズ

ジェリー・パーネル&ローランド・グリーン
大久保康雄、古沢嘉通訳

解説：新藤克己、ほか
装画：鶴田一郎

CIAによりアフリカの戦場に送り込まれたアメリカ人傭兵リック・ギャロウェイと彼が率いる傭兵部隊は、敵軍に包囲され絶体絶命の危機に陥っていた。彼らは死を覚悟するが、夜闇に紛れて突然空飛ぶ円盤が現れ、リックたちを救出する代わりに宇宙人シャルヌクシのために働くという条件を提出される。否応なくその条件をのむリックたちだったが、その仕事とは希少な麻薬を産出する惑星トランの住民たちを制圧し、支配することであった。トランには遙か昔からシャルヌクシによって地球人たちが連れ去られており、ローマ帝国や中世ヨーロッパの気風を色濃く残す国々が各地にたてられていた。ここにリックたちの国盗り成り上がり物語が幕を開ける。

一九七五年にはじまったアンゴラ内戦がモデルと思しき冒頭部の近代戦から一転、舞台は宇宙、そして未開の惑星へと目まぐるしく移り変わる。時間的・地理的な条件により歴史上は実現しなかった地球文明同士の戦闘というアイデアは、フィリップ・ホセ・ファーマーの《リバーワールド》を彷彿とさせるし、部隊を離脱したかつての部下と戦場で相まみえる展開もツボが押さえられている。巻を追うごとに戦場の規模も増し、雇用主であるシャルヌクシを出し抜こうというリックの決意も新たにされる。本国では《ジャニサリーズ・サーガ》と呼ばれているが、ジャニサリーとはオスマン帝国のキリスト教徒子弟部隊イエニチェリのことを指し、惑星トランにおけるリックら現代人傭兵部隊の微妙な立ち位置を暗示しているといえよう。作者らしい緊迫感のある戦闘描写はもちろんのこと、現地人ヒロインとのラブロマンス要素、一筋縄ではいかない有力者たちによるポリティカル・サスペンス要素も読みどころである。

昨今の国内ヤングアダルト小説では、異世界召喚もののサブジャンルとして〝集団召喚もの〟が存在するが、その源流の一つとして読んでも面白いかもしれない。召喚される対象が本邦では学校のクラスなどであるのに対し、本シリーズでは傭兵部隊というのもなかなかお国柄を反映しているようである。

本シリーズの第一巻『地球から来た傭兵たち』は、ラリー・ニーヴンの『魔法の国が消えていく』などとともに〈創元イラストレイテッドSF〉の一冊として単行本が発行された。第三巻の解説では、続く『裏切りの刻』(*Hour of Treason*)が予告されていたものの、本国でも刊行されずシリーズは途絶してしまった。その後パーネルは自身のウェブサイトで第四巻*Mamelukes*の導入部を公開し、彼の没後の二〇二〇年に、息子のフィリップとデイヴィッド・ウェーバー（おもな著作に《紅の勇者オナー・ハリントン》《反逆者の月》シリーズなど。ともにハヤカワ文庫SFから）によりその完成版が刊行された。

（片桐翔造）

1984年9月

窒素固定世界

The Nitrogen Fix, 1980

ハル・クレメント
小隅黎訳　解説：訳者
カバー：安田忠幸

窒素固定とは空気中の窒素を反応性の高い窒素化合物に変換する過程のこと。リンやカリウムと並び生物に不可欠な窒素は、自然では雷などの莫大（ばくだい）なエネルギーによらなければ他の物質と反応しないので、古来人類はその工程を研究してきた。本作は、バイオテクノロジーによって発生した酸素を触媒とする窒素固定植物が大繁殖して大気から酸素が失われて、硝酸（しょうさん）が溶け出した海ではあらゆる生物が死滅。文明が崩壊しわずかに残された技術によってごく少数の人々が生き延びた二千年後の地球が描かれる。もっとも物語では最初世界がどこであるかは描かれず、視点人物の夫婦は自分たちは違う星からの入植者の子孫で、酸素を必要としない生物をこの星の原生動物（ボーンズ）と考えており、彼らと、古代の人間の科学によって酸素が失われたとする伝承を持つ保守派や、ボーンズをむしろ宇宙からきて地球から酸素を奪った侵略者と考える過激派たちが三巴（みつどもえ）で互いの利害信念のために衝突しながら、次第に真相が解明されていく。変容した世界の緻密な描写や、実は高度な知性を持つ異星人ボーンズの生態の魅力、窒素循環の触媒が金（きん）だと示唆され近代科学の曙（あけぼの）を支えた錬金術幻想が回帰するラストも素晴らしい。（渡邊利道）

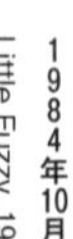

1984年10月

リトル・ファジー

Little Fuzzy, 1962

H・ビーム・パイパー
酒匂真理子訳　解説：水鏡子
カバー：米田仁士

ツァラトゥストラ星の鉱山業者ジャック老人は、ある日、毛むくじゃらの小さな可愛らしい生きものに出会い、ペットとして共に暮らしはじめる。ジャックが〈ちびのふわふわちゃん（リトル・ファジー）〉と名づけたその生物は、言葉こそ話さないものの、あきらかに知性を備えていた。ツァラトゥストラ星開発の全権を握る特許会社は、そこに知的生命が存在すれば特許を取り消されてしまうためファジーを闇に葬ろうとするが、ジャックとその協力者たちはファジーを守ろうと会社と対決する。

ゴルフ場の造成工事中に古墳が見つかったかのような定番の対立構造の物語の中で、〝知性とはなにか〟という古くて新しい問題の考察を楽しませる知的娯楽性に溢（あふ）れた作品。本作ではあえて〝知恵（サピエンス）〟という言葉を使っているが、知性の定義に挑む数々のSF作品の系譜に連なる古典のひとつと言えよう。評価の定まった佳作という印象を筆者は持っていたが、昨今のAIの急速な発達に伴う知性をめぐる議論が、「そもそも人間が自分たちの知性だと思っているものは、それほど高度な情報処理なのか？　案外、ずっと単純な働きではないのか？」と問うてくる中で、この作品の皮肉な部分が新鮮に、苦々しく立ち上がってくる。（冬樹蛉）

1984年10月

宇宙士官候補生

Home from the Shore, 1978

ゴードン・R・ディクスン

深町眞理子訳　**解説：訳者**

カバー：鶴田一郎

宇宙士官候補生ジョニーたちは宇宙空間に遊弋し、人類の与り知らぬ空間移動能力を持つ異星種族コウモリの捕獲を命じられる。海人と呼ばれる海棲人類の末裔であるジョニーたちは、宇宙空間に適応した特殊能力から地球外知性体とのコンタクトが可能だと期待されたのだ。だが、コンタクトが失敗したことが原因で海人と陸人との間で紛争がはじまってしまう……。ディクスンは《チャイルド・サイクル》と呼ばれた（ヴァン・ヴォークト的な）歴史循環論テーマの長編群が有名だが、本書は異星種族との最初の接触という衣装をまとったディクスンの文明論的な声明である。地上で生きることを拒絶した海人はすでに固有の家族形態を築いた女性原理の文明であり、地上に暮らす陸人の文明とは隔絶した異質性を有している。この物語での海人と陸人の対立は、神話学者J・キャンベルの論じた古典的な女性原理文明と男性原理文明の普遍的な抗争にほかならない。SF史の潮流から俯瞰すれば、本書はアンダースンの『時の歩廊』（一九六五）、ゼラズニイの『光の王』（一九六七）への接近を内包した文明論的な小説なのだ。優生学的な男性原理社会を描いた〈ドルセイ〉とは対極的な物語であると言えるだろう。

（礒部剛喜）

1985年3月

残酷な方程式

Can You Feel Anything When I Do This?, 1971

ロバート・シェクリー

酒匂真理子訳　**解説：K・S**

カバー：佐藤弘之

日本SFの第一世代に影響を与えた作家として真っ先に名が挙がるのがシェクリーだろう。奇抜なアイデア、ロジカルなストーリー展開、鋭い文明批評に、鮮やかなラスト。「人間の手がまだ触れない」をはじめとした五〇年代の傑作群は、短編のお手本として、星新一や筒井康隆のエッセイで幾度も取り上げられている。しかし、六〇年代以降の作品になると途端に名前が挙がらなくなる。シェクリーは五〇年代で燃え尽きたのだろうか？　七〇年前後の作品十六編を収めた本書を読めば、それは杞憂とわかる。六〇年代以降のシェクリーの特徴は、アイデアストーリーよりも語りで幻惑する作品が増えたこと。典型例が「シェフとウェイターと客のパ・ド・トロワ」。西地中海の観光地にできたインドネシア料理屋に、ひとりの客が通いつめオランダ風米料理の食べ過ぎで太ったという何でもない話が、互いに矛盾する三つの視点で語られることで、なんとも奇妙な読後感を生み出す。特徴のまったく異なる二人の囚人が互いの要素を交換して看守の目をくぐりぬける「架空の相違の識別にかんする覚え書」も読後の酩酊感が楽しい。本書が再評価され、アイデアストーリー以外の作品集がどんどん出るようにならないものか。

（林哲矢）

《ポル・デットスン》三部作

1985年1月～
Wizard World, 1980-

ロジャー・ゼラズニイ
池央耿訳　解説：訳者
カバー：米田仁士

一九七〇年代、ゼラズニイは長編作家として、時間や歴史が分岐する結節点としての〈道〉に、ひしめく悪漢どもとのアクションをカットバックを駆使して描いた『ロードマークス』（一九七九）等の佳作を遺したが、インパクトが強いのは《真世界》シリーズの成功で――マイクル・ムアコックとはまた異なる切り口にて――多元宇宙とロー・ファンタジーの原理の融合が試みられていた。地球の現実は、真なる世界アンバーの影絵として展開されているわけだが、ゼラズニイが劇作家シリル・ターナーの『復讐者の悲劇』を論じて修士号を取得したことに鑑み（かんが）れば、「人生は歩く影、哀れな役者」というシェイクスピアの発想が根幹にあると見るのが自然だろう。《真世界》で用いられたオベロン等の妖精モチーフを、取り替え子（チェンジリング）という形で変奏し、それまで《ディルヴィシュ》で展開してきた“剣と魔法（ソード&ソーサリー）”に正面から融合させようとしたのが、本シリーズの企てだろうか。

視点人物のポル・デットスンは、魔王デットを父親に持っていたため、その力を受け継がせまいとする老妖術師モーにより、地球の赤ん坊マーク・マラクソンと取り替えられた。やがてマークは、科学技術に魔法を従属させんとする危険な存在になり、二人は対決する。神話的な構造を盛り上げるのは、ずばり挿画である。第一作『魔性の子』（一九八〇）は――ニーヴン『魔法の国が消えていく』に続き――エステバン・マロートによる美麗な装画が添えられていた。懐かしいモチーフが大胆な構図で描き直され、ヴィジュアルと融合したファンタジーの新たな相（かたち）を予感させるにふさわしい仕上がり。続編『外道の市（いち）』（一九八一）は、ジュディ・キング・リーニーツの手になるギュスターヴ・ドレを彷彿（ほうふつ）させる素描（そびょう）が収録されており、こちらも味わいがあった。『魔性の子』が異世界往復ファンタジーだったのに比べ、『外道の市（いち）』はほぼ純然たるヒロイック・ファンタジーだ。フリッツ・ライバーの生んだグレイ・マウザーを思わせる盗賊マウスグラヴとの掛け合いが強調されていることからも自明だろう。世界にはさらなる奥行きがもたらされたが、物語の要たる七魔神の正体は明かされず、第三作は書かれずに終わった。本シリーズでは白魔法と黒魔法の二元論を基体としつつ、魔法は単なるリソースというより、異世界との交歓を体現するものとして扱われる。なのに現実世界での体験が物語に深みを与えず、キャラクターが顔のない存在のままなのが弱点だと、ゲームデザイナーのグレッグ・コスティキャンは書評で指摘したことがある（*Ares Magazine* 一三号、一九八三年）。こうした批評は、はたして急所を突いていたのか。《ポル・デットスン》はファンタジーがどこから来てどこへ向かうのか、その試行錯誤を克明に伝えてくれている。

（岡和田晃）

1985年3月

超越の儀式

Special Deliverance, 1982

クリフォード・D・シマック

榎林哲訳　**解説：安田均**

装画：Michael Whelan

妙な題名であるが、物語は本当にその通りに収斂する。そこに至る道筋は、知的な会話によって導かれるのだ。

主人公は地球の現代社会で学生を指導する大学教授であり、転送された別世界で技師、詩人、牧師、将軍、ロボット（それぞれ異なる世界から飛ばされてきている）と出会い、元の世界へ戻る方法を探るため共に旅に出る。

六名の同行者たちは、各自全く異なる価値観を有する。それは各自がいた世界の文明文化に起因した違いではあるが、メタ的に言えば、技師は技術、詩人は芸術、牧師はキリスト教、将軍は軍事と、我々がこの世界に実在する視点を先鋭化させたものだ。彼らがそれぞれの立場から交わす知的な会話は、各自の価値観と、人間論や文明論を形而上(けいじじょう)学的に――ただしあくまで読みやすく深掘りする。旅の途次では、謎めいており不穏で危険な廃墟やオブジェクト、猛獣などが登場し、六人組に危機や別れをもたらすが、それも比較的あっさり描写される。メインはあくまで知的な会話と議論で、雰囲気は古典的とすら言える平明さを維持する。そして最後には、この奇妙な世界の真実も明かされる。実にシマックらしい小説である。

（酒井貞道）

1985年5月

レッド・プラネット

Red Planet, 1949

R・A・ハインライン

山田順子訳　**解説：高橋良平**

カバー：若菜等

強引な火星植民計画を推し進めようとする権力側に対し、反旗を翻(ひるがえ)す火星開拓者の若者たちの活躍を描く、ハインライン初期のジュヴナイル作品。後の『月は無慈悲な夜の女王』にも通じる、著者お得意のテーマである「革命」を、少年の成長と絡めて描いているところがおもしろい。中盤、主人公たちが火星を縦断しようとする部分は、まさにジュヴナイル小説の典型的な筋立ての一つである「少年少女だけの旅」をSF的な舞台に置き換えて実現していて、実に上手い。また、（今となってはご愛敬というか、科学的にはちょっとしんどい設定ではあるが）火星の原住生物を巡るSF的趣向もきちんと含まれていて、単なる少年視点の冒険ものではない作りになっているところも良い。単純なハッピーエンドとは言えない、ちょっとドキッとするクライマックスと、その先の展開に想像の余地を残すエンディングも素晴らしい。初期のジュヴナイル作品ということで、ハインラインらしいアクの強い政治的主張もきつくなく、リーダビリティの高さが存分に発揮されていて、SF入門書の一つとして、今でも充分にその意義を保っている、時代を超えて読みつがれている快作だ。

（堺三保）

1985年9月〜
Code of the Lifemaker, 1983-

《造物主（ライフメーカー）の掟》二部作

ジェイムズ・P・ホーガン
小隅黎訳 解説：訳者
カバー：加藤直之

木星の衛星タイタンを舞台にしたファーストコンタクトの物語。相手は、自己複製機械の進化によって生まれた機械人たちの文明である。

一千光年かなたの異星文明が資源採掘のために送りだした探査船には、惑星上で自己増殖する工場システムが搭載されていた。それが超新星爆発で損傷を受け、永い流浪のすえ、およそ百万年前にタイタンにたどり着いた。機能不全のまま増殖のプロセスを進行させた結果、工場とそれらが製造する機械はある種の「進化」をとげ、無秩序に広がる工場群という自然環境にロボットの動物たちが暮らす、一種の生態系が形成されていく。やがて、人間に似た姿をもつ「機械人（ロビーイング）」が誕生し、人間社会とよく似た文明を築くに至った。ルネサンス期のヨーロッパに似た社会で、「造物主（ライフメーカー）」を信仰する教会が強い権力を持ち、科学者は異端審問に脅（おびや）かされている。

これを発見した人類は、西暦二〇二〇年、タイタンに大規模な調査団を派遣する。一行のなかには、超能力ショーで名声を得た心霊術師カール・ザンベンドルフと、彼の欺瞞（ぎまん）をあばこうとする認知心理学教授ジェロルド・マッシーがいた。タイタンに到達した彼らは、心を持つ機械人たちに深い共感をいだき、高度な機械製造技術を求めてタイタンを植民地に変えようとする地球の政治勢力を阻止するために奔走する。そして、成り行きで、造物主の使いを演じる羽目になる……。

百万年にわたる機械の「進化」についての語りは、人類そっくりの姿をした知性体が出現するというゴールを設定したうえでの後付け的なスペキュレーションであり（もちろんとても刺激的だが）、機械人たちとの邂逅（かいこう）の物語は、人類とエイリアンの関係を西洋文明と「未開の地」の関係に重ねる古典的なSFの類型をなぞっている。とはいえ、いかさま師ザンベンドルフをはじめとして登場人物たちはみな魅力的で、さまざまな思惑が交錯し策謀と腹の読みあいが続くストーリーは面白く、ホーガンらしい楽天性に満ちていて心地よい。

科学と迷信の戦いという大枠があるが、嘘を商売とするザンベンドルフの存在によって、単純な科学の勝利ではないところに着地するのも読みどころだろう。人間の良心への信頼と愚かさへの諦念が同居するのもまた実にホーガンらしい。

続編『造物主（ライフメーカー）の選択』では、阻止されたはずのタイタン植民地化の策謀がまた動きだし、そこへ「造物主」、つまりことの発端である異星文明の種族の復活という大事件が到来する。物語は前作以上にユーモラスかつ賑（にぎ）やかに展開し、ザンベンドルフとそのチームがふたたび華々しい活躍をみせる。猜疑心（さいぎしん）と闘争心が根本をなす造物主たちの社会の描写が面白く、前作とはまた違った魅力がある。

（倉田タカシ）

1985年11月

宇宙に旅立つ時

Time for the Stars, 1956

R・A・ハインライン

酒匂真理子訳　**解説：訳者**

カバー：佐藤弘之

太陽系全域に生活圏が拡大した未来、さらなる人口増加に対応するため、地球型惑星探査を目的に一大船団が計画された。恒星間航行でのネックは情報の伝達。だが双子などある種の条件が揃ったペアの間では、光より早い即時通信、いわゆるテレパシーで相対性理論を覆すことができる。受信する双子の兄パットを地球に残し、トムは宇宙船エルシーで宇宙に旅立つ。

家族との別れ、未知の探究をめざす信念、導きを与え頼りになる大人の存在、驚きの結末と主人公がみずから選択した進むべき道など、スクリブナーズ・ジュヴナイルの前作『ルナ・ゲートの彼方』とも通ずるモチーフが見られるが、これらの要素や自由と責任に対する道徳観は、著者の特長であるといえるだろう。恒星間ジャンプのたびに地球は数十年が過ぎ、苦難に容赦なく人員が削り取られていく中で人はどうあるべきか、ハインラインが若者たちに求める想いは強い説得力を持って問いかける。

ヒューゴー賞受賞の『ダブル・スター』や『夏への扉』と同年の充実期に出た本書は、宇宙への憧れとは人類が〝SF〟に託した、根源的衝動で希望なのだと思わせる、五〇年代SFの逸品である。（代島正樹）

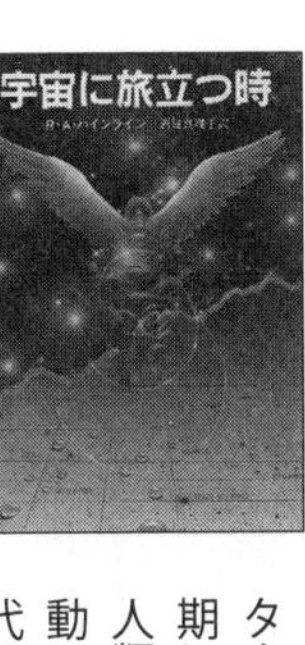

1986年2月

コイルズ

Coils, 1982

ロジャー・ゼラズニイ&フレッド・セイバーヘーゲン

岡部宏之訳　**解説：訳者**

カバー：佐藤弘之

一九八〇年代後半のサイバーパンク運動によって、SF小説の潮流が変わった。超能力ものが激減したのだ。科学で説明できないからかも、あるいは劇的効果では大友克洋に敵わないとみんな悟ったせいかもしれない。ともかく、精神感応や念動力といった超能力を漫画やアニメやジャンル外文学に委ねて、SF作家たちは超人による社会変革よりも、変容する社会で苦しむ普通人を主題にし始めた。

攫われた恋人を探す中で、コンピュータネットワークを操作する超能力に目覚めていく主人公を描いた本作は、『ニューロマンサー』に二年先立つ八二年発表で、「AKIRA」連載開始よりも早い。しかしムーブメントの只中に刊行されたためか、時代遅れの小説として当時の国内評価は低かった。確かに後半急ぎ過ぎの感はあるが、セイバーヘーゲンの技術知識を軸足に、ゼラズニイでお馴染みのキザな超人の活躍を、カットバックを多用した華麗な文体で描く娯楽作品である。トラックの自動走行をいち早く描いているのも注目点だ。サイバーパンク運動が終結し、科学説明の一切を放棄した能力者バトルや異世界転生が受け入れられる現在、読者の評価はまた違うものになるはずだ。（理山貞二）

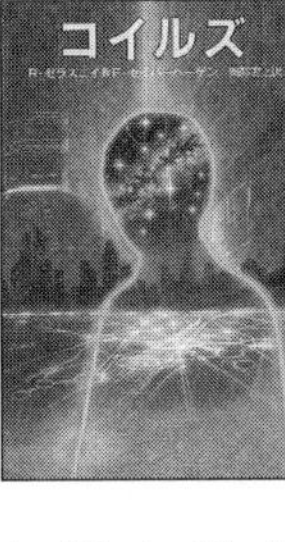

1986年4月
Have Space Suit - Will Travel, 1958

スターファイター（大宇宙の少年）

R・A・ハインライン
矢野徹、吉川秀実訳　解説：矢野徹
カバー：佐藤弘之

ハインラインのジュヴナイルは、少年少女が主人公だというだけで、一般向けと遜色のないハイレベルな作品と評されることが多い。ならばその水準保証付きで、ワクワク夢中にさせる正統派ド直球ジュヴナイルが読みたいなら本書がオススメ！

月に行くことを夢見る高校生キップは石鹸会社の懸賞に尋常ならざる熱意で応募するが、当たったのは中古オンボロ宇宙服。オスカーと名付け夢中で整備すると偶然無線を交信して、地球を狙う宇宙人に捕らわれてしまう。宇宙船内で出会った勝気な少女「おちびさん」と心優しい別の宇宙人「ママさん」との決死の月面逃避行や、冥王星の敵基地、小マゼラン雲の荘厳な星空、人類存続を賭した宇宙法廷など、絵になるシーンが満載だ。

そして……、この一冊が読者にとって特別なのは、好きな作品の翻訳を試みたひとりのSFファンの想いが結実した青春の記念碑でもあるから（訳者あとがきは必読！）。力添えを惜しまなかった矢野徹はSF翻訳の重鎮だが、意外にも本文庫での長編翻訳は本書のみである。なお、二〇〇八年の復刊（八版）より『スターファイター』から、かつて親しまれた児童書版と同じ『大宇宙の少年』に改題。三村美衣による新解説を増補収録している。（代島正樹）

1986年8月
The Winds of Change and Other Stories, 1983

変化の風

アイザック・アシモフ
冬川亘訳　解説：新戸雅章
カバー：米田仁士

アシモフは初期作から晩年の作まで多くの作品が邦訳されているだけに、作品集はどうしても玉石混淆になりがちだ。一九八三年刊行の本書もやはりいささか石混じりではあるが、玉をいくつか挙げていこう。収録の二十一編から、まずは表題作「変化の風」。周囲からあまり好かれてない物理学準教授が、周囲の尊敬を集める学部長と偉大な業績を挙げた気鋭の研究者に対し、自分が学長選でふたりに勝つために行ったタイムトラベル実験の顛末について語る。主人公のわずかな優越感のために差し出された代価が恐ろしい。「発火点」は、暴徒の心理学を研究する衆愚政治学者が生み出したスピーチ技法が、無能な政治家をカリスマ的指導者に変える。小品ではあるが〝些細なことで群衆がコントロールできること〟の怖さを感じさせる。空中浮揚の能力を得てしまった主人公が能力を信じさせるために悪戦苦闘する「信念」、コンピュータ衛星で起きた不具合を調べるうちに迫りくる危機に気づく「見つかった！」なども悪くない。確かに、英語でしかわからないダジャレで落とす、いつもの悪癖が出た「からさわぎ」「あるフォイの死」といった残念な作品もあるが、すべてひっくるめて、アシモフらしさを満喫できる。（林哲矢）

1986年9月

ナイトワールド

Nightworld, 1979

デイヴィッド・ビショフ

小隅黎、坂井星之訳　解説：小川隆

カバー：安田忠幸

百以上の著作のあるビショフの初期長編。一人の吸血鬼が魔王に〈召喚〉され、怪物がひしめく〈夜の世界〉に足を踏み入れる場面で幕をあける。

そこだけ読むと幻想怪奇小説にみえるが、その実体はド真ん中のSFだ。物語の舞台は、夜になると人狼やキメラといった危険な生物が動き始める惑星ステュクス。十九歳のオリヴァーは人狼に襲われるが、帝国守護神聖騎士団のメンバーの男ジェフリー・ターナーに救われ、夜の怪物たちはみな姿かたちは違えど、〝アンドロイド〟であることを知らされる――。つまり、最初に出てきた吸血鬼も含めてすべては幻想怪奇の存在ではなく、科学の産物なわけだ。本作の読みどころも、まさにそこ――ドラゴンやキメラといった幻想怪奇の存在に科学的な理屈をつけ、SFとの融合をはかっていくところ――にある。

そんな世界に、謎の宇宙船が着陸したことがターナーの口から明かされ、二人はこの惑星に怪物たちを生み出した〝元凶〟の打倒を目指す。こてこてのファンタジーのガワで派手なアクション・冒険を繰り広げながら、同時にそれが「世界の真実の姿」の探求に繋がっていく。SF冒険小説として気楽に読める一冊だ。（冬木糸一）

1986年9月

アナンシ号の降下

The Descent of Anansi, 1982

ラリー・ニーヴン&スティーヴン・バーンズ

榎林哲訳

カバー：安田忠幸

月軌道上にあるアメリカの研究施設が、現場を尊重しない政府に対して業を煮やし、フォーリング・エンジェル社として独立を宣言した。資金調達のための目玉商品は、既存の素材をはるかに超える強度の特殊ケーブルだ。韓国との間に橋を架ける計画を掲げた日本の大山建設がこれを落札するが、資金面で劣るブラジル企業もあきらめていなかった。輸送を担当するスペースシャトル〈アナンシ〉の降下情報をテロリストに流し攻撃させ、救出隊を装ってケーブルを奪取、最終的には大山建設の吸収合併を狙うが……。

宇宙開発が順調に進んだ時代を舞台にした近未来サスペンスだが、敵味方のスペースシャトルが飛び交い国際的な大企業が夢の新素材を奪い合う――という設定には、現在から見ると懐かしさも漂う。しかし大枠や夫婦の危機を描く人間ドラマはともかく、ケーブル争奪戦にちりばめられたアイデアは今読んでもおもしろい。とくに、エンジンを爆破されたアナンシ号が積み荷であるケーブルを高軌道に乗せテザーとして利用する展開には唸らされる。宇宙空間を舞台にした人間同士のアクションも緊張感があり、小品ながら読み応えのあるハードSFだ。（香月祥宏）

《ダーコーヴァ年代記》シリーズ

1986年10月〜
Darkover, 1958-
マリオン・ジマー・ブラッドリー
大森望、ほか訳　**解説：米村秀雄、ほか**
カバー：加藤洋之&後藤啓介

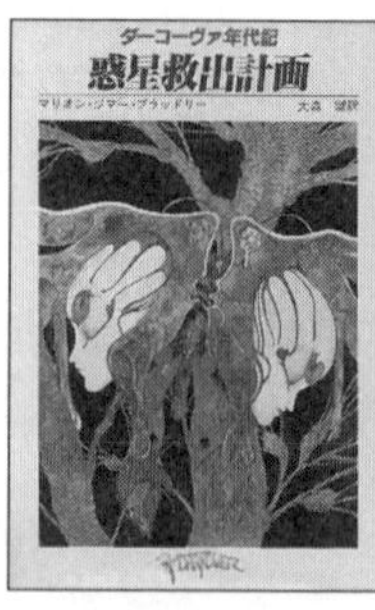

物語のはじまりは一隻の宇宙船だ。

数百名の移民団を乗せた地球の植民宇宙船が宇宙嵐に巻き込まれ、四つの月を持つ未開の惑星に不時着した。地球との通信も途絶え、孤立した人々は、この地で生きる決意を固め、宇宙船とコンピュータを破壊。やがて惑星はダーコーヴァ（darkover＝夜のとばり）と呼ばれるようになった。

ダーコーヴァの森の奥には、美しい姿の長命種チエリが暮らしており、人間とチエリとの混血によってラランと呼ばれるテレパシー能力を持つ一族が誕生する。やがて地球の存在も忘れられ、社会は封建社会的なものへと逆行。超能力とマトリクスの研究・管制機関である〈塔〉を軸に、ダーコーヴァは新たな発展を遂げる。そして不時着よりおおよそ二千年が経過した頃、地球によってダーコーヴァが再発見される。言語や社会学的研究により、この惑星が地球のコロニーのひとつであることが判明するが、両者の文化はかけ離れており、ダーコーヴァはそれを受け入れることができない。合理的で何事もスマートな官僚主義の帝国からすると、ダーコーヴァは野蛮で前時代的な世界であり、最新のテクノロジーをチラつかせれば簡単に接収できると思っていた。ところがダーコーヴァ側は変化を拒み、様々な衝突が起こる。

本シリーズは、移民惑星の二千余年に及ぶ歴史を描いた壮大なサイエンス・ファンタジーであり、全二十二冊（分冊一、上下巻五、外伝二を含む）が邦訳された。

アメリカで第一巻『惑星救出計画』が雑誌〈アメージング〉に掲載されたのが一九五八年。その後六二年に『惑星救出計画』と『オルドーンの剣』がエースダブルで書籍化。『ダーコーヴァ不時着』（一九七二）からはDAWブックスに出版元を移した。邦訳は『ホークミストレス』（一九八二）までだが、その後もシリーズは継続しており、著者の単独作品に加え、マーセデス・ラッキーなど他作家との共作や、ファンによる二次創作も収録したアンソロジーを刊行、さらに、著者逝去後もデボラ・J・ロスによって書き継がれている。なお、外伝の『ナラベドラの鷹』と『時空の扉を抜けて』の二作は、用語や背景の一部を共有しているが、年代記に含まれる作品ではない。

本シリーズは作品ごとに主人公も時代も異なり、全ての作品を独立した物語として読むことができる。一冊の原著を翻訳刊行時に二分冊にした『ドライ・タウンの虜囚』と『ヘラーズの冬』を除き、どこからはじめ、どの順番で読んでも問題ないが、とりあえずどれか一冊ということであれば、『オルドーンの剣』を推す。

この作品は、エースダブルで刊行されたシリーズ第一巻であり、ティーンエイジャーの頃からあたため続けてきた、ブラッドリーの原点とも言うべき作品。物語は、地球人との混血でありながら、強いテレパシー能力を持つためにダーコーヴァ貴族(コミン)の一員として認められたルー・オルトンを主人公に、強大な力を持つマトリクスの争奪戦と、コミン評議会の終焉(しゅうえん)が描かれる。地球とダーコーヴァの文化的衝突や、封建的なダーコーヴァ貴族社会と個人の尊厳との対立、自由意志による恋愛といった《ダーコーヴァ年代記》の命題を、瑞々しい感性で描きあげた傑作である。物語を締めくくる「さらばダーコーヴァ！　おまえはもはや——ダーコーヴァではない」というルー・オルトンのモノローグは、ダーコーヴァ人がこの惑星に向けるアンビバレントな感情を象徴している。

長年あたためていたとはいえ、綿密な設定をもとに年代記を書きはじめたわけではない。筆もそうだが、設定も思想も、後に書いたものほど成熟している。裏を返せば、最初に書いた『オルドーンの剣』は穴だらけとも言える。前日譚である『ハスターの後継者』を書く際に、ブラッドリーは『オルドーンの剣』に縛られることをよしとはせず、後に『オルドーンの剣』を *Sharra's Exile*（一九八一、未訳）の中に組み込み、書き直してもいる。

シリーズ開幕当初は、帝国対植民惑星というSFではお馴染(なじ)みのテーマが中心命題となっており、惜しくも受賞は逃したが、『オルドーンの剣』と『禁断の塔』がヒューゴー賞、『ハスターの後継者』がネビュラ賞の最終候補となるなど高い評価を受けた。しかしやがて物語は、地球による再発見より前の時代に遡(さかのぼ)り、ファンタジイ色が増す。大河ファンタジー《アヴァロンの霧》の読者はむしろこちらにブラッドリーらしさを見出すのではなかろうか。

主人公はもちろん脇役まで含めた登場人物の造形、物語が相互に絡み合う年代記ならではの面白さ、起伏に富んだ展開とその魅力は枚挙にいとまがない。しかしブラッドリーの作品が当時のシリーズものと一線を画するのは、ジェンダーに踏み込んだ部分だ。それは必ずしも配慮が行き届いた、という内容ではない。『ダーコーヴァ不時着』において、科学者たちは、コロニーを生き残らせるための手段として、人口の増加と遺伝子の多様性が第一義であると考えた。女性が多数の男性との間に子供を産むことを求め、中絶の自由も与えられていない。『ストームクイーン』では、父権制の強い社会に対するアンチテーゼとして登場するのが、フリー・アマゾンと呼ばれる女性傭兵集団だ。彼女たちは、自由意志による対等な関係以外の婚姻を放棄し、男性に庇護(ひご)されること、父方の姓を名乗ることをやめ、男や家のために子供を産まず、産んだ子供は必ず自分の手で育てるという誓いをたてて暮らしている。このフリー・アマゾンを描いた『ドライ・タウンの虜囚』と『ヘラーズの冬』の二部作は、フェミニズム小説としても評価されている。

最後にブラッドリーが告発を受けた人道的な問題についても記しておく。ブラッドリーの二番目の夫ウォルター・H・ブリーンは、一九九〇年と九一年に未成年に対する性的虐待で逮捕、有罪となり、九三年に獄中で死亡した。ふたりは七九年に別居、九〇年に正式に離婚しているが、別居後も仕事上の関係は続いており、ブラッドリーはブリーンの行為を承知していたとされる。さらにブラッドリーの没後である二〇一四年に、二人の娘であるモイラ・グレイランドは〈ガーディアン〉紙に、父だけでなく母からも性的虐待を受けたとの告発文を掲載した。ブラッドリー本人の死後であるため真偽の決着はつかないが、このことを重く受け止めた出版社や共作者から、売上の一部を慈善団体に寄付するといった表明もあがっている。

（三村美衣）

1986年12月〜
Dinosaur Planet, 1978-

《恐竜惑星》シリーズ

アン・マキャフリー
酒匂真理子、赤尾秀子訳　解説：福本直美、岡崎沙恵美
装画：米田仁士
装幀：矢島高光

知的惑星連合から惑星アイリータへと派遣された調査隊は、そこで驚くべき発見をする。なんと、地球で太古の昔に絶滅した恐竜たちが、なぜかこの星で生きながらえていたのだ。

だが、調査隊を恐竜よりも恐ろしい危機が襲う。隊員たちの一部が反乱を起こしたのだ。難を逃れるため、隊長ら主要な隊員は冷凍睡眠に入るのだが、数十年の時を経て彼らを待っていたのは……。

マキャフリーの代表作である《パーンの竜騎士》、《クリスタル・シンガー》、《歌う船》、《九星系連盟》などと同じ、〝知的惑星連合〟世界の片隅にある惑星探査を題材にした二部作。絶滅したはずの恐竜たちが跋扈する世界を舞台にしているという、とても魅力的な設定があまり生かされていないのは残念だが、マキャフリーらしいきびきびとした筋立ての冒険譚となっているところは評価出来る。なおこの二部作には、エリザベス・ムーン、ジョディ・リン・ナイと共作したスピンオフ・シリーズPlanet Pirates 三部作（未訳）が存在する。こちらは、惑星海賊と呼ばれる強盗団にさらわれた少女が戦士に成長、海賊たちと戦っていく、という宇宙活劇となっている。

（堺三保）

1987年3月〜
Breakout, 1976-

《ジューマの神々》二部作

デイヴィッド・J・レイク
厚木淳訳　解説：訳者
装画：星恵美子
装幀：矢島高光

人気作なら、そのファンに向けた作品が望まれるのは世の常。この二部作はまさにバローズの《火星シリーズ》原典をどう調理しているかが読みどころなのだが、度重なる世界大戦により地球が死の星となった未来設定が共通する、レイクによる緩やかなシリーズ六作中の、惑星ジューマを舞台とした二冊である。

他の恒星系惑星への植民計画〈突破作戦〉で出航した宇宙船が発見したのは、運河に二つの月、赤色人の美しい女王までいるバルスームを思わせる惑星だった。ジューマ人の大きな特徴は無性別の幼体から男性と女性を経て、また性の無い年長者になる変性サイクルにあり、政治的には女性が取り仕切っている（男性ではまだ若いと見なされる）点にある……というと一見現代的な作品に思えるが、偵察で先着した主人公が初見の蛮族をレーザー銃で問答無用に百人全員抹殺して善しとする乱暴さはともかく、女性の扱いや人種的偏見のような違和感が、作中の設定だとしても気になる側面があることは否めないだろう。

続編『ジューマの元帥たち』は人類が入植して共生を始めた一世代後、新たな主人公が気球船で自由を求めて逃避行する、異郷色を増した冒険小説。著者の他の邦訳に短編「逆行する時間」がある。

（代島正樹）

1987年8月

ギャラクシー

Galaxy: Thirty Years of Innovative Science Fiction, 1980

フレデリック・ポールほか編
矢野徹、ほか訳　解説：鳥居定夫
装画：加藤直之
装幀：矢島高光

一九五〇年から三十年間続いた、黄金期のアメリカSFを代表する専門誌〈ギャラクシー〉のアンソロジーである。創刊時の編集長ホーレス・L・ゴールドは、作品に対する姿勢が厳しいことで知られていた。アイデアの新奇性より、人物や社会描写のリアリティを重視したのだ。相手を問わず何度も書き直しを命じ、自らの手で改稿することも躊躇(ためら)わなかった。言うことを聞かないハインラインの原稿に無断で手を入れ、仲違(なかたが)いするなどトラブルが頻発する（昨今ではありえないが、当時は当たり前に行われていた）。しかし、この編集方針は読者には支持された。部数は十万部を突破、キャンベルの〈アスタウンディング〉誌を抜いて業界トップに躍り出る。原稿料は他誌の三倍だったという。

本書は、そんな〈ギャラクシー〉が終刊を迎えた年に出版された傑作選だ。編者の一人フレデリック・ポールは、ゴールドの後の二代目編集長を務め、掲載作のレベルアップに貢献した。〈ギャラクシー〉はSFが多様化し一般読者に受容されはじめるゴールデン・エイジの五〇年代、より文学色・実験色が濃くなるニューウェーブの六〇年代、カジュアルなエンタメ化が進むレイバー・デイ・グループ時代の七〇年代を（しだいに影響力を減じながらも）網羅した専門誌として意義がある。

五〇年代の作家ではフリッツ・ライバー、ロバート・シェクリー、マーガレット・セント・クレア、ゼナ・ヘンダースンらがいるが、中でもコードウェイナー・スミスの《人類補完機構》もの「星の海に魂の帆をかけた女」や、自身の存在が不安定になっていくP・K・ディック「おお！　ブローベルとなりて」が著者の定番作品ながら印象深い。

六〇年代では、二作分の長編連載などで存在感を示すロバート・シルヴァーバーグ、時間もののパロディを書いたラリー・ニーヴン、盆栽を新解釈するシオドア・スタージョン「ゆるやかな彫刻」（後に別訳『時間のかかる彫刻』の表題作となる）、一世を風靡(ふうび)したジェイムズ・ティプトリー・ジュニア「エイン博士の最後の飛行」、陰謀論のようで底が知れないR・A・ラファティ「秘密の鰐(わに)について」が魅せる。

七〇年代では、わずか三時間で短編を書くハーラン・エリスン、長編の前日譚なのだが独特の哀愁を感じさせる「革命前夜」のアーシュラ・K・ル＝グィン、そして、時代を反映し、日本版短編集の表題作ともなった「汝(なんじ)、コンピューターの夢」のジョン・ヴァーリイを収める。なお、この作品の覚書は、原稿料トラブルについての苦言である（雑誌とこの傑作選の版元は別だった）。末期の同誌の窮状を象徴するかのようだ。

本書には常連ではない作家も採られている。この三十年間を概観するには最適のアンソロジーといえるだろう。（岡本俊弥）

1987年11月
The Star Beast, 1954

ラモックス

ザ・スタービースト

R・A・ハインライン
大森望訳　解説：訳者
装画：あまのよしたか
装幀：矢島高光

八本足の巨体、なんでも食べて幼い子どものように喋る正体不明の宇宙生物ラモックスを巡って巻き起こる大騒動——そんな筋を聞いて、ああジュブナイルSFね自分はちょっと、と思ったあなた。直ちにその認識を改めていただきたい。

もちろんラモックスを始めとする個性的で魅力的な登場人物やテンポよく危機的状態でもなおユーモアを感じさせる会話など、本書が子どもたちに限らず誰が読んでも楽しめる作品であることは間違いない。しかし、ラモックスのちょっとしたお出かけが地球の危機にまでエスカレートしていく過程で描かれるのは、周囲に振り回されていた（だがまっすぐで愛すべき）主人公ジョン・トマスがなすべきことを見つけ道を切り開いていく成長譚であり、副主人公と言える（堅物のワーカホリックだが）能吏・キク宙務省常任次官が次々発生する困難な問題に一歩も引かず、その政治能力を存分にふるって解決していく、言わばポリティカル・フィクションなのだ。

ラモックスの正体は中盤にはわかってしまうが、そこで明らかになる問題にふたりが立ち向かう（最後までユーモアたっぷりの）物語は、子どもだけでなく万人をとらえて放さないだろう。（門田充宏）

1987年12月
The Barbie Murders and Other Stories (Picnic on Nearside), 1980

バービーはなぜ殺される

ジョン・ヴァーリイ
浅倉久志、ほか訳　解説：山岸真
装画：麻宮騎亜　装幀：矢島高光

一九七四年デビューの作者は、SFで見慣れた大道具小道具と最新科学知識を縦横に組みあわせて斬新かつ魅力的な未来世界を構築し、そこでの日常や人間像を鮮明に描いた作品で熱狂的人気を獲得。全SF史を踏まえつつSFを革新するものと絶賛された当時の短編群は、第一短編集『残像』と第二短編集の本書にまとめられ、ともにローカス賞短編集部門を受賞した。

本書は九編収録。そのうち、デビュー作「ピクニック・オン・ニアサイド」など六編は作者の代表作《八世界》もので、のちに本文庫《八世界全短編》二巻にシリーズ全短編が収録された。「マネキン人形」はトンデモ理論を扱ったサイコホラー調の一編。表題作（ローカス賞受賞）と「バガテル」は、月警察の女刑事バッハが主人公のSFミステリ。表題作は、個人という概念の追放を教義とし、全員が同一の顔や身体に改造された宗教コミューンでの殺人事件の話。バッハ登場作品には本書収録作以外に「ブルー・シャンペン」「タンゴ・チャーリーとフォックストロット・ロミオ」と未訳中編ひとつがあり、作中の未来世界は《八世界》ものを連想させる場合もあるが、別個のシリーズである。

九八年の復刊時にその時点の全作品リストが追加された。（山岸真）

1988年5月

ニムロデ狩り

The Nimrod Hunt, 1986

チャールズ・シェフィールド

山高昭訳　解説：大野万紀

装画：加藤直之
装幀：矢島高光

シェフィールドといえばハードSFを書く科学者作家として有名だが、一九八六年発表の本書は少し毛色が違い、宇宙冒険SFを装いつつ、その実は陰謀と権謀術策、男女の愛憎が織りなす複雑な人間ドラマを軸に、知性の変容をテーマとした盛りだくさんな本格SFである。

遠い未来、人類は宇宙に進出し、他の異星人たちとステラー・グループを作っていた。だがその中で強い攻撃性をもつのは人類のみ。そこへ太陽系の秘密研究所で開発された非常に危険な人工生命体が開発者たちを皆殺しにし辺境星域へ逃亡するという事件が起きる。ステラー・グループは人間と他の異星人一人ずつによる追跡チームを結成しその人工生命体〈ニムロデ〉を追わせる。それを見つけ出し、抹殺せよというのだ。

物語は各チームのメンバー選びから始まる。隊長はニムロデを創り出した責任者であるエスロ・モンドリアン。彼はこの時代に泥惑星として蔑視されていた地球から隊員を選び、訓練する。チャンという青年と彼の姉代わりの娘リア。二人は人類代表として別々のチームに入るが、チャンには重大な秘密があったのだ……。

アイデア満載でとりわけ異星人たちが魅力的なSFだ。（大野万紀）

1988年7月

マイ・ブラザーズ・キーパー

My Brother's Keeper, 1982

チャールズ・シェフィールド

久志本克己訳　解説：山岸真

装画：安田尚樹
装幀：矢島高光

ハード宇宙SFが得意の著者はミステリも好きらしく、第一長編『プロテウスの啓示』（一九七八）がすでに事件捜査物だった。本作は英国・インド・中東が舞台の近未来SFサスペンスで、ヒッチコック風の巻き込まれ型スリラーである。

米国AID（国際技術局）の諜報員レオとピアニストのライオネルは、英国生まれの一卵性双生児。彼らは謎のヘリコプター事故に遭遇し、ライオネルだけが生き残る。実は救命手術の際、ライオネルは高度な脳外科手術を受け、死んだレオの脳の一部を移植されていた。折しもレオが摑んでいた薬物の秘密情報を狙う闇の組織が、意識が一体化した〝二人〟を襲う。

謎の薬物（子どもだけに効果が出る奇怪なセックス薬）というマクガフィンをめぐるアクションは、英国伝統の冒険活劇の雰囲気があるし、さらに暗号解読があったり、クラシック音楽の蘊蓄が頻出したりと、シェフィールドらしくネタがテンコ盛り。ショパンのエチュードをゴドフスキーが編曲した練習曲「冗談」を使ったエピソードもマニアックで、音楽マニアのツボに刺さるだろう。ちなみにタイトルは旧約聖書のカインとアベル兄弟の物語に由来するフレーズ「同胞や同志を見守る者」が出典である。（小山正）

1988年7月
The Tachyon Web, 1986

タキオン網突破！

クリストファー・パイク
小野田和子訳　解説：残間浩章
装画：幡池裕行
装幀：矢島高光

ティーンエイジャーの春休みの冒険が、異星人文明の命運にかかわる英雄的行為に発展する。ヤングアダルトSFの佳作。

超光速航行によって銀河内を自在に移動できるようになった未来、主人公エリックは、親友のシュトレムから叔父の持ち物である貿易船エクスカリバー号での違法な旅をもちかけられた。やけっぱちな冒険心から同行したエリック、そして友人たちは、シュトレムが隠していた本当の目的地に愕然（がくぜん）とする。それは人類の居住域を守るタキオン網の外側、爆発したばかりの超新星のそばだった。さらに、未知の異星人の巨大な移民船団が、爆発で滅亡した母星から逃れて旅しているのを発見する。

故障したエクスカリバー号の修理のために異星の船に潜入し、そこで美しい異星人の少女ヴァニに出会ったエリックはたちまち恋に落ちる。異星人を救うために超光速航行技術を渡すと決意し、エリックは地球の軍との対峙を余儀なくされる。

異星人の船中での冒険とロマンスは、ご都合主義的な展開にいかにもティーン向けらしい楽しさがあるが、終盤に主人公がいやおうなく直面させられる「大人の世界」の重さと、その先に示される希望と成長も、この年頃の読者にふさわしいものだろう。（倉田タカシ）

1988年10月
Under Heaven's Bridge, 1980

デクストロⅡ 接触

イアン・ワトスン＆マイクル・ビショップ
増田まもる訳　解説：訳者
装画：加藤直之
装幀：矢島高光

英米の本格派が共作したファーストコンタクトSF。ジェミニ星系の恒星デクストロと恒星ラエヴォとの間を8の字に公転する惑星オノゴロで人類が遭遇したのは、有機体と機械が融合し、七体で共同体を構成する巨大な生物だった。カイバーと名付けられた彼らは高度な知性を有し、言語学者高橋恵子から人間の言語を教えられると、瞬（また）く間に人類に関する知識を吸収、彼ら自身については沈黙を守ったまま冬眠状態に入る。ほどなくしてデクストロがノヴァ化を迎えることが判明し、地球への帰還が決定される。恵子の恋人で異星生物学者のアンドリックは、カイバーが人類を超越した存在であると確信し彼らとともにあろうと決意するが……。

惑星の設定もカイバーの生態もSF的に面白いのだが、物語の中心となるのは、三十三間堂の観音像がカイバーに、旅行で訪れた東京がオノゴロに重ね合わされる重層化した恵子の記憶をカットバックしながら何か異様なことが起こっているという不穏な緊張感が増していくサスペンスと、調査隊のメンバーによる思弁的な議論、そしてクライマックスでカイバーたちが恵子たちにもたらす超越体験に加えて余韻嫋々（じゃくじゃく）たる終幕の美しさだ。（渡邊利道）

1988年9月〜

《ディルヴィシュ》シリーズ

Dilvish, 1965-

ロジャー・ゼラズニイ
黒丸尚訳　**解説：高橋良平、中村融**

装画：天野喜孝
装幀：矢島高光

一九六〇年代アメリカン・ニューウェーブの旗手にして、SFを経由した神話の再生者。スタイリッシュな文体には皆が憧れたもの……。ゼラズニイは、そうした過去形のイメージで語られ、本シリーズに代表されるヒロイック・ファンタジー群が、とりわけ日本においては過小評価されてきた感は否めない。だが、特に本シリーズは、ゼラズニイの創作歴における一つの屋台骨なのだ。地獄から生還した〈解き放つ者〉こと半妖精の騎士ディルヴィシュと豪胆な黒馬ブラックの遍歴は、一九六五年の「ディルファーへの道」より、独立した短編連作という形式をとって、主に〈ファンタスティック〉誌に発表されてきた。「ショアダンの鐘」（一九六六）は、“剣と魔法”を主題としたL・スプレイグ・ディ＝キャンプ編の先駆的なアンソロジー第四弾 *Warlocks and Warriors*（一九七〇）の掉尾を飾っている。とにかく密度が濃い。イマドキの作家であれば、各短編を強引に長編エピック・ファンタジー連作へと引き伸ばすだろうが、そこはリルケに学んだポエジーが彩る「伝導の書に捧げる薔薇」（一九六三）の作者ならではの切り込み。主人公のDilvishという名前はElvish（妖精の言葉）やDervish（スーフィの修行僧）を想起させるが、夢幻的かつ抑制的な筆致のなかで、設定のための設定は大胆にカットされ、アクションとダイアローグの清新さにこそ焦点が絞られている。昏さを背負うダークヒーロー像という観点からも、かのムアコックの《エルリック・サーガ》への向こうを張ったかのようである。

一冊目の『地獄に堕ちた者ディルヴィシュ』（一九八一）を読めば、短編としての成果を一望できるが、シリーズの転回点は「血の庭」（一九七九）だろう。本作では麻薬めいた花や呪文の効能で人間の形姿をとったブラックとディルヴィシュが共闘し、生贄にされようとしていた女司祭サーニャを救おうとする場面が描かれる。剣戟の迫力、息のあった掛け合いは、フリッツ・ライバー《ファファード&グレイ・マウザー》への応答のようである。「血の庭」の初出誌〈ソーサラーズ・アプレンティス〉三号は、RPG『トンネルズ&トロールズ』のサポート記事を掲載していたプロジンで、編集者でゲームデザイナーのケン・セント・アンドレはゼラズニイと文通し、イラストレイターのロブ・カーヴァーは《ディルヴィシュ》の年季が入ったファンだった。彼らは新興メディアであったRPGと、質の高い小説の相互作用に期待をかけていたのだ。続く『変幻の地のディルヴィシュ』（一九八一）は長編で、W・H・ホジスン『異次元を覗く家』やH・P・ラヴクラフトらの《クトゥルー神話》に対する大胆なオマージュ。これによって《ディルヴィシュ》は、大胆にもウィアード・ファンタジーの文脈そのものを、まるごと更新してみせたのである。

（岡和田晃）

1988年12月

メトロポリス

Metropolis, 1926

テア・フォン・ハルボウ

前川道介訳　解説：訳者

一九二七年公開、ドイツの巨匠フリッツ・ラング監督による古典的名作SF映画の、当時の妻ハルボウによる原作。刊行は唐突に見えるが、実は前年末にアメリカ時代のラング作品が上映され、再評価の機運が高まっていた。

とはいえ当時、肝心の映画版「メトロポリス」をきちんとした形で観る機会はほとんどなかった。ビデオも、多くは九十分以下に切り詰められた粗悪な不完全版。その後二度にわたる修復が行われ、現在では百五十分版がディスク化されている。

摩天楼、監視社会、巨大機械、ロボット・マリア…… すべてのアイデアはこの原作に存在する。大仰で妄想じみたハルボウの文体は読みづらい。本書刊行当時の読者は苦労させられたことだろう。ところがラングの映画版では、数ページにわたるダラダラした文章が、わずか数秒に圧縮され迫力満点の映像に化ける。映画版のアイデアノートとしての資料的価値は高い。

この後、ハルボウはナチスへの心酔を深め、ユダヤ人のラングと決別。ラングはアメリカに亡命し、作品は端正ながら小品ばかりとなった。時代に引き裂かれた夫婦の、当時の確執を描いた、ハワード・A・ロドマンの異色小説『運命特急』（白水社）も必読。（高槻真樹）

1988年12月

降伏の儀式

Footfall, 1985

ラリー・ニーヴン&ジェリー・パーネル

酒井昭伸訳　解説：酒井昭伸、竹原沙織、小浜徹也

装画：末弥純
装幀：矢島高光

ニーヴンとパーネルの共作は『神の目の小さな塵』など多数あるが、読み応え満点の作品が多い。アメリカで一九八五年に出てベストセラーとなった本書もその一つ。八九年の星雲賞海外長編部門受賞作である。

内容はストレートな侵略SFで、乱暴な要約をすると、宇宙からハンググライダーに乗った■■さんが地球に攻めてきて、人類はボロボロになるが、SF作家たちが大統領に様々なアイデアを出し、起死回生の策としてとんでもない宇宙戦艦を建造、そして反撃に出る——というもの。なお■■の部分はそれが当時大変有名になったのですが、未読の人のために伏せ字にしました。ぜひ読んでワッと言ってください。

面白そうでしょう。実際に面白い。まるでバカSFみたいだけれど、右よりでミリタリーSFの得意なパーネルが真面目に書こうとしたものを（例えばソ連の政治社会状況など今読めばなるほどと思える）、西海岸のお茶目なSFファン、ニーヴンがかき回してねじ伏せたように読める。SF作家たちが活躍する下りなど「SFの気恥ずかしさ」が炸裂。

最後の人類の反撃がとにかく凄い。マンガのネームみたいだけど迫力満点！ 興奮します。（大野万紀）

1989年1月〜
The War Chief, 1927-

《アパッチ》二部作

E・R・バローズ
厚木淳訳　**解説：訳者**
装画：加藤直之
装幀：矢島高光

『ウォー・チーフ』（連載・単行本一九二七）と『アパッチ・デビル』（連載一九二八、単行本三三）の二部作は、「読者の娯楽のために書く」ことを信条としたバローズが、本当に書きたかったのはコレだったのか……と思わせる入魂のウェスタンである。この時代においてインディアンを悪役に据えるのではなく、白人ながらアパッチの酋長ジェロニモの養子、若き戦闘酋長ショッディジージ（黒熊）を主人公に、気高き部族の誇り、住む土地を理不尽に追われる無念さ、戦闘と降伏の葛藤を、実際に第七騎兵隊に所属した経歴を持つバローズはシリアスかつ丁寧に描写する。《火星シリーズ》で赤色人を味方に、そして常に〝野生讃歌〟を通底するテーマとして謳い上げた著者の真骨頂であり、ずばりバローズの裏ベスト作品だと確信している。

なお、今作は『カリグラ帝の野蛮人』（一九八二）以来ひさびさの訳書でSF要素もないため、拳銃マーク（警察小説・ハードボイルド）で刊行された。本総解説への収録は「バローズは一括でSF分類」との編集部判断によるものだが、実はまだ重版もカバー替えさえ一度もされていないので、物理的なSF文庫バージョンは（現時点では）存在しない。コレクター諸氏はご安心を！　（代島正樹）

1989年3月
Tunnel in the Sky, 1955

ルナ・ゲートの彼方

R・A・ハインライン
森下弓子訳　**解説：大森望**
カバー：佐藤弘之

恒星間転移ゲートの先にある未知の惑星、そこで十日間生き延びるという試験（この設定だけでも現代の教育者が目を剝きそうだ）に志願した少年ロッド・ウォーカー。だが、ゲートの故障により帰還は不可能となり、彼とクラスメートには過酷なサバイバルが待ち受けていた。

新装版刊行時、帯に坂木司がつけたコメントは「ひどいよ、ハインライン…。」ほんとうにひどい。ジュブナイルとか宇宙版『十五少年漂流記』とかいうレベルではない。絶えず変化を受け入れ、新しい生き方を身に着ける、できなければ残酷な大人社会には対抗できない。ハインラインは自分の信念を子供相手にも手加減なしで突きつけて、大人の心までへし折ってしまう。

ハインラインの著作は今後ますます入手困難になると予想する。政治、戦争、宗教、性、あらゆるテーマに果敢に挑んだにもかかわらず、最先端の科学技術が半世紀後にはそうでなくなるように、彼のリベラリズムは革新的ではなくなってしまったからだ。しかし、彼のジュブナイルは長く読み継がれるだろう。この作品もまた、本国では出版社を変え、版を重ねて、愛され続けている。　（理山貞二）

1989年4月〜
Authorized Lensmen Trilogy, 1980-

《ドラゴン・レンズマン》シリーズ

ディヴィッド・A・カイル
小隅黎訳　**解説：山岡謙、ほか**
装画：幡池裕行　装幀：矢島高光

『ドラゴン・レンズマン』と『リゲルのレンズマン』は、E・E・スミスのあまりにも有名なスペース・オペラ《レンズマン》シリーズの脇役である、異星人レンズマンたちを主人公にして、筋金入りの古参SFファンでもあるカイルが書き上げたスピンオフ作品だ。ちなみに、カイルがどれくらい古参かというと、一九三九年、主催者を批判する小冊子を作って配布したために、第一回ワールドコンに出入り禁止になったという曰くがついているのだといえば、わかっていただけるだろうか。

そんなカイルのこと、原典であるレンズマン世界を知り尽くしたうえで、細かいくすぐりも満載に話を展開、原典の主人公たちも登場して活躍するというサービスぶりで、原作ファンも納得の外伝と言っていいだろう（ただし、原典ではこの物語時点では存在しないはずの第二の女性レンズマンを登場させたことで、一部ファンはお怒りだったとか）。もっとも、逆に言えば「良くできた二次創作」の枠からはみ出していないところが弱点ということも言える。

もう一人、やはり有名な脇役の一人であるパレイン人レンズマンのナドレックを主人公に据えた第三作 *Z-lensman* が未訳なのが惜しまれる。

（堺三保）

1989年4月
Now Wait for Last Year, 1966

去年を待ちながら

フィリップ・K・ディック
寺地五一、高木直二訳　**解説：寺地五一、大森望**
装画：松林富久治

それまで出ていなかったのが不思議な気もするが、本書が本文庫の記念すべきディック第一作だ。二〇五五年、地球はリリスター星とリーグ星の星間戦争に巻き込まれていた。主人公の人工臓器移植医エリックは、地球防衛の要である国連事務総長モリナーリの担当を依頼されるが……。物語の中心となるのは、敗色濃厚な人類の結末ではなくエリックと妻キャシーの愛憎劇。目下、エリック最大の問題は「如何にして悪妻と手を切るか」なのだ。謎のドラッグJJ180の登場でその関係は一層、泥沼化する。おそらく多くの読者は戦局よりも夫婦の諍いを追う展開に、何故……？　と戸惑うのではないか。これは執筆当時のディックの状況も影響しているようだ。東西冷戦、作家としての重圧、そして妻アンの絶望的な浪費癖（その後、離婚）私小説かと思うほど己の心情が色濃く反映されている。その分SFとしてはやや疑問が残るものの、切なく味わい深い良作になっている。理不尽な運命に振り回され、傷つき悩み身も心もくたびれ果てるエリックへのあたたかいまなざしは自らを慰めているように感じてしまう。巻末に収録されている「ディック、自作を語る」では『じつによくかけた小説だと思う』と述べている。

（本気鈴）

1989年5月

終局のエニグマ

Endgame Enigma, 1987

ジェイムズ・P・ホーガン

小隅黎訳　**解説：永瀬唯**

装画：加藤直之
装幀：矢島高光

ロシア革命百年を記念してソビエト連邦が建設した宇宙島〈ワレンティナ・テレシコワ〉。それは一万二千人以上の人々が暮らす巨大な円環体であり、同国が掲げる宇宙の平和利用の象徴だった。だが米国の諜報筋は擬装計画の背後に地上を攻撃するレーザー兵器の存在をつかむ。国防総省作戦課のルイスと空軍の通信科学者ポーラの二人は真偽を探るべく、招待客を装いコロニーに潜入するが逮捕されてしまう。地上から何十万マイルも離れた敵国のコロニーに監禁された二人だが、その裏には想像を絶する巨大な陰謀が隠されていた。

原著が出版された一九八七年と言えば、レーガン大統領がぶち上げたスターウォーズ計画がソ連の国防・財政体制を崖っぷちに追い詰めていた真っ最中。そんな時代背景に影響されてか、著者ならではの科学技術至上主義にも苦みが加わった異色作となった。そして宇宙戦争が現実化しつつあったこの時代は、〈アポロ月着陸捏造説〉に代表される陰謀論の全盛期でもあり、先行するSF映画の傑作「カプリコン1」もそこから生まれた。本作品は理系作家ホーガンによるその究極形態。緻密な推理の果てに宇宙島の壮大な謎が明かされるカタルシスこそ本作の値打ちだ。　（山之口洋）

1989年6月

ザップ・ガン

The Zap Gun, 1967

フィリップ・K・ディック

大森望訳　**解説：訳者**

装画：松林富久治

世界が東西の二陣営に分かれて兵器開発を競う未来世界（当時）で兵器ファッション・デザイナーを務めるラーズは超次元空間に意識を飛ばして、そのトランス状態中に新兵器のスケッチを書き取る特殊能力がある。東側陣営にも同様の能力の持ち主リロがいる。激しく東西が戦う世界のように見えていても密約があって実際にはそうやって開発された兵器で人々が殺し合っているわけではなかった。その代わり、それらの新兵器は日常品開発に活用されている。それを担うのがコンコモディーと呼ばれる六人である。その世界に異星人がやってきて人工衛星を配置するようになる。兵器ファッション・デザイナーは東西で協力して異星人に対抗する兵器を造るという任務を課せられることになった。

ディック自身は本書を評価していないし、ディック作品の人気投票でもトップを取るような本ではないのだが、それでもディックらしさに溢れるSFであることは間違いない。世界は判りにくいし、重要人物だと思っていた登場人物が忘れられている？　と思ったら唐突に戻ってきたり、少々破綻しかけているところもまたディック愛読者は許して心から楽しめるはずだ。　（中野善夫）

1989年7月

アイ・オブ・キャット

Eye of Cat, 1982

ロジャー・ゼラズニイ
増田まもる訳　解説：訳者
装画装幀：吉永和哉
協力：佐藤仁

『光の王』などの神話とSFを融合させた作品で知られるロジャー・ゼラズニイが本書でとりあげたのはアメリカ先住民ナヴァホの神話である。ナヴァホの呪術師は歌の力で厄を払い病を癒すという。本書の主人公ビリーはナヴァホ最後の呪術師であり、異星生物ハンターとして宇宙をかけめぐって数多くの異星生物を博物館に送り込んできたが、そのなかの変身獣〝キャット〟はひょっとすると知的生物だったのではないかとひそかに思っていた。そしてあるきわめて困難な依頼を受けたとき、彼は〝キャット〟に協力を依頼した。予想どおり〝キャット〟は知性生物であったが、協力の見返りにビリーの命を要求した。こうしてふたりは命を懸けて戦うことになる。

ビリーが戦いの場に選んだのはナヴァホの聖地にしてナヴァホ神話の舞台でもあるアメリカ南西部のナヴァホの土地〈ディネター〉だったが、作中にちりばめられたナヴァホ神話のエピソードとビリーが歌う祈りとしての詩がナヴァホの聖地で響きあって、本書はさながら新たなるナヴァホ神話となり、壮大な自己回復の物語へと変貌を遂げるのであった。ジャンルを超越した本書はまぎれもなく埋もれた傑作であるといえるだろう。

（増田まもる）

1989年12月

死の迷路

A Maze of Death, 1970

フィリップ・K・ディック
山形浩生訳　解説：訳者
装画：松林富久治

数あるディックの小説のなかで、もっとも暗い作品――ロック批評家ポール・ウィリアムズは一九七四年のインタビューで、著者にそう問いかけ同意を得ている。アルコール、セックス、薬物……多様な依存を抱えた人々が悪意に満ちた惑星デルマク・Oに集められ、一人、また一人と殺されていく。極限状態で人間の本性が剥き出しになり、そうした状況を作り出す世界そのものが模造品だという認識は、昨今のソリッド・シチュエーション・スリラーの一つの原型か。世界には空虚、無意味さ、孤独しかない。だからこそ最後に姿を表す「導製神」に、眠っていても太陽を感じられるサボテンになりたい、と願う場面は切実だ。プロット上の破綻がなくパンチが弱くも見えるが、痛し痒し。陰惨な小説世界が際立つ結果ともなっている。原著は一九七〇年刊。『高い城の男』（一九六二）に見られる易経、『パーマー・エルドリッチの三つの聖痕』（一九六四）が想起させるLSD体験、『ユービック』（一九六九年）に顕著な宗教性の発露といった要素が統合され、独自の神学やワーグナーの楽劇等、晩年の《ヴァリス四部作》モチーフへの橋渡しがなされている。本書を知らずして、ディックは語れない。

（岡和田晃）

1989年9月～
Heorot, 1987-

《アヴァロンの闇》シリーズ

L・ニーヴン&J・パーネル&S・バーンズ
浅井修、中原尚哉訳　**解説：大森望、堺三保**
装画：末弥純
装幀：矢島高光

地球から二十光年の惑星アヴァロンへ入植した人類に、現地の生態系が牙をむく。本シリーズのSFとしての肝は、現地の生物の生態と生態系の設定にある。地球に実在する生物を一部参考にしつつ、異様ながらも実際にいそうな生物たちを登場させるのだ。そしてそれらはもちろん、パニックホラーに発展させやすい絶妙なところを狙って設計されるわけである。

第一作『アヴァロンの闇』は、アヴァロンはキャメロット島にある唯一のコロニーが、未知の怪物グレンデルに襲われる出来事を話の主眼とする。楽園と見紛う穏やかな環境の中で、まず飼育動物が謎の生物に襲われ、危機を主張する主人公は周囲の人物から疑いの眼差しを向けられる。やがてグレンデルの存在と危険性が顕在化する。よって下巻に至ると、コロニー構成員は島のグレンデルを掃討するところまで行く。ところがグレンデルには隠された生態があって、それが更に大きな危機をもたらすのだ。パニックホラーのお手本のような展開を見せる主筋の傍らでは、コロニー内の諍い、中年の危機、恋愛ドラマ（三角関係を含む）など、グレンデルとの闘い以外の要素も丁寧に作り込まれており、読ませる。入植者の一部が、冷凍睡眠から醒める際に脳にダメージを受けて知能低下がみられる、という細かい設定も、物語のあちこちでスパイスとして効いており面白い。ベオウルフ伝説をモチーフにしている形跡も見られ、複雑で多面的な読み方に耐える作品に仕上がっている。

第二作『アヴァロンの戦塵』では、この複雑な味わいが一層深化した。前作より二十年後が舞台で、入植以降に誕生した若い世代がキャメロット島を飛び出して大陸の調査を望むようになっている。前作でグレンデルの脅威が身に染みた上の世代は、グレンデルが大量生息するであろう大陸への積極進出には消極的だ。ここに世代間対立がテーマとして現れるのである。若者のリーダー格は前作主人公の血を引いており、親子小説の要素も入って来る。人間の生き様に関する言及も明らかに増え、人間ドラマとしての深み、読み応えが強まっている。そして本分としてのパニックホラーに関しては、生態系の設定が一層複雑かつ緻密になって、サイエンス・フィクションとしての格が上がっている。本書において大陸はごく一部しか登場しないが、それでもなおキャメロット島よりも遥かに大きく、島にはいない生物が複数登場する。グレンデルも、大陸の住環境に合わせて独自の進化（分化）を遂げた亜種が登場し、グレンデルではない脅威も出現する。前作は結局のところグレンデルが人類にとって問題となったが、今作はグレンデルを含む生態系全体が人類を襲う趣があり、空想科学の面でもスケールが増した。

本シリーズは二〇二〇年に、第三作が本国で刊行された。物語の更なる発展が期待でき、邦訳刊行が待たれる。（酒井貞道）

1989年12月

時間衝突

Collision with Chronos (Collision Course), 1973

バリントン・J・ベイリー

大森望訳　解説：大野万紀

カバー：松林富久治

【新版】2016年刊

本書は、SFマニアたちから奇想の王として崇められるベイリーの第四長篇であり、国内では第二十一回星雲賞を受賞した代表作としても挙げられる作品となっている。

遠未来の地球。異人種を異常亜種と呼び、彼らを武力で制して覇権を確立した白人種からなるタイタン勢力。彼らの懸念は、かつて人類を蹂躙し、地球を去った異星文明であり、その遺物の研究は最大の重要案件だった。考古学者ヘシュケは、新たに発見された謎の遺跡の調査をタイタン首脳部に命令される。その遺跡は時が経つにつれ、新しくなっていくというのだ。この現象の解明のため、異星人のテクノロジーを使ってヘシュケらは過去に向かうが……。

本書は、独創的な理論を軸に展開する奇想天外な物語ではあるものの、物語はその理論を読者に浸透させるための道具にすぎない。登場人物たちの葛藤や絶望といったドラマ以上に、彼らが語る哲学的／科学的アイディアに基づく議論こそがベイリー作品の真髄なのである。本書もまた、「現在」とは、「時間」とは何なのか、宇宙に複数の時間線は存在するのか、そしてそれは干渉しあうのかといったためくるめく議論を楽しむべき作品であろう。

（縣丈弘）

1990年3月

タイタンのゲーム・プレーヤー

The Game-Players of Titan, 1963

フィリップ・K・ディック

大森望訳　解説：訳者、牧眞司

カバー：松林富久治

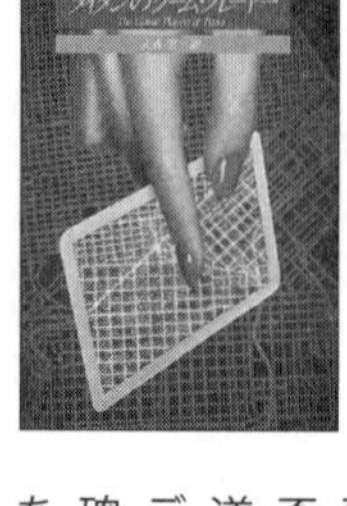

出生率の低下した人類がタイタンの不定形生物〝ヴァグ〟との戦争に敗れ、特権階級の人間が土地を賭けたゲームを行う近未来。住み慣れた町を奪われたピート・ガーデンが宿敵と再戦し、その翌朝に相手の他殺体が発見される。ピーターを含むチームの六人は当日の記憶を失っていた。

代表作『高い城の男』と『火星のタイム・スリップ』の間に、苦しい家計を支えるために書き飛ばされたペーパーバックとされる（著者の評価も低い）本作だが、娯楽小説としての見所はむしろ多い。超能力者たちのゲーム対決、連続殺人と記憶喪失の被疑者たち、主人公をめぐる愛憎劇といったキャッチーな要素を盛り込み、矢継ぎ早にフェイズを切り替え、逆転劇の応酬で読者を惹きつける。整合性よりもスピードを重視したB級エンターテインメントなのだ。

人間に擬態するヴァグ、自動車やエレベーターが口を利くラシュモア効果といった設定の数々も楽しく、独特のセンスを随所に感じさせる。散らかった印象は否めないが、著者らしいアイデアや道具立てを連発し、勢いで押し切るディック感満載の一冊であることは確かだろう。名作群の後に読むことをお勧めしたい。

（福井健太）

1990年6月〜
VALIS, 1981-

《ヴァリス四部作》

フィリップ・K・ディック
大瀧啓裕訳　**解説：訳者**
装画：藤野一友「抽象的な籠」、ほか
装幀：松林富久治

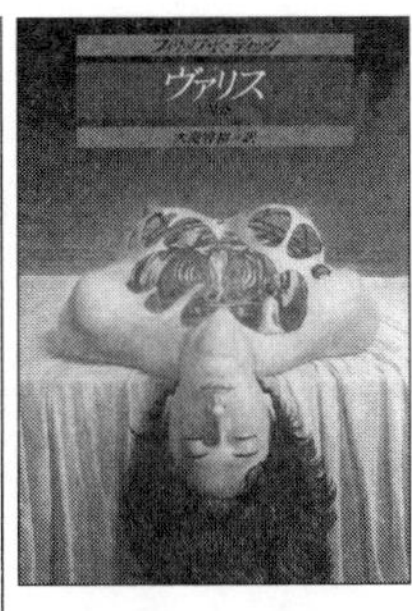

涙ぐましいほどに切実な作品群である。身近な人々の死を食い止められない哀しみ――のみならず――まったき他者の無惨な死にすら痛みを感じる自分が、死のうとしても死にきれずにいること。そんな救済への希求と否定の感覚から、本書は紡ぎ出されている。超越性の手前で踏みとどまった『暗闇のスキャナー』（一九七七）の先へと向かう形で……。

一九七四年二月、ビートルズの「ストロベリー・フィールズ・フォーエバー」を聴いていたディックは、可視光線のスペクトル表には存在しないピンク色の光線を頭や目に照射される体験をした。これは超越的な神の力の仲介で、それまで悩まされていたあらゆる恐怖や邪悪についての観念が和らぎ、生まれてからずっと気の狂っていた自分がようやく正気になったという感覚を著者は得た（チャールズ・プラットによる一九七九年のインタビュー等）。モチーフ上は、この体験を膨らませる形で四部作が構成されている。

『ヴァリス』（一九八一）では、著者の名のギリシャ語とドイツ語読みであるホースラヴァー・ファットが、先述したものと同様の神秘体験を経て、独自の神学の教典を記し始めたことが記されている。ワーグナーの最後の楽劇『パルジファル』すら、もはや浄化（カタルシス）には縁遠いという心性から、古今東西の神秘思想の寄せ集め（ブリコラージュ）がなされるわけだが、教義のコアは意外と単純。造物主は悪しき存在で、だからこそ世界は狂っていて模造品（シミュラクラ）ばかりというグノーシス主義の発想がまずあって、そこに神性が流出的に陥入して死からの再生を創発的にもたらすというヤーコプ・ベーメの秘教観が織り交ぜられる。

今なお新しいのは、こうした世界像が、作中のSF映画「ヴァリス」に出てくるVast Active Living Intelligence System（＝巨大にして能動的な生ける情報システム）というシンギュラリティSFを先取りしたようなガジェットを介し、社会に遍在するものとして敷衍（ふえん）される点か。これが『聖なる侵入』（一九八一）では、悪しき存在ベリアルとの宇宙規模での戦いとして語り直され、遺作『ティモシー・アーチャーの転生』（一九八二）では、ジョン・レノンの死と死海文書の探究というモチーフから現代小説としての技巧的・歴史的な再整理が入り、円環は閉じられる。遺稿の原型作品『アルベマス』（一九八五）をひもとけば、なぜ著者が自らの神学をSFとして記したか、よりドキュメント的かつ重層的に理解できよう。

あまり指摘されないが、著者の神秘体験は、フロイトやドゥルーズ&ガタリに衝撃を与えた、神経症患者ダニエル・パウル・シュレーバーが回想録に記した奇妙な体験に酷似している。二〇世紀思想史を辿（たど）り直すうえでも、著者の到着点たる本シリーズは避けて通れない。

（岡和田晃）

1990年8月

宇宙の呼び声

The Rolling Stones (Space Family Stone), 1952

R・A・ハインライン
森下弓子訳　解説：訳者
装画：佐藤弘之
装幀：矢島高光

月生まれの天才一家ストーン家の惑星間旅行を描いたジュヴナイル。月独立の立役者である祖母、元市長で作家の父と医師の母に、一女三男のストーン家。平凡とは無縁の彼らだが、十五歳の双子に至っては無許可の核実験で逮捕されたことがあるほど。二人は特許で手に入れた資金を元手に、宇宙船と中古自転車を購入し、鉱山惑星に持ち込んで転売利益を得ようと画策するが……。原題は、「転がる石になれ」という一家の家訓で、宇宙船の名前でもある。明快な経済観念や正義感と、ファミリー・シットコムのような会話劇の面白さもさることながら、宇宙船が自転車の縦列を牽引しながら飛ぶという日常とＳＦ的発想が融合した光景が子供の心をわし摑みにする、愛すべき作品だ。なおストーン家は著者の月作品には欠かせないキャラで、『月は無慈悲な夜の女王』では十代のヘイゼルが活躍し、さらに『獣の数字』、『ウロボロス・サークル』にも登場。『落日の彼方に向けて』ではヘイゼルに加えて双子のその後も語られている。また本書に登場する無限増殖する宇宙猫は、「スタートレック」のトリブルの元となっており、ハインラインはアイデアの対価にサイン入り台本のみを受け取った。

（三村美衣）

1990年11月

ジョーンズの世界

The World Jones Made, 1956

フィリップ・K・ディック
白石朗訳　解説：鳥居定夫
カバー：松林富久治

一九九五年、連邦世界政府の保安警察官ダグ・カシックは、カーニヴァルで人類の未来を占う男フロイド・ジョーンズに出会う。一年先までの未来を予知できる彼を政府は監視下に置くが、ちょうどその時〈漂流者〉と呼ばれる巨大な単細胞生物が太陽系外から飛来してきた。ジョーンズは愛国者連盟を結成して、星への移住を説きはじめる。七年後、連盟の勢力は政府と対立するまでに拡大した。〈漂流者〉の驚くべき正体が明らかになり、自らの死を予知したジョーンズは最後の攻撃にうって出ようとするが……。

『偶然世界』に続いてエース・ダブルから刊行された著者の第二長編。人工的に作り出された異形のミュータント、能力を限定された予知能力者、知人を裏切るドラッグ中毒者、独裁者が支配する全体主義国家など、初期作品に頻出するアイディアや設定がここまでで確立されたことになる。地球では生きていけないミュータントたちがようやく辿りついた金星で、これこそ自分たちの故郷だと落涙する場面は感動的だ。ディック自身もまた多数の作品を通じて、真の故郷を見出そうとあがき続けた作家であったと言えるのではないか。初期作品の中では完成度が高い。

（渡辺英樹）

1991年1月〜
Vorkosigan Universe, 1986-

《ヴォルコシガン》シリーズ

ロイス・マクマスター・ビジョルド
小木曽絢子訳　解説：訳者、ほか
装画：浅田隆
装幀：矢島高光

シリーズの第一巻『戦士志願』に出会ったのは高校生の頃。大変な本を見つけてしまった、と仰天した。しかもシリーズ物だと言うから、まだまだ続きが読めるではないか、と大興奮。それから早三十余年にわたる筋金入りのマイルズ・ファン、言うなれば遠縁の叔母／伯母みたいなもんだ。『マイルズの旅路』では感涙のあまり、暫く本を枕元に置いて寝た。

マイルズからしたら迷惑極まりないだろうけれど、愛ゆえの暴走。全十七巻二十二冊、二百五十年を見守ってきたんだから、ちょっとくらいオバ面してもいいだろう。お気に入りの甥っ子の活躍に目頭を熱くしたり、ヒヤヒヤはらはらしたり、心から祝福を送ったり、拳を固めてただ見守ったり。ここまで来たら、オバは墓の底まで付き合う覚悟です。

《ヴォルコシガン・シリーズ》、もしくは《ヴォルコシガン・サーガ》は、アメリカの作家ロイス・マクマスター・ビジョルドによるSFシリーズ。

その作品は二十以上の言語に翻訳され、ヒューゴー賞を「喪の山」『ヴォル・ゲーム』『バラヤー内乱』『ミラー・ダンス』で四回、シリーズとして一回受賞している。『バラヤー内乱』『ミラー・ダンス』でローカス賞を、『自由軌道』「喪の山」でネビュラ賞を受賞。また、ビジョルド自身に対して、SFとファンタジーへの貢献に対して贈られるデーモン・ナイト記念グランドマスター賞が贈られた。

以下、マイルズを軸に、刊行順ではなく時系列で紹介する。

マイルズ・ヴォルコシガンは、生まれたときから先天的な障碍を持っていた。ベータ植民惑星のコーデリア・ネイスミス艦長を母に、バラヤーの国守の息子アラール・ヴォルコシガンを父に持つ恵まれた出自。だが誕生前にアラールを狙った暗殺事件が起こり、コーデリアが毒ガスを吸ってしまう。彼女を救うための解毒剤には強い催奇性があった。（『バラヤー内乱』）

脆い骨を持ち、子供のような身長のマイルズは、長年の夢であった帝国軍士官学校へ入学することができなかった。けれどベータ植民惑星に向かう途中、偶然、封鎖された政府に兵器を届ける仕事を手に入れ、成り行き上、マイルズ・ネイスミス提督という歴戦の傭兵隊長を演じることに。人助けをしようとしたり、先立つものを手に入れようと四苦八苦するうちに、嘘から出た実でデンダリィ自由傭兵艦隊が結成されてしまう。度胸とはったりと口のうまさで部下をどんどん集め、果ては内戦に干渉し、見事収めてしまうまでに。わらしべ長者的に加速していく状況と、毎回なんとか状況を収めてしまう口八丁手八丁な手腕が最高に楽しい。（『戦士志願』）

二十歳になり帝国軍士官学校を卒業したマイルズは、辺鄙な島の気象観測基地に配属される。規律正しい生活を送ることができれば、宇宙艦隊に配属させると言われ暫くは我慢するものの、あっという間に問題を起こし、機密保安庁預かりとなる。ヘーゲン・ハブに送られたマイルズは偶然、行方不明となったグレゴール皇帝を見つけ出す。グレゴールを助けるためには、再びネイスミス提督になるしかない。（『ヴォル・ゲーム』）

　またこの年、国守代理として、障碍を持つ嬰児が殺された事件を解決する。（「喪の山」『無限の境界』に収録）

　敵国セタガンダ帝国の皇太后が逝去した。マイルズは、能天気な従兄弟のイワンと共に葬儀のため首都惑星に赴くが、セタガンダ帝国の陰謀に巻き込まれ、皇太后が残した謎と鍵、皇宮に残された美女たちの救出に関わる。（『天空の遺産』）

　遺伝子工学者の亡命を手伝うマイルズは、悪名高いリョーバル商館に潜入し、そこで遺伝子改変を受けた女戦士タウラと出会う。（「迷宮」『無限の境界』に収録）

　マイルズは捕虜救出のため、脱出不可能と言われるドーム型の施設に赴く。（「無限の境界」『無限の境界』に収録）

　マイルズの前に現れた、そっくりな男マーク。彼はマイルズに取って代わり、父アラールと皇帝グレゴールを暗殺する命を受けたクローンだった。（『親愛なるクローン』）

　マークはネイスミス提督のふりをして、バラピュートラ商館からクローンたちを助け出そうとするが失敗。救出に向かったマイルズは死亡、遺体も行方不明となる。ようやく探し出したマイルズは蘇生していたものの、自分が誰なのかすら思い出せなくなっていた。（『ミラー・ダンス』）

　マイルズは蘇生の後遺症で発作を起こし鬱状態となる。だが機密保安庁の長官シモン・イリヤンが精神に異常を来したため、帝国聴聞卿に任命され原因究明に乗り出す。（『メモリー』）

　ミラー衛星事故の調査のためコマールへ赴いたマイルズは、ヴォル階級のエカテリンと出会い心惹かれる。だがコマールでは密かに陰謀が進行していた。（『ミラー衛星衝突』）

　エカテリンに片思い中のマイルズ。だけど彼女は夫を亡くしたばかり。ひとまずヴォルコシガン屋敷の庭のデザインを依頼し、折を見てプロポーズしようと考える。（『任務外作戦』）

　遅い新婚旅行に出かけたマイルズとエカテリン。だがコマール船の護衛艦からバラヤー士官の一人が消え、マイルズは帝国聴聞卿として調査に赴くこととなる。（『外交特例』）

　学会出席のためキボウダイニに到着したマイルズは反乱分子に誘拐されてしまう。誘拐犯からは逃れたものの、冷凍施設の中で迷子になり、ジンという少年に助けられる。シリーズ完結編、マイルズ最後の冒険。（『マイルズの旅路』）

　スピンオフも多い。マイルズが生まれる二百年前、無重力空間で仕事をさせるために作り出された、両脚の代わりに腕を持つクァディーたちの危機を描く『自由軌道』。デンダリィ自由傭兵隊の中佐エリ・クインと、男だけの惑星で育った青年医師イーサンが活躍する『遺伝子の使命』。タウラ視点で進む短編「冬の市の贈り物」（『任務外作戦』に収録）。イケメンで女の子大好きで能天気なマイルズの従兄弟イワンが、やっぱり女性絡みの事件に巻き込まれる『大尉の盟約』など。

　個人的お気に入りは、マイルズの母コーデリアと父アラールが出会う『名誉のかけら』。めちゃくちゃ勝ち気なジュリエットと、やや陰気で時折ぶち切れるロミオの出会いとロマンス。

　未訳はあと一編。エカテリンが主人公の“The Flowers of Vashnoi”。邦訳がとても楽しみ。

　長く険しい、だけど温かさとユーモア、多彩な登場人物に彩られたマイルズの歩みを、ぜひ一緒に体験して欲しい。そしてぜひあなたもマイルズの自称オジ・オバ仲間に。（池澤春菜）

1991年2月

サンティアゴ

Santiago: A Myth of the Far Future, 1986

はるかなる未来の叙事詩

マイク・レズニック

内田昌之訳　解説：山岸真

装画：朝真星　写真：北口佳央
装幀：ワンダーワークス（吉永和哉）

莫大な懸賞金が懸かった極悪非道の犯罪者、サンティアゴ。その正体を知る者はなく、数々の伝説だけが銀河に知れわたっている。だがいま、元革命家としての純な心を宿す賞金稼ぎのカインが、サンティアゴ追跡を開始した。時を同じくして、サンティアゴへのインタビューを試みる女性ジャーナリスト、通称ヴァージン・クイーンや、銀河系最高の賞金稼ぎのエンジェルら、ひと癖もふた癖もある連中が独自の思惑で動きはじめ、複雑に交錯するその軌跡が伝説に新たなページを刻む……。

著者は抜群のストーリーテリングを持ち味とし、一九八〇年代にエンターテインメントの粋（すい）をきわめたスペースオペラを量産。中でも自他ともに認める最高傑作が、西部劇的ロマンをSFにそっくり換骨奪胎した本書である。本書を含む当時の作品の背景には壮大な未来史が設定されている。本書は二〇〇三年に続編が出た（未訳）。また映画化権が売れて脚本完成との報もあったが、二三年秋時点で長らく続報は途絶えている。

本書のあと、『キリンヤガ』などアフリカ文化に材をとった作品で人気と評価をいっそう高めた著者は、九〇年代を中心に日米等でSF賞受賞・候補の常連となり、アンソロジストとしても活躍した。（山岸真）

1991年5月

永劫回帰

The Pillars of Eternity, 1982

バリントン・J・ベイリー

坂井星之訳　解説：中村紀夫

カバー：松林富久治

宇宙は何度も同じ時間を繰り返している。全ては予め定まっていて、同じことが永遠に（↑誤字誤用にあらず）繰り返されるのみなのだ。……という大前提の設定がある。主人公ボアズはこれを全力で拒否せんと、単身で宇宙の法則そのものに挑む。

スケール極大の個人冒険譚が頻出するワイドスクリーン・バロックの中でも、本書は無茶度が高い。物語はこの無茶ぶりに対し、熱量高く驀進（ばくしん）することで応える。ハイテンションそれ自体が読みどころになるのだ。また大量の小ネタも強烈だ。たとえば主人公ボアズは、正気を保ったまま死ぬこともできずに長時間身を焼かれた経験（恐ろしい！）を持つ。その結果、ボアズの肉体の制御はハイスペックな宇宙船が肩代わりしており、この船を手足のように使うことで、彼は超人的能力を発揮するのだ。放浪惑星にある謎の文明、珍妙なスキルを持つ盗賊、時間研究を規制する政府などなど、それだけで物語の大ネタになりそうな設定がてんこ盛り。一々が楽し過ぎます。

正直なところ仕上げは荒い。主人公ボアズは世界を変えることに最終的に成功するが、機序が不明確だ。でもまあいいじゃないですか。この強烈なケレンを前に、ツッコミは野暮（やぼ）というもの。（酒井貞道）

《マッカンドルー航宙記》シリーズ

1991年4月〜
McAndrew Chronicles, 1978-

チャールズ・シェフィールド
酒井昭伸訳　解説：橋元淳一郎、訳者

装画：加藤直之
装幀：矢島高光

本シリーズの魅力は、がちがちのハードSFをリーダビリティの高い上質なエンタメに仕上げている点だ。

『マッカンドルー航宙記』は五話、続編の『太陽レンズの彼方へ』は四話からなる。本シリーズは終始、主人公の相棒である宇宙船船長ローカーの一人称で語られる。第一話を読み進めてはじめて明かされる船長の姿にぜひ驚いてほしい。そして第二話第三話と物語が展開するにつれ、一枚ずつベールをはがすようにクリアになっていく船長の正体にも。

主人公のマッカンドルーはニュートンと並び称される天才物理学者だが、作中ではとかく「変人」だと強調される。だが彼を変人呼ばわりしているのは語り手のローカーであって、客観的にみればマッカンドルーのふるまいは仕事熱心な研究者そのものだ。研究対象をペットのように愛で、相手の反応などおかまいなしに専門分野の話を何時間でも続け、新しいアイデアに没入すると周囲がまるきりみえなくなる。おかしなことなどどこにもない。

いっぽう、ふたりの前に立ちはだかる悪役はそろいもそろってとことん邪悪だ。たとえば、第一話冒頭でおおぜいのお供を連れて華々しく登場するのはなんと十億人を殺した超大物犯罪者である。巨悪に対峙するわれらがマッカンドルーとローカーのコンビはいつも苦戦を強いられ、しょっちゅう身体に穴をあけられたり指が飛んだりするのだがそこはだいじょうぶ。舞台設定は約二百年後なので医療技術が発達しており、失った指さえ再生できるからだ。物語のラストで悪いやつらが受ける報いも、その悪さに比例するがごとく徹底している。

ハードSFの部分が盤石なのは著者が本職の物理学者であるがゆえだろう。第一話の発表が一九七八年、もっとも新しい最終話でさえ一九九九年発表なのに、まったく古びていないのは驚異的だ。おそらく著者は、何十年経っても古びない科学テーマを慎重に選び、そうでないものは「ここからはフィクション」の線の向こうへ持っていったのだろう。たとえば第一話に登場するカー・ニューマン・ブラックホールの理論は未来永劫不変であるが、それを宇宙船の動力とするのは当面フィクションのままにちがいない。

著者が唯一読みちがえたのは第五話に登場する放浪惑星。みずから筆をとった巻末科学解説では、宇宙空間を自由に漂う惑星はみつからないだろうと述べている。だが事実はいいほうに転んだ。観測技術の進歩により、二〇〇二年を皮切りに、自由浮遊惑星はぞくぞくと発見されつづけている。

その二〇〇二年、シェフィールドは脳腫瘍のため死去。六十七歳なんて早すぎる。もうけっしてマッカンドルーものの新作は読めないのだと思うと悲しくてたまらない。

（松崎有理）

1991年6月

Eye in the Sky, 1957

虚空の眼

フィリップ・K・ディック

大瀧啓裕訳　解説：訳者

装画：藤野一友「レダのアレルギー」
装幀：松林富久治

陽子ビーム偏向装置の実験中に起こった事故によって、見学に来ていた人とガイドの八人が観察台から強烈な磁場が存在する床に落下。奇跡的に軽傷だった見学者たちが目覚めると、そこは意識を失った八人の精神世界が順に発現してゆく世界であった。

ディックは一九二八年生まれ、五五年にセグレとチェンバレンはカリフォルニア大学バークレー校の加速器ベヴァトロンを使った実験で反陽子を発見し、五九年にノーベル物理学賞を受賞している。本書の冒頭に事故が起こった日を五九年十月二日としている。ディック、三十歳の時である。見学者の一人、ハミルトンは電子工学専門家で妻のマーシャと共に事故に遭った。ハミルトンは、勤めていたミサイル調査研究所から妻の素行（穏やかな社会活動）を理由に休職に追い込まれていたのだ。これは、四九年から五〇年代前半に吹き荒れた共和党マッカーシーによる「赤狩り」が背景にある。今、読むと見えにくいが、同時代のグロテスクさがかなりストレートに反映された初期長編だといえる。八六年にサンリオSF文庫から刊行されたものの再刊で、巻末に訳者による詳細な解説が付く。（大倉貴之）

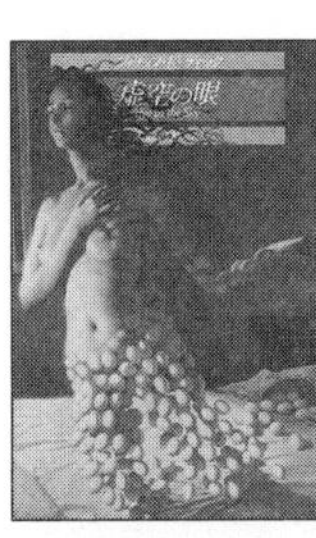

1991年11月

The Game Beyond, 1984

遙かなる賭け

メリッサ・スコット

梶元靖子訳　解説：C・J・チェリイ

装画：杉本要　装幀：矢島高光

豪華絢爛（けんらん）、宇宙版宮廷絵巻。色恋あり、策謀あり、裏切りあり。野心と駆け引き渦巻くビルドゥングス・ロマンス。

舞台は地球人類〈連邦〉の外れにある辺境の〈帝国〉。女帝崩御の知らせを受け、色めき立つ帝位請求権を持つ貴族とその取り巻きたち。ところが開封された遺言に次期皇帝として記されていたのは、長年女帝の愛人と見なされていた一介のギルドマスター、ケイラの名前だった。この指名に納得のいかない上級貴族（メイジャー）、下級貴族（マイナー）入り乱れて、権力争いが始まる。

本書をSFたらしめているのは〈能力（タラント）〉と呼ばれる超能力の存在だ。人々の表情や反応を解読し、未来を〈読む〉力。有力な貴族ほど強い〈能力〉を持つ。貴族たちは遺伝子の疵と引き換えにしても、より強い〈能力〉を獲得しようとする。

かつて絶えた大公家（たいこうけ）の末裔（まつえい）であるケイラは、誰よりも強大な〈能力〉を武器に、陰謀渦巻く宮廷に乗り込んでいく。祖先が遠い昔に交わした賭けに勝つために。

緻密で厳格な社会設定と複雑な政治背景は、歴史学を学んだ著者ならでは。デビュー作である本書にもその特徴が良く表れている。C・J・チェリイの解説「未来戦争についての考察」も読みどころ。（池澤春菜）

1991年8月〜

Trigon Disunity, 1979-

《アースライズ》三部作

マイクル・P・キュービー＝マクダウエル

古沢嘉通訳　解説：永瀬唯、大野万紀

装画：加藤直之
装幀：矢島高光

一九八〇年代、人類を核の呪縛から解き放つべく進められていた国連の非公開プロジェクトが、核兵器を無効化する〈核の毛布〉の開発に成功した。しかし、あらゆる核分裂反応を阻害するこの装置は原子力発電も停めてしまい、世界をエネルギー危機に陥れる。結果として、核戦争は回避されたが人類の文明も大きく後退してしまった。そんな中、個人で細々と研究を続けていた天文学者が、宇宙からのメッセージとしか思えない電波を受信して……。第一作『アースライズ』では、ここから科学の再興、宇宙船打ち上げ、ファースト・コンタクトまでを駆け抜ける。一からの宇宙開発ではないので、星々への憧れだけでなく、科学に対する恐怖を和らげ取り除く政治・宗教的な取り組みを同時に描いてゆくのが特徴だ。かつての科学文明を失った西欧諸国ではなく、中国やインドを中心にプロジェクトが進むのもおもしろい。

続く『エニグマ』では、一気に時代が進む。意外なファースト・コンタクトから数世代、人類は超光速の船を駆り宇宙のあちこちを探索するようになっていた。しかし、行く先々で出会うのは、見たことがあるような種族ばかりで……。コンタクト・チームの新米調査員を主人公とした一種の宇宙探検ものだが、波瀾(はらん)万丈の冒険よりもチーム内の人間関係やコンタクトのプロトコルが読みどころになる。いったん文明が後退したところから始まる前作同様、物語は一直線には進まない。いくつかのコンタクトを通じて、背景になっている人類社会を描き出し、引っ張ってきた大きな謎の答えにじっくり迫る。

完結編となる『トライアッド』は、またまた時が進んで前作から百五十年後。前作で判明した事実により、人類は拡大方針を転換せざるを得なくなっていた。再び積極的に宇宙へ出てゆくために、最終兵器《トライアッド》を使用するか否かをめぐって委員会の意見は割れていたが……。核兵器を強制的に停止したところから始まった物語が、再びここに戻ってくる。さまざまなコンタクトを経た人類が、どんな決断を下すのか。ここまで仕掛けてきたSF的な設定を随所で使いながら改めて問い直される問題は、現代にも通じるものを孕(はら)んでいる。

コンタクト、宇宙探検、戦争など、各巻ごとに扱うテーマや趣向は異なるが、全篇を通して共通しているのは、科学技術だけでなくその扱いを決めるプロセスをきちんと語ろうとする姿勢だ。登場人物の内面から人類全体の方針を決める政治的な駆け引きまで、丁寧に描き出してゆく。アイデアに厚みを加えるそんな作風が評価されたのか、アシモフのロボットものスピンオフやクラークとの合作なども手がけ、八〇〜九〇年代を中心に活躍した著者だが、残念ながら最近は本国でも新作を発表していない。

（香月祥宏）

1991年11月

暗闇のスキャナー

A Scanner Darkly, 1977

フィリップ・K・ディック
山形浩生訳　**解説：訳者**
カバー：松林富久治

ディック後期の代表長編。ドラッグによる人生の破綻という自伝的要素で話題を呼んだ。英国SF協会賞を受賞。

主人公は麻薬捜査官、暗号名フレッド。彼に与えられた新しい使命は、麻薬中毒者グループの重要人物ロバート・アークターの監視である。だが、アークターというのはフレッドの別名なのだ。潜入捜査のために、自ら麻薬を使い、売買にも深くかかわっていたのである。もはやどちらが本物か、自分自身でも判然としない。いまフレッドはベッドに横たわり、とりとめのない意識で考える。「……ヤクをもう一発射ちさえすれば、おれの脳はひとりでにまちがいなく治るはずなんだ」。

作中のSF要素としては、断片化した人体イメージを無数に切り替えて投影する迷彩服スクランブル・スーツが秀逸。作家活動の最初期から「不確かなアイデンティティ」を繰り返し扱ってきたディックならではのガジェットだ。

リチャード・リンクレイター監督、キアヌ・リーブス主演で「スキャナー・ダークリー」として二〇〇六年に映画化。別の邦訳として、飯田隆昭訳『暗闇のスキャナー』（サンリオSF文庫）、浅倉久志訳『スキャナー・ダークリー』（ハヤカワ文庫SF）がある。（牧眞司）

1992年1月

フロリクス8から来た友人

Our Friends from Frolix 8, 1970

フィリップ・K・ディック
大森望訳　**解説：森下一仁**
カバー：松林富久治

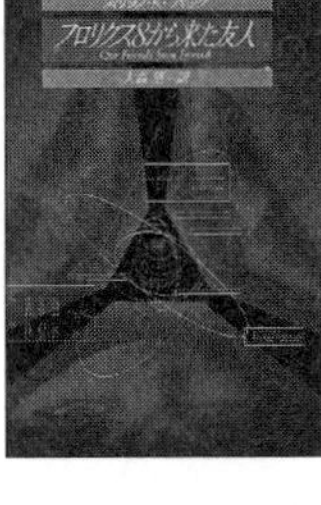

世界は人類の中から突然変異で現れた〈新人〉と〈異人〉によって支配されていた。従来型の六十億人は〈旧人〉としてその支配を受けるしかなかった。ニックは息子を公務員能力試験に通してやりたいと願う〈旧人〉の一人に過ぎなかったが、それがひょんなことから反政府組織と接触することになる。だが、その指導者コードンも処刑されそうになっている。そんな地球に届いたのが、十年前に外宇宙に助けを求めて彼方へ飛び去ったプロヴォーニが「友人」を連れて戻って来るという知らせだった。

ディック自身はこの作品を金のためだけに書いたクズだと酷評する。実生活においても破綻の瀬戸際だった時期の作品だ。主人公のニックは事態の展開についていけず狼狽えているとはいえ、あっさり妻と息子のもとを去って若い娘の虜になるのは情けない（がそれはいつものディックの主人公だ）。このさき何が起こるの？　と思っているとフロリクス8から来た友人があっさり世界をひっくり返してしまう結末は呆気ないが、変わり果てた支配者たちの姿を見てしみじみ感慨に耽りながら本を閉じよう。もし本書の内容をすぐに忘れてしまったとしたらあなたも「フロリクス8から来た友人に触れられてしまった」のかもしれない。（中野善夫）

1992年2月

タウ・ゼロ

Tau Zero, 1970

ポール・アンダースン

浅倉久志訳　解説：金子隆一

装画：Dave Archer/Edgerly Associates

核戦争後に文明を復興させた人類は、居住可能な第二の地球を求めて、男女二十五人ずつを乗せた恒星船〈レオノーラ・クリスティーネ号〉を三十二光年の彼方――おとめ座ベータ星第三惑星に送り出した。旅の三年目、船は直径二十億キロ足らずの小星雲に衝突し、バサード・エンジンの減速システムが故障したことで「永久に加速をつづける」事態に陥ってしまう。

アンダースンが一九六七年に発表した"To Outlive Eternity"は、アメリカの物理学者ロバート・W・バサードが一九六〇年に提唱した理論――宇宙空間の水素原子を核融合燃料とする「恒星間ラムジェット」をアイデアの核とする中編だった。そこに乗員たちのドラマや科学的な説明を加え、船の状況と物語の加速感をリンクさせた長編が本書である。

現実から乖離しない理論を土台として、暴走列車内の群像劇めいたサスペンスと全宇宙規模のヴィジョンを両立させた本作は、ニューウェーブ運動に対するハードSF側の回答でもあった。多彩な作品群でSF界を支えてきた巨匠が直球の威力を見せつけた絶品といえるだろう。九三年に第二十四回星雲賞を受賞。三十ページを超える金子隆一の科学解説はサブテキストとして秀逸だ。（福井健太）

1992年4月

スター・ウィルス

The Star Virus, 1970

バリントン・J・ベイリー

大森望訳　解説：訳者

カバー：松林富久治

銀河の支配を人類と二分するストリール種族から、宇宙海賊ロドロンは奇妙な性質を持つ〝レンズ〟を掠奪した。絶えず異界の風景を映し出す謎の〝レンズ〟を巡って、ロドロンの星々を股にかけた遁走劇が始まる。

これはベイリー版〝レンズマン〟だ。自由な世界を愛する主人公ロドロンは、E・E・スミスの描くレンズの所有者とは正反対の非情で残酷な男だが、この性格ゆえに好人物に見えるから不思議だ。いっぽう彼を追うのは、外見はスミスのデルゴン貴族を彷彿とさせる、偏狭で頑迷なストリール人たち。だが彼らの奉ずる世界観は迷信ではないらしい。厳密な物理法則がSFの世界を否定するように、科学を極めた者ほど同じ境地に至り、主人公を追い詰めていく。彼の真の敵は、宇宙の法則そのものだとしたら？　知性とは宇宙の法則に抗う存在なのか？

ベイリーは長編第一作にして、スペースオペラに思弁を持ち込んだ。奇想やガジェット、暗いユーモアセンスは、この時点で既に溢れんばかりだ。結局〝レンズ〟とは何だったのか、法則と自由、どちらに支配される世界が勝利したのか、結末には様々な解釈が可能だ。ベイリー作品独特の苦味と共に、考察も楽しんでほしい。（理山貞二）

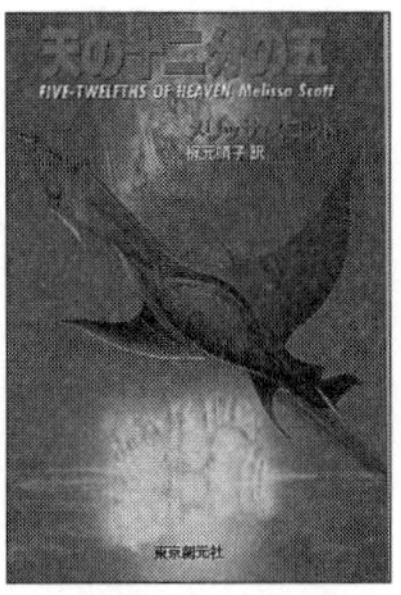

1992年4月〜
Silence Leigh, 1985-

《サイレンス・リー》三部作

メリッサ・スコット
梶元靖子訳　**解説：中村融、ほか**

装画：浅田隆
装幀：矢島高光

サイレンス・リーはこの世界では珍しい女性パイロット。だが祖父が亡くなり、後見人である叔父に裏切られ、自身が操縦していた船を含め、全てを失おうしていた。覇国の法律下では、未婚の女性には発言権がない。間一髪、サイレンスを救ったのは、キャプテン・デニス・バルサザーと、エンジニアのチェイス・マーゴ。

第一巻『天の十二分の五』で訳ありの二人と三者間結婚契約を結び、新しい船でパイロットとして飛び立ったサイレンス。しかし、覇国と対立する海賊結社〈神の怒り〉との抗争に巻き込まれ、拘束されてしまう。死の瀬戸際で覇国によって精神に施された、絶対服従の命令、神命を破ったサイレンスは、男性しかなれないとされていた魔術師の才能を自分が秘めていることに気づく。

続く『孤独なる静寂』では、サイレンスたちは地球航路の手がかりを求め、覇王に反旗を翻す惑星総督の元に赴く。鍵を握るポートラン航法を記した本と引き換えに総督が持ち出してきたのは、覇王の女宮に捉えられた愛娘の救出。

そして最終刊『地球航路』でサイレンスたちはとうとう地球に到達する。全てが魔術でなくメカニズムで制御された地球を解放するために、サイレンスが取った方法とは。

シリーズ最大の特徴は、科学ではなく魔術が世界の中心にあるということ。「高度に発達した科学は魔術と見分けがつかない」というアーサー・C・クラークの有名な言葉があるが、宇宙船を飛ばすのはまさに魔術なのだ。

あらゆる天体に固有の音階があり、宇宙船はまるでセッションをするように、ハルモニウム音楽を奏でながら音響竜骨で飛ぶ。現世と天上の間の煉獄と呼ばれる超空間には、魔術的な象徴である虚空座標が散りばめられている。なんと心ときめく設定！

魔術によって、船は現世の理を離れる。それは物理法則だけではない。サイレンスは魔術の才能を開花させることで、旧弊な覇国の慣習や支配から脱し、自由を手に入れた。女性の地位や権利が男性と比べて一段低いものとされている世界で、サイレンスは自分にも男性と同じ力があること、魔術の世界では女性だからこそ発揮出来る力もあることを発見する。

魔術という非科学的な設定を用い、科学万能の社会、そして従来の価値観を鮮やかにひっくり返してみせた。

スペース〝マジカル〟オペラとでも呼ぶべき、絢爛たるイメージの奔流。メリッサ・スコットならではのジェンダーや文化の描き方。独創的な世界観と物語展開は、ＳＦファンはもちろん、異色作を求めている、華やかな冒険を読んでみたい、といった読者にもおすすめ。

（池澤春菜）

1992年6月

宇宙船ガリレオ号

Rocket Ship Galileo, 1947

R・A・ハインライン

山田順子訳　解説：堀晃

写真：中西隆良　模型：DYE　AD：吉永和哉
装幀：岩郷重力＋Wonder Workz。

　原著はハインライン初の単行本として一九四七年に刊行された。ニューヨークの出版社スクリブナーズは五八年まで毎年一冊ハインラインのジュブナイルを刊行し続けたが、その最初の一冊が本書である。五十六年に少年少女向けの同題の抄訳が刊行されていたが、完訳版は本文庫が初めてとなった。

　ロス、アート、モーリーの高校生三人組はガリレオ・クラブという集まりを作り、ロケット実験を行っていた。そこへアートの叔父であり高名な原子力研究者であるカーグレーブスがやって来て、彼らを月旅行へと誘う。カーグレーブスは本物のロケットを持っており、信頼できる仲間を探していたのだ。家族を説得し、燃料を手に入れ、講習を行った後、四人はすぐさま月へと出発する。ところが、着陸してみると月には既に何者かが到達していた。彼らの正体は？　第二次大戦終結のわずか二年後に書かれた本書には、原子力のもたらす危険がはっきりと描かれている。だが、それにもまして科学技術への信頼が色濃く打ち出され、さらにはアメリカ的な自由の概念と個人主義とが組み合わさって、ハインライン流ジュブナイルSFの典型がここに誕生した。五〇年に「月世界征服」として映画化されている。　　（渡辺英樹）

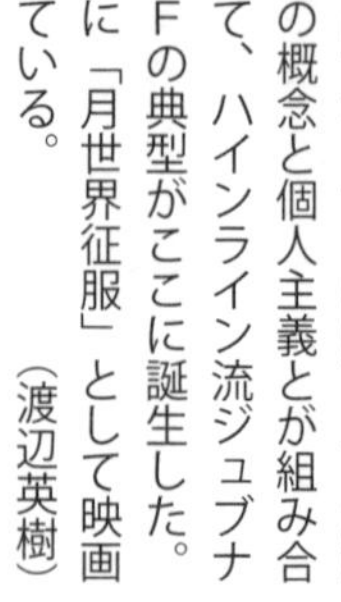

1992年10月

いたずらの問題

The Man Who Japed, 1956

フィリップ・K・ディック

大森望訳　解説：訳者、宮部みゆき

カバー：松林富久治

　二一一四年、ストレイター大佐による道徳再生運動の結果、アメリカは小型ロボットによって常に監視されている管理社会となっていた。調査代理店の青年社長アレン・パーセルは、突然の衝動にかられて大佐の銅像にいたずらをする。銅像の頭を切り取り、右手に乗せて蹴ろうとしている姿にしてしまったのだ。黒髪の少女グレッチェンとの出会いを機に管理社会から落伍していくアレンは、精神病医の治療を受け、外世界のリゾートに連れ去られた後、地球に帰還する。地位を失いかけたアレンが最後に仕掛けたいたずらとは……。

　ハサミムシそっくりの小型ロボットが監視する社会は、比較的緩やかなものに描かれており、それほど恐ろしい存在ではない。しかし、これは後の作品に繰り返し登場することとなる冷酷な全体主義社会の萌芽と言えるだろう。本書の主題を一言で言えば「全体主義にはユーモアで対抗しよう」となるだろうか。ユーモアの扱いにまだ固さが見られるのが残念だが、管理社会を戯画化した作品としてよくまとまっている。死の土地と化した北海道で、古物商が主人公にジョイスの『ユリシーズ』を勧める場面がディックらしくて印象的。過去の残滓にこそ真実はあるのだ。　　（渡辺英樹）

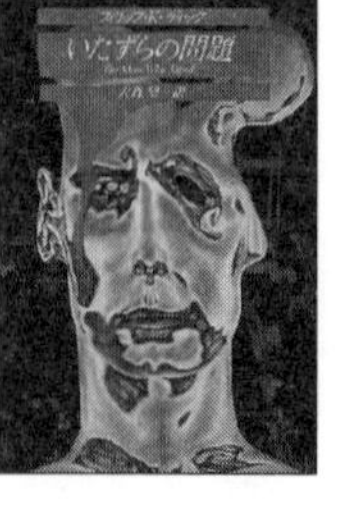

《ワイルド・カード》シリーズ

1992年9月〜
Wild Cards, 1987-

ジョージ・R・R・マーティンほか
黒丸尚、ほか訳　解説：堺三保
装画：末弥純
装幀：Wonder Workz。

第二次大戦の終戦間もなく、異星人によってマンハッタン上空に散布された「ワイルド・カード・ウイルス」。感染者の九〇パーセントが死亡、生存してもその九〇パーセントは醜く変異するという、きわめて致死性の高いウイルスであったが、生存者のうち残り一〇パーセントには、さまざまな特殊能力が発現した。ウイルスによって生まれた特殊能力者たちは〈エース〉、醜くなった生存者は〈ジョーカー〉と呼ばれるようになった。不可逆的に変化した世界を舞台に、〈エース〉や〈ジョーカー〉たちの人生が交錯し、激しい戦いが巻き起こる。

この基本設定を軸に書かれたのが《ワイルド・カード》シリーズだ。改変歴史ものであり、同一世界観でさまざまな作家が執筆に参加するシェアード・ワールドものでもある（この作品では「モザイク・ノベル」と呼んでいる）。

実はこの小説は、TRPGが元になっている。マーティンがゲームマスターとなって、友人のSF作家たちを集めて遊んだ、ケイオシアム社のスーパーヒーローものRPG『スーパーワールド』（一九八三）の、二年に及ぶキャンペーンから生まれたのだ。つまり、マーティンをはじめとする執筆陣、そしてアメリカの読者が想像する作中の光景は、彼らが慣れ親しんだ「アメコミ」そのものだったはずだ。

ところが日本の読者の大半にとっては、おそらく事情が違った。洒落（しゃれ）たデザインのカバーに、末弥（すえみ）純の美麗な挿絵、加えて代表訳者の黒丸尚（くろまひさし）を筆頭とする洗練された訳文。この日本版は、「ものすごくかっこいいアメリカの伝奇バトル小説」に映った。他ならぬ私がそうだったのだが、個人的には、同じく末弥純が挿絵を描く菊地秀行《魔界都市ブルース》に触れた後だったので、同じ文脈で夢中になって読んでしまった。

冴（さ）えない中年男性だが装甲した自分の車の中では念動力を発動できる〈無敵の勇者タートル〉、肉が透けて骨と内臓が見えている美女〈クリサリス〉、ワニに変身する少年〈下水道ジャック〉、目を合わせた相手に死を送り込む〈逝去（ディマイズ）〉……。強力な〈エース〉から、たいしたことのない能力しか持たず差別される〈ジョーカー〉まで、多彩なキャラクターの物語が絡み合って一つの大きな絵を描き出す様子はまさにモザイクアートさながらで、彼らの話をもっと読みたいと思わずにはいられない。

残念ながら、代表訳者の黒丸尚が亡くなって翻訳は第三巻でストップしてしまった。原書のシリーズは継続して出続けていて、二〇二二年には第三十巻が発売されている。パンデミックが絵空事ではなくなり、DCやマーベルのアメコミ作品が日本でも定着した今こそ、復刊と続刊の機運ではないだろうか。その際にはぜひ、末弥純の挿絵をふんだんにお願いします。

（宮澤伊織）

1992年11月

Clans of the Alphane Moon, 1964

アルファ系衛星の氏族たち

フィリップ・K・ディック
友枝康子訳　**解説：バリー・マルツバーグ**

カバー：松林富久治

精神疾患の地球人を集めた衛星が、地球とアルファ星系の星間戦争の混乱で取り残された。だがそこでは躁病や偏執病などの症例ごとに、七つの氏族による独自のコロニーが形成された。事情を知らない地球からは自治領の領土としての統治を目論み、〈対敵諜報機関〉のシミュラクラ調査員を送り込むが……。

大枠はサスペンスフルな構成だが、主人公チャックは妻メアリーとの離婚問題に追い詰められ、登場するや飛び降り自殺を企てるし、シミュラクラの遠隔操作で妻殺害まで目論むなど、過激な夫婦喧嘩が物語を駆動させるアンバランスさはディックならでは。疾患の特性が同じ者同士だと特徴が衝突して上手くいかないような気もするが末裔たちはなんだかマイペースだし、チャックはシミュラクラの遠隔プログラムをしながらTVショーの台本を書いてたり。思考を読み取る理知的なガニメデの粘菌クラムや時間を五分間巻き戻せる超能力少女ジョウンなど多彩なキャラクターが登場し、各勢力入り乱れながら突き進む。

初刊のサンリオ版（一九八六）は池澤夏樹の十頁もの充実した解説が付されたが、本書はバリー・マルツバーグによる、章題がディック作品タイトルの二十二頁に及ぶ凝った構成の解説を収めている。（代島正樹）

1993年7月

The Unlimited Dream Company, 1979

夢幻会社

J・G・バラード
増田まもる訳　**解説：訳者**

カバー：松林富久治

テクノロジーの生み出す破滅と快楽の悪夢を描いた一九七〇年代バラード作品の掉尾を飾る長編小説。盗んだセスナで郊外の小さな町シェパトンに墜落し、住民に救出された「おれ」ことブレイク。夢と妄想がどんどん現実を侵食し、町はあっという間に鳥の大群とジャングルに覆われ、全裸となったブレイクは異教の神のように住民たちを淫蕩に変容させ、汎性欲的な楽園が現出する。熱に浮かされたような一人称のあちこちでブレイクの死が示され、この物語全体が死に瀕した彼の見た悪夢なのではないかという疑いが濃密に漂う。

理知よりも想像力を重んじる英国十八世紀の詩人ウィリアム・ブレイクの『ミルトン』詩篇との関連も指摘される作品で、あらゆる欲望が抑制を取り払われて世界を本来のありように還元するのもブレイク的。キリストを強く想起させる「おれ」の復活を目撃した女医、その母親、司祭、映画俳優、三人の障害児童たちが、彼の行程の前に導き誘惑する天使か悪魔のように何度も繰り返し現れる展開はどこか悪ふざけめいている。大惨事が人間を徹底して受動的なパッションに陥らせるバラード特有のモチーフが、変容と夢のマニエリスムと融合した特異な小説だ。（渡邊利道）

1993年8月

十五少年漂流記

Deux ans de vacances, 1888

ジュール・ヴェルヌ
荒川浩充訳　解説：訳者
装画：L・ベネット
装幀：小倉敏夫

『ロビンソン・クルーソー』は、単なる冒険小説というのみならず、重要な教育書でもある。ジャン＝ジャック・ルソーが『エミール』の中で行ったこうした再解釈は、その後のロビンソン物に大きな影響を与えることとなった。

本書『十五少年漂流記』（一八八八）もまた、その流れを汲んだロビンソン物の傑作である。本書の特徴は、難破した帆船に年齢も国籍もバラバラの十五人の少年たちを乗せることで、従来のロビンソン譚に寄宿学校の要素を取り入れたことだろう。少年たちは『神秘の島』（一八七五）の技師たちのように島に電線を張ったり、爆薬を製造したりはしない。彼らが作り上げるのは秩序ある集団生活――すなわち自分たちだけの寄宿学校である。自ら授業を行い、討論会を開き、リーダーを選出して規則を定め……。無人島を舞台に、少年たちが自らの学校を活き活きと作り上げていくその様は、ある種の「学園もの」のようでもあり、本書の大きな魅力の一つと言える。

また、本書はとりわけ日本での人気が高く、明治期以来多くの邦訳が出版されてきた他、「瞳のなかの少年 15少年漂流記」（一九八七）など、映像作品も多数存在する。まさしく不朽の名作である。（松樹凛）

1994年2月

イルカの島

Dolphin Island, 1963

アーサー・C・クラーク
小野田和子訳　解説：金子隆一
写真：ボルボックス　装幀：吉永和哉
レイアウト：斉藤恵＋Wonder Workz。

クラークが遺したジュヴナイルSF長編は二作しかない。それらは、彼が生涯魅せられた二つの世界――星々の世界と海の世界を舞台に、クラークならではのセンス・オブ・ワンダーへと誘う作品だった。だがしかし、本邦紹介は明暗に分かれた。

前者は、一九五〇年代の傑作ジュヴナイル叢書として名高い米国ウィンストン社のシリーズ（全二十六巻）の一巻だったことで、これを参考に企画された銀河書房石泉社の〈少年少女科学小説選集〉に『宇宙島へ行く』（中田耕治訳、五五年十二月）として原著刊行からわずか三年で翻訳され、のち、講談社〈世界名作全集〉の『宇宙島へいく少年』（福島正実訳、六〇年六月）、集英社〈ジュニア版・世界のSF〉の『宇宙の群島』（福島訳、六九年十二月）、そしてハヤカワ文庫SF『宇宙島へ行く少年』（山高昭訳、八六年九月）と、長く読み継がれてきた。

一方、後者は、伊藤典夫リライト翻訳で〈6年の科学〉六四年四月号から「イルカとジョニー」の題で一年連載されたものの、初の書籍化は角川文庫「SFジュブナイル」シリーズの『イルカの島』（高橋泰邦訳、七六年七月）で、二度目が本書。ともあれ、英国伝統の漂流物語から展開する近未来海洋冒険SFの佳作だ。（高橋良平）

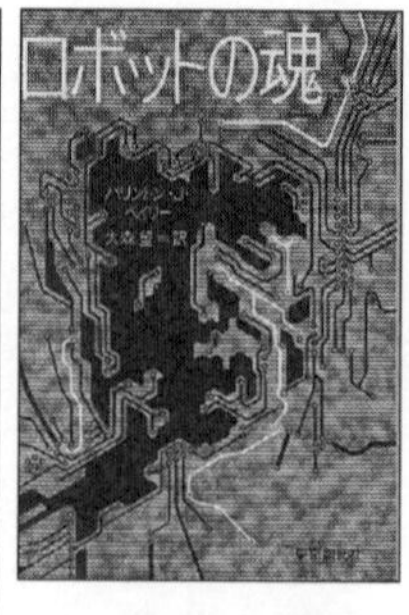

1993年9月〜
Soul of the Robot, 1974-

《ロボットの魂》二部作

バリントン・J・ベイリー
大森望訳　解説：黒崎政男、若島正
カバー：松林富久治

日本のSFファンにひょっとしたら本国以上に愛されてきたベイリー。その代表作として挙がるのは、衝突しようとする未来に進む時間と過去に進む時間の戦いを描く『時間衝突』のような作品だろう。常人には到達不能なロジックが世界をねじ伏せる壮大な時空活劇こそ、ワイドスクリーン・バロックの第一人者の真骨頂（しんこっちょう）だと。それに比べると本二部作はいささか地味だ。舞台は概ね（おおむ）地球（火星や木星も言及されるが、伝聞として登場するだけ）、時間的にもわずか数十年の出来事にすぎない。しかし、ケレン味あふれる世界の魅力と、真摯（しんし）なテーマの追究は、決して他に引けをとるものではない。

シリーズの舞台は、最終戦争を経て多くの技術が失われた未来。一作目『ロボットの魂』は、子供ができないことを寂しく思った老夫婦が自由意志を持つロボット、ジャスペロダスを作り上げるところから始まる。動き出すなり生みの親を捨てて外の世界に向かった彼の自信は早々に打ち砕かれる。ロボットは魂が無いため意識を持てず、それゆえ人間世界では何の権利もないとされていたのだ。一時はこれを受け入れた彼だったが、ある事件をきっかけに、自分の価値を自分で証明すると決意。権謀術数を駆使して権力の階段を昇っていきながら、改めて「ロボットにとって魂とは何か」に向き合うことになる。

二作目『光のロボット』は、前作から数年後。所有者を持たないロボットたちの街で古代遺跡の発掘をしていたジャスペロダスは、ロボットに意識をもたらそうとする集団の招きを受ける。強大な知性を持つガーガンの指揮のもと、さらってきた人間やロボットを犠牲にする彼らの実験をみたジャスペロダスは、このままでは人類が滅ぶとして、壮大な裏切りを決意する。

一作目のタイトル通り、シリーズを通してのテーマは「ロボットは意識＝魂を持てるか」。ロボットが感情や自由意志をみせたとしてもプログラムされた反応と区別できないという定番の議論は、ロボットの視点で語られる本シリーズでは無効（主観では、意識は確かに「ある」のだ）だが、「自分は意識を持っているという内省もまたプログラムにすぎない」という反論もまた覆（くつがえ）せない。ジャスペロダスは「自分には確かに意識がある」という実感と、「意識は実装できない」という理論の間で苦悩することになる。どんなに出世し、栄耀（えいよう）栄華を極めようとも「自分が存在しないかもしれない」と悩みつづける彼の姿は実にいたわしく、愛らしい。その悩みが、身も蓋（ふた）もない物質的な真実により、あっけなく解決してしまうのだからこそ特に。

HAL9000をはじめとする苦悩するAI・ロボットを愛してきた諸氏にはぜひ、ジャスペロダスや二作目の裏主人公ガーガンら、己の存在に迷いつづける本シリーズのロボットたちにも愛を送っていただきたい。

（林哲矢）

1994年3月〜
Black Current, 1984-

《黒き流れ》三部作

イアン・ワトスン
細美遙子訳　解説：**大森望、ほか**
装幀：吉永和哉＋Wonder Workz。、中西隆良

イアン・ワトスンはクリストファー・プリーストとともに、一九七〇年代イギリス若手SF作家の代表格と目されたが、作風やSF像は対照的だった。プリーストはSFもあくまでも小説であるという立場。対するワトスンは、小説的完成度を置き去りにしてでも破天荒なアイデアや観念的なテーマを追求する作風が評価される一方、難解な作家というイメージも持たれた。

そのワトスンがアメリカのSF雑誌〈F&SF〉八三年六月号に発表した短編「スロー・バード」は、奇想とドラマが魅力を増幅しあう傑作だった。その数カ月後に同誌で中編四連続掲載（長編の章単位）として発表された『川の書』は、さらに大きく従来の作風とは異なる（ように見える）ものだった。

全長七百リーグ（三千キロ強）の巨大な〈川〉で東西に分断された世界。〈川〉の対岸に渡ろうとした者は例外なく死にいたり、さらに男性は二度〈川〉に出ると死ぬ。それは〈川〉の全長にわたって中央に横たわる〝黒き流れ〟という謎の存在が原因と思われた。女性中心の社会が築かれた〈川〉の東岸に育った十七歳の少女ヤリーンは、社会の生命線である船の運航を司る川ギルドに加入した。あるとき半ば事故のようにして西岸にわたることになった彼女は、そこで過酷な体験をする。だがそれは、時空を超えた壮大な冒険の序章にすぎなかった……。

こうして《黒き流れ》三部作は、快活な少女ヤリーンを主人公に、ヤングアダルト異世界冒険ファンタジー風に開幕する。しかし、世界と〝黒き流れ〟の驚愕の正体が明かされる第一部『川の書』後半から、第二部『星の書』、第三部『存在の書』へと物語が進むにつれ、大胆なSF的背景設定が提示され、絶対者や超越といったテーマが作中でむき出しのかたちで扱われて、ワトスンSFの魅力に満ちた作品になっていく。最終的には小説的バランスが取れているとはいいがたい結果になるが、本三部作は作者の代表作のひとつと呼ばれるに値すると思う。

オールディス他『一兆年の宴』では、本三部作をフィリップ・ホセ・ファーマー《リバーワールド》への「形而上学的解答と見ることもできる」と評している。同時に、（とくに『川の書』は）七〇年代にSFのアイデアとスタイルの比重について論争したプリーストの『逆転世界』を意識しているようにも思える。奇想天外な世界像、ギルド社会での成長物語（『逆転世界』は男性中心社会での少年の、《黒き流れ》は女性中心社会での少女の）といった要素がそれだ。また『星の書』の中では『川の書』を、『存在の書』の中では『星の書』を主人公が執筆中という記述があり、だとしたら『存在の書』はいつ書かれたのかという疑問が生まれ、さらに『存在の書』のラストにはひねりがあって、その点も、同時期にメタフィクションへの傾斜を強めたプリーストへの目配せとも感じられる。（山岸真）

1994年9月

栄光の星のもとに

Between Planets, 1951

R・A・ハインライン

鎌田三平訳　解説：訳者

装幀：吉永和哉＋Wonder Workz。

地球の寄宿学校で暮らすドン・ハーベイに、至急火星に来るよう両親から連絡が届いた。地球連邦と金星植民地の間に高まる緊張で、戦争の噂が拡がっていたのだ。だが地球周回ステーションに向かうシャトル搭乗前から、なぜかドンは治安警察の監視下で執拗(しつよう)な追跡を受ける。両親の友人から送られた小包が奴らの標的らしいのだが……。そしてようやく到着したステーションでは金星共和国の革命軍が突如占拠、独立を宣言した！

地球人の父と金星植民二世の母から宇宙で生まれ育ち、特定の国籍を持たない特殊な生い立ちのドン。いやおうなく巻き込まれた革命の渦中、移送された金星から火星の両親に何としても小包を届けようとする原動力は、自らの信念で選択し成長するハインライン流キャラクターでも屈指の頑固オブ頑固さだ。

著者は『ラモックス』など知的種族創作の名手で本書でも巨大な金星ドラゴンが活躍するが、やたら人懐こくて迷惑なくらいくっついてくる小動物〝ムーブオーバー〟の可愛さは格別！

なお本作の邦訳紹介は早く、ウェルズの名作と紛らわしい訳題だが、児童書『宇宙戦争』が一九五七年刊行。塩谷(しおや)太郎の翻訳はかなり忠実で、本文庫収録以前から長く読み継がれてきた作品なのである。（代島正樹）

1995年2月

マルチプレックス・マン

The Multiplex Man, 1992

ジェイムズ・P・ホーガン

小隅黎訳　解説：福本直美

装画：加藤直之

装幀：矢島高光

ホーガンの異色作ナンバーワン。文明が月面や宇宙ドームなどの〈宇宙圏〉に拡大した近未来、地上の生活は二十世紀の水準のまま停滞しているかに見える。脳神経科クリニックで治療を受けていた平凡な中学教師ジャロウは、遠く離れた町で赤の他人として目覚める。故郷に戻った彼が知ったのは、自分がすでに病死し、友人らが葬儀にも参列していたという驚くべき事実だった。では自分はいったい誰なのか――わずかな痕跡や手がかりから空白の七ヵ月の謎を追ううち、浮上したのは米軍が極秘裏に進める驚くべきプロジェクトだった。

上巻のあり得ない設定と不安なトーンは、まるでブラッドベリかキングのダーク・ファンタジーを思わせるが、そこはさすが理知の人ホーガン、疑似科学的説明をこれでもかと詰め込んでくる。だが異色作と言う意味は下巻にある。主人公の〈変身先〉がジェームズ・ボンド風のタフなモテ男なのと（こんな変身ならちょっとしてみたいかも）、極秘計画を阻止しようと宇宙圏側の反対勢力も参戦し、冬の東欧を舞台に謀略と謀略が絡み合う三つ巴(どもえ)の冒険が展開するさまは、まさにホーガン流エスピオナージュ。それにしても主人公ジャロウの運命はあまりに切ない。（山之口洋）

1995年7月

世界の秘密の扉

Gypsies, 1989

ロバート・チャールズ・ウィルスン

公手成幸訳　解説：尾之上俊彦

カバー：松林富久治

カレン、ローラ、ティムの三人姉弟には並行世界へ通じる扉を作る能力があったが、両親はその力を怖れ、また謎の〈灰色の男〉が悪意を持って接触してくるようになると、長姉であるカレンもその力を避け「普通の生活」を求めて生きようとする。しかし、息子のマイケルにもその力が顕(あらわ)れ、〈灰色の男〉が付きまとうようになり、カレンは息子を連れて逃げ、妹や弟、両親を訪ねて自分たちの出生の秘密や特殊な能力について初めて向き合い真実を追究する。彼らの故郷は、この世界と若干異なる並行世界だった。ローマ・カトリックがヨーロッパを支配し、アメリカ大陸と対立している。並行世界を旅する能力は特別な目的で開発されたものだったのだ……三人は自分の故郷そして安住できるホームはどこなのかを探索する旅を続ける。

本書はウィルスンの初邦訳長編ＳＦである。謎めいた現象に戸惑う主人公らの感情が繊細に描かれているが、後の作品では宇宙的な規模で世界に異変が生じるようになってスケールの大きさに圧倒されるようになる。それでも、登場人物の喪失感や望郷の念は決して弱まることなく、むしろ強く描かれ続ける。ここ数年新作が出ていないが、実は未訳の傑作もまだ残っているのだ。　（中野善夫）

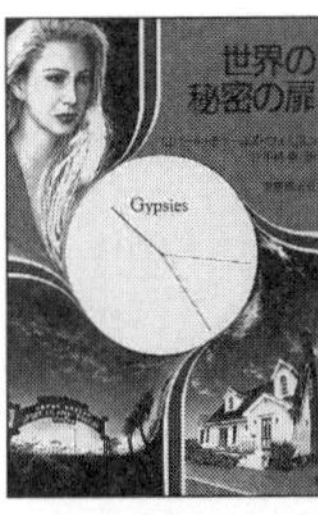

1995年12月

時間泥棒

Out of Time, 1993

ジェイムズ・P・ホーガン

小隅黎訳　解説：訳者

装画：加藤直之

装幀：矢島高光

ある日突然、ニューヨーク市じゅうの時間の進み方が狂い始める。いや、世界中で、全ての時計が遅れ始める。しかも、地域ごとに遅れ方が違う。何故そんなことが起こっているのか？もしや、何者かが「時間」を盗んでいるのか？　そんなことが可能なのか？　ニューヨーク市警の刑事コンビ、街の司祭、物理学者たち……。どういうわけか結成された風変わりな混成チームが導き出す奇想天外な結論と、それに基づいた事件の解決策とは？　ホーガン作品でも一、二を争う驚天動地の怪事件！

ホーガンの書くＳＦの魅力は、奇抜な設定を疑似科学的かつ一見論理的な説明で理詰めに推し進めていくところにある。それによって読者を納得させせつつ、あっと驚く結論を導き出す手腕こそが、最大の読ませどころなのだ。本書はそんな彼の作風が大いに発揮された、というよりも、発揮されすぎた怪作と言っていいだろう。題名通りの「時間泥棒」の原因を登場人物たちが考察するクライマックスの長い議論は、よくよく考えるとデタラメなのだが、その論理のアクロバットは、この手の疑似科学的な議論が好きなＳＦファンたちを魅了して止まない、まさにこれぞホーガンの真骨頂(しんこっちょう)といったところ。　（堺三保）

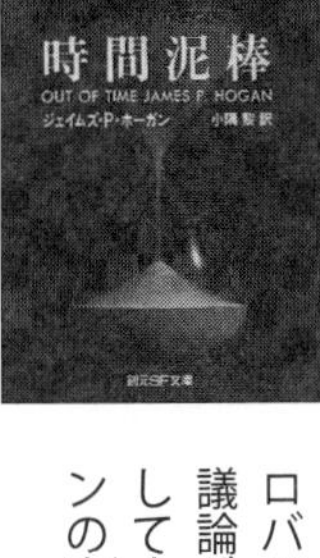

1995年11月〜
Zones of Thought,1992-

《遠き神々の炎》三部作

ヴァーナー・ヴィンジ
中原尚哉訳　解説：山岸真、ほか
装画：ジョン・ハリス、鶴田謙二
装幀：吉永和哉＋Wonder Workz。、岩郷重力＋Wonder Workz。

　ヴァーナー・ヴィンジと言えば、一九七〇年代には〝ジョーン・D・ヴィンジの夫〟として知られていたが（七九年に離婚）、いまや〝シンギュラリティの概念を最初に提唱した人〟としていちばん有名かも知れない。九三年のエッセイ「〈特異点〉とは何か？」は、実に先見的な内容だった。その先見性は、もちろん小説にも発揮されている。早すぎたサイバーパンクとも言われる、ネット空間を題材にした八一年の中編「マイクロチップの魔術師」がその一例。ただし、SF作家としては極端な寡作で、七年に一度くらいしか長編が出ない。その数少ない長編の代表作が、九三年のヒューゴー賞長編部門を受賞した『遠き神々の炎』に始まる《思考圏》三部作。

　舞台となる超未来の銀河は、無数の異星人種族がひしめくインターネット的な情報ネットワークを形成する（ニュースグループまである）。ただし、エリアによって通信速度（情報伝達速度／思考速度）が異なり、銀河系は四つのゾーン（思考圏）に分かれる。銀河中心付近の「無思考深部」は知性が存在できない思考停止領域。ひとつ外が、太陽系を含む「低速圏」。その外の「際涯圏」では光速の壁が突破できる。さらにその外は神のごとき演算能力を持つ「神仙」が棲む「超越界」……。要は銀河中心から外に行くほど通信速度が上がって頭がよくなるというトンデモ設定だが、これが実にうまく機能している。

　加えて、主役級で登場するイヌ型エイリアン「鉄爪族」がすばらしい。単独ではただの動物だが、四匹から八匹ぐらいで群れをつくると、その群れが知性を持つ。『遠き神々の炎』では、彼らの棲む世界を舞台に、邪悪な超越知性vs人類vs異星人同盟の三つどもえの戦いが勃発する。

　七年後に出た『最果ての銀河船団』は、二〇〇〇年のヒューゴー賞、ジョン・W・キャンベル記念賞、プロメテウス賞受賞作。こちらは、前作より古い時代の話で、「低速圏」の人類が遭遇した三番めの知的エイリアン「蜘蛛族」が軸になる。二種類の人類文明の船団（交易船団と、新興文明の船団）がたまたま同時に彼らの星系に到着し、軌道上でにらみ合う。一方、地上では、蜘蛛族の天才科学者が、冬眠せずに暗期を乗り切る技術革新を実現しようとしていた……。主役も悪役もバリバリにキャラが立ち、長丁場にもかかわらずぐいぐい読ませる。

　その十二年後に出た『星の涯の空』は第一作の直接の続編で、鉄爪族世界の十年後が描かれる。主役は、人類側の共同女王ラヴナ。来るべき疫病体（邪悪知性）襲来に備えようとする彼女に、危機感のない若い世代が反発。ラヴナは鉄爪族の一部と連携して巻き返しを図る。鉄爪族の集合知性の詳細や、合唱集団を形成する熱帯種の生態が読みどころ。商売上手な八個体群〝大富豪〟など、鉄爪族の新キャラも魅力的だ。（大森望）

1996年4月

The Memory of Whiteness, 1985

永遠なる天空の調

キム・スタンリー・ロビンスン
内田昌之訳　解説：山岸真
装画：田中光　装幀：岩郷重力+Wonder Workz。

天球の音楽——数学を介し、音楽と宇宙を類比的に捉えるモデルのこと。だが著者の実質的な第一長編である本書では、宇宙の解釈に飽き足らず、音楽による宇宙の再創造までもが試みられている。大編成のオーケストラとシンセサイザーを融合させたがごとき音楽機械の継承者の、太陽系全土にわたるグランド・ツアーで……。冥王星に始まる星々のバラエティに富んだ社会状況、随伴する音楽記者や謎の宗教団体の視点も絡めた構成等見どころは多いが、特筆すべきは多彩な音楽描写だ。ブルックナーの交響曲やプログレッシヴ・ロックバンドのイエスのアルバムを彷彿させる重層性はそのままに、グリーンスリーヴスの懐かしい旋律へと再帰する。根幹には、P・B・シェリーの長編詩『アラスター』（一八一六）の宇宙論的な発想がある（一九八七年のインタビュー）。著者は批評家F・ジェイムスンの指導下、ディック研究で博士号を取得した。本書の未来史は、《火星三部作》や『2312』、短編「三十三枚目のルーアン大聖堂事件」（〈SFマガジン〉一九九六年四月号）にも通じる。非音楽SFでもイーガン『宇宙消失』（九二）からRPG『エクリプス・フェイズ』まで、〝響き合う〟作品は多い。（岡和田晃）

1996年5月

Inverted World, 1974

逆転世界

クリストファー・プリースト
安田均訳　解説：訳者
装画：加藤直之
装幀：矢島高光

主人公ヘルワード・マンの住む〝都市〟は全長千五百フィートの巨大建造物で、進行方向にレールを敷設しつつ移動を続けている。内部では都市の移動を最優先課題とする中世的ギルド体制が敷かれていた。こうした設定（世代宇宙船ものへのオマージュ）だけでも異様だが、舞台となるのはSF史上屈指の奇想天外な形状の世界（G・イーガンの未訳長編の舞台が形だけは類似している）。それはこの世界の太陽の形が示唆するように、双曲面世界というべきもの——といっても想像困難だろうが、物語中盤で主人公が都市の南方への旅で遭遇するのはさらに想像力の限界に挑むような現象で、その描写はまさに圧巻。こうしたSFの極みのような光景が、青年の成長物語として重厚な筆致で描かれていく。ラスト十ページで世界の秘密が開示されるが、それは当時の宇宙SFで注目されるようになった宇宙論的題材と通ずるものともいえる。また結末には、文学界でも高く評価された『魔法』『双生児』などのちの長編と共通のテーマが見てとれる。英国SF協会賞受賞・ヒューゴー賞候補のこの第三長編で、作者は一九七〇年代イギリス若手SF作家の代表格と目されるようになった。なお本書はサンリオSF文庫からの再刊。（山岸真）

1996年6月
The Mirror Maze, 1989

ミラー・メイズ

ジェイムズ・P・ホーガン
小隅黎訳　解説：訳者
装画：加藤直之
装幀：矢島高光

原書が一九八九年刊なのもあって、東西冷戦の緊張感が色濃く反映された至近未来ポリティカル・サスペンス長編だ。時は二〇〇〇年、アメリカ合衆国の大統領選を制したのは、二大政党ではなく、政府による干渉をとりやめ真の自由経済を謳うリバタリアンらの護憲党だった。一方、当然そうした思想がアメリカで支配的になるのを嫌う勢力も存在し、内戦ともいえる争いがソ連など諸勢力まで含めて展開していく。

ホーガンはリバタリアニズムを絡めた作品を幾度か書いているが、本書はその筆頭といえる。まるでリバタリアニズムの入門書のように、否定派と肯定派の議論・対話を通してその主義主張が解説されていくからだ。たとえば、市民が稼いだものを政府が取り上げるのは泥棒であり、経済が破綻するのは資本主義の問題ではなく、すべて政府の介入のせいであるとか、保護が必要な人達をどうすべきなのかなど。

本書のリバタリアニズムに関する議論は古典的だが、現代のアメリカでは二大政党に次ぐ規模（弱小ではあるが）のリバタリアン党が存在し、着実に得票率を伸ばしている現実もある。ここで描かれている争いが、アメリカで起こらないとも限らない。（冬木糸一）

1996年6月
Demon-4, 1984

海魔の深淵

デイヴィッド・メイス
伊達奎訳　解説：橋本純
装画：久保周史
装幀：矢島高光

六十五日間続いた核戦争が終わった後も、海底に放置されていた自動戦闘要塞群。そのうちの一つが、機能解除作業中の事故により起動してしまった。このままでは、南極海一帯に全面核攻撃が開始されてしまう。事態への対処を任された指揮官バーバラは、最新自由意志型ロボット戦闘体・深海潜航多機能型巡航艇〈デーモン－4〉を作戦海域に投入。しかし、防御を固めた要塞に近づくのは容易ではなく……。

一見すると海洋生物パニックものめいた邦題だが、実はハードな深海ミリタリーSFだ。〈デーモン－4〉は、瀕死の人間から脳の一部を取り出してシステムの中枢に据えた、言わばサイボーグ潜水艦。心理的要素を最小限まで削られ口数は少なく、時に乗組員の意志に反する無慈悲な決定も厭（いと）わない。この硬派な潜水艦と使命を忠実に実行しようとする戦闘要塞による極限の戦いは、緊張感たっぷりだ。冷戦を背景にした設定も、古さというより、あらためて戦争の恐ろしさや戦後処理の厄介さを感じさせるものになっている。タイトルから想像されるような海の怪物も出ないわけではなく、ある深海生物が（人間に利用される形でだが）終盤で重要な役割を果たすのも読みどころのひとつだろう。（香月祥宏）

1996年9月

The Island of Doctor Moreau, 1896

モロー博士の島

H・G・ウェルズ
中村融訳　解説：訳者
カバー写真提供：ギャガ・ピクチャーズ・カンパニー

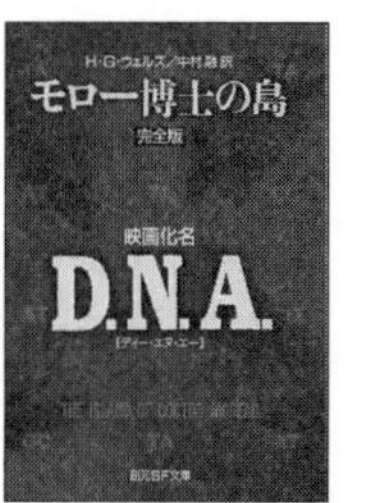

一八九五年の『タイム・マシン』と、九七年の『透明人間』にはさまれて、九六年に書かれたウェルズの傑作長編。生物学や進化論といったモチーフは三作共通だが、本書が最も色濃い。ウェルズ同様、ダーウィン主義者であるハクスリーに学んだ主人公が、遭難して島に流れつくのだが、そこは生理学者であるモロー博士が外科的手術によって動物を〈人間化〉する実験場だった――タイム・マシンは歴史を編集するために作られ、透明人間は透明化によって暴力革命を遂行することで社会を編集しようとしていた。モロー博士の〈編集〉対象は、動物ないし人間というよりは、知性あるいは世界の法則そのものであることが判明していく。孤島という閉鎖環境での生体実験や、倫理問題への言及など、『ジュラシック・パーク』に大きく先行するストーリーで、結末もモロー博士と島と主人公――三者三様に劇的で、当然のように二十世紀中に複数回映画化されている。巻末には充実の藤元直樹編「H・G・ウェルズSF作品邦訳書誌」を収録。遺伝子編集が現実化し、細胞を編集して構成する小器官（オルガノイド）を応用した人工知能の一種〈生体知能：OI〉が実現されつつある今、再び映画化、そして再読されるべき一冊。　（高島雄哉）

1996年11月

The Witches of Karres, 1966

惑星カレスの魔女

ジェイムズ・H・シュミッツ
鎌田三平訳　解説：米村秀雄
装画：宮崎駿
装幀：吉永和哉＋Wonder Workz。

宇宙貿易で一旗上げようとおんぼろ改造宇宙船で船出したパウサート船長は、最後の寄港地で、うっかり揉め事に首をつっこみ、奴隷にされていた幼い三姉妹を買い取るはめに陥ってしまう。ところがなんと三姉妹は、帝国が接触を禁じる禁断の惑星カレス出身の魔女だった。そして、親切心から三人を故郷に送り届けたばかりに、船長はお尋ね者に！　帝国に追われる身となった彼は、密航してきた次女のゴスと共に、這々の体で辺境宙域へと逃走するのだが……。頭はいいがいまいち冴えない男が、魔女っ子に振り回されながらも、銀河系の危機に立ち向かう冒険を描いたユーモラスで胸躍るスペースオペラ。〈アスタウンディング〉誌一九四九年十二月号に掲載された中編を、六六年に大幅に加筆して長編書籍化。SF的ガジェットを詰め込んだスピーディな展開が高く評価され、翌六七年のヒューゴー賞の候補となった。ロングセラーの愛され本であり、本国では二〇〇四年よりマーセデス・ラッキー、エリック・フリント、デイブ・フリーアにより続編シリーズ三冊も刊行された。自由闊達（かったつ）な魔女っ子のキャラはいま読んでも新鮮で愛らしく、邦訳版の宮崎駿（はやお）のジュヴナイルテイストな表紙が見事にマッチしている。　（三村美衣）

1997年1月

インフィニティ・リミテッド

The Infinity Gambit, 1991

ジェイムズ・P・ホーガン
内田昌之訳　解説：高橋良平

装画：加藤直之
装幀：矢島高光

ホーガンといえば科学を中心においたハードSFが代表的な作風としてあがるだろう。だが、彼にはスリラー作家としての顔も存在する。本書はまさにその代表例といえる、純然たるスパイ冒険スリラーだ。

物語の主人公バーナード・ファロンは元英空軍の特殊部隊員だが、現在はフリーの諜報屋をやっている人物だ。そんな彼のもとに、アフリカの小国ズケンダの政府から、国内の反政府テロリスト組織（ZRF）の要人暗殺の依頼が舞い込む。だが、同時に当のZRFからも、ズケンダ政府の仕事をあえて引き受けカウンタースパイになって欲しいと依頼され、さらにはそこに基本的な人間の権利や尊厳を侵害する行為と戦う独立組織〈インフィニティ・リミテッド〉までもが介入してきて――と、ファロンは複雑な立ち位置に追い込まれていく。

ホーガンお得意のリバタリアニズム的な個人主義を標榜する組織が中心的な役割を果たし、組織の目的をめぐって二転三転する展開。人類は、破滅的な結末を避けるために今後どこを目指すべきなのかという壮大なヴィジョンなど、ホーガンの持ち味はSF要素の存在しない本作でも遺憾(いかん)なく発揮されている。

（冬木糸一）

1997年6月

天使墜落

Fallen Angels, 1991

L・ニーヴン&J・パーネル&M・フリン
浅井修訳　解説：牧眞司

装画：加藤直之
装幀：矢島高光

近未来のアメリカでは急進的な環境保護活動が社会を席巻し、科学技術が白眼視されていた。ある日、氷河に覆われたノース・ダコタに、宇宙ステーションの空気採取船が墜落。二名の宇宙飛行士（暗号名は天使）は命に別状はなかったが、敵対するアメリカ政府に追われ、絶体絶命の逃避行がはじまる。しかし、地上にも彼らの味方はいた。弾圧されながらもアンダーグラウンドでファン活動をつづけていたSF愛好家たちである。

頑迷な世間に対して科学を理解する仲間が立ちむかう図式は「SFの気恥ずかしさ」（トマス・M・ディッシュ）全開であり、環境愛護やポリティカル・コレクトネスを当てこするあたりに保守思想（とくにパーネルの）が覗(のぞ)くが、軽快なストーリーテリングとハリウッド映画を思わせるユーモア（多くはフリンのお手柄だろう）が毒消しとなって、肩の凝らないエンターテインメントに仕上がっている。現実のSFファンダムをモデルにしたトリヴィアルなネタが多数ちりばめられているあたりは、ビッグネーム・ファンとして鳴らしたニーヴンの面目躍如だ。

リバタリアンSFを対象とするプロメテウス賞を受賞。日本では日本SF大会参加者投票による星雲賞を受賞。

（牧眞司）

1997年12月

グリンプス

Glimpses, 1993

ルイス・シャイナー

小川隆訳　解説：訳者

装画：Alton Kelly "Magical Mystery Tour Film Showing" 1969
装幀：宇治晶

一九八八年十一月、テキサス州オースティンでステレオ修理業を営むレイは、ビートルズの「レット・イット・ビー」を聞きながら、レコーディングの様子と別テイクを想像していた。するど、ステレオからその曲が聞こえてきたのである。録音することもできた。専門家のグレアムに聴かせたところ、本物に聴こえると言う。グレアムはレイの不思議な能力を使い、ドアーズやビーチ・ボーイズなど六〇年代ロック・バンドが完成させられなかった幻のアルバムを再現することを思いつく。

六〇年代ロックへの深い愛情と綿密な取材により、本書はオルタネート・ヒストリーものとして高い完成度を誇る。さらに、レイが抱える父親との確執、夫婦間の不和といった個人的な問題と、ミュージシャンが抱える家族の問題とが密接に結びつき、主人公の人間的な成長物語として読めることが本書の最大の特色だ。音楽が世界を変えるという六〇年代末に若者が掲げた理想と、天安門事件やベルリンの壁崩壊が続けて起きた八〇年代末の現実とが対比されているところも興味深い。今は亡き訳者の思い入れが深い作品であり、訳者による詳細な注釈と長文の解説が付されている。世界幻想文学大賞を受賞した。

（渡辺英樹）

1998年1月

ライズ民間警察機構

テレポートされざるもの・完全版

Lies, Inc., 1964, 1983, 1984

フィリップ・K・ディック

森下弓子訳　解説：牧眞司

カバー：松林富久治

埋もれた傑作から伝説の駄作まで、ディックの全SF長編を訳しつくす。サンリオSF文庫の遺志を継ぐ形で完走した創元SF文庫の奮闘は、讃えられていい。なかでも屈指のレア作品が本書だ。あなたがサンリオ版をすべて揃えていたとしても、これだけは手に入れないわけにはいかないだろう。テレポート技術の開発で左前になった惑星間輸送会社の若社長が、植民惑星の陰謀に挑む、という原形中編に、異世界・ドラッグ・タイムトラベルなどを盛大にぶち込んだ後半を書き足したのが、サンリオ版『テレポートされざる者』。

これに対して本書は、ディックの没後に発見された書き直し版で、サンリオ版よりカオス度が増しているのがすさまじい。物語の前後は複雑に入れ替えられ、結末もまったく違う。原書はどちらも没後出版なので、複数の欠落箇所が残されていた。本書では文体模写に優れた才人ジョン・スラデックが欠落を埋めているのも興味深い。だが注目すべきは、その後発見された欠落部分の訳文も収録していることだろう。これを読めばサンリオ版の印象すら一変してしまう。『ヴァリス』の冒頭に登場する「大ソビエト百科事典」には、そういう意味があったのか！

（高槻真樹）

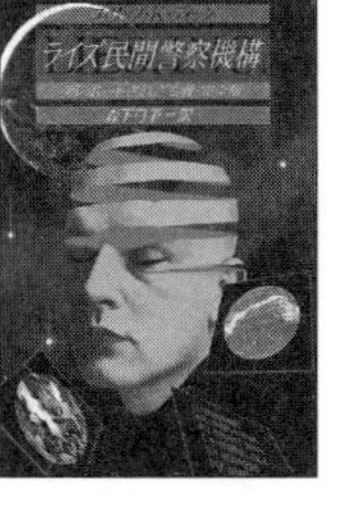

1998年3月
When Worlds Collide, 1932, 1933

地球最後の日

フィリップ・ワイリー&エドウィン・バーマー
佐藤龍雄訳　解説：金子隆一
装画：久保周史
装幀：矢島高光

〝サイエンス・フィクション〟という呼び名がやっと生まれ、スペースオペラの時代も開幕したばかりの一九三〇年代早々——フリッツ・ラングの映画「月世界の女」の中でこそロケットは軽やかに飛翔していましたが、現実にはロバート・ゴダードの苦闘が続いていた時代に書かれた壮大なスケールのディザスターSF、それがフィリップ・ワイリーとエドウィン・バーマーの合作になる『世界が衝突するとき』（原題）なのです。

ジョージ・パルの製作で映画化された際の邦題『地球最後の日』で知られるこの長編は、まるで『日本沈没』の遠い祖先と言わんばかりに、太陽系内に侵入し、地球に向かって突進する二つの放浪惑星がもたらす異変——世界大洪水と社会の崩壊、そしてついには地球の消滅までを徹底的にシミュレートしてゆきます。発表当時は不可能だったはずの地球脱出用ロケットとそのためのエンジンの開発が描かれる一方、物語の舞台となる世界にスターリンとムッソリーニ（ヒトラーは抬頭前夜でした）の独裁が落とした影を見逃していません。つまり本作は、SFが世界をまるごととらえることができ、空想も科学も現実も全てを描破できる文学であることを示した成果でもあったのでした。

（芦辺拓）

1998年6月
Nightfall, 1990

夜来たる［長編版］

I・アシモフ&R・シルヴァーバーグ
小野田和子訳　解説：水鏡子
装画：浅田隆
装幀：矢島高光

一九四一年発表のアシモフ最高傑作「夜来たる」——完璧な短編を九〇年に長編化したもの。自伝によると執筆はシルヴァーバーグが中心だったが、それを読んだアシモフはほとんど自分が書いたように感じたという。長編化は広義の翻案〈アダプテーション〉であり、翻案元である原型短編のあざやかさをそのままに、長編を読むよろこびを拡張する本書は、SF史上最重要の文学的行為の記録でもある。物語は短編と同じ、六つの太陽を持つ惑星に二千年ぶりに夜が来る、という極めて魅惑的な世界で展開する。〈連星〉や〈太陽系外惑星〉など、現代宇宙物理学のテーマを二十世紀に可視化していることは、いわゆるSFプロトタイプ的な事象かもしれない。だが本書の本領は、タイトルに明示されている〈夜〉に他ならない。百年以上の昼が続く惑星は二十一世紀になって実際に見つかっている。そこでは照明技術は発展しないだろうし、長い昼は天文学やそこから生まれるはずの科学や文化に対する限界となり、その星の住民は地球とは大きく異なる世界観を持つことになる——星の数ほどあるSFの機能の中でも、〈夜〉の発見は稀有であり、最良の長編化と合わせて、奇跡のような本書を読むことは最上の幸福である。

（高島雄哉）

1998年8月～
Mars Trilogy, 1992-

《火星三部作》

キム・スタンリー・ロビンスン
大島豊訳　**解説：金子隆一、ほか**
装画：加藤直之
装幀：岩郷重力＋Wonder Workz。

本文庫最長の三部作。火星開拓SFで、第一作『レッド・マーズ』の赤い惑星に、第二作『グリーン・マーズ』で緑が芽吹き、第三作『ブルー・マーズ』で青い海が広がる。SF史に残る複数の大災厄などで環境改造は幾度か停滞・後退するが、北半球の大半を海が占める第三作巻頭の火星地図は衝撃的だ。最終的には地球と火星を数日で往来可能な技術も開発されて太陽系の他天体への居住も進み、系外進出も着手される。

火星探査機によるデータに基づいて従来のSFの火星像を更新した作品は一九七〇年代から増えはじめ、九〇年代前半には何人もの作家が火星SFの長編を発表した。その中でも『レッド・マーズ』は、アーサー・C・クラークが「最高の火星植民小説」と激賞。三部作を通して詳細かつ詩情豊かに描写される火星の地質・地形・景観・自然現象、環境改造の理論や作業手順とその結果には、現実の旅行記や研究・事業記録と見紛うばかりの迫真性と独特な魅力がある（第三作で描かれる地球や他天体も同様）。作者は八〇年代に頭角をあらわしたとき、サイバーパンクとの対比で文学派とも呼ばれたが、初期から最新科学情報を駆使した宇宙SFも多い。自然描写にはアウトドア派である作者の体験も反映され、火星開拓は惑星規模の環境破壊にほかならないのでは（その極みは、火星からふたつの衛星が消えること）という問題意識も最後の場面まで貫かれている。

火星の自然環境とともに三部作が描くのが、二百年以上にわたる火星社会の変遷。地球の人口・経済問題（南極での異変による海面上昇でその逼迫度が増す。気候変動も作家歴初期からの作者の題材）を背景に、火星人たちは独立にむけて真摯な議論を重ねる。二〇二〇年代に火星開拓の第一陣となった〈最初の百人〉（その内面と人間関係が物語を大きく駆動する）のうち数人が、長命化技術の恩恵もあってカリスマ的指導者であり続けるのはやや疑問に感じるが、作者の一貫したテーマであるユートピアの探求をひとつのかたちに結実させた大変な力作であることは揺るがない。現実の二十一世紀では宇宙進出のシナリオとしても、それ以上に種々の社会情勢的にもすでに〝存在しない未来〟となったにせよ、逆に忘れられてはならない理念として、夢として、この三部作は読まれつづける価値がある。

第一作はネビュラ賞・英国SF協会賞・星雲賞受賞、第二作と第三作はともにヒューゴー賞・ローカス賞受賞、翻訳を含めてほかにも受賞・候補歴多数の一九九〇年代SFの代表作。二〇〇九年の原書再刊時にかなりの改稿がなされたが、翻訳は初刊時のもの。三部作の枝編とその他の火星SFからなる未訳の短編集もある。二十数年来、ジェームズ・キャメロンをはじめ何人もが三部作全部や第一作単独の映像化権を取得したが、脚本制作かそれ以前の段階から進んでいない。

（山岸真）

1998年10月

量子宇宙干渉機

Paths to Otherwhere, 1996

ジェイムズ・P・ホーガン

内田昌之訳　解説：菊池誠

装画：加藤直之
装幀：矢島高光

近未来、世界情勢は緊迫し、第三次世界大戦の危機が迫っていた。そんな中、並行宇宙間の粒子が生物進化に与える影響を研究していたグループが、すべての並行宇宙で生じる結果にアクセスできる量子干渉相関器QUICを完成させる。米政府は、国防問題の切り札としてこの装置に目をつけた。関連研究を軍事機密に指定し極秘プロジェクト化するため、科学者たちをロスアラモス国立研究所に集めるが……。

生物進化と多世界解釈を絡めてQUICの開発へつながってゆく冒頭の議論はスリリングで、作者の面目躍如。その後は、QUICの応用で並行世界の自分の意識を乗っ取ることができるという設定のもとで繰り広げられるサスペンスや、技術の軍事利用を目論む政府と科学者たちの駆け引きが中心になり、SF的にはやや失速する。ただしアイデアの部分では、今でこそ数多い量子コンピュータ（的なもの）を中心に据えた長編SFとして先駆的だ。量子計算理論の第一人者ドイチュが広く一般向けに著した『世界の究極理論は存在するか』（一九九七）にも一年先んじる。併読してみると、作者がドイチュの理論に論文の段階から注目し、意欲的に作品に取り込もうとしたことがよくわかる。（香月祥宏）

1999年7月

仮想空間計画

Realtime Interrupt, 1995

ジェイムズ・P・ホーガン

大島豊訳　解説：訳者

装画：加藤直之
装幀：矢島高光

科学者ジョー・コリガンは、自分が開発していたヴァーチャル・リアリティの中に閉じ込められてしまう。何故そんなことが起こったのか？　どうすれば現実と見分けのつかないシミュレーションの世界から脱出することが出来るのか？　コリガンの奮闘が始まる……。

日本ではハードSF作家として認識されることが多いホーガンだが、実際のところ、科学的な詰めの甘い作品が多い。そんな中で唯一現実のテクノロジーとSF的な疑似科学設定との乖離が小さいのが、コンピュータ・サイエンスを扱った作品だ。それは、彼が専業作家になる前、コンピュータのセールスマンをしていたため、専門知識を有していたからだろう。そんな作品の白眉が人工知能（AI）を扱った『未来の二つの顔』であり、もう一つの代表作が仮想現実（VR）を扱った本書ということになろう。いずれも、AIやVRを便利なガジェットとして扱うのではなく、その技術的基盤について、きちんと考察しているところがミソとなっている。特に本書は、映画「マトリックス」のヒットによって仮想現実が一気にSF作品のサブジャンルとして一般化する四年も前に発表されており、まさに早すぎた佳作だと言えよう。（堺三保）

1999年8月〜

Tarzan, 1912-

《ターザン》シリーズ

E・R・バローズ

厚木淳訳　**解説：訳者**

装画：加藤直之
装幀：岩郷重力＋Wonder Workz。

十九世紀末、英国貴族グレイストーク卿夫妻は、幼子(おさなご)を連れて船で旅行中、アフリカ西海岸に取り残され、その後相次いで死んでしまう。たった一人残された赤ん坊は、子供をなくしたばかりの類人猿に拾われ、彼らの言葉で「白い肌」を意味する「ターザン」と名づけられ、類人猿の仲間として育てられる。やがて、すくすくと成長した彼は、ジャングルの王者として、驚異に満ちた冒険の日々へと乗り出していく……。

《ターザン》シリーズは、二十世紀前半のアメリカを代表する大衆娯楽小説の旗手バローズの代表作だ。日本では《火星シリーズ》や《金星シリーズ》、《ペルシダー》といったＳＦシリーズの方が人気で、特に《火星シリーズ》が群を抜いた評価を得ているが、本国アメリカにおいては、なんといってもバローズは《ターザン》の作者なのである。

そこには、映画化やテレビドラマ化、アニメ化といった他メディアへの波及の効果があったことも確かだが、それは同時に原作である小説版の特徴を大きく削いだ印象を広めることにもなった。映像化されたターザンのイメージは、近年の数作を除けばいずれも、無教養ではあるが明朗快活で率直な明るい野生児といったところだろう。だが、原作小説におけるターザンの人物像は、それとは正反対だ。それは《火星シリーズ》のジョン・カーターに代表されるバローズの冒険活劇の主人公の多くのような正統派ヒーロー像とも全く異なるものである。

人間と接することなく育ったターザンは、嘘をつき陰謀を巡らす人間たちを信用しない。そのせいで彼は内省的で寡黙(かもく)な人物となり、常に単独で行動する。そして、ジャングルのルールに従うため、自分に敵対する者の命を奪うことにためらいがない。一方で、いったん人間社会に戻って以降は、その高い知性で数カ国語を習得、学問にも通じ、必要とあればスーツを着こなして、英国紳士そのものと化す。彼が再びジャングルに戻って半裸になるのは、それが野生児の象徴であるだけでなく、虚飾に満ちた人類文明に対する拒絶の表れでもある。寡黙で虚飾を嫌い自らの正義を貫く冷酷非情な男。ターザンの本質には、ダシール・ハメットの小説の主人公にも似た、超ハードボイルドな心象があるのだ。

原作のもう一つの大きな特徴は、それが常に異境冒険活劇だということである。他のシリーズが巻数を重ねるうちに主人公を変えていくのは、そうすることで同工異曲となるのを防ごうとしていたのだろうが、本シリーズだけは、主人公を変えずに冒険の舞台を次々に変えていくことで、シリーズの命脈を保った。

こうした特徴と工夫こそが、本シリーズを全二十五作という長大なものと為し得たのだ。

（堺三保）

1999年8月

宇宙消失

Quarantine, 1992

グレッグ・イーガン
山岸真訳　**解説：前野昌弘**
装画装幀：岩郷重力＋Wonder Workz。

二〇三四年のある日、地球の夜空から星が消えた。何も通さない暗黒の物体〈バブル〉が一瞬にして太陽系を包み込んだのだ。三十三年後、元警察官の探偵ニックは病院から失踪した女の捜索を依頼される。重度の脳障害で意思を示すことすらできない彼女は一切の痕跡を残さず消えた。捜索を通じ、ニックは〈バブル〉の真実を知ることになる……。

一九八〇年代後半から現代SFの最前線を走るグレッグ・イーガンのSF第一長編。ナノスケールでは成立する量子論のふるまいをマクロスケールで表現し、世界を異化する趣向はコニー・ウィリス「混沌ホテル」などSFでは馴染みのもの。しかし、量子論に基づくアイデンティティの揺らぎや倫理的な課題を半ば偏執的に突き詰め、われわれの世界観を揺さぶる点で著者ならではのこだわりを提示した。中盤以降の語りは小説的な仕掛けを含めそれほど成功しているとは言えず、問題意識の共有の点でも読者を選ぶことは否めないが、他に類を見ない読書体験を間違いなく味わえる。

オーストラリアSF大会の参加者投票によるディトマー賞長篇部門を受賞。本邦でも「SFが読みたい」ベストSF1999海外部門第一位を獲得した。（細井威男）

1999年12月

終わりなき平和

Forever Peace, 1997

ジョー・ホールドマン
中原尚哉訳　**解説：冬樹蛉**
装画：加藤直之
装幀：岩郷重力＋Wonder Workz。

中米の紛争で、連合軍は兵器ソルジャーボーイを投入していた。小隊メンバーが精神をつなげる遠隔操作システムである。主人公ジュリアンの小隊は比較的うまく機能していたが、あるとき誤って民間人の少年を殺し、彼は精神を失調してしまう。ドン底からどうにか回復するも、より深刻な危機が待ちうけていた。恋人の物理学者アメリアから、木星軌道上の巨大粒子加速機を用いた実験「ジュピター計画」が、宇宙の破滅を引きおこすと聞かされたのだ。アメリアの検証はあまりに高度で、関係者を説得することができない。同じ時期、ジュリアンはソルジャーボーイに潜む秘密を知り、それを利用してジュピター計画を中止させる〝作戦〟を思いつく。しかし、その実行は全人類の精神に不可逆な影響をおよぼすものだった。

本書では平和がけっして理想として扱われていない。〝作戦〟実行の段に、主人公はこう独白する。「戦争をなくしたら、人間は人間以外のなにかになってしまうのではないか」。ホールドマンは、ベトナム戦争で従軍した経験を反映した『終りなき戦い』（一九七四）によって、複数のSF賞を獲得。本書もまた、ヒューゴー賞、ネビュラ賞、キャンベル記念賞の三賞に輝いた。（牧眞司）

2000年1月

模造世界

Simulacron-3 (Counterfeit World), 1964

ダニエル・F・ガロイ

中村融訳　解説：尾之上浩司

写真提供：(株)ソニー・ピクチャーズ エンタテインメント

反応モニター法という法律によって世論調査員が優遇されている未来。電子仮想社会に仮想人間を住まわせ、仮定の状況下での反応調査を可能にする社会環境シミュレーターの開発計画が進められていた。そのマシンが起動すれば、調査員の多くは失業してしまうのだ。開発者の事故死により計画の担当技術者が監督に昇格した直後から、彼の周囲で異変が起こり始めて……。現実だと思っていた偽りの表層が剝がれ落ち、主人公がすべてを信じられなくなるパラノイア的展開はP・K・ディックを想起させる。だが、内的世界へと向かうディック作品と異なり、こちらは世界をとりまく外部の陰謀を暴く戦いがサスペンスフルに描かれる、アクションあり恋愛ありの正統派娯楽SFだ。また、転移ヘルメットを使ってヴァーチャル世界の住人と精神を結合させ没入するシーンは、元祖サイバーパンク（パンク抜き）という感じでグッとくる。この埋もれていた秀作は映画公開（二〇〇〇年）のタイミングで翻訳された。映画化名は「13F」、製作ローランド・エメリッヒ、監督ジョゼフ・ラズナック。仮想空間をノスタルジックな雰囲気漂う一九三七年のロスにしたセンスが素晴らしい。映画版は原作に忠実でエンタメ度も高い。（本気鈴）

2000年2月

時に架ける橋

A Bridge of Years, 1991

ロバート・チャールズ・ウィルスン

伊達奎訳　解説：中野善夫

装画：久保周史

装幀：岩郷重力＋Wonder Workz。

アメリカ北西部の森に佇む、寝室が三部屋に地下室のついた木造屋敷。妻と別れ、仕事を失って故郷に帰ってきたトムは、静かに暮らすため、何年も空き家になっていたその屋敷を手に入れた。ところが、出しっぱなしにしていた洗い物が、翌朝きれいに片付いていたことをきっかけに、屋敷の中で奇妙な事件が起き始める。原因が地下室にあると目星をつけたトムは、壁の奥に隠されたトンネルをくぐって、見覚えのない場所にたどりついた。そこは三十年前のニューヨークだったのだ。

『世界の秘密の扉』につづき紹介されたウィルスンの第五長編。前半、面倒見は良いが押しつけがましい家族、合法の範囲だが倫理的に納得しがたい仕事など、主人公の周囲の「我慢すべきだが納得しがたいもの」を丁寧に描写してから、ついに三十年前の世界に脱出するところまでは、「また逃避の話か」という感があったが、屋敷の本来の持ち主が復活するあたりから、急激にアクションSF味が増す。心理描写の丁寧さと、設定語りが多くテンポの遅い活劇展開がいささかアンバランスで、手放しで称賛できる作品とは言い難いが、おっかなびっくりでも未来に向かおうとする感触は、後の名作《時間封鎖》三部作に続いているようだ。（林哲矢）

2000年3月
Bug Park, 1997

ミクロ・パーク

ジェイムズ・P・ホーガン
内田昌之訳　解説：金子隆一
装画：加藤直之
装幀：矢島高光

　ニューロダイン社は、直接神経接続（DNC）で操作するマイクロロボットの開発に成功した。ケヴィンは同社研究員の息子で、親が与えてくれる旧式のロボットを改造・操縦し、友人のタキと一緒にミニチュアを設置した昆虫公園（バグ・パーク）で遊んでいる。テーマパーク経営を手掛けるタキの叔父は、この遊びがアトラクションとして商売になると考えた。しかしロボット業界老舗（しにせ）のライバル企業側も、黙って新市場の独占を許すはずもなく……。

　ナノテクがSFの題材として注目を集めていた一九九〇年代後半に、ひと回り大きいマイクロマシンを扱った一作だ。サイズが小さいと打撃系武器は効果が落ちるためロボットはドリルなど回転系武器を使う、神経接続の際にマクロ世界の動きをミクロ世界向けに〝翻訳〟するなど、ナノ世界よりも現実に近いぶんだけ技術的にリアルな描写が随所に入ってくる。折しも二〇一二年、幅〇・五ミリの遠隔操作可能なロボットに関する研究が専門誌に発表された。現実が本書の世界により近づき始めた今、読み返してみるのもおもしろいだろう。ストーリーは、企業間の争いに少年たちが巻き込まれ、大人の助けを借りつつ大活躍するという、作者には珍しいジュヴナイル・テイストになっている。　（香月祥宏）

2000年4月
The Positronic Man, 1992

アンドリューNDR114

バイセンテニアル・マン［長編版］
I・アシモフ&R・シルヴァーバーグ
中村融訳　解説：訳者
カバー写真提供：(株)ソニー・ピクチャーズ エンタテインメント

　一九七六年に発表され、ヒューゴー・ネビュラ両賞を受賞したアシモフの中編「バイセンテニアル・マン」（『聖者の行進』所収）をシルヴァーバーグが長編化したもの。同じ趣向の『夜来たる』は、シルヴァーバーグによる新エピソードが盛り込まれていたが、本書はほぼ忠実に原型の中編をなぞっている。

　マーティン家で働く家政ロボットNDR－114は、アンドリューと名づけられ、仕えているうちに芸術的な才能を持っていることがわかる。才能を生かして築いた富により、アンドリューは徐々に人間に近づいていく。まずは自由を手に入れ、服を着る。次にロボットの法的な権利を手に入れる。さらに金属の身体を有機的な身体に交換し、体内に人工腎臓などの代用器官を入れる。人間になるため最後に彼が下した決断は……。

　人間になりたいと願った一体のロボットの歴史を通じて、人間とロボットの違い、ひいては人間の本質が浮き彫りになっていく。アシモフの原型中編には一切の無駄がなく、シンプルな文体が逆に感動を生んでいるが、これに肉付けをし、詳細な描写を加えてリアリティを増したシルヴァーバーグの腕も見事。二〇〇〇年にロビン・ウィリアムズ主演で映画化された。　（渡辺英樹）

2000年4月

時の扉をあけて

Mr. Was, 1996

ピート・ハウトマン
白石朗訳　**解説：菅浩江**
装画：朝倉めぐみ
装幀：小倉敏夫

アルコール依存症の父を持つ少年ジャックの一家は、亡き祖父が遺した屋敷に移り住むことになった。しかし葬儀の夜も、父は母に暴言を吐き、喧嘩は終わらない。三階の寝室に逃げ込んだジャックは、不思議な扉の夢に導かれ、クロゼットの中に入ってゆく。するとそこで、ほのかに緑の光を放つ金属製の扉が見つかった。扉をあけた先には、確かに祖父の家と同じ屋敷があったが、様子はまるで違っており……。

扉の先は五十年前、一九四一年の世界だった。ジャックはそこで、家庭に恋に友情にと、新しい関係を築き始める。だが時は太平洋戦争前夜。激戦地ガダルカナル島へ送られたジャックを、過酷な運命が待ち受ける。普通の時間遡行型SFなら、主人公が悲惨な未来を変えるため奮闘する……という流れになるのだろうが、ジャックの場合は常に受け身だ（この点は、菅浩江による巻末解説「アダルト・チルドレンの立場から」が参考になる）。それでも、淡々とした筆致と緊密な構成が絶妙に絡み合い、最後にはめぐりめぐった因果の輪がきれいに閉じる。父による虐待描写は痛々しく、結末も希望に苦味が混じる独特の読み味だが、不思議な魅力を持つタイムトラベル・ファンタジイの佳品だ。（香月祥宏）

2000年7月

デモン・シード【完全版】

Demon Seed, 1973, 1997

ディーン・クーンツ
公手成幸訳　**解説：瀬名秀明**
装幀：岩郷重力＋Wonder Workz。

人間を超える知能を持ち、インターネットを介してあらゆる情報にアクセス可能な人工知能〈プロテウス〉。自らを男性と自認するかれは、パートナーとなりうる女性を求め、自分の開発者アレックスの元妻スーザンに行き当たる。かれはコンピューターが集中管理するスーザンの家へ電子的に侵入し、瞬時にシステムを掌握。スーザンの監禁に成功したかれの究極の目的は、彼女に自分の母体となってもらうことであった。

本作は一九七三年にクーンツが発表した『悪魔の種子』のセルフ・リメイクである。オリジナル版は映画化もされており、ジュリー・クリスティ主演作品としてカルト的な人気を誇っている。一方、本作はオリジナル版にあったセクシャルな要素が廃されたほか、テクノロジー情報などの現代的アップデート、そして全編を〈プロテウス〉の独白で進行させるという改訂がなされており、ほとんど別物といって差し支えない。

この〈プロテウス〉の独白というのがなかなか曲者で、SF版「ローズマリーの赤ちゃん」風の作品ながら、独善的で常軌を逸したキャラクターによる倒叙サスペンスという趣きもあろう。饒舌な語り口は読ませる力が実に高く、クーンツの魅力が伝わる作品だ。（片桐翔造）

2000年8月

影が行く

ホラーSF傑作選

日本オリジナル編集

中村融／編訳　解説：編者

造形：松野光洋

装幀：岩郷重力＋Wonder Workz。

恐怖は想像力の栄養源だ。暗闇、見知らぬ場所、カウチの下に、死者や怪物が潜む妄想をし、想像力はまた大きくなる。とりわけ人の抱く見知らぬ物事への不安は強く、未知を描くことに長(た)けるSFは、そうした不安を何度となく描いてきた。本書はそんなホラーSFを十三編集めた日本オリジナルのアンソロジーである。

一九三八年にジョン・W・キャンベル・ジュニアが発表した表題作は、南極の越冬隊と氷漬けから甦(よみがえ)った寄生型異星生物との死闘の物語だ。未開の地だった南極は、かつて幻想怪奇小説の先駆者ポオやラヴクラフトも題材にしたほど、人の恐怖心をかき立てるらしい。その効果は今も健在で、現在までに三度映画化され、特に『遊星からの物体X』（一九八二）が有名だ。

他の収録作も、たった二〇ページで絶望に突き落とすP・K・ディックの「探検隊帰る」や、アルフレッド・ベスターの暴力的でクレイジーな「ごきげん目盛り」など傑作揃いで、二〇〇〇年度のSF小説ランキング『SFが読みたい！』の海外篇第二位となった。編訳者の中村融(とおる)は本書で初めてアンソロジー編纂(へんさん)を手がけ、その後も一級品のアンソロジーを数多く刊行している。（深緑野分）

2002年3月

あなたをつくります

We Can Build You, 1972

フィリップ・K・ディック

佐藤龍雄訳　解説：牧眞司

装画：松野光洋＋岩郷重力

装幀：岩郷重力＋Wonder Workz。

ディックが主流文学作家となることを夢見ていた時期に書かれた異色作。SFと主流文学の融合がはかられているが、普通こんな混ぜ方はしないだろう、という珍妙な読み味がいかにもディックである。弱小電子オルガン業者のコンビが、起死回生を狙って、スタントンやリンカーンといった南北戦争期の模造人間(シミュラクラ)を開発する。そんなすごいものを作る技術があるのなら、別の形で生かせばよいのに、誰もツッこまない。そして、どうやって売り込むかで悩んだ末に、大富豪が仕掛けた乗っ取りの陰謀に巻き込まれてしまう。

田舎の町工場を舞台にした下町人情劇めいた幕開けだが、物語が進むにつれてディックらしいSF的小道具が少しずつ姿を見せ始め、陰鬱(いんうつ)なディストピアめいた近未来世界と、そこに生きる人間らしさを失った人々の苦悩が描かれていく。作り物であるはずのシミュラクラたちの方がはるかに人間らしく、主人公らを温かく励ますのが、なんとも皮肉である。

主人公は徐々に狂気に囚われていき、作品そのものを破壊した末に、世界も、物語も、主人公も終わる。そこに潜むメタSFめいた先進性にディックが気付くのは、もっとずっと後のことである。（高槻真樹）

2003年2月

モンスター・ドライヴイン

The Drive-In, 1988

ジョー・R・ランズデール

尾之上浩司訳　解説：訳者

装画：横山えいじ
装幀：横山えいじ

一九八〇年代のスプラッタパンクを代表する長編。「ナイト・オブ・ザ・リビング・デッド」や「悪魔のいけにえ」などホラー五本立て上映中のドライヴイン・シアターが彗星の襲来とともに周囲から隔絶されてしまう。キング『アンダー・ザ・ドーム』を思わせる設定のもと、観客たちが繰り広げる阿鼻叫喚が展開、果てはポップコーンを口から吐く〈ポップコーン・キング〉なる怪人が出現して、この閉鎖空間を支配下に置く。SF色は強くないが、衝撃のラストはある意味SF。

こんな荒唐無稽の極致のような話を、南部ゴシックやトウェインなどの血脈を継ぐ著者は高校生の一人称によって軽快に語り、アメリカ伝統のホラ話のように聞かせてしまう。感覚的にはサム・ライミの「死霊のはらわた」（これも上映中）シリーズにも近い。B級ホラーやSFに対するトリビアも満載で、スプラッタパンクの核にオタク精神があることを思い出せる。なお未訳の続編が二冊ある。

ランズデールはやがて犯罪小説に創作の主軸を移し、南部ゴシック系サスペンス『ボトムズ』でアメリカ探偵作家クラブ賞最優秀長編部門を受賞。短編の名手でもある。（霜月蒼）

2003年4月

凶獣リヴァイアサン　上下

Leviathan, 1995

ジェイムズ・バイロン・ハギンズ

中村融訳　解説：訳者

装画：久保周史
装幀：矢島高光

北極圏の孤島で、アメリカの軍産複合体の作った爬虫類型生物兵器〈リヴァイアサン〉がコントロールを外れて暴れる、モンスター・パニック小説である。この怪物は、火を噴き、重火器も効かず、毒ガスすらやり過ごせる。しかも凶暴かつ悪賢い。

主人公は、この計画の実態を知らないまま研究施設の整備に従事するエンジニアだ。この僻地に妻と幼い息子を帯同して来ており、後半では、怪物から妻子を守る必要性も生じる。彼の他には、リヴァイアサンのリスク評価を正しく行い、いざとなれば立派な態度を取る軍人や科学者などの善玉と、反対に、メンツや損得勘定から危険性を軽視する軍人や企業家など悪役が登場し、対立する。モンスター・パニックものの道具立ては一通り揃っているといえ、緊迫感の強い物語が楽しめる。

しかし本書最大の特徴は、この現代的でB級なストーリーに、西洋の〈竜殺し〉伝説のモチーフを重ねた点にある。島に隠棲する敬虔な大男トール・マグヌッソンが、北欧神話の雷神トールよろしく、巨大な斧（！）でリヴァイアサンと宿命の戦いを繰り広げるのだ。トールが登場するシーンは全てヒロイック・ファンタジーの色合いが濃く、本書に唯一無二の読み心地をもたらしている。（酒井貞道）

2003年5月

異星人情報局

Fastwalker, 1996

ジャック・ヴァレ

磯部剛喜訳　解説：訳者

装画：加藤直之
装幀：岩郷重力＋Wonder Workz。

フランスのＵＦＯ研究の第一人者が英語で発表したＳＦ謀略スリラー。ＵＦＯを異星人の乗り物ではなく、古今東西の超自然的な事象を「ＵＦＯ現象」として捉えて、独自の宇宙文明論を唱える著者の異色作だ。

　異星人情報局エイリンテルは、アメリカ政府が設立した、ＵＦＯ現象の機密を扱う組織。一部の大統領を除いて存在は極秘とされ、時には情報操作のためにアブダクションを偽装したり、贋の証拠を捏造することも辞さない。そんな策謀が蔓延る中、スクープを狙うＴＶジャーナリスト、エイリアンを信仰するカルト教団などが入り乱れる。

　フィクションとはいえ、ヴァレの筆致は犀利を極め、非常に生々しい。現実に起こったとされる事件の記録や報告書等が次次と登場し、さらに訳者による巻末の丁寧な注釈をチェックしながらストーリーを追うと、どこまでが事実で、なにが虚構かが分からなくなってくる。ＵＦＯ現象の謎が明かされた際は大衆の反応を管理するべきだ、というエイリンテルの目論見は特に目新しいものはないが、キワモノ扱いされがちな題材を、透徹した批評眼で迫り、現代国家の欺瞞を告発する著者の志は頼もしい。（小山正）

2004年2月

マインドスター・ライジング

Mindstar Rising, 1993

ピーター・Ｆ・ハミルトン

竹川典子訳　解説：堺三保

装画：鶴田謙二
装幀：東京創元社装幀室

温暖化が進み、戦争と政治的混迷によって疲弊した未来の英国。大企業イヴェント・ホライズンは、会社に損害を与えている何者かをあぶり出すため、特殊部隊〝マインドスター〟出身の探偵を呼び寄せた。彼の名はグレッグ・メンダル。人工腺を移植されており、相手の感情を読むことができる特殊能力者だ。経営者の孫娘で補助脳により高い分析力を持つ少女ジュリアを伴い、グレッグは軌道上工場へ調査に向かうが……。

　骨格はハイテク企業サスペンスでアクションも豊富だが、むしろ魅力的なのは背景となっている世界の詳細な描写だろう。海面上昇の影響を受けた英国は二百万人が移住を余儀なくされ、植生も大きく変化している。戦争によって軍事などの技術は発達しているが、戦後政権が社会主義に傾倒して経済的には凋落。そんな陰鬱な近未来社会を、多面的に細かく書き込んでゆく。ただそのぶん話運びのテンポや登場人物の掘り下げが割を食っているのは否めない。英国ニュー・スペースオペラを牽引した作家の初邦訳作として期待されたが、日本での評価はあまり高くなかった。本書の続編や遠未来を舞台にした大作*Night's Dawn*三部作なども発表し活躍しているが、残念ながら邦訳は出ていない。（香月祥宏）

2004年7月～
Cradle of Saturn, 1999-

揺籃の星

ジェイムズ・P・ホーガン
内田昌之訳　解説：金子隆一、ほか
装画：加藤直之
装幀：矢島高光

世界中の神話や伝説を元に、金星は木星から彗星として飛び出し、有史時代の地球に破滅をもたらした、とする、疑似科学のヴェリコフスキー理論にほぼ全面的に依拠した連作である。土星の衛星に移住して独自の公明正大な文化を発展させたグループ、クロニア人が地球にやって来て、前記の論理を地球で発表し、大騒動に発展する。しかしその理論が現実のものとなる天体が出現して地球文明は崩壊の瀬戸際に立たされる。これが『揺籃の星』で、カタストロフもの、アポカリプスものとしても読める下巻が白眉。続く『黎明の星』では、クロニアに脱出した少数の旧地球市民が、クロニア人と協力して地球を再訪し生き残りを探す。と同時に、クロニアの理想主義と平等性を不服として、社会を覆し、旧来の地球型権力を確立しようと暗躍する旧地球人グループの陰謀も描かれる。

二作品における太陽系の設定は過酷だが、ホーガンらしく、物語は人類の精神と科学への賛歌になっていき、読後感は二作ともに良い。唯一の問題は、その賛歌がトンデモ理論に基づく点で、気になる人は気になるはず。三部作になるはずだったのに三作目が書かれずじまいなのも残念です。割り切って読むのが吉か。（酒井貞道）

2004年10月
Distress, 1995

万物理論

グレッグ・イーガン
山岸真訳　解説：訳者
装画：L.O.S.164
装幀：岩郷重力＋Wonder Workz。

イーガンの長編には遙かな遠未来を舞台にした超巨大スケールの作品と、現代に近い未来を舞台に科学や社会や人間の心の問題を極めてリアルに扱うタイプの作品がある。本書はもちろん後者であり、その中でもとりわけ意欲的な大作である。

一九九五年に発表された作品だが、舞台は二〇五五年。主人公は科学ジャーナリストで、今のユーチューバーのように番組を配信している。バイオ系の社会問題を扱った後、次に彼が注目したのは物理学の万物理論。南太平洋の人工島でその学会が開かれるが、そこには危険なカルト集団が出没し、反科学のプロパガンダを展開している。主人公には命の危険が迫る。そしてついに新たな万物理論が明らかにされるのだが……。

扱われている問題は科学と社会の関係だけでなくLGBTを含むジェンダーの問題から高度資本主義とテクノロジーの倫理まで、幅広く深く掘り下げられている。もちろん中心となるのは万物理論、それも情報理論と物理学が統合され、宇宙の物理的実在すべてと、数学、言語、人間の意識までもが含まれる理論なのだ。主人公が思う「十分に発達した科学も魔法ではなく科学である」という主張はまさにその通り。〇五年星雲賞長編部門受賞作。（大野万紀）

2004年8月〜
Captain Future, 1940-

《キャプテン・フューチャー》全十一冊

エドモンド・ハミルトン
野田昌宏訳　解説：訳者、ほか
装画：鶴田謙二
装幀：岩郷重力

「展開される豊かなイマジネーション、途方もない愉快なアイデアの数々は、それを身上とする〝スペース・オペラ〟の分野においてさえもずば抜けたスケールを誇っていて他の追従を許さない」「すんなりとSFをたのしむことを知っている人なら、〈キャプテン・フューチャー〉シリーズはおそらく文句なしにたのしんでいただけると思う」（野田昌宏『SF英雄群像』）

　天才科学者で冒険家の、赤髪の青年カーティス・ニュートン、肉体に煩わされず思索に耽る、生きている脳サイモン・ライト、緑の瞳のアンドロイド、俊敏で変幻自在な変装の名人オットー、疲れ知らずの鋼鉄ロボット、剛健無比で忠誠心の強いグラッグ、彼らキャプテン・フューチャーとフューチャーメンは出動を求める北極の信号が灯されるや、太陽系の人々を襲う不可思議な怪事件に、科学の力と勇気とチームワークで立ち向かうのだ！

　この基本設定で紡がれた長編二十作と戦後の短編七作からなる《キャプテン・フューチャー》シリーズ（以下《CF》）を、「スペースオペラを代表する傑作」と呼ぶことに異議を唱える方はいないだろう。でも〝スペースオペラ〟の魅力を語る際に《CF》を引き合いに出して「こんなに楽しくて痛快なのがスペオペなんだよ！」と典型例扱いするのは、ちょっと注意が必要だ。というのもアメリカSF幼年期に乱立したパルプマガジンを舞台に百花繚乱、実際には粗製濫造されたこのジャンルにおける《CF》の特殊性、それによって生み出された唯一無二の面白さが、典型例とすることをウソにしてしまうからだ。

《CF》が他のスペースオペラと異なる特長は、発表媒体と著者の二点に集約されるだろう。まず〈ドック・サヴェッジ〉誌や〈ファントム・ディテクティヴ〉誌などの先行モデルを持つ、特定ヒーローの専門誌〝ヒーローパルプ〟のSF版として企画された唯一の雑誌であったこと。第一回世界SF大会の席上で創刊予告された伝説的逸話も含め、〈キャプテン・フューチャー〉誌が後発の利点も活かせる一九四〇年創刊という史実は、直後の戦争や出版環境の変化を見ても絶妙なタイミングだった。

　ふたつ目は著者がハミルトンであり、設定から関与したこと。SF揺籃期の二〇年代後半から《星間パトロール》シリーズなどを発表し、奔放なアイデアとズバ抜けた筆力を誇る第一人者なのは大前提として、通常ならハウスネーム（共同筆名）を使い定型フォーマットを複数人で量産するヒーローパルプ業界にあって、〈キャプテン・フューチャー〉誌はハミルトンの単独名義で創刊された。この差は意外に大きく、エピソードを重ねても作中時間が変わらないお約束を脱し、シリーズの展開が一貫することで読者が感情移入して共に歩める世界へ変質した。（後に共同筆名ブレット・スターリング導入。十四・十七巻をジョゼフ・サマクスン、二十巻をM・W・ウェルマンが執筆）

本国アメリカでは映画《スター・ウォーズ》以降はともかく蔑称として生まれた〝スペースオペラ〟が、日本におけるイメージたるや「スペースオペラは面白い！」と定着したのは、ひとえに訳者の先駆的な研究紹介をまとめた歴史的名著『ＳＦ英雄群像』のおかげである。その最終章のトリを飾ったのはもちろん《ＣＦ》なのだが、〈ＳＦマガジン〉六三年九月号の連載開始時から読者の反響すさまじく、出版界への影響力も絶大であった。というかもっとも〝拝借した〟のが東京創元社で、Ｅ・Ｒ・バローズ《火星シリーズ》第一巻『火星のプリンセス』を武部本一郎の流麗な表紙・口絵・挿絵で六五年九月二七日から販売を開始。爆発的なヒットを呼ぶやＳＦ読者層の急拡大に貢献した。その後もＥ・Ｅ・スミス《レンズマン》（六六年四月〜）、同《スカイラーク》（六七年三月〜）、バローズ《金星シリーズ》（六七年六月〜）（以上実際の発売月）を「4大スペース・オペラの名作」と謳って畳みかけた。早川書房もすぐさま六六年《スカイラーク》とバローズ《ペルシダー》、六七年《レンズマン》で応戦したが、一番最初に投入した対抗作品は《ＣＦ》第五巻『太陽系七つの秘宝』（六六）であった。

順番に訳されていないのは、どこまで出せるか分からない状況ゆえに面白さ優先で訳す方針を採用したためだが、ハヤカワ文庫創刊（七〇）という舞台も整い読者の好評を得て、全長編の邦訳と、短編全訳も〈ＳＦマガジン〉八三年七月増刊『キャプテン・フューチャー・ハンドブック』に掲載。七八〜七九年には原作一巻分を各四週に分けて、大晦日特番と合わせた十四巻分がＮＨＫでアニメ化もされた。実際これだけでも幸福なシリーズだが、世紀が変わって二〇〇四年、合本版《火星シリーズ》、小隅黎の新訳版《レンズマン》と再構築を進行中の本文庫にまさかの電撃移籍。望みうる最高の全集として復活した！

本全集の構成は、一巻に長編二冊分を収めて短編集成を加えた全十一巻と、別巻に野田昌宏のオリジナル長編『風前の灯！冥王星ドーム都市』を収録。その第一の特長は「時系列順の編纂」で、シリーズとしての流れが整理された配列であること。キャプテン・フューチャー誕生の経緯を詳しく描く第一巻『恐怖の宇宙帝王』から始まり、太陽系グランドツアーの趣きで各惑星を舞台に、探偵小説の犯人探しさながら悪党を追い詰めるシリーズ前半から、後半はデネブが人類を含む知的種族の始祖とする壮大な宇宙史を背景に、太陽系外まで時空を越えて活躍の場が拡大する。作中時間が唯一直結した第九巻『輝く星々のかなたへ！』と第十巻『月世界の無法者』も同一巻にまとまったほか、早川書房版が順不同かつ十七年を費やして訳出されたため発生していた、訳語の不統一も見直しが行われている。

特長その二は、断片的にしか紹介されていなかったコラム類の全編訳出。原書の〈キャプテン・フューチャー〉誌では登場する惑星の紹介コラムと、主要登場人物にスポットを当てたサイドストーリーが毎号誌面を彩り、作品の楽しさを増幅させていたが、本全集では作品世界コラムを毎巻二編ずつ、サイドストーリーは第十一巻に十七編を一挙収録して完全訳を達成した。

特長その三は、大充実の解説陣。多角的アプローチで繙く貴重な論考で、帯推薦文の豪華さも壮観だ。これほどの陣容を揃えた編集部のディレクションは見事のひと言である。第一巻の野田昌宏解説では、当時実は本文庫の厚木淳から《ＣＦ》全訳を真っ先に打診されていた秘話も登場！　それから約四十年後、ハミルトン生誕百年記念の年に実現した世界初の全集。本文中にも挿絵が入った水野良太郎版も恋しくなれど、新鮮なイメージに刷新した鶴田謙二イラストも素晴らしい。パルプから全集に姿を変え、極上の娯楽ＳＦは愛され続けるのだ。（代島正樹）

2004年12月

時間のかかる彫刻

Sturgeon Is Alive and Well…, 1971

シオドア・スタージョン
大村美根子訳　**解説：大森望**
装画装幀：森山由海

サンリオSF文庫『スタージョンは健在なり』（一九八三）を改題・再刊したもの。原著は、第二次大戦前から五〇年代後半まで精力的に活動していたスタージョンが、しばらく鳴りを潜めたのちに発表した待望の一冊だった。ヴォネガットの作品にたびたび登場するSF作家キルゴア・トラウトのモデルがスタージョンであることが示すように、彼は作家からも読者からも敬愛されていたのである。意外だが的を射た比喩、辛辣な批評とユーモア、真実から目をそらさない冷徹な視点……彼の作品は読む者を惹きつけてやまない。

本書は十二の中短編を収録している。表題作は盆栽作りと男女の結びつきを嵌め合わせた（どうすればそんなことが?!）奇跡的傑作。ヒューゴー、ネビュラ両賞に輝いた。冒頭の中編「ここに、そしてイーゼルに」は、書けない作家を描けない画家に置き換え、主人公がスランプを乗り切る様子を、ルネサンス期の叙事詩と融合させて描いた技巧的ドタバタ。「人の心が見抜けた女」は、SF的にいえばテレパシーものの一種だが、個人的には短編オールタイムベストの一品に選びたい名作。甘く、残酷なストーリーを、ここまでさりげなく描ける作家をほかに知らない。（森下一仁）

2005年1月

ドクター・ブラッドマネー

Dr. Bloodmoney, 1965

博士の血の贖い
フィリップ・K・ディック
佐藤龍雄訳　**解説：渡辺英樹**
装画：浅田隆
装幀：Wonder Workz。

核戦争後の世界を題材にした作品をいくつも書いているディックだが、普通小説タッチで核爆発と文明崩壊を直接描いた長編は、これだけだろう。お得意の現実崩壊描写や奇妙なガジェットは少なく、物足りなく思う読者もいるようだが、ストーリーが安定しているため読みやすい。

店の前を掃除する夜明けの場面から始まり、特定の主人公を置かず多数の登場人物のつぶやきを交錯させるスタイルは、むしろ『高い城の男』に近いものと言える。地球周回軌道に囚われた宇宙飛行士が流すラジオ放送に、生き延びた人々が夢中になるというのも、実にディックらしい。歪んだ世界に生きる、小さなコミュニティの人々の苦悩を克明に描き出していく筆致には、力強いものがある。

本書が知られてきたのは、敗戦時の玉音放送を下敷きにした部分を含む、サンリオ文庫版の非常に個性的な訳文によってのみと言ってよいが、ニュートラルな本書と比較することで、作品本来の魅力も見えてくることだろう。コミュニティ外に息づく、「人ならざるものたち」に希望が託されるラストシーンは、やや唐突だが、今回の再読で、不思議にくっきりとした感動を覚えた。（高槻真樹）

2005年3月～

《エドモンド・ハミルトン短編集》全二冊

日本オリジナル編集
エドモンド・ハミルトン
中村融／編訳　解説：編者
写真：L.O.S.164
装幀：岩郷重力＋T.K

ハミルトンは偏愛される作家である。短編のファンには特に。そして、どれだけ先駆的アイデアを創造した重要作家であるか、《キャプテン・フューチャー》の成功と裏腹に本国アメリカでいかに見過ごされているか、国内では情感や虚無感の滲む作風が歓迎されたが、それでも満足にはまだ程遠いこと……。こうしてハミルトン再評価を訴える文脈の歴史が繰り返されてきた。駆り立てさせてしまうのは偏愛ゆえなのだが、森優、鏡明、安田均などハミルトン短編を評価してきた系譜の先達に、〈SFマガジン〉初代編集長である福島正実の名も挙げておきたい。

福島はSFを〝二十一世紀の文学〟とする戦略からスペースオペラを冷遇した印象もあり意外かもしれないが、ハミルトンの短編は積極的に紹介し〈ハヤカワ・SF・シリーズ〉の『SFマガジン・ベスト』四冊中に三作を選出。テーマ別編集でSFの教科書とも呼ばれた通称〝福島アンソロジー〟でも、芳賀書店版全十巻、それを大幅に取捨選択した講談社文庫版八巻中でも三作を採用。セレクトに偏りはあるが〝SFの魅力〟を体現したクラシックと認めた表れであり、継続的に手に取れるよう果した功績は大きい。その魅力とは〝センス・オブ・ワンダー〟と表現され、SFの核心にもかかわらず何とも言語化し難い感覚である。その結晶のごとき代表作「フェッセンデンの宇宙」の純粋な力強さは、ジャンル草創期ゆえ発揮された美点だが、ハミルトン短編の魅力は多彩で決してそれだけではない。

しかし早川版『フェッセンデンの宇宙』が文庫化されることなく、青心社『星々の轟き』も少部数の単行本で共に絶版という状況を打破したのが、ハミルトン短編紹介の系譜において間違いなく最大の功績者の中村融が編訳した、〈奇想コレクション〉版『フェッセンデンの宇宙』（二〇〇四）である。著者の生誕百周年の節目に多彩な作風を幅広い執筆年代から網羅した同書の好評を受け、《キャプテン・フューチャー全集》に続いて本文庫に、しかも全二冊で登場したのが本書という次第。シリーズ外ではハミルトン初の文庫版個人短編集となっている。

SF傑作集の『反対進化』は、センス・オブ・ワンダー系の代表作として「フェッセンデンの宇宙」に次ぐ有名作を表題に十編（本邦初訳三編）を収録。気宇壮大な「呪われた銀河」や《キャプテン・フューチャー》と設定が共通する「失われた火星の秘宝」のほか、苦味に満ちた傑作「プロ」が巻末を締める。

A・メリットに私淑した著者の知られざる系統から精選した幻想怪奇傑作集『眠れる人の島』では、一六九頁もの秘境冒険譚「生命の湖」を柱に五編（本邦初訳二編）収録。いずれもすべて新訳という丁寧な編集が光る。河出文庫版『フェッセンデンの宇宙』（二〇一二、表題作の改稿版を含む三編を増補した全十二編収録）と三位一体の、偏愛傑作集なのだ。（代島正樹）

フラクタルの女神

2005年6月
The Nature of Smoke, 1996

アン・ハリス
河野佐知訳　解説：乙木一史
装画：D.K.
装幀：Wonder Workz°

近未来デトロイトの貧民街で育った少女マグノリアは、家族と訣別しニューヨークで娼婦になる。危険なスナッフ映像の撮影に巻き込まれるが逆襲して逃走、その生放送を見ていた人工知能研究者ラウール博士に目をつけられた。自律型人工生命体の原型として、彼女の強靭な精神を使おうというのだ。しかし、博士とは別の思惑が働き、彼女はシベリアの研究施設に送られてしまう。そこでフラクタルに世界の真理を見出す女性研究者シドと出会い、二人は惹かれ合ってゆくが……。

野性的な少女とマッド・サイエンティスト――強烈な個性を持つ女性同士の恋愛を中心に、くそったれなディストピアで、未来を切り拓こうとする人々を描いた物語だ。家族・パトロン・研究対象など、依存関係を蹴飛ばしながら進むマグノリアが荒々しくも凛々しい。フラクタルを扱ったSF的アイデアは生かしきれていないが、創造主ラウールに複雑な思いを抱く半人半獣の生命体タムカリ、単純な機能しか持たない有機生物機械ミズ・ウージク、自分のために売られた姉の行方を捜す保安主任ケリラなど、喪失や欠損を抱えつつ奮闘するキャラクターたちは魅力的。力強い〝百合SF〟として今読んでもおもしろい。　（香月祥宏）

地軸変更計画

2005年9月
Sans dessus dessous, 1889

ジュール・ヴェルヌ
榊原晃三訳　解説：牧眞司
装幀：Wonder Workz°

北緯八四度線より北の人跡未踏の北極地帯。北極点から六度分、フランスの二倍強もの円形の領域が、北極実用化協会なる謎の団体の仕掛けで競売にかけられた。だが潤沢な資金で各国代表を退けた協会が真の目的を明かす時、登場したのは『月世界へ行く』で勇名を馳せた「大砲クラブ」の面々であった！

現実の北極点到達は一九〇九年とされ、まだ北極が海か陸かも定かでない時代の作品。極地に眠る石炭資源という私利私欲のため、地球の地軸を二三度二八分移動しようと画策する大胆不敵さよ。他の惑星をテラフォーミングするにも地軸まではなかなか動かさないだろうに、大砲クラブときたら地球環境への甚大な影響など眼中になく、不可能を可能にすることこそが目標であり、そしてとにかくデカい大砲をブッ放したいのだ！

物語の顛末は、『月世界へ行く』でも月面着陸させず周回軌道にとどめたヴェルヌらしい科学的厳密さへのこだわりが感じられるものであり、ちょっと変わった恋模様も読みどころだ。

本書はヴェルヌ歿後百年を機に本文庫に収録された（親本は一九九六年ジャストシステム刊の単行本）。前作『月世界へ行く』も、原書の挿絵二十点を加えた新版として本書と同時刊行されている。　（代島正樹）

2005年9月

みんな行ってしまう

What You Make It, 1999

マイケル・マーシャル・スミス

嶋田洋一訳　解説：訳者

装画：笹井一個
装幀：中村マサナオ

SF／ホラー／ハードボイルドをミックスした独特の作風で知られる英国作家の邦訳では唯一となる短編集。本邦では『スペアーズ』、『ワン・オヴ・アス』といった長編が先に紹介されたが、そちらはSFハードボイルドで始まりつつも、物語が進むにつれ、異質な論理が支配する世界と主人公が対峙する奇想小説へと変貌するのが妙味だった。

十二編収録の本書においては、小品ながらスタージョンを思わせる余韻を残す表題作や、いかにも〈奇妙な味〉といった趣きの英国幻想文学大賞受賞作「猫を描いた男」のような端正な作品もあるものの、やはり長編でもみられた奇想が炸裂するSFホラー、幻想ホラーが秀逸。

マッド・サイエンティストものの「地獄はみずから大きくなった」、味わい深い厭さの「バックアップ・ファイル」、不条理描写と幻想的なラストが冴えるこちらも英国幻想文学大賞受賞作「闇の国」、いい話のようで実は異常さをたたえた「いつも」、近未来の巨大テーマパーク兼養老院を舞台にした「ワンダー・ワールドの驚異」などが集中の白眉。現在では話題に上ることの少ない作家となっているが、高品質な奇想ホラー短編集といえるだろう。（縣丈弘）

2006年3月

地球の静止する日

SF映画原作傑作選

日本オリジナル編集

中村融／編訳　解説：添野知生

写真：NASA/Suomi NPP
装幀：東京創元社装幀室（K6SK）

今も昔も、SF作家の小説を原作（ノヴェライゼーションではない）とした映画は少なくない。たいていは原作よりも映画の方に注目が集まる。というより、一般的には映画のヒットに応じて小説も読まれるのである。しかし、本書は「両方ともマイナーでも、何か新発見があるのでは？」と問う。

この中では、表題作「地球の静止する日」が比較的知られている。これは、ハリイ・ベイツ「主人への決別」の発端部分のみが生かされている。キヌア・リーブス主演でリメイク（「地球が静止する日」）もされた。また、映画「性本能と原爆戦」は（邦題はひどいが）、ウォード・ムーア「ロト」の雰囲気をよく残した佳品だ。一方、ハインラインが脚本に絡んだ「月世界征服」などは、民間による月着陸という発想に先見性があるものの、映像的には古びてしまった。CGによる視覚効果激変のおりだろう。ということで、本書収録作は映画、小説どちらから見ても、実にマニアックな内容となっている。「ロト」以外すべて初訳だが、機械に宿った異世界の生命という古めかしい設定を、リアルな土木お仕事SF＋建設機械バトルものに変貌させたシオドア・スタージョンの中編「殺人ブルドーザー」がもっとも面白い。（岡本俊弥）

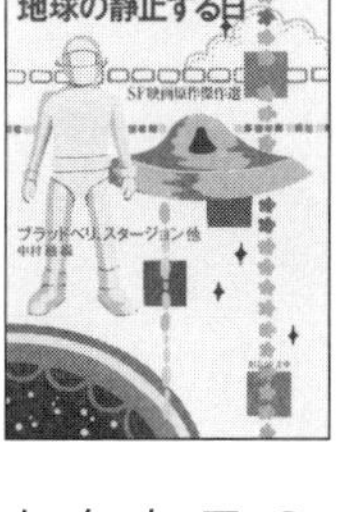

2006年9月～

Mortal Engines Quartet, 2001-

《移動都市クロニクル》四部作

フィリップ・リーヴ
安野玲訳　解説：訳者
装画：後藤啓介
装幀：東京創元社装幀室

都市が都市を捕食する。

『移動都市』の世界設定は衝撃的だ。舞台は六十分戦争と呼ばれる最終戦争で、世界が灰燼に帰してから千年余り後の地球。地殻変動により大地は荒廃し、資源も枯渇。人々は生き延びるために、蒸気機関とキャタピラを備えた移動都市を建造し、獲物を探して移動するノマド社会へと移行する。ただし、狩られる獲物は動物などではない。大きな都市は弱い都市を狩り、小さな都市は村を狩る。捕獲された構造物は分解されエネルギーや資源に、人間は奴隷となって都市の労働力となる。

主人公は移動都市ロンドンで育ち、史学ギルドの見習いとして働く十五歳の少年トム。ある日、ギルド長の殺害未遂事件の現場に居合わせた彼は、犯人の少女の名前を聞いてしまったがために、助けたはずの長官から都市の外へ突き落とされてしまう。荒れ地に放り出されて途方にくれるトムは、長官への復讐を諦めない少女と共に、ロンドンのあとを追うのだが……。

都市が自走し、飛行船が飛び交う宮崎駿的風景に、古代機械文明時代のオーパーツを奪い合う冒険要素を盛り込み、都市間自然淘汰主義に基づく適者生存・優勝劣敗的な階級社会を風刺。二人を助ける空賊の女性は抜群にかっこよく、ロンドンに雇われて二人を追うサイボーグ戦士は不気味であると同時に悲しく、若い読者に生命とはなにかという問題を問いかける。第一巻は、横浜で世界SF大会と日本SF大会が併催された二〇〇七年に、星雲賞を受賞。また、最終巻『廃墟都市の復活』の結末においては物語論にも踏み込み、ガーディアン賞を受賞する。余談だが、このテーマは〇七年に上梓したアーサリアン・ファンタジー『アーサー王ここに眠る』に受け継がれ、この作品でカーネギー賞を受賞。著者はイギリスの二大児童文学賞を制覇した。

原題は、シェークスピア『オセロ』の中で、妻の不貞を吹き込まれた際のオセロのセリフから採られており、移動都市は滅びる運命にあることを示唆している。タイトルや章題もそうだが、様々な事物のネーミングにも、聖書や古典からポップカルチャーに至る様々な作品からの引用が鏤められている。

リーヴは、四部作完結後、〇九年よりロンドンが移動都市となった時代を舞台にする《フィーバー・クラム》三部作（未訳）、一八年には飛行船乗りのアナ・ファンを主人公にした中短編集 *Night Flights* を上梓した。また、〇九年にピーター・ジャクソンが映画化権を取得。ピージャク作品の美術面を支えるクリスチャン・リバースを監督に、一八年に公開された。ビジュアルは素晴らしいものの、登場人物の性格や社会風刺的な側面が単純化されており、芳しい評価は得られなかった。

（三村美衣）

2007年5月

最後から二番目の真実

The Penultimate Truth, 1964

フィリップ・K・ディック

佐藤龍雄訳　解説：牧眞司

装画：森山由海
装幀：Wonder Workz。

ディックが長編を量産した一九六〇年代半ばの作品。西半球民主圏と太平洋人民圏との核戦争が長引き、放射能から逃れるため地下へ移住したひとびとは、ひたすら〈要員（レッディ）〉と呼ばれる戦闘アンドロイドをつくっている。荒廃した未来の情景と、出口がない抑鬱（よくうつ）的な日常。ディックの十八番のシチュエーションだが、この世界にはひとまわり大きな欺瞞（ぎまん）があった。ずっと前に戦争は終結しており、地下の住民を支配するため周到な情報操作がなされているのだ。偉大なる指導者タルボット・ヤンシーも、腕利きの制作スタッフがつくりあげた虚像にすぎない。プロットは平凡な労働者ニコラス、ヤンシーの番組づくりにかかわっているジョー、私立探偵社の所長ウェブスターと、複数の視点から語られていく。

ひとにぎりの権力者がメディアを利用してフェイクニュースをばらまき、大衆を誘導している。これは作者ディックがつねづね感じていた危機感であり、「ウォーターゲイト事件がそのいい証拠だ」と語っている。それは当時のアメリカに限ったことではないのは、ＮＨＫへの政治的介入など日本の現状をみれば歴然だ。

別の邦訳に山崎義大訳のサンリオＳＦ文庫版がある。（牧眞司）

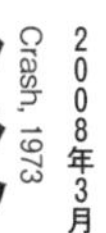

2008年3月

クラッシュ

Crash, 1973

J・G・バラード

柳下毅一郎訳　解説：訳者

写真：アフロ　カバーフォーマット：松林富久治
装幀：東京創元社装幀室

元コンピュータ技師で博士号を持つテレビ解説者のヴォーンは、女優エリザベス・テイラーを巻き込んだ多重衝突によるオーガズムと死を夢見ていた。幾度も予行演習を重ね、語り手の妻を殺しかけすらしたヴォーンだったが、ついに車を盗んで実行に移す。バラード自身が投影された語り手はすでに、若き女医ヘレンとその夫が乗っていた車との衝突事故を起こしていた。高まり続けるスピード。一瞬の法悦（エクスタシー）……。かような共通性から、タナトスとしての交通事故死とエロスとしての性交を一足飛びに結びつけたのが、本作の変態（クィア）的な革新性である。無機的な機械と有機的な身体をフェティシズムの観点から融合させるに留まらず、オートフィクションのスタイルで事故による苦痛を快楽として読み替えるマゾヒズムの感覚を強調することで、今なお毎年百三十万を超える人々を交通事故で死亡させている現代社会の異様さを際立たせる。クローネンバーグ監督による映画化（一九九六）も含め、現代の古典、神話的な風格すら漂わせる本作だが、シェパトンの地に撒き散らされる精液のイメージは、飛翔と再生のモチーフが印象深い『夢幻会社』でも反復されている。（岡和田晃）

2008年10月〜

Spin / Hypotheticals, 2005-

《時間封鎖》三部作

ロバート・チャールズ・ウィルスン
茂木健訳　解説：訳者、ほか

写真：L.O.S.164　岩郷重力+Wonder Workz。

三部作の第一部『時間封鎖』は、二〇〇六年のヒューゴー賞、〇七年ドイツのクルト・ラスヴィッツ賞、〇八年フランスのイマジネール賞、加えて〇九年の星雲賞を受賞した著者の代表作である。三部作とも、ハードSFネタをメインに据えながら、基本はオーソドックスな人間ドラマという特徴を持つ。

あるとき、地球は不可視の膜で大気圏の上層を覆いつくされる。それは、宇宙空間と地球とを時間的に隔絶する障壁（スピン膜と呼ばれる）なのだった。スピンの外と内との時間差は一億倍、地球で一年を経る間に宇宙では一億年が過ぎてしまうのだ。しかし、人工太陽が現れ、昼夜二十四時間は保たれる。未知の超越知性「仮定体」による、意図的な封じ込めだと推測された。事態を打開するために、地球では時間差を利用した壮大な計画がたてられる。スピンのない火星をテラフォーミングし、移民船を送って、その子孫による真相解明を図るのだ。やがて、火星からの使者が地球を訪問するが……。

時間差一億倍というのはユニークなアイデアだ。イーガン『宇宙消失』を思わせる壮大なスケールだが、ウィルスンの関心は現象の物理的解明には向かわず、スピン出現の瞬間を目撃した若い兄妹と少年の運命に注がれる。スピンを契機に政治力拡大に奔走する傲慢な父、反発しながらも従う長男、カルト宗教に走る長女、医者になり長女への思いを捨てきれない主人公が、火星からの使者の到来により人生を大きく狂わせていく様子が描かれる。

第二部『無限記憶』は、四〇億年後の未来が舞台だ。地球と未知の惑星とをつなぐゲート（どこでもドア）が開く。多数の移民を受け入れた惑星は、封鎖を行った仮定体の創造物と考えられた。そこに、宇宙から光る灰が降り注ぐ。灰からは奇妙な生命が生まれる。生きものは、仮定体の一部なのだ。そもそもゲートは何のためにあるのか。

第三部『連環宇宙』では、仮定体に吸収された一人の男が、封鎖後一万年を経て復活する。ゲートによって結ばれる〈連環世界〉では、人類は二つの陣営に分かれ争っている。また、この未来の物語とは別に、第二部の地球を舞台としたもう一つのお話が並行して置かれる。それは主人公となる男の、過去の記憶と関係する。本書は、長大な時間+超越的存在と、日常世界との相対的関係を対置しようとする。仮定体の正体もまた、一つの推測として明らかにされるのだ。宇宙消滅に至る時間の描写は、アンダースン『タウ・ゼロ』を思わせ、日常の流れを対置させる書き方は、小松左京『果しなき流れの果に』を連想させる。スピン以外のアイデアは必ずしも独創的ではないが、不条理な存在に翻弄される登場人物たちの苦難には、共感できるところが多々あるだろう。

（岡本俊弥）

2009年3月

楽園への疾走

Rushing to Paradise, 1994

J・G・バラード

増田まもる訳　解説：訳者

写真：Richard Laird／ゲッティ イメージズ　カバーフォーマット：松林富久治
装幀：東京創元社装幀室

反核や環境保護など、理想を胸に珊瑚礁の島に集まった人々が楽園を築こうとするが、野蛮な世界へと変貌していく。ウィリアム・ゴールディングの古典的名作『蠅の王』のバリエーションかと錯覚する読者もいるかもしれない。

だが、そこはバラード。人間の内面に巣食う悪を告発するというモラリスト的な意図があるわけではない。矛盾だらけで気まぐれな人類という生物を、いわば宇宙人の視点から、興味津津に観察してみせる。SF的な小道具はどこにも存在しないが、それでもやはり、これはSF小説なのだろう。

この奇妙に暴力的な物語をどう解釈すべきか、読み手の技量が問われる。ストーリーはシンプルで読みやすいものの、いざ解釈するとなると、難解さに立ちすくむ。

気づいたのは、イデオロギーを物語に読み替える現代的解釈だ。人は周囲の人物や生きものを自分なりの物語の中にはめ込んで解釈する。だが、相手の物語も自分と同じとは限らない。物語と物語の衝突は争いとなり、気づけば自分の物語もまた、思いがけない形に歪んでいる。本書は二十世紀に吹き荒れたイデオロギーの対立を、近代文学の基本構造に置き換え解き明かした。（高槻真樹）

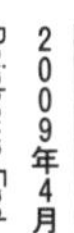

2009年4月

レインボーズ・エンド

Rainbows End, 2006

ヴァーナー・ヴィンジ

赤尾秀子訳　解説：向井淳

装画：瀬戸羽方
装幀：岩郷重力＋Wonder Workz。

ウェアラブル・コンピュータとそれを介した仮想現実・拡張現実が一般化した二〇三〇年代。大規模なマインド・コントロール技術の実験が行われたことに気づいた印欧連合の諜報機関は、その技術の出どころを探るうちにサンディエゴの研究施設にたどり着く。彼らに雇われたフリーのハッカー・ウサギは施設に侵入するため、関係者に接触していくが……。

本書は、近未来を舞台にした諜報小説の趣きで始まり、大枠としてはその通りなのだが、読みどころといえるのは、新治療によってアルツハイマー型認知症から回復した高名な老詩人ロバートとその周囲の人々を通して描かれる、様々な世代や立場の人々がVRやARといった技術と付き合って生きていく姿である。そこに家族の関係性や大学図書館のデジタル化反対運動などが織り交ぜられ、物語は複雑な様相を呈していく。

拡張現実を使いこなす少年少女の姿を描いたTVアニメ『電脳コイル』がその内容の共通点などから引き合いに出され評されることも。どちらかを気に入った方にはぜひもう一方もおすすめしたい。二〇〇七年に日本で開催された世界SF大会でヒューゴー賞長編部門を受賞。同年のローカス賞SF長編部門も受賞している。（縣丈弘）

2009年10月

時の娘

ロマンティック時間SF傑作選
日本オリジナル編集

中村融／編訳　解説：編者

装画：鈴木康士
装幀：東京創元社装幀室

わたしたち日本人は叙情的で、いわゆる〝エモい〟作品が好きなのだ。『夏への扉』しかり、『ハローサマー、グッドバイ』しかり。そして本書も。

名の知られた作家、埋もれた作家、寡作な作家、覆面作家などの珠玉のアンソロジー。本邦初訳三編、全九編を収録。

二百五十年の時を超えた交流を描いたしみじみと心に染みる「チャリティのことづて」。技巧派デーモン・ナイトの常識を裏返す「むかしをいまに」。小さなバスが古きよき時代を蘇らせる「台詞指導」。誰もが一度は考える、もし若い頃に戻れたら「かえりみれば」。愛する者のために自分の人生を賭ける「時のいたみ」。白亜紀後期に調査に赴いたカーペンターはあり得ないものを目にする、二人の子供が樹に腰掛けていたのだ。みんな大好きロバート・F・ヤングの「時が新しかったころ」。全てを知る母親と娘の相剋「時の娘」。飛び石のように時間を渡り、愛する者との邂逅を求め続ける「出会いのとき巡りきて」。かつて付き合った恋人を尋ねる、記憶と時を超える道程「インキーに詫びる」。

ロマンチックなだけではない、時を超えて読まれるべき名アンソロジー。（池澤春菜）

2010年2月

リックの量子世界

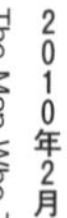

The Man Who Turned into Himself, 1993

デイヴィッド・アンブローズ

渡辺庸子訳　解説：訳者

装画：瀬戸羽方
装幀：岩郷重力＋Wonder Workz。

突如異様な感覚に襲われ、妻アンが危ないと確信したリックは、目的地も分からないまま車を飛ばす。たどりついた先に待っていたのは、ひしゃげた愛車の中で死にゆくアンと無傷で助かった息子。悲嘆にくれるリックだが気がつくと妻は無事で、代わりに事故に遭ったのは彼自身になっていた。しかも妻から、そもそも息子はいないといわれる。なぜか分からないが平行世界に紛れ込み自分とは別のリックの意識と同居してしまったリックは、元の世界の自分に戻るべく、ある計略を巡らすが……。

胡蝶の夢の如き謀略スパイ小説でミステリ読者の度肝を抜いた怪作『迷宮の暗殺者』を始め、SF、ミステリ、ホラーを融合し、とびきり奇妙でトリッキーな展開のノンストップ・スリラーを得意とする作者のデビュー作。「ファイナル・カウントダウン」や「第三の選択」等の奇想天外な映像作品の脚本を書いてきた作者が、P・K・ディックが描く不条理な悪夢世界を、量子力学に基づいた多世界解釈を用いて論理的に構築した本作は、物語の様相が何度も一変する先読み不能のSFスリラーだ。人間のアイデンティティに興味を惹かれるという作者は、「易経」に基づくスリラー『偶然のラビリンス』で再度本作のテーマに挑んだ。（川出正樹）

2010年5月

未来医師

Dr. Futurity, 1960

フィリップ・K・ディック

佐藤龍雄訳　解説：訳者、牧眞司

装画：瀬戸羽方
装幀：Wonder Workz。

一九五四年に雑誌に掲載された中編を書き延ばし、ジョン・ブラナーの *Slavers of Space* とカップリングで出版された作品。作品発表当時は未来だった二〇一〇年代の優秀な医師パーソンズが、自然生殖と医療が禁止され、誰かが死ぬと人工的に新たな人間が生み出される平均年齢が十五歳という超管理社会の二四〇五年に時間移動する。ここでは人種が完全に融合し、障害者や病人などの弱者が速やかに排除されることで平等で健全な社会が実現したとされ、禁じられた高度な技術を持つパーソンズはレジスタンス運動に巻き込まれる。

未来に迷い込んだ主人公を通してディストピア世界を案内する前半と、北米先住民の子孫が英国の侵略者を待ち伏せし、歴史改変を企む時間移動から始まり、過去と未来を何度も行き来してどんどん複雑になっていく因果律が、ラスト前に一気に整理される後半のコントラストが鮮やか。よくある設定の強引な組み合わせではあるものの、次々どんでん返しが起きるスピード感のある展開で一気読みできる長編だ。生と死に関する独特の思弁や、アメリカの人種差別社会の生み出す憎悪に関する洞察など、ディックらしい暗さがあちこちに見られるのも隠し味として楽しめる。（渡邊利道）

2010年6月

地球最後の野良猫

The Last Free Cat, 2008

ジョン・ブレイク

赤尾秀子訳　解説：訳者

装画：吉岡愛理
装幀：東京創元社装幀室

猫はSFの定番テーマの一つだ。フリッツ・ライバーやコードウェイナー・スミスの諸作品、さらに中村融（とおる）編のアンソロジー『猫は宇宙で丸くなる』（竹書房文庫）など例を挙げればきりがない。猫の自由なイメージと相性がいいのだろう。本作はその系譜に属する作品。人畜共通の感染症〈猫インフルエンザ〉の世界的流行後、猫の飼育が厳しく制限された近未来のイギリスが舞台のヤングアダルト作品。いないはずの野良猫を拾った貧しい少女が不良少年とともに政府と独占企業に抵抗するといった筋書きは読者の想像の範囲を越えることはなく、SF的なアイディアも乏しい。反面、リーダビリティは高く、一定の水準はクリアした娯楽作ではある。

しかし、二〇二三年の現在では本作は無条件に楽しむことができる作品ではなくなった。コロナ禍を経験したわれわれには本作のテーマ「疫病対策を理由に自由を圧殺する巨大企業と政府への反抗」とは陰謀論にあまりにも近しく、無邪気に読むことは難しい。つくづく近未来ものの難しさを実感させられる一作だ。

著者は一九五四年生まれのベテラン作家。他の邦訳に絵本『おおきなあしのダーレー・ビー』がある。

（細井威男）

2010年10月

異星人の郷

Eifelheim, 2006

マイクル・フリン
嶋田洋一訳　**解説：訳者**
装画：加藤直之
装幀：岩郷重力＋Wonder Workz。

十四世紀半ばのドイツ、上ホッホヴァルト。寛大な領主のもと平穏に暮らす村に、ある日異変が起きた。まるで雷が落ちたように辺りが帯電し、火災まで起きたのだ。村の教会で主任司祭を務めるディートリヒ神父は、異変の後始末をするなかで、村はずれに住みついた異形の人びとに出会う。異変は、彼らの到来によるものだったのだ。紆余曲折ありながらも、神父を中心とした村人と異邦人の交流は深まるが、ペスト禍の到来により暗雲が立ち込める。「中世ヨーロッパに宇宙人がやってきていたら」というアイデアを、ひたすら実直に具体化することで、丁寧に細工を施された工芸品のような逸品にしあがった。この物語に更なる華を添えるのが、歴史学者と物理学者のカップルを主人公とする現代パート。環境的に村があるはずの場所が無人の地になっていることから、歴史から消えた上ホッホヴァルトの存在に気づいた歴史学者が、さまざまな資料の断片から何が起きていたのかを再構築していく。このパートと、メインの歴史叙述パートとの嚙み合い方が最高で、物語の輝きを幾重にも高めている。第四十二回星雲賞受賞も納得だ。ところで物理学者パートの意味は？　それは是非、読んで確かめていただきたい。（林哲矢）

2011年5月

クロノリス―時の碑―

The Chronoliths, 2001

ロバート・チャールズ・ウィルスン
茂木健訳　**解説：堺三保**
装幀：岩郷重力＋Wonder Workz。

タイの山中に一夜で出現した巨大な塔――それはクインと名乗る人物が二十年後にその地域を征服したことを宣言する〈戦勝記念塔〉だった。クロノリスと名づけられたそれはバンコク・平壌・札幌など各地に出現。発生する衝撃波で都市は破壊され続ける。クインとは何者か。運命の二〇四一年には世界が独裁者の軍門に降るのか――自分こそクインだと主張する青年、クインを救世主と讃える勢力など、危機を直視できず目先の活動に走る人々により国際社会は混迷する。はたしてクインの正体は？　クロノリスの謎は解けるのか？

刊行当時に主流になり始めた〈超弦理論〉の成果を取り入れつつ描き出されるハードSF的展開以上に、主人公のリアルな人生模様が読ませる。突然失業したソフトウェア技術者である彼は、役人風の男たちにつけ狙われるが、ある時クロノリスを研究する母校の女性教授に助手として雇われる。末期の肝臓癌の父と妄想型の統合失調症である母を持ち、少年時代の不幸な家庭をくよくよと反芻する実にめんどうくさい性格のアメリカ男性なのだが、その行動を青年期から中年期にわたってじっくり追うことで、SFの枠を取り払っても味わい深く読める小説にしあがった。（山之口洋）

2011年8月
Running Wild, 1988

殺す

J・G・バラード
山田順子訳　解説：柳下毅一郎
写真：iStockphoto/Thinkstock、Hemera/Thinkstock　カバーフォーマット：松林富久治
装幀：東京創元社装幀室

　富裕層の家族が暮らす、周囲とは隔絶された清潔で安全な超高級住宅地パングボーン・ヴィレッジ。万全のセキュリティで守られていたはずが、突如三十二人の住人が惨殺され、大切に育てられていた子供たち十三人が行方不明となる。集団犯行説や軍事訓練のミス、国際テロリズムなど、ありとあらゆる可能性が挙がるなか、内務省から事件の分析を依頼されたドクター・グレヴィルは、刑事とともに事件現場となった家々を検分してまわり、ある真相に気づく――中盤で犯人が明かされるように、バラードの主眼は推理ではなく社会病理の解剖にある。事件の朝、犠牲者たちに何が起きたのかを、証拠を参照しつつ細部まで刻々と再現していくドクターの淡々とした言葉は、事件の背景となった愛情豊かな環境で逆説的に生じた緊迫状態を空恐ろしいほどに際立たせる。この病理がこの一件では留まらないであろうことが示唆されて終わるが、提示されたテーマは『コカイン・ナイト』や『ミレニアム・ピープル』などの作品へ引き継がれていく。本書の四年前には、若者がある標的に自爆テロをしかけようとする事件について同じドクターが綴(つづ)る短編「攻撃目標」（『J・G・バラード短編全集5』収録）が書かれている。（西島伝法）

2012年11月
The Perseids and Other Stories, 2000

ペルセウス座流星群

ファインダーズ古書店より

ロバート・チャールズ・ウィルスン
茂木健訳　解説：香月祥宏
装画：鷲尾直広
装幀：岩郷重力＋Wonder Workz。

　『時間封鎖』に始まる三部作など壮大なSF的設定と情感豊かなドラマで読者を魅了する著者の、これはまた違った側面を見せてくれる短編集。九編が収録されている。謎めいた小さな古書店と、その店に関わる個性的な人々を物語の軸として描かれた怪奇幻想小説集という装いだが、そこにSF風味が強く加わってくる。それも『時間封鎖』などにつながる骨太な本格SFの味わいだ。中でも「無限による分割」「薬剤の使用に関する約定書」「寝室の窓から月を愛でるユリシーズ」「街のなかの街」「ペルセウス座流星群」といった作品は特にそうだ。

　もうひとつ感じるのは、一九七〇年代のヒッピーからニューエイジ、オカルトとドラッグとサブカルチャーの雰囲気である。より正確には当時の若者たちの年老いた姿だ。そんな初老の人人の物語に、彼らの娘世代の少女たちの清新な姿が混じる。みんな精神的に疲れ、どこか病んでいる。そんな彼らの間に、異界の存在が紛れ込んでくるのだ。それは日常の中の裂け目として入り込んでくるが、その背景にあるのは量子論であったり数学であったりという、どちらかといえば現代ハードSF的なモチーフであり、そこには普通の怪奇幻想小説とはまた違った魅力がある。（大野万紀）

2013年1月

太陽系無宿／お祖母ちゃんと宇宙海賊

スペース・オペラ名作選
日本オリジナル編集

E・ハミルトン、H・カットナーほか
野田昌宏／編訳　解説：訳者、牧眞司
装画：鈴木康士　装幀：東京創元社装幀室

SFという新しい文学ジャンルを日本に根づかせる試みには、ある大きな欠落がありました。それは欧米SFの最新最良の部分を移植しようとするあまり、それ以外の裾野を切り捨てたことで、最大のターゲットとされたのが、本国アメリカでも俗悪と否定されていたスペース・オペラでした。しかし、ここにこそSFの原点と原初的な夢が込められていることに着目、膨大なパルプマガジンとペーパーバックの収集に乗り出し、その成果を惜しみなく読者に提供した人物こそ野田昌宏氏でした。

本書は氏がスペース・オペラの魅力を紹介すべく編纂（へんさん）した二冊のアンソロジーの合本（がっぽん）で、前半では文字通り西部劇（ホース・オペラ）の宇宙版としてこのジャンル第一号となった「太陽系無宿」のホーク・カースをはじめ、日本でもおなじみのキャプテン・フューチャー、《月世界ハリウッド》、植物学者探偵ジョン・カーステアズなど多彩なシリーズが紹介されます。

後半は〈プラネット・ストーリーズ〉からのセレクトで、活劇ありハードボイルドあり。中でも「お祖母ちゃんと宇宙海賊」は愉快なキャラとアイデアを満載し、宇宙を舞台に大らかなユーモアをくりひろげた快作で、読者はSFファンとなること請け合いです。（芦辺拓）

2013年2月

空間亀裂

The Crack in Space, 1966

フィリップ・K・ディック
佐藤龍雄訳　解説：牧眞司、訳者
装画：岩郷重力
装幀：Wonder Workz。

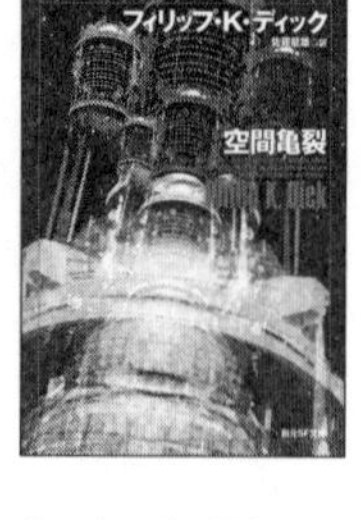

今の貧困をやり過ごすため、人工冬眠を選ぶ人が増えて社会問題になっている二〇八〇年、超高速移動機の内部の亀裂から、別世界に行けることが判明する。当初、その別世界は別惑星と考えられた。史上初の黒人大統領候補ブリスキンは、その情報を聞きつけて、かつて放棄された他天体移住計画の復活を大々的に公約する。しかし実は、その別世界は過去の地球だった。

時間理論を利用した超高速移動機、タイム・トラベル、冬眠中の貧民から勝手に臓器を抜いて売りさばく犯罪、軌道衛星上の娼館、そこの結合双生児の経営者、アメリカ大統領選挙戦、人種差別主義者との戦い、果ては進化した猿人との衝突など、多種多様なアイデアがごった煮になっているが、物語全体は暗めのトーンで統一されており、不思議と違和感なくするりと読める。よく考えると話の展開が破綻寸前ではあるのだが、何か意味深な雰囲気を湛（たた）えていて、読んでいる最中は特段の困惑もなく、魅入られてしまう。ダークな未来観にもぞくぞくする。ディックの魅力が横溢（おういつ）する逸品だ。

なお有色人種のアメリカ大統領は、現実には本作品より七十年早く平和裏に実現した。ディックの夢想した未来よりも現実の方がマシだったことは喜ばしい。（酒井貞道）

2013年7月

時を生きる種族

ファンタスティック時間SF傑作選

日本オリジナル編集

中村融／編

解説：編者

装画：鈴木康士　装幀：東京創元社装幀室

『時の娘』に続く、中村融編の時間SFアンソロジー第二弾。いずれも邦訳書籍には初収録となる七編を集める、言わば〝埋もれた名作〟集。マイケル・ムアコックの表題作（一九六四年）は、遠未来の地球を舞台に、アザラシに似たけものにまたがって旅をする主人公〝向こう傷のブルーダー〟が、時間認識の変容を通じて〝時を生きる種族〟となるまでの物語。巻頭には、ロバート・F・ヤングの楽しいアラビアンナイト風タイムトラベル冒険ロマンス「真鍮の都」（六五年）を置き、任意の過去の情景を撮影できるタイムカメラをフィーチャーした（A・C・クラーク&S・バクスター『過ぎ去りし日々の光』の元ネタのひとつでもある）T・L・シャーレッドの名作中の名作「努力」（四七年）で最後を締めくくる。本邦初訳は、《改変戦争》シリーズに属するフリッツ・ライバー「地獄堕ちの朝」（五九年）と、これは懐しいミルドレッド・クリンガーマン（「無任所大臣」の著者）による時間ロマンスの佳品「緑のベルベットの外套を買った日」（五八年）の二編。他に、L・スプレイグ・ディ・キャンプの「恐竜狩り」（五六年）、ロバート・シルヴァーバーグ「マグワンプ4」（五九年）を収める。（大森望）

2014年3月

時が新しかったころ

Eridahn, 1983

ロバート・F・ヤング

中村融訳　解説：訳者

装画：松尾たいこ

装幀：東京創元社装幀室

『時の娘』所収の同題短編の長編化である。白亜紀の人間の化石が発見され、調査のため、七千万年前に時間遡行したカーペンターは、そこで二人の子供に出会う。彼らは自分たちが火星の王女と王子の姉弟であり、反体制派に誘拐されて地球に連れて来られたと言うのだ。

当初主人公はこれを法螺と疑う（当たり前だ）が、徐々に本当らしいことがわかってくる。また三人で一緒に過ごす内に、彼らは徐々に打ち解けてお互いを大切に思うようになる。

SFとしては、細かいガジェットが独特で面白い。たとえば、白亜紀後期の恐竜生息期であるということで、恐竜に仮装しようと、タイムマシンが恐竜そっくりに作られている。カーペンターが乗り込むのはトリケラトプス型だ。王子王女を狙う敵機はプテラノドン型。また、王女は当初、カーペンターと口をきかない。王子曰く、王女が王位継承権を持っているからだそうである。火星の人間は反体制派以外にも登場するし、技術力が高過ぎて神にしか見えない異星人すら出現。おもちゃ箱を引っ繰り返したような手に汗握る楽しい冒険の果てに、物語の時間旅行ものとしての側面が、ありがちながら感動的な結末をもたらすのである。（酒井貞道）

《ブラインドサイト》二部作

2013年10月～
Blindsight / Firefall 2006-

ピーター・ワッツ
嶋田洋一訳　**解説：テッド・チャン、訳者、ほか**

装画：加藤直之
装幀：岩郷重力＋Wonder Workz。

「自意識」と「神」といえばＳＦでも人気の大テーマだが、この枠は前世紀末からグレッグ・イーガンとテッド・チャンの二大巨頭が君臨しつづけており、半端な挑戦ではそうそう認めてもらえない。この《ブラインドサイト》二部作は、その高みに最も迫ったシリーズと言えるだろう。

舞台は二十一世紀末。自然環境の悪化、紛争の慢性化、食糧不足等々、数多の問題を抱えた人類は、数十万年前に亡(ほろ)びた吸血鬼を遺伝子から復活させたり、多数の脳を連結し超越知性を生んだりと、逼塞(ひっそく)した状況からの突破口を探そうとするが、社会は混乱の度を増すばかり。そこに突然、地球を格子状に取り巻く六五五三六個の人工天体が現れた。後に「ホタル」と呼ばれたそれは、信号を宇宙のかなたに送ってから、大気圏に落ちて燃え尽きた。何者かに「視られた」ことに気づいた人類は、信号の送信先に向けて探査船テーセウスを送り出すのだが。

一作目『ブラインドサイト』は、この探査船が舞台。吸血鬼の指揮官、センサ群と脳を直結した生物学者、四重人格の言語学者、兵士ロボを自在に操る軍人、超越知性たちの言葉を自分は理解しないまま常人向けに翻訳する技術を持つ統合者といった一癖も二癖もあるチームが、ホタルを送り出した異星存在の拠点、ロールシャッハに乗り込み、人類とはあまりにも異なる知性と対峙(たいじ)することになる。乗組員の設定からもわかるとおり作品の主題は「意識」。死がいつも近くにいるような不吉な予感に満ちた冒険のかたわらで、「知性にとって意識とは何か」という問いが形を変えて繰り返される。冒険と問いが一体となった結末まで、二重にスリリングな読書体験が味わえる。

二作目『エコープラクシア　反響動作』のストーリーは地球から始まる。主人公は現生人類(ベースライン)の生物学者。フィールド調査のキャンプをゾンビに囲まれた彼は、超越知性を持つ両球派(りょうきゅうは)の修道院に逃げ込んだことから、太陽まで往復する極限の旅に連れていかれることになる。サスペンスと哲学的議論の融合という点は前作と同様だが、こちらは「神々の戦いに翻弄される」感が強い。強固なパターン認識能力と恐るべき身体能力を持つ吸血鬼、脳を連結することで得た高い情報処理能力により科学の到達点をはるかに越えた発明品を生み出す両球派、そして存在基盤からして理解不能な異星存在、この狭間であがき続ける現生人類たちの姿が美しい。

さらに読後の楽しみを増してくれるのが、長大な参考文献。荒唐無稽(こうとうむけい)にもみえる設定について、どこまでが現実の科学でどこからがワッツの技か種明かしをしてくれる。この設定紹介を読むだけで何本も短編が生まれそうだ。『エコープラクシア　反響動作』には、二作の間をつなぐ短編「大佐」を収録している。

（林哲矢）

2014年4月

図書室の魔法

Among Others, 2011

ジョー・ウォルトン

茂木健訳　解説：堺三保

装画：松尾たいこ
装幀：岩郷重力＋Wonder Workz。

妖精と魔法、一九七九年から八〇年にかけての英国でのSF出版状況やSF読者コミュニティの様子が詳細に描かれるため、六四年生まれの著者の自伝的作品かと想像してしまうが、ウォルトンは冒頭で「この本で描かれるすべての出来事は虚構であり（略）空想の産物にすぎない。ただし、妖精（フェアリー）はちゃんと実在する」と妖精以外はフィクションであると否定している。

ウェールズの谷に祖父母と暮らすモルウェナ（モリ）は双生児の妹と共に妖精に親しんで育つが、十五歳のときに邪悪な母親の魔法で交通事故に遭い、妹を亡くして自身は片脚が不自由になる。その後、生き別れの父親と再会し思いがけずイングランドの女子寄宿学校に入学し、新しい出会いが訪れる。さまざまな本に触れたり地域の読書会メンバーと交流することで、モリは本と読書が自分の人生と不可分なことを自覚する。やがて妹の喪失を受け容れ、かつて姉妹を苦しめた、正しい愛し方を知らない魔法に依存した母親を怖れるのを止（や）め、憐（あわ）んで捨て去る。喪失からの回復、成長と自立がSF読者寄りに活写された物語であるところが高い評価の理由だろう。

ヒューゴー賞、ネビュラ賞、英国幻想文学大賞を受賞した。

（勝山海百合）

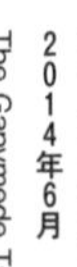
2014年6月

ガニメデ支配

The Ganymede Takeover, 1967

フィリップ・K・ディック＆レイ・ネルスン

佐藤龍雄訳　解説：牧眞司

装画装幀：岩郷重力

ディックのSF長編三十四作（合作二作を含む）のうち、最後から二番目に邦訳された作品。レイ・ネルスンとの合作だが（その経緯は牧眞司（まきしんじ）の巻末解説で詳細に語られている）、中身と読み心地は典型的なB級ディックSFと言っていいだろう。

小説の舞台は、星間戦争に敗北し、テレパシー能力を持つピンク色の巨大芋虫みたいなガニメデ人に占領された未来の地球。敗戦から数年を経た二〇四七年のいま、侵略者に抵抗する地球人勢力は、テネシー郡の山中に潜伏する黒人解放戦線だけ。そのカリスマ的指導者パーシィXを取材するため、彼の元恋人であるTV司会者ジョーン氷芦（ヒアシ）が彼らのアジトを訪ねてくる……。

Joan Hiashiの名は、『アンドロイドは電気羊の夢を見るか?』の原型になった短編「小さな黒い箱」の主人公と同じ。他にも、しゃべるタクシーや現実を変容させる幻視現象兵器など、ディック的ガジェットが満載されている。献辞にあるカーステンとナンシーは、それぞれレイとフィルの妻。ともにジョーンのキャラのモデルになっているという。レイ・ネルスンはジョン・カーペンターの映画「ゼイリブ」の原作短編「朝の八時」で知られる一九三一年生まれの作家。長編の邦訳に『ブレイクの飛翔』がある。

（大森望）

銀河帝国を継ぐ者

2014年8月
A Confusion of Princes, 2012

ガース・ニクス
中村仁美訳　解説：訳者
装画：緒賀岳志
装幀：常松靖史[TUNE]

遠未来の銀河系の広い範囲を支配する帝国は、謎に満ちた皇帝を頂点に、一千万人の《プリンス》によって統治されていた。《プリンス》は臣民から出生時に選別され、強靭な肉体とサイコ能力を持ち、強大な権力を振るう。十七歳の少年ケムリは、《プリンス》に昇格し、それまでいた《寺院》を離れる。だが《プリンス》間の争いは激しく、昇格一時間以内に三〇％が暗殺されるほどだった。しかも、二十年に一度の皇帝交代の時期が迫り、権力闘争の嵐が吹き荒れていた。

野望に満ちた少年が、これまでほぼ知らされていなかった帝国支配層の実態に直面しつつ、皇帝を目指す物語である。冒険に次ぐ冒険が展開され、スペース・オペラとして手に汗握る展開が楽しめる。序盤から、やたら有能な部下を当てがわれたり、謎めいた命令が帝国中枢から直接下されたりして、ケムリ自身の知らないところで何かに巻き込まれているのは察せられる。それが何かを探るのが、読者にとっての興味の重大な焦点となろう。やがて明かされる帝国の真実の前に、冒険を通じて視野の広がった少年は、ある決断を下す。この決断の内容は、ケムリの立場に立てば納得のいくものであり、小説作りの成功の証となっている。（酒井貞道）

2312
太陽系動乱

2014年9月
2312, 2012

キム・スタンリー・ロビンスン
金子浩訳　解説：渡邊利道
装画：加藤直之
装幀：岩郷重力＋Wonder Workz。

資源の収奪やテラフォーミングによる環境変動が深刻化した未来の太陽系を背景に、急死した指導者アレックスの孫娘スワンと、土星連盟の外交官ワーラムの読み合いに、テロリズムや隕石衝突が絡む……。ロビンスンに三度目のネビュラ賞（二〇一三年度長編部門）をもたらした本書は、多文化主義と環境正義、音楽への憧れを三幅対（トリアーデ）としてドラマが組み立てられている。ただ、作家の主たる関心は、広大な星間宇宙に溶かし込まれたヒューマニズムにあると看破したのは、ジャック・デイトン（〈インターゾーン〉二四二号）である。M・ジョン・ハリスンは、本作に盛り込まれた複雑な情報を混交させる語りの技巧――ジョン・ブラナーの*Stand on Zanzibar*（一九六八）等に学んだもの――により、我々がこれから何になるかということよりも、我々とは何かについての思索が促されると論じた（〈ガーディアン〉二〇一二年七月一四日号）。ロビンスンの師F・ジェイムスンが『政治的無意識』で示した、現実の矛盾を戦略的に包摂し階級的な矛盾を打破するための芸術――それこそが本作だ。新自由主義への随伴とは幾重にも異なるヴィジョンを戦略的に示す「脱成長」SFの本命だろう。（岡和田晃）

2014年10月

凍りついた空
エウロパ2113

The Frozen Sky, 2012

ジェフ・カールソン
中原尚哉訳　解説：訳者

装画：鷲尾直広
装幀：常松靖史[TUNE]

木星の衛星エウロパの分厚い氷の下に生命が発見される。洞窟の壁には文字のような刻印も。これは知的生命体とのファーストコンタクトなのか。だが調査チームは女性エンジニアのボニー一人を残し落盤事故で全滅。彼女はサンフィッシュと名付けられたその生命体に襲撃されるが、何とか生還する……。

といった宇宙冒険SFである。しかしその後が大変だ。サンフィッシュを知的生命とは見なさず、資源としか考えない連中との闘争がある。一方で落盤で死んだ中国人のラムはボニーによって仮想人格として再生され、パワード・スーツのAIとなって氷の下で独自の活動を始めるのだ。また後からエウロパに到着した地球の探査チームは各国の国際情勢をこの世界にも持ち込み、その対立は一触即発の危機となる。そこへ獰猛（どうもう）なサンフィッシュの攻撃と、ラムの独自の行動がからまり、物語はますますややこしい事態へと滑り落ちていくのである。

本書の読みどころは知性があるのに異質で凶暴な異星生物の生態と、意思は強いが協調性のないヒロインの行動、そして何といってもいきなり事故死しながら仮想人格として機械の体に復活し、エウロパの氷の下で生き延びたラムの活躍にあるといえるだろう。（大野万紀）

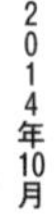

2014年10月

宰相の二番目の娘

The Vizier's Second Daughter, 1985

ロバート・F・ヤング
山田順子訳　解説：訳者

装画：松尾たいこ
装幀：東京創元社装幀室

『ビブリア古書堂の事件手帖』で取り上げられたことから、没後四半世紀を過ぎて、唐突に日本で再評価の波が到来。生涯で五冊しか刊行できなかった長編のうち二冊が相次いで邦訳されることになろうとは、あの世の著者ヤングも、さぞや驚いているに違いない。

もともとは、本文庫収録のアンソロジー『時を生きる種族』に収録された、中編「真鍮（しんちゅう）の都（みやこ）」をベースに書き直したもの。やはりヤングは中短編作家で、二百五十ページ足らずの短さというのに、どうにもぎこちない筆致がもどかしい。だがそれでも、アラビアンナイトを独自のセンスでSF的に読み換えるあたりは実に面白く、古めかしいベタ甘作家と遠ざけるのはもったいない。

徹底して受け身なのに棚ボタですべてを手に入れる主人公、何もしなくても過剰に好意をぶつけてくる無敵すぎるヒロインと、どこのラブコメかとツッコミを入れたくなるほどマンガ的な設定は、男性優位的な価値観も感じられ、批判的に読み解く必要もあるだろう。現在手に取るにあたって注意は必要だが、その一方でパロディ的な味わいには、独特の魅力も感じられる。（高槻真樹）

2014年11月
LoveStar, 2002

ラブスター博士の最後の発見

アンドリ・S・マグナソン
佐田千織訳　解説：訳者
装画：片山若子
装幀：波戸恵

アイスランドのミステリなら何作も邦訳されているが、アイスランドSFはかなり珍しい。しかも読んでみるとこれが、ポップでブラックな、かなりアクの強い寓話的作品なのだ。

ラブスターを名乗る科学者の数々の発明により、恋愛から死に至るまで、すべてが企業活動に取り込まれた世界。人々はコードレスでつながり、最適な恋愛対象が計算によって求められ、クリーンな死が提供される。

破産者は、言語中枢に直接アクセスされて広告を叫ぶ「叫び屋」になる、子育てがうまくいかなかったら予備のコピーで二回まではやり直せる、多すぎる人生の選択肢はAI〝後悔〟が減らして安心を与えてくれるなど、繰り出される数多くのアイディアは、どれも現代社会への風刺に満ちていてシニカル。突飛でありながら、すぐにでも現実になりそうなリアリティがある。

作者の作品は、ノンフィクションや児童書も含めすでに四作が邦訳されており、本作は、伊藤計劃も受賞したフィリップ・K・ディック賞特別賞を受賞。作者は自然保護にも力を入れており、二〇一六年にはアイスランド大統領選にも出馬している。

（風野春樹）

2014年11月

黒い破壊者

宇宙生命SF傑作選
日本オリジナル編集
中村融／編訳　解説：編者
装画：鈴木康士
装幀：東京創元社装幀室

本書には、多種多様な生命体が登場する作品が六編収められている。高さ三百メートルを超える巨大樹木（ヤング「妖精の棲む樹」）、ヒトデのような腕を十本備えた海洋生命体（ヴァンス「海への贈り物」）、テレパスと交信できるプラズマ型生命体（アンダースン「キリエ」）、海に浮かぶ巨大ハスのような動物植物（シュミッツ「おじいちゃん」）など、陸上、海中、宇宙と様々な環境に暮らす生命体が、時には魅惑的に、時には恐ろしく描かれる。編者の解説にあるように「動物は周囲の動植物と相互に影響しあって生きている」のであり、決して単独で生息しているのではない。本書中の諸作は、いずれも異星の環境をしっかり構築したうえで、その中で生きる生命と人類との関わりを丁寧に描き出した秀作揃い。中でも、銀色の巨木と葉状植物が生育する惑星を舞台にした、マッケナ「狩人よ、故郷に帰れ」は、六十年前の作品ながら遺伝子工学を導入して生命改造の是非を問うた傑作だ。表題作は『宇宙船ビーグル号の冒険』冒頭部の著名なエピソードの原型となる雑誌掲載版。全体を通して、編者の下地である「生態学的SF」「SF博物誌」「宇宙もの」の三つが見事に調和したアンソロジーと言えよう。

（渡辺英樹）

2015年2月

完璧な夏の日

The Violent Century, 2013

ラヴィ・ティドハー
茂木健訳　解説：渡邊利道
装画：スカイエマ
装幀：岩郷重力＋Wonder Workz。

一九三二年、ドイツの科学者フォーマフトの実験により、世界各地で発生した超能力者たち。彼らは第二次世界大戦、ヴェトナム戦争、米ソ冷戦と、二十世紀の戦争の最前線に立つことに——。*The Violent Century* という原題が示すとおり、「暴虐の世紀」の激動を追いながら、それをスーパーヒーローの異能バトルとして書き換えてみせたSFスリラー。かつてイギリスの情報機関に籍を置いていた能力者フォッグが当時の活動について尋問を受ける場面で幕を開け、過去と現在を往還しながら語られてゆく形式は、ジョン・ル・カレの名作『ティンカー、テイラー、ソルジャー、スパイ』へのオマージュだろう。徐々に全体像が見えてくるスリルが素晴らしい。

ティドハーは歴史やポップ・カルチャーやジャンル小説などをマッシュアップして作品を組み上げることを得意とするが、イスラエルの作家らしくユダヤの問題をつねにテーマの中心に据えているのが興味深い。ちなみに印象的な邦題は、「夏の日（ゾマーターク）」と呼ばれる能力者の少女に由来する。破壊と陰謀が展開される灰色の物語の中で、彼女の周囲にだけは爽やかで輝かしい光があって、それが物語の謎と希望の焦点となっている。

（霜月蒼）

2015年3月

鋼鉄の黙示録

Apocalypse Now Now, 2013

チャーリー・ヒューマン
安原和見訳　解説：橋本輝幸
装画：鷲尾直広
装幀：常松靖史[TUNE]

南アフリカはケープタウン。キワモノポルノ動画を校内で売りさばいているど近眼で普通の高校生バクスターはやけに生々しい幻覚に悩まされていたが、恋人の誘拐をきっかけに現実とは思えない奇妙な世界に足をつっこんでいってしまう。助けてくれるのは超常世界専門の賞金稼ぎローニン。行く先々で出会うのは超常世界の生き物たち。予想もしていなかった呪術や銃弾が飛び交う派手な戦いの後、最後に対決する相手はずっと信頼していた人物でその正体はバクスターの血筋に関わるもので、幻覚だと思わされていたものは実は……。

著者は生年月日非公開の英国人作家で本書がデビュー作である。原題は言わずとしれた「地獄の黙示録（もくしろく）」のもじり。章タイトルも映画や小説のタイトル・セリフのもじりとなっていてこれも楽しい。

光り輝く絶滅種族オバンボ、大烏、大型蜘蛛（くも）、ゾンビ、ドワーフ、などあまりにもたくさん登場する怪異にはツッコミどころが多いが、クライマックスの蟷螂（かまきり）と蛸（たこ）の巨大ロボットによる並行世界での大乱闘にはもうツッコミも追いつかない。

奇想、ドタバタ、グロ、なんでもありの娯楽小説だ。

（深山めい）

2015年4月

ラットランナーズ

Rat Runners, 2013

オシーン・マッギャン
中原尚哉訳　解説：訳者

装画：田中寛崇
装幀：岩郷重力＋Wonder Workz。

社会全体が監視システムに支配されている、近未来のロンドン。通常の防犯カメラだけではない。赤外線、X線、顔認識、話者認識、あらゆる持ち物についたタグのスキャン。しかしどんなに厳重な監視網にも死角はある。狭い路地、フェンスの隙間、廃墟の陰。監視の目が届かない抜け道を、身の軽さを武器に走り抜ける子どもたち、それがラットランナーだ。十六歳未満は監視システムの追跡を免れることもあり、犯罪組織はラットランナーたちを手先に使っている。

そんな中、四人のラットランナーが集められた。組織が求めるのは死亡した科学者の持っていたケースの行方。四人はハッキングや科学分析、変装などそれぞれの得意分野を生かして調査を開始する。科学者の研究成果とその影響力を知り、彼らは裏社会を牛耳る組織を相手に生き残りを賭けた勝負に出る。

監視の目をかいくぐり、街の裏側を駆け抜け、搾取しようとする大人たちにひと泡吹かせる。体制に組み込まれない少年少女を生き生きと描く筆致は、児童書やYAから作家のキャリアをスタートさせた著者だからこそ。管理社会の行きつく先、ハイテクが犯罪のみならず支配に利用される懸念についても考えさせられる。　（井上知）

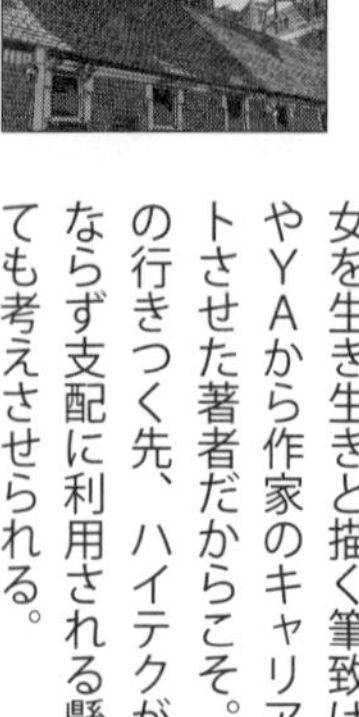

2015年5月

時を紡ぐ少女

Crewel, 2012

ジェニファー・アルビン
杉田七重訳　解説：訳者

装画：鈴木康士
装幀：大野リサ

奇怪な管理社会を背景に、特殊な才能を持つ少女の奮闘を描くヤングアダルトSFの佳品。カンザス州レネクサ在住の著者のデビュー長編にあたる。《クルーエル》三部作の第一作だが、あまりSFらしく見えない外観（ファンタジー風の異世界の裏側にSF的な理屈があることを匂わせるタイプ）がわざわいしたのか、残念ながら残り二作は邦訳されていない。

世界を織物に見立てるメタフォリカルなファンタジーは珍しくないが、本書の舞台となるアラスは、紡ぎ女（Spinster）が織り、刺繡娘（Creweler）が維持管理する世界。十六歳の主人公アデリスは、両親の言いつけで、これまでずっと自分の能力を隠してきた。しかし、ついにそれが政府に露見。家族は消され、アデリスは刺繡娘としてのエリート教育を受けることになる。きらびやかな生活、恋と友情、訓練係の理不尽ないじめや同期生との競争……。いかにも異世界ヤングアダルト・ファンタジーっぽい導入から、やがて、世界のつづれ織りに刺繡を施すことで現実を操作できるというディック的な世界観に秘められた真相が少しずつ見えてくる。世界の秘密を発見するティーンズSFとしても魅力的で、一読の価値がある。　（大森望）

2015年5月
Vulcan's Hammer, 1960

ヴァルカンの鉄鎚

フィリップ・K・ディック
佐藤龍雄訳 解説：牧眞司
装画装幀：岩郷重力＋Wonder Workz。

ディックが生涯に残したSF長編はおよそ四十作（SFの範囲、長編の定義、異稿版の扱いによって数は変わる）。すべて邦訳されているが、最後まで残ったのが本書である。言いかたは悪いが「毒を喰らわば皿まで」の一冊だ。ただし、ディックの小説は出来のいかんにかかわらず独特の匂いがあり、アディクトの域に達した読者にとっては、むしろ筆のままに書き飛ばした、いびつな怪作のほうが嬉しかったりする。

第一次核戦争後、世界政府は巨大コンピュータ〈ヴァルカン〉シリーズを建造し、すべての政策決定を委ねた。表向きは平和、しかし実体は全体主義ディストピアである。そこにカルト教団〈癒しの道〉があらわれ、過激なテロ行為で社会を転覆させようとする。主人公ウィリアム・バリスは世界政府の官僚として地道に働いていたが、新型の〈ヴァルカン三号〉と先行機〈ヴァルカン二号〉の秘密にふれてしまい、複雑に絡まる抗争に巻きこまれていく。

二〇二一年十一月、『ヴァルカンの鉄鎚』映画化が発表された。監督を務めるのは、「コンスタンティン」や「アイ・アム・レジェンド」で知られるフランシス・ローレンスである。

（牧眞司）

2015年6月
The Highest Frontier, 2011

軌道学園都市フロンテラ

ジョーン・スロンチェフスキ
金子浩訳 解説：訳者
装画：加藤直之
装幀：常松靖史[TUNE]

二〇一二年のジョン・W・キャンベル記念賞を受賞した本書は、スペースコロニーに存在する名門大学を舞台にした学園物×ファーストコンタクトのSF長編だ。時代は二十二世紀初頭、青酸ガスを吐く地球外生命体が増殖したことで、地球環境は悪化の一途をたどっている。本作の主人公のジェニファーは大統領も輩出したことのある政治家の家系で生まれ育ったエリートで、地球外生命体の研究を志して軌道上の都市に存在する大学に入学する場面から物語は幕を開ける。

本作最大の特徴と言えるのは、その過剰ともいえる情報量だ。著者はオハイオ州ケニオン・カレッジの微生物学の教授で、その専門性を活かして事細やかに地球外生命体の性質を描写していく。デブリに宇宙エレベータがどう対処しているのかなど、専門外の描写も幅広くレベルが高い。この世界では人間に対する遺伝子改変も行われており、後半では「愚かさは治すべき病気なのか？」というテーマも問いかけられる。学園ロマンスからファーストコンタクトまで、無数の主題が並行するので乱雑さを感じさせる面もあるのだが、それが唯一無二の魅力にも繋がっている作品だ。続編の構想もあるようだが、現在情報はない。

（冬木糸一）

2015年8月

楽園炎上

Burning Paradise, 2013

ロバート・チャールズ・ウィルスン

茂木健訳　解説：大野万紀

装画：新井清志
装幀：岩郷重力＋Wonder Workz。

第二次世界大戦が起こらなかった二十一世紀が舞台の侵略SF。通信技術の飛躍的な発展をもたらした地球を包む〈電波層〉が人類を巧妙に支配する巨大な集合知性体で、それに気づいた人々は知性体が差し向けた緑の体液を持つ擬似人間に襲撃され壊滅。生き残りの少女たちが仲間を求めて逃げる旅のパートと、〈電波層〉と対立すると自称する知性体の擬似人間の来訪を受けた昆虫学者のパートがカットバックして物語が進んでいく。前半は冷戦期の侵略SFそっくりに展開するのだが、真実に気づいた人々が疑心暗鬼に陥って性格が歪み人間関係を拗らせていくさまは、陰謀論とフェイクニュースが蔓延する現代に通じる人間の愚かさを痛感させられる。集合知性体への洞察を深めていく昆虫学者が、異質な知性の生態に単純な支配や抵抗の観念が当て嵌まらないと懊悩し、また彼らが人類を支配しているので平和が実現しているという皮肉な観察も、いかにも現代SFらしい。登場人物の複雑に変化していく心理的な機微を丹念に描き、それによって少女と昆虫学者が最終的に選択する決断が招く解放された世界をひたすら重苦しいものに染め上げていて、作者の陰鬱な人間観を味わうことができる。（渡邊利道）

2015年10月

100％月世界少年

One Hundred Percent Lunar Boy, 2010

スティーヴン・タニー

茂木健訳　解説：訳者

写真：L.O.S.164
装幀：岩郷重力＋T.K

〈百パーセント月世界人〉とは〈第四の原色〉に染まった瞳を持つ、月面生まれの凶眼症者を指す。その瞳を見た者は、発狂してしまうのだ。主人公の高校生ヒエロニムスも、この凶眼を持って生まれた〈百パーセント月世界少年〉。法律でゴーグルの常時着用を義務付けられていたが、地球から来た魅力的な少女の懇願に根負けし、ついに目を見せてしまい……。

約二千年後の月社会が舞台のヤングアダルトSF。主人公は、文系の成績は抜群だが理系はからっきしダメという学習偏向障害も抱えている。そのため上位と最底辺クラスを行き来しており、さまざまな背景を持つ多様な人たちとの交流が読みどころだ。幼馴染の〈百パーセント月世界少女〉スリュー、最下位クラスだが暴力を嫌う大男ブリューゲルなど、過酷な月社会を反映した個性の持ち主が次々と登場する。後半は、追われる身になった主人公を中心に友人たちが集結。それぞれの思惑のもとに協力しながら月の裏側にある図書館を目指し、凶眼者を差別する一方で利用する月社会の暗部に迫る。同時期に邦訳された『メイズ・ランナー』などのYASFに比べると映像化には恵まれなかったが（映画化権は売れているらしい）、読み応えのある一作だ。（香月祥宏）

2015年10月〜

《〈八世界〉全短編》全二冊

日本オリジナル編集

ジョン・ヴァーリイ

浅倉久志、大野万紀訳　解説：山岸真、ほか

写真：L.O.S.164' NASA/JPL/Space Science Institute
装幀：岩郷重力＋W.I

二〇五〇年に突如現れた異星人によって地球から追放された人類は、太陽系外縁で見つかった、へびつかい座方向から送られてくる直径五億キロのレーザービームから得た超技術を活用して水星、金星、月、火星、タイタン、オベロン、トリトン、冥王星の八つの天体を中心に新たな文明〈八世界〉を築く。過酷な宇宙での生活に適応するため身体を改造し、数百年に及ぶ長寿やクローンと記憶のバックアップ技術で事実上の不死まで実現して、カジュアルな性転換や、親子兄弟友達でも普通のコミュニケーションとしてセックスするといったような、伝統的な性や家族の道徳観念から完全に逸脱したライフスタイルを獲得した人類を描く未来史SF。仮想空間や記憶のダウンロードといった細部の扱いから、サイバーパンクやグレッグ・イーガンの諸作などに先駆すると指摘されることも多い。

本書は全二巻でその日常と事件を描いたシリーズ短編十三編すべてを、一九七四年の「ピクニック・オン・ニアサイド」から、八〇年の「ビートニク・バイユー」まで発表年代順に収録する。シリーズとしては他に七七年の長編『へびつかい座ホットライン』がある（もっとも、作者自身がシリーズではないと明言しているものの、いくつかの用語や人名が共通している九二年の『スチール・ビーチ』から始まる長編三部作の完結編 *Irontown Blues* が本書刊行後の二〇一八年に出て、作者のもう一つの人気シリーズ〈アンナ＝ルイーズ・バッハ〉と関連づけられたので、それらも含めてシリーズだとする解釈もある）。

本シリーズの最大の特徴は、当時の最新科学情報を用いた幻惑的なまでに美しい太陽系と、科学技術によって大胆に変容する人間性への楽天的な信頼をベースにした、細やかな愛情関係の描写である。自転と公転の関係で太陽が天頂で逆行する水星の夏や（逆光の夏）、太陽が沈まない金星の夜（鉢の底）、彗星を宇宙船に改造して太陽を観光する（びっくりハウス効果）、信じがたいほど美しい土星の〈環〉での生活（イークイノックスはいずこに）などのさまざまな風景が描かれ、小説で行く太陽系ツアーの楽しさに溢れている。また、人間とともに閉じられた生態系を作る植物〝共生者〟や、失われた地球の環境を再現した〝ディズニーランド（米アニメ会社とは無関係）〟といったガジェットも魅力的だ。惑星や衛星はそれぞれの環境に合わせた社会を形作っていて、合理的で自由と言いながらも文化的な葛藤や衝突は多く、それが家族・恋人・友人といった関係性のドラマを生み出す。宇宙から棚ぼたで手に入れた超技術に依存し、長寿と自由を手に入れたことで人類はユートピア的な停滞の中に微睡んでおり、その享楽的でセンチメンタルな世界の美しさは、長編で〈八世界〉の崩壊が描かれたこともあってやがて失われる黄金時代といった趣がある。

（渡邊利道）

《叛逆航路》ユニバース

Ancillary Universe, 2013-

2015年11月〜

アン・レッキー
赤尾秀子訳　**解説：渡邊利道、ほか**

装画：鈴木康士
装幀：岩郷重力＋W.I

舞台は遠未来のラドチ星系。最初の三部作の原題に共通する〈Ancillary：属躰（ぞくたい）〉とは現代なら航空母艦の全乗員に匹敵する数千人（死体を改造するらしい）に一個のＡＩ人格を共有させた生体兵器である。主人公ブレクはかつて宇宙戦艦のＡＩだったが、十九年前、権力者の裏切りにより艦を失い、ただ一人の生き残りとして放浪する。ある惑星の雪原で遭遇した行き倒れの人物は、かつての副艦長セイヴァーデンだったが、相手は人間と区別できない主人公を乗艦のＡＩとは気付かず、そこからロードムービーめいた道中が始まる。

この設定だけで勝負あった感じだが、さらに特異な語り口が物語に異様な手触りを加える。それはラドチ帝国内では女・男・無性という性別自体は存在しても、誰もそれを気にしないため、文章には反映されず、三人称はすべて「彼女」と表記されることだ。性を判断する手がかりを与えられない分、読者自身のジェンダー意識が本作という鏡にくっきり映り込む。などと難しい言い方をしなくとも、小説を読むときには誰もが登場人物に容姿を与え、声を想像しながら読むわけで、それが読者ごとに異なるということだ。宝塚歌劇門前の小僧である私は、遠慮なく『ベルサイユのばら』のオスカルとアンドレを脳裏に浮かべながら読んだ。一方で「彼女」らの中には「お嬢さん、ひとつ教えてやろう」とほざく人物もおり、そこはやはり権力まみれの中年男性を配役するしかない。本シリーズがヒューゴー賞、ネビュラ賞、クラーク賞など、『ニューロマンサー』を超える評価を受けたのには、ジェンダーを巡るこの奇抜な社会実験が影響しているのは間違いないが、作者のこの知的企みは、実はストーリーにほとんど影響を与えていない。

〈属躰〉はＡＩではあっても人間を素材としているためか、感情の残滓を色濃く残している。十九年前に失った尊敬する上官への〈愛〉に近い思い。絶対権力者アナーンダへの積年の復讐心も――。評者はＡＩ技術者だが、仕事を任せるＡＩにこれほど面倒くさい性格を付与しないだろう。皇帝アナーンダもブレク〈属躰〉と同じ技術で多数の肉体を与えられているらしいが、出自は明らかにならない。

ブレクとセイヴァーデンのややＢＬめいた交流と、皇帝への復讐を軸とした冒険で三部作は織りなされる。抑圧的な社会にはめ込まれた登場人物たちの欲望や苦悩が印象に残る。人類発祥の地さえわからなくなった遠未来になっても、人間はまだ家柄や宗教に縛られ、儀礼や道具やお茶の作法にこだわる。『ローマ帝国衰亡史』を思わせる物語世界の構築には、「人間性は不変」という筆者の確信を感じる。サイド・ストーリー『動乱星系』が、アメリカの「独立宣言」や「自由の鐘」をパロディ化した文化人類学的冒険譚であるのもうなずける。（山之口洋）

2015年12月

ガンメタル・ゴースト

Ack-Ack Macaque, 2012

ガレス・L・パウエル
三角和代訳　解説：訳者
装画：鷲尾直広
装幀：岩郷重力＋W.I

英仏統一百周年記念式典を目前に控えた二〇五九年。事故で脳の大半を人工のジェルウェアに入れ替えた元ジャーナリストは、被害者の脳を持ち去る連続殺人犯に夫を殺され、犯人を追う。同じころ、十九歳の英仏連合王国皇太子メロヴィクは、パリの研究所に侵入し、偶然自らの出生の秘密を知る。そして不死身のエースパイロットとして第二次大戦で活躍していた猿のアクアク・マカークは、メロヴィクに助けられ、自分がMMORPGのゲームキャラクターだったことを知る。それぞれにアイデンティティにまつわる喪失を抱えた二人と一匹が、共通の敵を追ううちに、世界を揺るがす巨大な陰謀に立ち向かうことになる。

仮想現実や人格移植、火星探査計画、そして巨大飛行船など、数々のSFガジェットを詰め込んでテンポよく進む物語は、スチームパンクや歴史改変小説の趣きもあり、どこか懐かしさを感じさせる正統派冒険SFである。

本書は三部作の一作目なのだが、かなり意表をつく展開が待ち受けているという二作目以降が未訳なのが残念。また、英国SF協会賞をアン・レッキー『叛逆航路』と同時受賞している。

（風野春樹）

2016年5月～

《帰還兵の戦場》シリーズ

Veteran, 2011-

ギャビン・スミス
金子浩訳　解説：訳者
装画：新井清志、ほか
装幀：WW＋W.I

正体不明、コミュニケーション不能の異星人との六十年あまり続く戦争から帰還し、予備役となった元特殊部隊のサイボーグ兵士ジェイコブは、地球に潜入した異星人を抹殺するようにクソ上司に命じられるが、十八歳の娼婦モラグは瀕死の異星人を庇（かば）って、彼は和平のために来たのだという。命令に背いてジェイコブがモラグや昔馴染（なじみ）などと平和のために奮闘する第一部『帰還兵の戦場』と、星間戦争終結後、戦争で大儲けしていた秘密結社がエイリアンの超技術を奪取しコロニー星系を制圧、太陽系へと侵攻するのをジェイコブたちが迎え撃つ人類間戦争の第二部『天空の標的』で構成される全七巻のミリタリーSF。環境破壊と超格差社会のために荒廃した地球のディストピア的描写に加え、主人公が戦争のトラウマをどっさり抱え鬱屈（うっくつ）した中年男で、モラグと恋に落ちるのだが世代間ギャップからかロマンティックな関係もどちらかといえば始終イライラしっぱなしで全然明朗快活といかないのがいかにもイギリスSFらしい。

緻密な細部描写が満載の戦闘場面は極めて濃厚で、荒野を爆走する移動都市や体長二四〇センチの魔神の姿をした海賊王、全知全能の超AIのサイバー戦など、次々登場するガジェットも魅力的だ。

（渡邊利道）

2016年5月
The Dervish House, 2010

旋舞の千年都市 上下

イアン・マクドナルド
下楠昌哉訳　解説：訳者、西島伝法
装画：鈴木康士
装幀：岩郷重力＋W.I

東西の文化が交わる古都イスタンブール、二〇二七年。低炭素経済が普及して投機熱は高まり、技術革新が進んでトンボ型ボットが飛び回る。車の自動運転やRFIDタグ等もすっかり普及した近未来。そこで起きた女性の自爆現場に居合わせ、精霊のごとく世に遍在するジンの姿が見える異能を持つに至った青年や、就活中のマーケッター、老経済学者ら六人の視点で、迷宮的かつ詳細に分かち書きされる謎に満ちた五日間の逸話——それらがテロルを動因として撚り合わされていくのがスリリング。大英帝国の最後の残滓こと北アイルランド出身の著者にとって、オスマン帝国の過去を持ち単一民族国家を自認してきたトルコを題材にするのはごく自然で、細部に及ぶ観察と調査を長年に亙り継続して本作は書かれた（〈CCLaP〉二〇一〇年七月二三日）。原題はメヴレヴィー教団修道僧の館に由来し、古典的なイスラム美術の様式から強権政治によるクルド人の弾圧、高度資本主義下の搾取構造までもが描き尽くされる。ロブ＝グリエからディッシュに至るイスタンブールを扱う思弁小説の問題意識を継承しつつ、オリエンタリズムの両義的な眼差しを全体小説として再整理したナノテクSFが本書なのだ。（岡和田晃）

2016年7月
High-Rise, 1975

ハイ・ライズ

J・G・バラード
村上博基訳　解説：渡邊利道
写真：iStock.com/JohnDWilliams　カバーフォーマット：松林富久治
装幀：東京創元社装幀室

ジムやスーパーマーケット、銀行に学校、各種施設を備えた四十階建ての高層住宅に二千人が暮らす、閉鎖系／巨大建築ソリッドシチュエーションSF。一九七五年に発表された傑作長編であり、七三年『クラッシュ』、七四年『コンクリート・アイランド』と共に《テクノロジー三部作》とされる。

当時イギリスには四十階以上の建築が複数あった。『クラッシュ』序文でバラードが提唱した〈テクノロジカル・ランドスケープ〉は〝同時代〟になろうとしていたのだ。その風景は、タワーマンションの悲喜交々のみならず、現在進行中の〈コンパクトシティ化〉や、アルゴリズムが人々を分断する〈エコーチェンバー現象〉、〈VR〉や〈マルチバース〉をも飲み込む。集積されつつ技術的／階級的に分断された知性はどう変容するのか。語り手の住民三人は三者三様、閉鎖系に適応しながらバラード一流の破局を抜けて、新しい地平へとたどりつく。

混乱を描く本書の映画化は、当然と言うべきか長く難航し、二〇一五年に実現。トム・ヒドルストンとジェレミー・アイアンズが共演。監督は「MEGザ・モンスターズ2」のベン・ウィートリー。本書の風景はついに〝同時代〟のものとして広がっていく。（高島雄哉）

2016年8月

霧に橋を架ける

At the Mouth of the River of Bees, 2012

キジ・ジョンスン

三角和代訳　**解説：橋本輝幸**

装画：緒賀岳志
装幀：岩郷重力＋W.I

ジョンスンの小説の芯には喪失がある。二十六匹の猿が消失と帰還を繰り返す謎の現象を描く「26モンキーズ、そして時の裂け目」で、「たしかなものはなにもない。人はすべてを失うかもしれない」と象徴的に書いたように、収録短編十一編には様々な喪失感が横溢（おういつ）している。そして喪失は奇妙な異形を呼ぶ。猿、自分と延々ファックするエイリアン、犬と猫、かわいいポニー、人の命を奪う危険な霧。人は異形を通じて、わかりあえなさ、残酷さや苦味、あるいは温もりを知る。

表題作では、火傷（やけど）するほどの腐食性を持つ霧の川に橋を架けるため派遣されたキットと、霧の渡し守であるラサリが交流する。霧と共に生きねばならない人々や、命を危険に晒（さら）しつつ建設作業にあたる作業員たちと比べて、ある種〝安全圏〟にいるキットが、どう考え、どう動くか。ラサリとの関係に愛を持ちつつも、いつか来る喪失を予感させる。だが、それでもなお人は繋（つな）がろうとする。

表題作は二〇一一年にネビュラ賞、一二年にヒューゴー賞ノヴェラ部門を受賞。その他、ネビュラ賞短編部門受賞作が二編、世界幻想文学大賞短編部門受賞作が一編収録されている。

（深緑野分）

2017年3月

迷宮の天使

Afterparty, 2014

ダリル・グレゴリイ

小野田和子訳　**解説：橋本輝幸**

装画：Z2 GG 30
装幀：岩郷重力＋W.I

近未来SFにして、ミステリ仕立てのロード・ノベルである。販売前に葬られたはずの精神薬「ヌミナス」が、アンダーグラウンドで流通し始めているらしい。これを呑んだと思しい少女が自殺したのを受けて、十年前に開発に携わったライダは、精神病院を退院し、誰がヌミナスを復活させたのか探り始める。

ヌミナスの効果は、服用者に神を実感させ、一定以上の量をとると、神の幻覚（どの神かは人によって異なる）が出現し治らなくなってしまうというものだ。事実、ライダは羽根の生えた天使ドクター・グロリアと、それが脳の生む幻覚だと知りつつも頻繁に会話する。グロリアはライダの内面の声であり、物理的には役に立たないが心理的には違う。また、現実にライダには協力してくれる仲間（いずれも精神に問題がある）もいて、彼らと共に、彼女はヌミナスを追う。その過程で、彼女は、同性の妻が殺された過去の事件と、産んだ直後に養子に出して関係を断った娘の行方をも知ることになる。病的妄想や幻覚を抱きつつも前向きに生きる登場人物が多く、心に響く場面が多い。また、伏線の配置・回収が綺麗（きれい）で、謎解き小説としても楽しめます。悲惨な現実を受け容れた上で、人間を肯定する小説といえよう。

（酒井貞道）

《巨神計画》三部作

2017年5月〜 The Themis Files, 2016-

シルヴァン・ヌーヴェル
佐田千織訳 **解説：渡邊利道、ほか**

装画：加藤直之
装幀：岩郷重力＋W.I

シリーズ一作目、『巨神計画』は著者のデビュー作であり、かつ原稿段階で映画化契約が締結され、更に第四十九回星雲賞海外長編部門をも受賞した。一読しただけでさもありなんと思わされるのは、本作が物語のスケールの大きさに加え、インタビュー記録や通信ログといった報告書の類いだけで構成されることによって生み出されるスピーディな展開、世界各地に隠されたロボットのパーツを知恵を絞って集めていくという宝探し的な緊張感、少しずつ全てが揃っていくワクワク感、そして遂に完成した体高六十メートルの巨大ロボット（しかも全体が鮮やかな青緑色に輝いているのだ！）を始めとする無数の印象的なヴィジュアル要素までも備えているからだ。

　しかもロボットを探し出すのは少女時代に最初のパーツを偶然発見した物理学者で、彼女を導くのは名前も正体も謎、だが強大な権力と資金を有する組織の一員であるらしいことだけがほのめかされる〝インタビュアー〟。巨大ロボットを始めこうしたけれん味たっぷりの設定や個性的でみな一癖もふた癖もある登場人物からは、著者が発想源のひとつとしたという日本のアニメの影響が見える。

　だが、本書がただ派手な娯楽作というだけで終わらないのは、物語のあちらこちらに顔を出すシリアスな要素があるからに他ならない。いかにも現実離れした壮大な計画を進めながら、登場人物たちはもしこんな計画が本当にあったらきっと起きるだろう社会的な問題に向き合うことを要求され、同時に人間関係を始めとする様々な苦難にも翻弄されることになる。

　第二作『巨神覚醒』では宝探し的な要素は姿を消し、代わって世界全体が恐ろしい緊張の中へと取り込まれていく。状況を生み出した大きなフィクションを多くの細かなリアリティで支える手腕は一作目より更に巧みさを増し、積み重ねられていく無数の報告書やレポートは、インターネットを通して最新情報を得ているかのような感覚を読者にもたらし、緊迫感を持って迫ってくるだろう。

　そして第三作、『巨神降臨』では読み進めるのが辛くなるほどの状況下、何とかして前に進もうとする登場人物たちが、目指しているものの違いからすれ違っていくさまが、愛憎、痛みや怒り、罪の意識といった制御できない感情と共に描かれる。単純な悪意からではなく、極限状況に陥った人類が良いことだと信じて、あるいは己にそう言い聞かせつつ、どれほど愚かな選択をするのか、その行く先がどうなってしまうのか――。その描写は、まるでパンデミックに直面した世界が陥ったさまを予見したかのようだ。そしてだからこそ、困難に陥ってもなお力を尽くそうと試みる登場人物たちの姿と物語は、読者をよりいっそう強く摑んで放さないのではないだろうか。（門田充宏）

2017年7月

墓標都市

The Buried Life, 2014

キャリー・パテル

細美遙子訳　**解説：訳者**

装画：K.Kanehira
装幀：岩郷重力＋W.I

旧文明が滅んだ〈大惨事〉から数百年、地下都市リコレッタで、一定以上過去の歴史や科学の研究が規制される中、高級住宅街において歴史学者が殺害された。捜査官マローンと洗濯娘ジェーンは、事件と裏にある陰謀に巻き込まれていく。

ヴィクトリア朝期の文化・文明をベースにした未来の管理社会の描写は本当に活き活きとしている。マローンとジェーンのダブル主人公は、基本的には別個に動き、怪しげな人物と出会い、を取りつつも、後者が前者への情報提供者になるという体裁深みに嵌っていく。マローンが狷介な官憲、ジェーンが手に職付けた元気な若者と、キャラクターの描き分けも上手い。

ストーリー面では先の読めなさが特徴だ。殺人事件の謎を解くミステリ仕立ての作品かと思いきや、徐々に違う方向に逸れて、最後は冒頭からは予想できない地点に行き着く。終盤では重要だった登場人物をあっさり退場させさえする。キャラクターを使い捨てできる作家は有能と相場が決まっている。

本書は三部作の一作目であり、単体でも物語に一定の決着を付けるものの、中途半端な状態で放置された要素も数多い。筆力は確かなので、続篇が訳されたら楽しめるはずなのだが。

（酒井貞道）

2017年8月

わたしの本当の子どもたち

My Real Children, 2014

ジョー・ウォルトン

茂木健訳　**解説：渡邊利道**

装画：丹地陽子
装幀：波戸恵

誰しも一度は考えたことがあるはずだ。もしも違う道を選んでいたら、今はどうなっていただろう。

主人公パトリシアは二十代前半で大きな決断を迫られる。たったひとつの分岐点から大きくかけ離れてしまう二通りの人生が交互に語られる。変化していったのは彼女ひとりの人生だけではない。第二次世界大戦後から今までの時代が、それぞれ私たちの知っている歴史とは違った進み方をする。しかも不幸な結婚生活は平和な社会が背景にあり、同性パートナーとの充実した暮らしは核とテロの脅威にさらされるという皮肉な様相を呈する。

《ファージング》三部作（創元推理文庫）や『図書室の魔法』で評価の高い著者は、歴史改変SFや並行世界ものという枠を超え、個人の幸福と社会の望ましい姿の追求を鮮やかに対比して描き出してみせる。フェミニズムや高齢化社会、核武装にテロリズム、宇宙開発競争、環境問題。さまざまな問題を抱える社会の中、悲しみも喜びも繰り返してなお人生は続く。タイトルの「本当の」意味に気付く瞬間、心を揺さぶられずにいられない。

二〇一四年ジェイムズ・ティプトリー・ジュニア賞受賞。

（井上知）

2017年9月
Meet Me in the Moon Room, 2001

月の部屋で会いましょう

レイ・ヴクサヴィッチ
岸本佐知子、市田泉訳　**解説：渡邊利道**
装画：庄野ナホコ
装幀：波戸恵

著者の第一短編集である本書には、切なくも優しい奇想の数数が詰まっている。肌が宇宙服に変わっていく奇病、自転車狩りに興じる若者たち、サンタの死体を動かすアルバイト……。

収録された三十四の物語（文庫化に際し、本邦初訳の一編が追加されている）は、多くが十ページ足らずと非常に短いが、そのどれもが失われた過去を想起させ——あるいはまだ見ぬ未来を予感させるものとなっており、読み手に奥深い余韻を残してくれる。過去は切なさを伴って現れ、未来は恐怖を連れてくる。その両者が交差する切なくも不気味な一瞬を切り取った「ささやき」は最も印象的な一編で、二〇〇一年のブラム・ストーカー賞候補にも選ばれた。

ヴクサヴィッチは一九四六年生まれ、オレゴン州在住。八八年に作家としてデビューし、二〇〇一年にSmall Beer Pressから刊行されたされた本書でフィリップ・K・ディック賞の候補となった他、〇四年には中編"The Wages of Syntax"がネビュラ賞の候補に選ばれるなど、高い評価を受けている。

一〇年には第二短編集*Boarding Instructions*が刊行されており、こちらの邦訳が世に出る日も待ち遠しい。

（松樹凛）

2017年10月
Karen Memory, 2015

スチーム・ガール

エリザベス・ベア
赤尾秀子訳　**解説：訳者**
装画：安倍吉俊
装幀：波戸恵

飛行船が飛び交い、甲冑型蒸気機械が行き来する町、ラピッド・シティ。高級娼館で働くカレンは、ある日娼館に逃げこんで来た少女プリヤに一目惚れし、彼女を守り抜く決意をする。自らも蒸気駆動の甲冑……というかミシンに身を包み、立ち向かうは悪の権力者に娼婦を狙う連続殺人鬼にゴールドラッシュ。ガール・ミーツ・ガールでスチームパンク、シスターフッドでとびきりの冒険活劇。カレンとプリヤの関係のみならず、二人を支える娼婦達や、インディアンなど、マイノリティたちが力を合わせて力を持つ側をひっくり返す様も痛快。カレン達を支える黒人の副保安官バス・リーヴズは実在の人物なんですって。

作者のエリザベス・ベアはアメリカの作家。日本では本書の他に《サイボーグ士官ジェニー・ケイシー》シリーズや幾つかの短編で知られる。

ちなみにシリーズとしてもう一作*Stone Mad*というノヴェラがあるそう。娼婦を引退し、小さな牧場を購入してプリヤと暮らすことになったカレン。けれど二人の生活はスピリチュアリストやマジシャン、詐欺師、それに怒れるトミー・ノッカーのおかげで散々なものに。いつか日本でも読めることを願う。

（池澤春菜）

2017年11月

イヴのいないアダム

ベスター傑作選

アルフレッド・ベスター

中村融／編訳　解説：編者

装画：瀬戸羽方
装幀：岩郷重力＋R.F

ベスターと言えば、『虎よ、虎よ！』『分解された男』の二大長編がすぐに思い浮かぶが、実は短編にも秀作が多い。奇抜なアイディア、洒落（しゃれ）た会話、歯切れのよい文体など、彼の特色は短編にこそ向いているとも言える。本書は、名アンソロジストとして知られる編者が腕によりをかけて選んだ日本オリジナル短編集で、十編を収めている。

高価な多用途アンドロイドとその所有者が次々と殺人を犯していく——鮮やかな謎解きが印象に残るSFミステリの傑作「ごきげん目盛り」、物質変換機や分解ビームを作り、テレポートをするなど特殊能力を持った小学生と大人との対立を描いた「願い星、叶い星」、鉄を分解してエネルギーを生み出す触媒を開発した男の悲劇的な運命を辿った表題作など、切れ味鋭い小品も良いが、地球最後の男女のニューヨークでの生活を描いた「昔を今になすよしもがな」、悪魔が五人の男女に望みどおりの世界を提供する「地獄は永遠に」など、長めの作品も読み応えがあり、素晴らしい。全体を通して、ベスターの作風の幅広さが味わえる良質の作品集となっている。『願い星、叶い星』（河出書房新社）の改題文庫化だが、二編を新たに加えた増補版である。（渡辺英樹）

2018年2月

スターシップ・イレヴン

Linesman, 2015

S・K・ダンストール

三角和代訳　解説：訳者

装画：K. Kanehira
装幀：岩郷重力＋W.I

初紹介の作家の本に与えられるキャッチコピーは大事である。「『歌う船』×『戦士志願』の傑作スペースオペラ！」と創元SFが誇る二大シリーズが掛け算された本書に「ずいぶん大きく出たな！」と思わず二度見し、まんまと手を伸ばした……。

謎のエネルギー源〝ライン〟を、人類は原理も解らぬまま活用して銀河全域に進出、いまや同盟とゲート連合という両陣営の対立は一触即発の様相を呈していた。ラインを扱える特殊能力者はラインズマンと呼ばれるが、スラム上がりで弱気な性格の主人公イアンは、ただひとり歌でラインを操れる異端の天才だった。彼らが調査に赴（おもむ）くのは近づくもの全てを消滅させる、危険だが戦争の切り札になりえるエイリアン船。一方で未知の球体〝合流点〟の正体とは？　彼の歌声はラインが結ぶ全ての謎の鍵となり、星間大戦の趨勢（すうせい）を握るのだ！　イアンを強引に振り回す皇女ミシェルを始め登場人物はキャラが立ち、次から次へテンポ良く繰り広げられる展開に身を任せて読むのが吉。

著者はオーストラリアの姉妹コンビの筆名で、惹句（じゃっく）に使った二大シリーズを連想させる要素もあるから宣伝文としては正解。設定やキャラの賑（にぎ）やかさは三部作の開幕だからだが本書以外は未訳である。（代島正樹）

スタートボタンを押してください

ゲームSF傑作選

D・H・ウィルソン＆J・J・アダムズ編

中原尚哉・古沢嘉通訳　解説：米光一成

Press Start to Play, 2015

2018年3月

装画：緒賀岳志
装幀：岩郷重力＋W.I

スタートボタンを押して違う人生を歩もう。世界を救い、敵を撃ち殺し、英雄になる。ビデオゲームがあれば人類は夢を見続けられる——画面のこちら側の不都合な事情を無視すれば。

二〇一五年刊行の原書には二十六編が収められている、邦訳では十二編に絞られた。全作品がビデオゲームをモチーフとする、珍しい趣向のSFアンソロジーだ。ゲームに没頭してしまう人間の心理や、ゲームシステムのあるあるを設定に使うなど、各作家が様々な工夫を凝らしている。

桜坂洋（ひろし）「リスポーン」では、深夜の牛丼チェーン店で働く「おれ」が、強盗に襲われ奇妙かつゲーム的な体験をする。主人公が何度もコンティニューする『All You Need Is Kill』の作者らしく、今回も死のにおいが充満していて、〝社会の底辺〟を生きる者のシニカルでドライな気配が心地良い。

一方、ホリー・ブラック「1アップ」は、ゲームの復活システムを巧みに使った少年少女たちの冒険譚だ。一度も会ったことがないゲーム仲間の葬儀の後、彼が遺したテキストアドベンチャーゲームをプレイするが、そこには彼と死にまつわる秘密が綴（つづ）られていて——瑞々（みずみず）しさとわくわくが満ちた逸品である。

（深緑野分）

ハロー、アメリカ

J・G・バラード

南山宏訳　解説：訳者

Hello America, 1981

2018年3月

写真：Agatha Kadar/Shutterstock.com、Marcio Jose Bastos Silva/Shutterstock.com
カバーフォーマット：松林富久治　装幀：東京創元社装幀室

バラード後期作としてはかなり異色で、ユーモラスなパロディ・タッチ。荒廃し放棄された近未来のアメリカを、イギリスからの探検隊が訪れる。砂漠と化したニューヨークは『燃える世界』のようだし、熱帯雨林のラスベガスは、まるで『沈んだ世界』。四十四人の歴代大統領ロボットがひしめき行進する場面は、『残虐行為展覧会』を彷彿（ほうふつ）とさせる。

著者の序文によれば本書は、ロナルド・レーガンが大統領に就任した年に刊行されたという。唐突な路線変更に対する盟友ムアコックの困惑は分からないでもないが、反動の潮流に抗したということではないか。あえてジャンルSFの作法に沿って、「バラード・ランド」と化したアメリカを描いてみせた毒気たっぷりの筆致は、やはり彼ならではのものだろう。

一九八二年に集英社〈ワールドSF〉から刊行されたときのタイトルは『22世紀のコロンブス』だった。文庫化にあたって、原著どおりに戻されている。個性的な過去の訳題を、ニュートラルな形に戻しておこうとする編集方針は、地味だが大切な作業だ。誰かが一度やっておくべきものだ。

リドリー・スコット製作による映像化も一時報じられたが、続報はなく、詳細は不明。

（高槻真樹）

2018年4月

ダークネット・ダイヴ

Momentum, 2011

サチ・ロイド

鍛治靖子訳　解説：訳者

装画：スカイエマ
装幀：波戸恵＋W.I

近未来のロンドン。世界的な石油枯渇対策に失敗した英国政府は国民を徹底的な管理とひきかえに衣食住を十分に保証される「市民」とスラムに住み仕事もなく相互補助を基盤として暮らす人達とに分断し互いに憎み合うようにしむけていた。

スラムの住民の中にはアウトサイダーと呼ばれる、世界中の仲間と連絡を取りよりよい世界をつくるべく活動する人々がいた。市民である少年ハンターはアウトサイダーが壁をよじ登ったり隣のビルへジャンプする姿を目撃して自分もやってみたいと思い、独り挑戦しているうちにアウトサイダーの少女ウーマと出会う。ウーマの複雑な背景に引きずられるようにハンターはウーマと行動を共にするようになり、次第に市民としての生活に疑問を持ちアウトサイダーの考えに同調していく。

典型的なボーイミーツガールの物語であるが、この近未来のロンドンはひょっとしてほんの数年先の現実にあるのではないかと思わせるほど、リアリティがある。分断された社会、IDによる徹底的な管理、いつでも接続できるバーチャルリアリティ。今読むとぞっとさせられる描写もみられる。だが、底を流れるのは父なるテムズに代表されるロンドンへの愛着だ。（深山めい）

2018年6月

ミレニアム・ピープル

Millennium People, 2003

J・G・バラード

増田まもる訳　解説：渡邊利道

写真：7th Son Studio/Shutterstock.com、pxl.store/Shutterstock.com
カバーフォーマット：松林富久治　装幀：東京創元社装幀室

現代の預言者バラードが、二〇世紀の歴史を総括したのが本作である。ヒースロー空港で起きた予告のない無差別テロで前妻を殺され、潜入調査に乗り出した語り手。だが、徐々に見えてくるのはテロには動機も目的もなく、妻の死はまったく無意味で、だからこそ「世界を正気に保つ」という意義を持つらしい、ということだった。テロを仕組んだのも、殺されるのも中産階級。彼らは自己目的化した革命を追究していた。アドラー心理学をはじめとした露悪趣味的な道具立てや、スノッブでエロティックな映画学講師ケイら登場人物も小説世界を盛り上げる。『コカイン・ナイト』（一九九六）で扱われた弱者を供犠とすることで結束を固めるゲーテッド・コミュニティの問題が、拡張的に描き直されている。世界の実相としての暴力が「影のない太陽」として立ち現れる結末には、茫然自失するほかない。

本作はアメリカの9・11同時多発テロ事件を受けて書かれたが、近年珍しくないホーム・グロウン・テロリズムを予告しているだけではなく、ひたすら危機を先送りしてきたEU圏の歪みや、イギリスの離脱をめぐる状況にすら擬えることが可能だ。いかなる共感性をも示さない世界の有様を説得的に描いた恐るべき作品である。（岡和田晃）

2018年10月

六つの航跡

Six Wakes, 2017

ムア・ラファティ
茂木健訳　解説：渡邊利道
装画：加藤直之
装幀：岩郷重力＋W.I

人間の記憶や意識をコード化するマインドマップ技術が、クローニングとともに定着した未来。宇宙船ドルミーレ号は、外宇宙の惑星に植民する二千五百人の人間を乗せて地球を発った。乗客はコールドスリープ中で、全ては六名のクローンにより維持されていた。だが二十五年後、全クルーは新たにクローン再生されて目ざめた。船内には彼ら自身の五つの変死体があり、もう一名は昏睡（こんすい）状態にあった。彼らは引き継がれているべき記憶を失っており、船を管理するAIも不具合を起こしていた。妨害工作はクローン作成装置にも及び、彼らは二度と再生が不可能となっていた。いったい何が起きたのか？

二〇一八年ヒューゴー賞、ネビュラ賞、フィリップ・K・ディック賞最終候補。冒頭に「ロボット三原則」を思わせるクローンに関する法令が掲げられ、このルールに基づいて、クローン技術とマインドマップというアイデアを核とした多数のエピソードが犯人捜しミステリという大枠に盛り込まれている。大小さまざまな奇怪な謎を一気に解決する狭義のミステリとしても見事だが、主人公たちの絶体絶命の危機もまた、伏線に基づく知的操作によって解決されるのがいい。近年のSFミステリの収穫。　（霜月蒼）

2018年12月

火星の遺跡

Martian Knightlife, 2001

ジェイムズ・P・ホーガン
内田昌之訳　解説：礒部剛喜
装画：加藤直之
装幀：岩郷重力＋W.I

本作はハードSFの巨匠ホーガンの晩年の作品で、SF×ミステリの組み合わせで世界の隠された真実へと至ろうとする、『星を継ぐもの』も彷彿（ほうふつ）とさせる長編だ。物語の舞台は人類の数が千億を超え、地球外の惑星にまで広がっていった未来。当然輸送の問題が持ち上がっているのだが、あるとき人体のテレポーテーション装置が発明され、プロジェクトの中心人物を被験者にした実験が行われることになる。

だが、この技術は転移先で人体の再構築を行う仕組みで、元の場所でオリジナルの体が残ったままになる問題があった。実験では転移先の体の安全確認後にオリジナルを廃棄する予定だったが、案の定オリジナルは逃げ出してしまう。誰が手引したのか？　何のために逃げたのか——といったミステリ的な探求が第一部で行われ、第二部ではこの世界に残っている遺跡や技術の数々が、実は人類を凌駕（りょうが）する科学力を持ちながらも滅んでしまった古代の文明によるものだったのではないかという、かつてSFでよく扱われた古代文明テーマがホーガン流の解釈で扱われていく。各部のテイストが異なるので読者の好みは分かれるだろうが、晩年のホーガンの趣味・趣向が色濃く反映された一作だ。　（冬木糸一）

2019年3月

巨星

ピーター・ワッツ傑作選
日本オリジナル編集

ピーター・ワッツ

嶋田洋一訳　**解説：高島雄哉**

装画：緒賀岳志　装幀：岩郷重力＋W.I

ワッツほど意識＝自由意志と知性＝思考の意味を問い続けている作家はいない。意識も知性も世界に適応するための進化の産物だが、それは地球上の生物進化という一回性の歴史における偶発事に過ぎない。本書には、ヒューゴー賞候補となり星雲賞を受賞した長編『ブラインドサイト』とはまた違う、作者の思考実験とも言うべき短編群が収められている。

雲が知性を持ち人類を襲う「乱雲」、意識なき知性の典型であるAIが人間の意識に深く介入することによる倫理的問題を扱う「天使」「神の目」「付随的被害」。中でも仰天させられるのは、かのB級ホラー映画の筋書きが主役Xの一人称で語り直される「遊星からの物体Xの回想」。私たちが常識と考えている自意識のあり方が激しく突き崩される。

巻末の三作「ホットショット」「巨星」「島」は、六六〇〇万年にわたる〈任務〉を帯びた巨大宇宙船の航海を描く連作Sunflowers Cycleの一部だから、登場人物がしばしばこっちの与り知らぬ事柄を語るのが気になるムキは（私は気になった）、『6600万年の革命』所収の二編を交えて、作品の時間軸に沿って読むことで、すべてのディテールが腑に落ちるだろう。

（山之口洋）

2019年6月

銀河核へ

The Long Way to a Small, Angry Planet, 2015

ベッキー・チェンバーズ

細美遙子訳　**解説：訳者**

装画：K. Kanehira
装幀：岩郷重力＋W.I

電子書籍による自主出版からの大ヒットは近年よく見られるが本作もそのひとつ。作者は収入を得る道を絶たれ、クラウドファンディングを立ち上げて本書を執筆したのだが、電子書籍が大ヒット、紙の書籍として出版されついにヒューゴー賞シリーズ部門まで獲ってしまった。

華々しいデビューとなった本作は帯にある通り王道のスペースオペラだが、多様性について、人の生きる権利について、愛について、などなどが様々な視点から描かれる群像劇である。

複数の異種族の乗組員を擁するワームホール建造船ウェイフェアラーは地球人の船長アシュビーを中心として長く宇宙を旅している。銀河共同体政府からの大仕事を果たすべく長い航海に出るのだが、待ち受けていたのは予想もしない大事件。最後には船のAIが大事故にあってしまい……。

なによりも異種族たちがバラエティに富んでいてそれぞれの生態がいきいきと描かれているのがいい。特に各章で乗務員それぞれが抱えている個人的な問題をとりあげ個人や種族のあり方、生き方について深く掘り下げ語ることで、著者は読者を魅きつける新しいスペースオペラを作り上げることに成功した。

（深山めい）

2019年7月

太陽の帝国

Empire of the Sun, 1984

J・G・バラード
山田和子訳　**解説：訳者、柳下毅一郎**
装幀：岩郷重力＋R.F

バラードの自伝的フィクションだが『バラード自伝』より自伝的だ。バラード作品のすべての根源に本書がある。読めば、バラードが内宇宙を描くということにこだわった理由がいきなり氷解する。重要作であり傑作である。主人公ジムは上海生まれの英国人少年。日本の侵攻で生活は一変する。両親とはぐれた彼は、浮浪児の仲間になったり、収容所に送られたり、といった苛酷な運命を受け入れ、適応していく。零戦にあこがれたり、日本軍に入隊したいと思ったり、戦争が終わるのを不安がったりと人とは違う感覚の持ち主で、「死」とも自然に接している。心理描写も情景描写も残酷で汚らしい表現が延々続いて凄まじいが、そこから浮かび上がるのは透明感のある、美しく歪んだ世界、つまりバラードの世界だ。言葉は淡々としているがある意味ハードボイルド的で、呆れるほど無駄な文章がない。麦粥に混じった無数のコクゾウムシをタンパク質補給のために食う場面や、「(空腹のあまり)拳を作って関節の傷を吸うと、その膿さえもがおいしく思えた」という場面などぞくぞくするほどかっこいい。本書は、国書刊行会から刊行されていたものの新訳版であり、一九八七年にスピルバーグ監督によって映画化された。　（田中啓文）

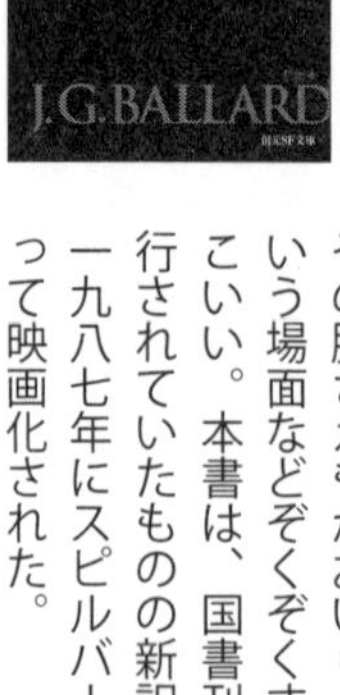

2019年8月

落下世界

Faller, 2016

ウィル・マッキントッシュ
茂木健訳　**解説：堺三保**
装画：緒賀岳志
装幀：岩郷重力＋W.I

男が目覚めたのは、虚空に浮かぶ小さな島だった。彼を含めた島の住人は全員記憶を失っており、食糧生産もままならず、口減らしのため子どもを島から投げ落とす始末。男は覚醒時に持っていた紙片を手がかりにパラシュートを自作するが、その実演中に島の縁を飛び出してしまい、何日も落下し続ける羽目に。果たして行き着く先は……。

落下だけで数日かかるし、必ず下に島がある保証はなく、あったとしてもどんな世界かわからない。落下と着地を繰り返しながら進むスリリングな冒険譚だが、さらに近未来アメリカで世界の崩壊を食い止めようと試行錯誤する科学者たちの物語が挿入される。縦・横・時間の移動を繰り返しながら、徐々に世界の真相が浮かび上がってくるのだ。鍵になるガジェット〈シンギュラリティ〉（ちなみにAIは関係ない）の扱いはかなりの力業だが、その強引さも含めて、奇想天外な冒険SFの楽しさを味わわせてくれる。上下巻を縦に並べるとイラストがつながる、珍しいカバーデザインも印象的。著者にとってこれが初の邦訳作品だが、短編ではヒューゴー賞を受賞（二〇一〇）しており、近年も〈アシモフ〉誌読者賞上位の常連として活躍中だ。　（香月祥宏）

2019年10月

果てなき護り

The Forever Watch, 2014

デイヴィッド・ラミレス
中村仁美訳　解説：訳者
装画：鈴木康士
装幀：岩郷重力＋W.I

滅亡する地球を飛び立った巨大な宇宙船ノアは、人類の存続をかけ、はるか彼方の惑星にたどり着くまで乗員の世代交代を重ねている。居住区の閉鎖空間で限られた資源をリサイクルしながら生活を営む管理社会のなか、主人公の行政官ハナは警察官レオンとともに連続猟奇殺人らしき事件の謎を追うが……。

ノアの住民は試験の結果で役職や階級を割り振られ、インプラントによってそれぞれ超能力を強化している。真実は上層部のみが握り、一般市民には秘匿されている。ハナがネットワークの情報を集めるために作った学習機能付き検索プログラムが意外な進化を見せ、真相を求める人々の活動はノア内の秩序を揺るがす事態に発展する。

フィリピン出身、米国で分子生物学を学び帰国してコンピュータサイエンスで大学院へ進んだ著者のデビュー作。序盤は恒星間宇宙船を舞台にしたSFミステリを思わせるすべり出し。ところが物語が進むにつれ二転三転、次々に違う様相を呈する。

目的遂行のために管理社会の統制が許されるのか。真実が判明してめでたしめでたしとならないところにほろ苦さがある。けれど著者は、その残像にわずかな安らぎと希望を描いてみせるのだ。（井上知）

2020年4月

キャプテン・フューチャー最初の事件

Avengers of the Moon, 2017

新キャプテン・フューチャー
アレン・スティール
中村融訳　解説：訳者
装画：鶴田謙二
装幀：岩郷重力

時は未来、所は宇宙。機械人間と人造人間のコンビを脇に従え、生きている脳を師にもつ月生まれの好青年、カーティス・ニュートン。本書は、彼がキャプテン・フューチャーと名乗るに至る最初の冒険を記したものである。エドモンド・ハミルトンの生んだ、このヒーローがいかに人びとに愛されてきたかは《キャプテン・フューチャー全集》の項目を読んでいただくとして、本書の著者スティールもまた、その魅力にとりつかれた一人。星雲賞も受賞したオマージュ作品「キャプテン・フューチャーの死」などを経て、ついにハミルトンの遺産受託者公認の新作を書き上げてしまったのだ。

本書の美点は、オリジナル・シリーズの縮小再生産にせず、現代のスペース・オペラとして再構築していること。宇宙開発物を得意とする著者だけあって、他惑星人を、惑星環境に合わせて遺伝子改造された地球人に設定し直すなど、古びてしまった設定をリアル側に引き寄せている。その上で、他星系人の遺跡という浪漫要素も忘れない、理想的なリブートと言える。「それは奇跡の時代だった。驚異の時代だった。新しいフロンティアの時代だった」という冒頭の一文そのままの驚くべき世界が広がっている。（林哲矢）

2019年12月～
The Murderbot Diaries, 2017-

《マーダーボット・ダイアリー》シリーズ

マーサ・ウェルズ
中原尚哉訳 解説：渡邊利道
装画：安倍吉俊
装幀：岩郷重力＋W.I

翻訳語発明大賞なる賞があるならば、間違いなく〝弊機（へいき）〟に送られたことだろう。実際、第七回日本翻訳大賞を受賞している（ちなみにアメリカではヒューゴー賞を四回、ネビュラ賞を二回、ローカス賞を三回、ヤングアダルト図書館サービス協会が贈るアレックス賞も受賞している）。

さて、〝弊機〟とは。クローン製造された人間由来の生体と強化部品である機械を合わせた警備ユニットの一人称。英語だとただの〝I〟が翻訳では何とも味わい深い〝弊機〟となった。人と同じように自我を持つが、脳内に統制モジュールがあり、企業の下す命令には絶対服従。その結果、過去に大量殺人を犯さざるを得なかった「弊機」は自らをハッキングし、以降二度と意に染まない殺人をしなくてすむように自分を解放し暴走警備ユニットとなった。そのことがバレないように、今も表向きは統制モジュールが機能しているふりをして任務に就いている。

めちゃくちゃ有能なのに自己評価が低く、内向的でネガティブ、コミュ障で、自分自身をマーダーボットと卑下（ひげ）している。夢は引きこもって連続ドラマ「サンクチュアリームーンの盛衰」を見まくること。いつも向こう見ずで考えなしで死にやすい人間のお守（も）りをするためにかり出され、ぶつぶつ愚痴をこぼしながら、人のためにあれこれ奮闘する。〝弊機〟はなんとも愛すべきキャラなのだ。

第一巻『マーダーボット・ダイアリー』には四本の中編が収められている。

第二巻『ネットワーク・エフェクト』はシリーズ唯一の長編。第三巻『逃亡テレメトリー』は中編と二本の短編。

このうち、第三巻に収められた「ホーム――それは居住施設、有効範囲、生態的地位、あるいは陣地」だけが警備ユニットの理解者となるメンサー博士の視点から描かれるが、あとはダイアリー、つまり警備ユニットの一人称で綴（つづ）られる。

「システムの危殆（きたい）」で出会う、シリーズを通して警備ユニットと関わることになるメンサー博士を初めとするプリザベーション補助隊。メンサー博士の娘のアメナ。放浪の途中で出会った調査船のボットＡＲＴ。無邪気な子供のような人間型ボットのミキ。

様々な存在と関わり合う中で、深く傷つき、社交不安障害を起こしていた警備ユニットが少しずつ信頼や仲間意識、そして自分の過去を取り戻していく。その過程が何とも温かい。

著者はアメリカの作家。ファンタジーやヤングアダルトなど数多くの作品を手掛ける。中でもこの《マーダーボット・ダイアリー》シリーズは大人気。

まだまだ〝弊機〟の活躍は続きそう。いつか〝弊機〟がのんびり連続ドラマを見られる日が来ますように。

（池澤春菜）

2020年3月
The Machineries of Empire, 2016-

《ナインフォックスの覚醒》三部作

ユーン・ハ・リー
赤尾秀子訳　解説：渡邊利道、ほか
装画：加藤直之
装幀：岩郷重力＋WI

かつて戦略の天才として宇宙にその名を轟（とどろ）かせながら、敵味方の区別なく百万人以上を虐殺したかどで処刑され、四百年の長きにわたり肉体を奪われていた大反逆者シュオス・ジェダオ。しかし、ケル司令部は、異端との戦いのため、彼の得がたい才能を生かすべく、人類史上最悪の犯罪者を〝黒いゆりかご〟から現世に呼び戻す。この最終兵器の依り代（よりしろ）（錨体（アンカー））として白羽の矢を立てられたのが、数学の天才である若きヒロイン、チェリス大尉だった……。

こうして幕を開けるのが《六連合（ろくれんごう）》三部作の第一作『ナインフォックスの覚醒』。同書はローカス賞第一長編部門を受賞。第二作の『レイヴンの奸計（かんけい）』ともども、ヒューゴー賞長編部門の最終候補にも名を連ねている。

独特の世界観の基盤となるのが、〝暦法（れきほう）力学〟（Calendrical mechanics）。エキゾチック技術と呼ばれる魔法みたいな超テクノロジーを使用可能にするため、六連合が採用している一種の数学体系だ。数学の素養がないジェダオは、チェリスを錨体とすることでさらに大きな力を操れるようになる。

そのジェダオ／チェリスが司令部の期待を担って、尖針砦（せんしんとりで）奪還任務に派遣されるのが第一作。第二作『レイヴンの奸計』では、隣国の侵攻を迎え撃つべく六連合政府が派遣した大艦隊の旗艦に乗り込んで、たちまち指揮権を掌握する……。

第三部『蘇（よみがえ）りし銃』は、一転、十七歳のジェダオが主人公。傷だらけの壮年の肉体の中で目を覚ました彼は、ニライ属の総裁クジェンから、おまえは戦略の天才だと告げられる。史上最悪の反逆者の自覚はおろか兵士としての記憶さえないまま巨大艦の指揮を任された彼の運命やいかに。……というわけで、チェリスが出てこないまま話が進み、中盤を過ぎてから驚愕（きょうがく）の事実が明かされる。

著者のユーン・ハ・リーは、一九七九年、テキサス州生まれ。韓国系アメリカ人（名前のハングル表記は이윤하で、韓国人ぽく読むと、たぶん「イ・ユンハ」となる）。幼少期は両親とともにアメリカと韓国を行ったり来たりしていたそうで、ソウルで生活した期間は合計八年におよぶとか。そのせいかどうか、韓流ドラマの愛好者で、日本のアニメも大好きだという。

著者自身がトランス男性だということもあってか、作中のジェンダーの扱いは非常に現代的。ジェダオやクジェンが錨体とする人間は性別を問わないし、セックスの対象も男女を問わず、トランスジェンダーのキャラクターや、ジェンダー・ニュートラルな三人称単数の代名詞〝they〟（訳文では〝彼人（かのと）〟）が使われる性別不明のキャラクターも登場する。一〇年代のニューモード宇宙SF活劇を代表するシリーズのひとつだろう。

（大森望）

2020年4月

鳥の歌いまは絶え

Where Late the Sweet Birds Sang, 1976

ケイト・ウィルヘルム
酒匂真理子訳　解説：渡邊利道
装画：東逸子
装幀：岩郷重力＋R.F

一九七七年に、ヒューゴー賞長編小説部門、ローカス賞長編部門、ジュピター賞（高等教育に役立つSF作品に授与）を獲得した、クローンと人間の魂を主題にした三部構成の年代記で、ウィルヘルムの最高傑作とも呼ばれる作品。核戦争後の荒廃した地球で、なんとか生き残ろうと峡谷に集った一群は、不自由だが牧歌的ともいえる生活を営んでいる。しかし人間の生殖能力がしだいに失われていく事実に気づき、クローン開発に着手。同時期に生まれた若者はグループをなし、強い精神的絆で結ばれていた。個性をあらわにする者は排除される。それは多様性芸術性を否定することでもあった。

クローンというSFガジェットを持ちこんでいるが、これは峡谷の一群が描き出す人間模様であり恋愛の葛藤の物語だ。豊かな自然描写と心の機微が相乗効果となってストーリーを彩っている。馴れ合いと阻害の描き方が素晴らしい。

ウィルヘルムは二十代でデビューし、三十歳のときにミルフォードSF作家会議に出席。そこで多くの仲間と出会って、SF作家活動への刺激を受けた。翌年には、作家・評論家・編集者であったデーモン・ナイトと再婚。生涯を執筆と後進の育成に捧げた。

（菅浩江）

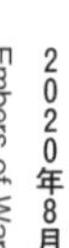

2020年8月

ウォーシップ・ガール

Embers of War, 2018

ガレス・L・パウエル
三角和代訳　解説：訳者
装画：安倍吉俊
装幀：岩郷重力＋W.I

人間の少女と犬の遺伝子によって作られた脳を持つAI戦闘艦トラブル・ドッグは、先の戦争で知性のある森の破壊に関わり嫌気がさして人命救助団体に加わる。艦長のサリー・コンスタンツは様々な厄介ごとを抱えストレスでパンク寸前だが、すべての惑星がオブジェのように加工された謎の星系で遭難した民間船の救出に向かう。その民間船には著名な詩人オナ・スダクが滞在しており、彼女を狙って船は襲撃されたのだ。詩人の生死を確認するために派遣された工作員も加わり、救出と追跡と逃避行が絡まり合いながら物語は古代の異星種族が遺した人工物体の謎に直面することになる。主要人物の視点が章ごとに頻繁に変わる複雑な構成で全体像が摑みにくいが、しだいに明らかになっていくそれぞれが背負った過去や、星系ギャラリーの正体が物語の様相を一変させていくセンス・オブ・ワンダーが楽しめるスペース・オペラだ。クライマックスでは戦闘を忌避するトラブル・ドッグとかつての同僚たちが対決し、さらには異星人の無敵艦隊が現れ、一気に物語のスケールが巨大化して、大団円に雪崩れ込む。英国SF協会賞を受賞した本書を皮切りに三部作が上梓されたが、続巻は残念ながら未訳。

（渡邊利道）

2020年6月
The Broken Earth Trilogy, 2015-

《第五の季節》三部作

N・K・ジェミシン
小野田和子訳　**解説：渡邊利道、ほか**
装画：K.Kanehira
装幀：岩郷重力＋W.I

『第五の季節』、『オベリスクの門』、『輝石の空』の三部作。同一作者による三部作すべてがヒューゴー賞長編部門を受賞したのは初、三年連続受賞も初、第三部に至っては、ヒューゴー・ネビュラ・ローカス賞の三冠を達成。まさに空前絶後の偉業である。

　舞台は途方もない遠未来で、数百年ごとに文明を滅ぼす災厄〝第五の季節〟が繰り返される惑星を舞台に、大地の力を操って地震を引き起こす力を持つ能力者たちが戦う。

　能力者たちは常に力を意のままに操れるわけではなく、ちょっとした感情の揺れで暴走させてしまうこともある。このため存在感を発揮する機会は少なく、忌み嫌われることも珍しくない。多数のコミュニティが複雑にせめぎ合う世界の中で、たいていは息をひそめて暮らしている。その一方で、能力者たちを監視し付きまとう、石喰い・守護者などと呼ばれる、人間かどうかもはっきりしない謎めいた存在もいる。

　一見すると、魔法めいた異能力と異種族が飛び交う、ファンタジー的な世界のようだ。だが、どうやら背景には科学的な根拠があるらしいことが、読み進めていく中でおぼろげに見えてくる。科学はかつて災厄をもたらした元凶として忌避され、自然現象も技術もまったく違う言葉で表現されている。作品中で何が起きているのか、把握することはかなり難しい。読みやすいかどうかと問われるならば、きわめて読みにくいと言わざるを得ないが、じっくりと時間をかけて読み解く価値は十分にある。普通の本ではないと割り切り、各巻末の用語辞典も適宜参照しながら、挑戦することをお勧めする。各巻個々の独立度は低く、全体で大きなひとつの物語であると考えた方がよい。立ち止まらず、三冊を一気に読み切った方がいいだろう。

　この凝りに凝った文体から思い出されるのが、ジーン・ウルフ《新しい太陽の書》四部作だ。ファンタジーの言葉で語りなおすことによって、見慣れたSFがまったく違う世界に変容する。ウルフのようにSFを作り替える試みは、そう簡単に挑戦できるものではない。三部作で総計千五百ページを超える大著をまとめあげたジェミシンが、過去に例がないほどの賞賛を浴びたのは、当然だ。

　物語は西欧的文化から遠く離れ、白人も男性もほとんど出てこない。メインキャラクターは中年女性とその娘で、遍歴の末に二人がたどり着くのは、〝地学SFファンタジー〟とでも表現するほかない、未踏の世界だ。奇妙な二人称の語りもただの思いつきではない。最後の最後に明かされる理由を知るとき、辛抱強く物語に付き添ってきた者だけが得られる感動に、あなたは涙することだろう。

（高槻真樹）

2020年9月

時間旅行者のキャンディボックス

The Psychology of Time Travel, 2018

ケイト・マスカレナス
茂木健訳　解説：堺三保
装画：緒賀岳志
装幀：岩郷重力＋W.I

一九六七年にイギリスでタイムマシンが発明され、超国家組織〈コンクレーヴ〉による独占的運用管理が始まる。三百年先の未来までの時間旅行が可能となった世界で、死生観や倫理観を大きく変化させたタイムトラベラーと、彼女らと宿命的な出会いをする女性たちが織りなす波瀾万丈の人生を描いた本書は、自分や親しき者の運命を知った時、人はどう考え、いかに行動するのか、幸福な人生とは何なのかを深く思索した極めてユニークな時間SFだ。と同時に、不可能状況下での死の謎を核とした精緻な謎解きミステリでもある破格のデビュー作だ。

四人の女性科学者によりタイムマシンが発明された一九六七年から進行する時間旅行者たちの物語、二〇一八年一月に密室内で発見された身元不明老女の射殺死体の謎を探るミステリ、二〇一七年七月に七ヶ月後に死因審問される老女が祖母か否かを確かめようとする心理学者の調査行。複雑に連関する三つのストーリーを締めくくる心憎い不意打ちに思わず膝を打つ。

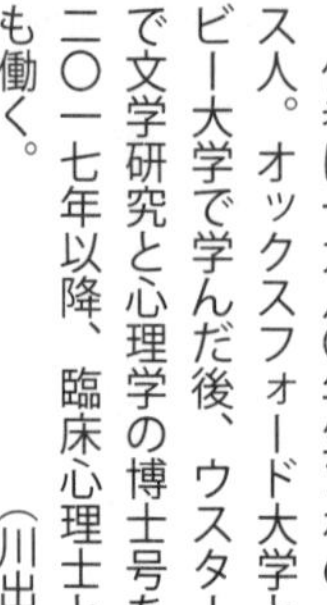

作者は一九八〇年生まれのイギリス人。オックスフォード大学とダービー大学で学んだ後、ウスター大学で文学研究と心理学の博士号を取得。二〇一七年以降、臨床心理士としても働く。（川出正樹）

2021年1月

6600万年の革命

The Freeze-Frame Revolution, 2018

ピーター・ワッツ
嶋田洋一訳　解説：渡邊利道
装画：緒賀岳志
装幀：岩郷重力＋W.I

『巨星』に収録の三編と合わせ Sunflower Cycle シリーズに属する作品である。表題作の中編（作者は長編だと言っているが）と短編「ヒッチハイカー」が収録されている。

タイトルにある通り、想像を絶する超遠未来へと続く宇宙SFだ。何千万年もかけて銀河全体にワームホールのネットワークを構築しようとするディアスポラ計画。ワームホールまでは光速以下で飛ぶしかないので、宇宙船の乗員たちは普段は凍結され、数千年に一度、数日間だけ目覚めるという生活を送っている。通常任務を行うのはチンプと呼ばれるAIだが、人間たちの中にはこの生き方に不満を持ち、反乱を計画している者がいる。何万年もかけたとても気の長い革命だ。

主人公のサンディはその革命グループに参加しながらも、チンプにも親しさと共感を抱いていて、その真意はよくわからない。何千年、何万年かたって目覚めるたびに状況も変わっており、あちこち説明のない空白もあって、ますますややこしい。

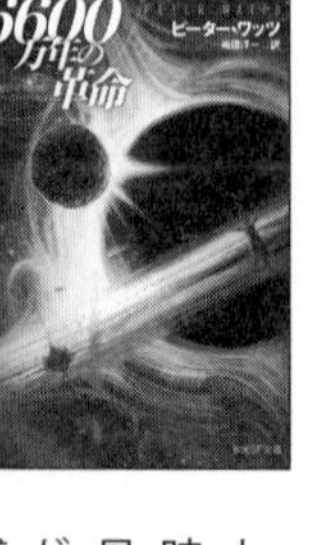

それでもワッツの作品としてはストレートで読みやすい方だ。遙かな時間が背景にあるが、閉鎖的な小惑星宇宙船の内部という狭い空間で話が進むので、むしろホラー的な緊迫感の強い作品である。（大野万紀）

2021年3月

この地獄の片隅に
パワードスーツSF傑作選

Armored, 2012

J・J・アダムズ編
中原尚哉訳　解説：岡部いさく
装画・扉絵：加藤直之
装幀：岩郷重力＋W.I

編者は電子、Web雑誌の編集を長年手がけ、年三、四冊のペースでアンソロジイの編纂も行うなど、独自に短編市場を切り開く活動を続けている。

本書は、すべて書下ろしのオリジナル・アンソロジイで、原著の全二十三編から十二編を選び、読みやすいように掲載順序を入れ替えている。邦訳書が出ている作家は、ジャック・キャンベル、カリン・ロワチー、アレステア・レナルズ、サイモン・R・グリーン、ショーン・ウィリアムズ、ジャック・マクデヴィットと結構いるが、現行本が残っているのはキャンベルくらいだろう。逆に言えば、作者名にこだわらず内容だけで楽しめるわけだ。

パワード／アーマードスーツというアイデアがハインライン『宇宙の戦士』由来だとすると、ミリタリSFばかりになりそうなものだが、実際には少数派である。キャンベルとレナルズくらいしかない。代わりに知性を持ったアーマー（外骨格）が主人公になったり、宇宙服の延長線上やスチームパンクのメカ、アーマーを着ていることが設定の一部になっていたり、事件解決の手段になったりする。機動歩兵ばかりがアーマーネタではないのだ。（岡本俊弥）

2021年4月

小惑星ハイジャック

One of Our Asteroids is Missing, 1964

ロバート・シルヴァーバーグ
伊藤典夫訳　解説：訳者
装画：緒賀岳志
装幀：岩郷重力＋T.K

大学在学中の十九歳で作家デビューし、一九五六年度ヒューゴー賞最優秀新人賞に輝くも、SFに限らず、スリラー、ウェスタンからポルノまで雑誌やペーパーバック用に書きまくっていた〝小説工場〟時代から、ヒューゴー&ネビュラ賞ノミネートの常連となる〝ニュー・シルヴァーバーグ〟への変貌の過渡期に、長編二作もしくは長編と中短編集を背中合わせの両A面というか裏も表もない両表紙スタイルの〝エース・ダブル〟から刊行、カルヴィン・M・ノックス名義で発表された作品。

ノックス以外、合作やハウスネームも含め、十五をくだらぬペンネームをもつ（小説工場だったゆえん）シルヴァーバーグが、本名を使わないからといって、手抜きをしているわけではない。むしろ作品勝負。テンポのよいストレートなSFだ。

二十三世紀初頭、小惑星に眠る鉱物資源採掘で一攫千金狙いに賑わう時代。大学を卒業した主人公は、大企業の勧誘を断り、二年の期限でお宝小惑星発見の旅に出る。期限ぎりぎりでお宝発見。大満足で地球に帰還するが、小惑星の登記記録がないばかりか本人の市民番号も抹消されていた！

軽快に読めてSFの醍醐味あり。本文庫に本来あったSF初心者向け路線にぴったりの佳作。（高橋良平）

2021年6月
The Dream-Quest of Vellitt Boe, 2016

猫の街から世界を夢見る

キジ・ジョンスン
三角和代訳　解説：渡邊利道
装画：緒賀岳志
装幀：岩郷重力＋W.I

　ウルタールの女子カレッジの学生で大学理事の娘が〝覚醒する世界〟から来た男と密かに街を出た。学生の係累である神に知られたらウルタールの街が破壊されてしまうので、学生を連れ戻すべくかつて冒険者だった教授ヴェリット・ボーは黒猫と一緒に旅に出る。

　H・P・ラヴクラフトの創始した世界を舞台にした創作は現在でも連綿と書き継がれているが、本書では経験と知恵はあるが肉体は衰え始めた中高年女性を主人公にした語り直しが試みられる。彼女の旅は「出張」なので、大学の学生監から現金を渡され、なにに使ったかを記録しろと送り出される。

　ラブクラフトが書いたものは恐怖の描写に比して経済活動や女性たちの造形に鮮明さを欠くと指摘されるが、ジョンスンは本作でそこを補う。支出の記録もそうだが、女性の冒険者たちのレイプ被害とその結果の望まない妊娠の可能性が明言され、重要人物への謁見に際しては相応しい衣装を仕立屋に誂えさせる。ボーの旅の鞄に一張羅を入れる余裕はないが、勝負所で良い衣装を纏う効果と金銭でそれを叶える術も、若人の恋の燃えやすさと冷めやすさも知っている。世界幻想文学大賞中編部門受賞作。（勝山海百合）

2021年7月
Federations, 2009

不死身の戦艦

銀河連邦SF傑作選
J・J・アダムズ編
佐田千織、ほか訳　解説：大野万紀
装画：加藤直之
装幀：岩郷重力＋W.I

　編者が言う「銀河にまたがる社会――国ではなく世界、あるいはいくつもの世界がまとまってできた政府――の広大さ」がテーマの、現代SF作家によるアンソロジーである。

　銀河連邦！　広大な銀河にある無数の星々。幾多の文明が興亡を繰返し、強大な、あるいは衰退しつつある政体が、それを厳しく、あるいは緩やかに統治する。異星人を含む多くの種族が共存し、交易し、支配し支配され、戦い、あるいは酒場で大騒ぎする、そんなグローバルな世界。それがSFにおける銀河連邦や銀河帝国の典型的なイメージだ。

　ぼくが解説でも書いた通り、シリアスに考えればそんなものが成立する可能性は極めて低い。にもかかわらず、ぼくも広い銀河で人類も異星人もいっしょにワチャワチャしている話が大好きだ。ここにはそんな話やもっとひねった話、AIやポストヒューマンをからませた話など十六編の現代SFが収録されている。中でもぼくのお気に入りは、知性ある犬たちが主人公のメアリー・ローゼンブラム「愛しきわが仔」のような心に染み入る話や、銀河連邦同士の結婚というジェイムズ・アラン・ガードナー「星間集団意識体の婚活」のようなスケールの大きいバカ話だ。（大野万紀）

2021年11月

大宇宙の魔女

ノースウェスト・スミス全短編
日本オリジナル編集

C・L・ムーア

中村融、市田泉訳　**解説：訳者**

装画：またよし　装幀：岩郷重力＋R.F

一九三〇年代、アメリカでスペースオペラが全盛となりはじめた頃。まだラヴクラフト的なダーク調の小説が好まれる時代に、《ノースウェスト・スミス》シリーズがはじまった。作者は弱冠二十二歳。デビュー短編でもあるシリーズ一作目の「シャンブロウ」を〈ウィアード・テイルズ〉に発表し、大評判となった。本書は八年にわたって書かれた全十三話を集成したお得な一冊。謎の遺跡が点在する寒く乾いた火星と、ジャングルと沼沢地のある金星を主な舞台とし、スミスと金星人ヤロールのバディが、光線銃とセガー・ウィスキーを手に渡り歩く。

ただの冒険活劇ではない特徴のひとつが、ハードボイルド味。毅然としていてかっこいいスミスと陽気なヤロールの関係が秀逸だ。ふたつ目の特徴は耽美的な文。おどろおどろしくも美しい描写は、この状況であればニヒルなスミスも妖しい美女に陥落せざるを得ないと納得できる筆致だ。三冊組で出たハヤカワ文庫版では、表紙と挿絵が松本零士で、この二つの特徴がいかんなく絵に表現されていた。

ムーアはこのシリーズと並行して書いた《ジョイリーのジレル》なる剣と魔法ものでも成功し、共作も多い夫のヘンリー・カットナーと共にSF黎明期に名を刻んだ。（菅浩江）

2022年1月

未踏の蒼穹

Echoes of an Alien Sky, 2007

ジェイムズ・P・ホーガン

内田昌之訳　**解説：大野万紀**

装画：加藤直之
装幀：岩郷重力＋W.I

二〇〇七年刊行のホーガン晩年の長編。シリーズには属さない単発作品である。

いつとも知れぬ未来。人類はすでに絶滅している。その調査に地球を訪れたのは金星人の科学者たち。そう、この物語の登場人物たちは金星人なのだ。この時代の金星はかつてのような灼熱地獄ではなく、多様な生物が棲み、惑星間航行のできるまでに発達した文明をもつ人々の世界となっている。金星人たちはテラ人とほとんど変わりがない。しかしテラ人が滅亡した時、金星はまだ人が住めない環境のままだった。もしも金星人がテラ人の子孫だとするとタイムスケールが合わない。

物語はこのタイムスケールの謎（『星を継ぐもの』と同じモチーフだ）を中心に、「科学的」発見の驚きとサスペンスに満ちた展開をする。結末には未来の人類の運命に関する、わくわくするようなセンス・オブ・ワンダーがある。とはいえ、ホーガンの「科学」が現実の科学ではなく「トンデモ」に近いものであることには留意が必要である。

そこさえ間違えずSF的虚構として楽しむ限りは、本書は著者の初期作品と同じく、未知の謎を解く驚きとSFを読むことの喜びに溢れているのだ。

（大野万紀）

2022年2月

Made to Order: Robots and Revolution, 2020

創られた心

AIロボットSF傑作選

ジョナサン・ストラーン編

佐田千織、ほか訳　解説：渡邊利道

装画：加藤直之
装幀：岩郷重力＋W.I

編者のストラーンは、一九六四年生まれのオーストラリア人。今世紀に入ってアンソロジストとして頭角を現し、編著は軽く百冊を超える。本書は彼が編纂したオリジナルアンソロジーの全訳。人工の知性や身体をテーマにした新作十六編を収める。

エンケラドスの海の生命を探査する遠隔操作のヒトデ型ロボットの腕のうち一本が異常な挙動を示すところから始まるピーター・ワッツ「生存本能」は著者らしい本格SF。ケン・リュウ「アイドル」では、人格をデジタル的に再現する技術が意外な目的で使われる。タイの空港管理AIの〝その後〟を描くサード・Z・フセイン「エンドレス」や、甲殻類型の警察ロボットが児童誤射事件を起こすトチ・オニェブチ「痛みのパターン」など、社会問題に斬り込む新作もあれば、古典的なネタを語り直す気楽なロボットものも。アレステア・レナルズ「人形芝居」は、人工冬眠中の五万人を運ぶ星間旅客船で働くロボットたちが重大事故を隠蔽すべく涙ぐましい努力を重ねる爆笑作。サラ・ピンスカー「もっと大事なこと」では、私立探偵と執事ロボットとの対話から事件の真相が明らかになる。AI／ロボットSFの現状のみならず、SF界全体も俯瞰できる一冊。（大森望）

2022年6月

Cosmic Powers, 2017

黄金の人工太陽

巨大宇宙SF傑作選

J・J・アダムズ編

中原尚哉、ほか訳　解説：堺三保

装画・扉絵：加藤直之
装幀：岩郷重力＋W.I

編集者でアンソロジストのアダムズが編んだ宇宙SF全十八作。本書は元々アメリカンコミックがすきで二〇一一年の映画『ガーディアン・オブ・ギャラクシー』に感動したアダムズが作家陣に声をかけたと序文にある通り、アメリカ宇宙SFの最前線を知ることができる（堺三保による巻末解説、宇宙冒険SF史も必読）。アンダーズ「時空の一時的困惑」は超巨大生命体を巡るコメディ。シュレイダーの表題作は語り手がその人工太陽で、バッケル「禅と宇宙船修理技術」の主人公は船体修理をする生命体など宇宙規模の視点変更が楽しめる短編集である。全話に加藤直之の扉絵（電子書籍版ではカラー）を付す。

宇宙SFはウェルズ『宇宙戦争』以来のSFの王道であると同時に、二〇一三年のレッキー『叛逆航路』をきっかけに世界中で宇宙SFは書かれ、同年の映画「ゼロ・グラビティ」や翌年の「インターステラー」など近未来を舞台にした大作映画も毎年公開されている。これらは一九六〇年代のアポロ計画以来の、宇宙開発の激化を受けての現象に他ならない。本書はこの潮流をSF作家たちが先取りしたものであり、月や火星の有人探査計画も進む今、宇宙をSFから見るために読むべき一冊である。（高島雄哉）

2022年8月

Good Morning, Midnight, 2016

世界の終わりの天文台

リリー・ブルックス＝ダルトン

佐田千織訳　**解説：勝山海百合**

装画：加藤直之

装幀：岩郷重力＋WONDER WORKZ。

理由は不明だがおそらく人類が滅亡するだろう事態が訪れ、本国への撤収を拒否し北極圏の天文台に一人で残った老科学者オーガスティンが、取り残されていた少女アイリスを保護する羽目になる地球パートと、木星探査を終えて帰還の途にあった宇宙船の乗組員サリーが、地球からの通信が途絶えたことで不安に駆られ、しだいにぎくしゃくしていく人間関係のなかで仕事を続ける宇宙パートが並行して描かれる静謐（せいひつ）な終末ＳＦ。

主人公の二人はどちらも母親との不幸な子ども時代を過ごし、そのために愛するものと適切に関係を築けない過去を持っていて、現在パートでまるでその罪滅ぼしのように周囲の人たちとの関係の変化に踏み出していく。作者によれば、本作は子育てについて社会が男女に対して期待する役割の違い、子供を捨てたことに対する罪悪感の違いを探求する物語だそうで、未来に開かれたかたちで登場人物の変化が描かれ、ラストにはささやかな「秘密」が明かされほんのりと希望を感じさせる。世界の終わりについての具体的で詳細な記述がない、非常に内省的な印象を与える作品だ。二〇二〇年にジョージ・クルーニー監督によって「ミッドナイト・スカイ」のタイトルで映画化されている。

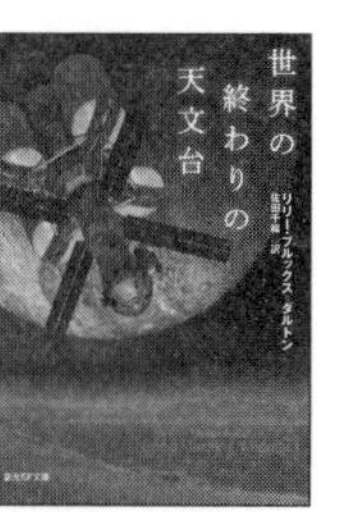

（渡邊利道）

2022年12月

吸血鬼は夜恋をする

SF&ファンタジイ・ショートショート傑作選

日本オリジナル編集

伊藤典夫／編訳　**解説：編者**

装画：後藤啓介

装幀：岩郷重力＋T.K

一九七五年、伊藤典夫が初めて単独で編者を務めた記念すべきアンソロジー『吸血鬼は夜恋をする』は、文化出版局から刊行された。本書はそれ（二十三編）に作品を追加（九編）した上で文庫化したものである。副題に「ＳＦ&ファンタジイ・ショートショート傑作選」とある通り、短い小品ばかりを収録。作者はいわゆるＳＦ系（テン、ブラナー、ベスター）からファンタジイ&怪奇幻想系（ブラッドベリ、マシスン）、果てはミステリ系（Ｒ・Ｌ・フィッシュ、アーサー・ポージス）まで、広く目配りした上で選定されている。原作はほとんどが五〇年代から六〇年代に発表されたもの（ジョン・コリアとデヴィッド・Ｈ・ケラーの二編のみ三〇年代）。編者はこの頃までのＳＦとファンタジイに「もっとも愛着がある」という。またなるべく多くの作家を紹介するということよりも、あくまで「面白いもの」を選ぶことを優先しているため、作家の重複も避けていない（マシスンは五編収録）。全く古びていない、は流石（さすが）に言いすぎだが、現代の鑑賞眼にも堪（た）えうるものばかりで、ヴィンテージ・ワインのような味わいと言うべきか。様々なボトル（著者）から少しずつ味見をし、好みの味を見つけるのに最適である。

（北原尚彦）

2023年3月

生存の図式

The Watch Below, 1966

ジェイムズ・ホワイト
伊藤典夫訳　解説：訳者
装画：加藤直之
装幀：岩郷重力＋T.K

本書では二つの「船」をめぐる挿話が交互に語られる。一つは、第二次世界大戦のさなか、Uボートの襲撃を受けて沈んでしまったタンカー。そしてもう一つは、移住に適した星をめざして航行を続ける異星人の宇宙船。この両者が危機を乗り越え、いかに生存していくかが共通の主題となっている。前者では、豊富な食料が残されていたことも幸いして、生き残った五人の男女で知恵を合わせ、船内環境を整えて後の世代へと希望を繋いでいこうとする。後者では、冷凍睡眠を通して交替制で目標の星へ向かうはずが、その技術に問題が見つかってしまい、かろうじて世代交代しながらの航行に希望を見出す。いわゆる「世代宇宙船もの」のバリエーションは枚挙に暇がないほど存在するが、本作の特徴はこのように二つの「船」の様子を交互に描きつつ、その融和へ向けてクライマックスを設定しているところだ。果たして両者がどう結びついていくのか？　丁寧に張られた伏線とその回収の妙が魅力の一作だ。サバイバルものという意味では、アンディ・ウィアー『火星の人』の系譜の元にある作品とも言えるだろう。なお、本作は一九八三年に早川書房《海外SFノヴェルズ》内で刊行された作品の文庫化である。

（鯨井久志）

2023年5月

人類の知らない言葉

Drunk on All Your Strange New Words, 2022

エディ・ロブソン
茂木健訳　解説：渡邊利道
装画：緒賀岳志
装幀：岩郷重力＋W.I

地球人類は異星文明ロジアと友好的な関係を築いていた。テレパシーで会話をするロジ人の通訳で、アメリカのニューヨーク市で暮らすリディアはイギリスの小さな町出身。将来の展望はなかったが、運良く通訳学校に入学して通訳になった女性。ある朝、自分の担当するロジ人文化担当官のフィッツウィリアムが何者かに殺されているのを発見する。リディアはフィッツの〈残留思念〉とともに犯人捜しを始める。

リディアは通訳をクビになるかもと不安になりながら少ない手がかりを手繰って真相に迫る。ロジ人がもたらした技術の恩恵を受けることで、いずれ地球人類がロジ人に隷属することになるのではと怖れる反ロジ派の犯行か、それとも私怨か、他の理由か。リディアが一夜を共にした相手が疑わしく思えたり、最初はぎこちない仲だった人物と思いがけず共闘したり、殺人事件は起きるものの、文化とアイデンティティの問題、外交の難しさを考えさせながら楽しく読める推理小説。二十一世紀の現在よりも技術は進歩しているものの、意外な地場産業が発展していたり閉塞感もある未来にリアリティがある。

全米図書館協会RUSA賞SF部門受賞作。

（勝山海百合）

2023年6月

Robot Uprisings, 2014

ロボット・アップライジング

AIロボット反乱SF傑作選

D・H・ウィルソン&J・J・アダムズ編

中原尚哉ほか訳　**解説：渡邊利道**

装画：加藤直之
装幀：岩郷重力+W.I

二〇一〇年代以降の創元SF文庫の特色として海外で編まれたテーマ別アンソロジーの翻訳が挙げられるが、本書もそのひとつ。テーマは〝反乱するAI〟。『フランケンシュタイン』から『ターミネーター』に至るまで、人工知能といえば人類への反乱……と百人一首の決まり字のごとくSF内で扱われてきたある種典型的とも言える図式だが、本書ではヴァリエーションに富んだ名作が数多く収録されている。不穏さをたたえながらもどこかユーモラスなAIの一人称の語りが光るチャールズ・ユウ「毎朝」もいいが、とりわけ傑作なのがアレステア・レナルズ「スリープオーバー」。不老不死を目指してコールドスリープについた研究者が目覚めた未来世界は、異次元の存在との情報戦のリソースとして人類の大半が眠らされていて……という冒頭から、おおよそ短編の尺とは思えないほどのスケールで大量のアイデアが描かれる。その他、コリイ・ドクトロウやイアン・マクドナルドといった実力派作家の作品に加え、〝人工知能〟という用語を初めて提唱したことでも知られる、プログラミング言語〝LISP〟の開発者ジョン・マッカーシーによる短編といった変わり種も含めた十三編を収録。

（鯨井久志）

創元ＳＦ文庫総解説　国内編

《銀河英雄伝説》全十巻＋外伝全五巻＋『銀河英雄伝説事典』

2007年2月〜

田中芳樹
解説：鏡明、ほか
装画：星野之宣
装幀：岩郷重力＋Wonder Workz。

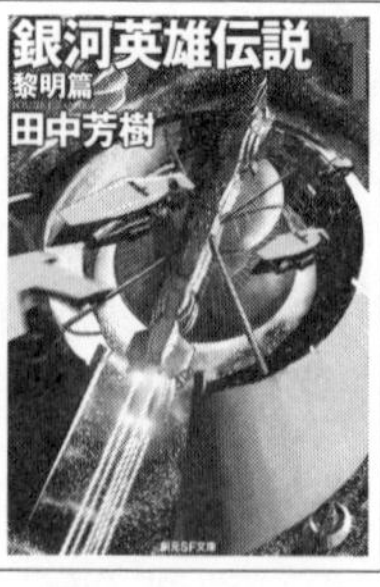

一九八二年から八七年までに発表された『銀河英雄伝説』全十巻と、それと並行して八四年から八九年に書かれた『外伝』五巻からなる、日本SFの最高峰にして金字塔である。圧倒的なまでの王道タイトルは、一読すればその名にふさわしいことがわかる。現時点の累計発行部数は千五百万部を超える。

遠未来の銀河を舞台に、ふたりの英雄――銀河帝国の〝常勝の英雄〟ラインハルトと、自由惑星同盟の〝不敗の魔術師〟ヤン――の戦いを軸に、物語は幕を開ける。帝国も同盟もこの時点で政治的に腐敗しており、ふたりはそれを強く批判するのだけれど、同時にそれぞれ君主制と民主制を本質的には是としているという点で、ふたりは強く一致している。ラインハルトは門閥貴族たちと対立しながら皇帝の座を目指し、ヤンはシビリアンコントロールに従いながら職務として――「年金のため」と半ば本気で半ば冗談でうそぶきながら――軍務につく。ふたりが銀河を舞台に激しく戦っているのは、理想とする社会制度の存在のためなのだ。

物語の序盤が終わる頃にはラインハルトはついに皇帝となり、ヤンは元帥となる。ラインハルトは君主としても〝英雄〟的に腐敗した帝国を立て直し、ヤンは――クーデターを唆されても断固拒絶しつつ――寡兵をもって帝国に対して奇跡のような〝不敗〟を続ける。このふたりを銀河の伝説的英雄たらしめているのは、その高邁な行為なのだ。

ただし伝説的な存在が、真に伝説となるのは、さらに未来においてでしかありえない。本シリーズは後世の歴史家が書いているという体裁になっており、年表が緻密に組まれた歴史的記述によって、〈未来の伝説〉というSF的記述を実現しているのだ。

SFには二大ジャンル〈時間〉SFと〈宇宙〉SFがあり――たとえばイーガン『宇宙消失』は宇宙SFであり、ホーガン『時間泥棒』は時間SFだけれど――本作においては〈時間〉と〈宇宙〉が融合している。時間と宇宙が融合したSFとしては映画「インターステラー」が挙げられるが、そちらは時間と空間（宇宙）が数理的に混交される〈ブラックホール〉という天体をもちいることで二つのジャンルが結びつく。

本シリーズにおいては、時間と宇宙は〈歴史〉という水準で極めて自然に重なり合う。作品の舞台である〝銀河〟は、実は地球が属している〈天の川銀河〉であり、この物語は、二十世紀後半からの地球人類の宇宙進出に接続するのだ。

物語中盤、ヤン艦隊は善戦するも同盟政府が降伏し、作中唯一のラインハルトとヤンの会談が実現する。ラインハルトは虚心坦懐にヤンを帝国元帥として招く。ヤンも素直に答える。

「私が帝国に生を享けていれば、閣下のお誘いを受けずとも、すすんで閣下の麾下に馳せ参じていたことでしょう」

ヤンは民主制の守護者のように振る舞ってきたし、ここでも民主制の——自分で投票した結果を自分の責任として引き受けることができるという——利点から君主制よりは優れていると主張をしながら、それは無数にある正義のひとつであるとも思っている。賢帝ラインハルトへの敬意もある。

「あるいは宇宙には唯一無二の真理が存在し、それを解明する連立方程式があるのかもしれませんが、ただ、それにとどくほど私の手は長くないのです」

なお、このような究極の方程式、究極理論を求める物理学の傾向は〈物理学帝国主義〉とも呼ばれたりするのだけれど、ヤンの言葉はそのような態度に距離をおくようなものでもあり小気味よい。

さて結局、同盟は帝国内の自治領としてのみ存続することになり、ヤン艦隊は人工惑星〈イゼルローン要塞〉にたてこもる。この要塞とそのまわりにある〈航行不能宙域〉こそが、SFとしての本作における最高のアイデアのように思われる。

帝国側と同盟側は、航行不能宙域を通るふたつの細い時空構造〈回廊〉によってのみ行き来できる。一方の回廊は第三勢力であるフェザーンが支配するフェザーン回廊、もう一方が要塞があるイゼルローン回廊だ。この二回廊が帝国と同盟を分断し、ラインハルトの進撃を律速することで、物語にうねりを生み出す。作中の壮麗な〈大規模構造〉が物語に本質的に影響する、極めてSFらしい物語構造がここで機能しているのだ。


【このあと結末にふれます】


物語後半すぐ、ヤンは凶弾に倒れ、もはや民主共和制は銀河から消滅寸前となる。しかしわずかな人々が要塞に残る。

ここから本シリーズ最大の大規模構造である——歴史的記述と技術的記述が美しく混じり合う——対立状況が立ち上がる。ラインハルト帝の銀河帝国は人口四百億、それに対してヤン亡き後のイゼルローン要塞に残るのはわずか九十四万人——全人類の四万二千五百分の一だけが民主主義の側に立つことになる。しかも以降はラインハルトが健在である一方、魔術師ヤンはいない。

このSF的極限状況において、残されたヤンの養子ユリアンたちはあくまでも明るく——ヤンのように——立ち向かっていく。ヤンは本作において最高に魅力的な人物のひとりなのだけれど、物語の最高潮はヤンの死後から始まっていくのだ。

本編のアニメ化は現時点で二つのバージョンが存在し、どちらも当代きってのスタッフとキャストが結集した、優れたアニメーションだ。一九八八年からのアニメ『銀河英雄伝説』シリーズではアニメ一話を収録したVHSテープが登録者に毎週一本ずつ郵送されるという、当時でも驚くべきサービスが始まり、全百三十五巻で完結した。三十年後、二〇一八年からのアニメ『銀河英雄伝説 Die Neue These』シリーズは最新映像技術の粋がもちいられることで新たな魅力が加わって四十八話まで製作されており、現在続編が待望されている。

本作は二〇〇七年より版元を徳間書店から東京創元社に変え、創元SF文庫から刊行、二二年には本作刊行四十周年を記念して全七巻のハードカバー函入愛蔵版が出版されている。『銀河英雄伝説事典』（本文庫）を傍らに置いて、未読の方も再読の方も、ぜひ読み進めていただきたい。

戦争と宇宙という極めて二十一世紀的かつ超時間的なテーマを文芸としてのSFを駆使して描き出す本シリーズは、壮大なタイトルにふさわしい伝説的作品であり必読のSFであることは言うまでもない。


（高島雄哉）

2007年2月

バビロニア・ウェーブ

堀晃

解説：福江純、加藤直之

装画：加藤直之
装幀：岩郷重力＋Wonder Workz。

一九八九年の星雲賞受賞作。本書はその初の文庫版である。著者の傑作短編は多いが、長編は今のところこの一作のみだ。

太陽系の外れに発見された、全長五三八〇光年、直径一二〇〇万キロのレーザー光線の定在波、バビロニア・ウェーブ。もの言わぬ、目に見ることもできない沈黙の光束。ジョン・ヴァーリイの『へびつかい座ホットライン』は情報を流すホットラインだったが、こっちは何のためにあるのかもわからない謎の光線。ただしエネルギー源として利用はできる。この光のエネルギーを利用する連絡船や、様々な小道具・大道具の描写もすばらしいのだが、そういう細かな技術的側面やレーザー光の技術的利用といったプロジェクトSFの方向には話は向かわない。これはとことん寡黙で、孤独で、ドラマチックではない、恐ろしく淡々とした人と宇宙の物語なのである。

最果ての送電基地へやって来た孤独な操縦士マキタが出会うのは、謎めいた基地の駐在員たちと老教授。彼らは一人一人死んでいき、読者はひたすら宇宙の静寂、孤独、とほうもない広大さを味わわされることになる。終章で一気に世界が広がるが、それでも謎は曖昧なまま残る。何ともストイックな傑作である。

（大野万紀）

2007年3月

ゆらぎの森のシエラ

菅浩江

解説：山田正紀

装画：橋賢亀
装幀：東京創元社装幀室

塩の霧で木々が枯れ、動植物が凶暴化した地キヌーヌでは、怪物を創造する謎の人物バナードの陰謀が進行していた。傀儡（かいらい）を各村落の村長に付け、手下の怪物リュクティを守護神と崇めさせ、何かを目論んでいた。本書の主人公《金目（キンメ）》は、バナードが怪物として再生した元人間である。彼は邪悪な初任務で、謎の少女シエラの声に反応し、バナードから離反する。

バナードは何をしようとしているのか。不思議な力を持つ優しいシエラの正体とは。キヌーヌで暮らす住民の運命は。様々な謎と。不穏な空気が収斂（しゅうれん）していくにつれ、物語は加速する。物語の雰囲気はファンタジー色が強いが、設定が明らかになってみると、本書は明らかにSFであり、進化をテーマにした物語に転換していく。最終対決は美しくも壮大だ。この物語で特に素晴らしいのは、登場人物が対等に、相互に影響を与え合う点である。普通の人間はもちろん、知恵ある怪物も、強大な力がある超越者も、それぞれに苦悩と悲哀を抱えている。簡単な生などない。だが他者からの影響で克服し成長することができる。そのような前向きなメッセージが込められているようだ。《凄い人》だけに依存しない、力強い救済の物語がここにある。

（酒井貞道）

2007年5月

幻詩狩り

川又千秋

装幀：岩郷重力＋WW

物語は現代（一九八〇年代半ば）の東京から始まる。ある詩に耽溺する者を刑事が追い詰めている。詩と犯罪がなぜ繋がるのか。違和感を持ちつつ舞台はパリへ転じる。第二次大戦直後、若き詩人フー・メイの詩が、すべての始まりだった。詩人アンドレ・ブルトンに手渡されたそれは、人々を魅了しつつ彼らを異界と死へ誘い込む。その限りない魅力と危険性を知りながら、ブルトンはその詩を処分できず、厳重に保管することを選んだ。しかしその封印はバブル期の日本で開かれたシュルレアリスムの展覧会で解かれたのだ。詩の死に至る魔力は翻訳でも失われることはなかった。かつての手書き原稿は、印刷物となることで多くの人を陶酔させ、侵していく。彼らを詩とともに抹殺することが、冒頭の刑事の仕事だったのだ。だがやがて刑事たちも抗いがたい詩の魅力の虜となっていく。そしてその一人が未来の火星の傭兵として転生するのだ。詩と読者を抹殺するために出動した彼は、そこで詩の作者フー・メイと出会うことになり、やがて詩を巡る歴史が繰り返される。読む者を死へと誘う詩としては、西條八十の「トミノの地獄」が思い浮かぶが、作者の想像力もその魅力に刺激されたのかもしれない。第五回日本SF大賞受賞作。　（忍澤勉）

2007年7月

不確定世界の探偵物語

鏡明

解説：大森望

装画：L.O.S.164
装幀：岩郷重力＋Wonder Workz。

小説に限っても膨大な量（推定四千枚）を雑誌に発表しながら、書籍化された作品があまりにも少なく、〝未完の帝王〟の称号を持つ。実際、鏡明の小説の単著はたった二冊。一九八一年十月に出た吸血鬼ハンターものの長編『不死を狩る者』と、同じトクマ・ノベルスから八四年八月に出た本書である。

〝ワンダーマシン〟と呼ばれる時間遡行装置の発明により、自由に過去を書き換えて現実を改変することが可能になった世界。その技術を独占するタイムズ・コーポレーションズの総帥ブライスが歴史に介入するたび、〈現在〉は変容し、世界はますます便利に、ますます豊かに、ますます暮らしやすくなってゆく。

〝おれ〟ことノーマン・T・ギブスンは、場末の老朽ビルに事務所を構えるしがない私立探偵。ある日、タイムズ社から仕事の依頼を受け、ブライスの秘書だという、めっぽう腕っ節の強い美女が事務所に送り込まれてきたことから、〝おれ〟は、思ってもみなかった大事件に巻き込まれることに……。

「ブレードランナー」と『ユービック』が合体したような舞台で展開するユニークなSFハードボイルド。全八話のうち、最後の二話で、伏線が鮮やかに回収され、ひねりの効いた結末を迎える。　（大森望）

2007年9月

遺跡の声

堀晃
解説：牧眞司、加藤直之
装画：加藤直之
装幀：岩郷重力＋Wonder Workz。

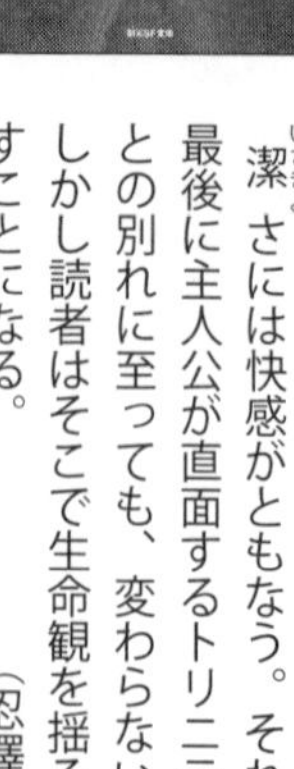

《宇宙遺跡調査員》シリーズをまとめた短編集。主人公は高度な生命活動の痕跡を探し出す調査員である。担当は発掘の可能性が低い銀河の辺境だが、逆に極めて困難な状況に遭遇する。本書には、そんな彼の調査記録というべき短編が九本収録されている。冒頭の「太陽風交点」では、事故で死んだ婚約者オリビアの頭脳が転移した観測基地に向かう。ここでは「彼女」との劇的な再会と永遠の別れが描かれ、物語の相棒であり、主人公の息子のような存在となる結晶生物トリニティを救出する。彼の喪失感を埋めていくのがこのトリニティなのだ。名前があるのはこのトリニティとオリビアぐらいだが、彼らは人間ではなく、人間の主人公には名前がない。このことが独特の寂寥感を生んでいる。主人公と彼の知識が移植されたトリニティの「ふたり」は本部からの指令により、探査の現場で想像を超える文明と接触し、壮大な自然現象に見舞われ、数限りない有機体の死と交差する。しかし主人公はトリニティ同様、ほとんど感情を露わにすることはない。その潔さには快感がともなう。それは最後に主人公が直面するトリニティとの別れに至っても、変わらない。しかし読者はそこで生命観を揺るがすことになる。

（忍澤勉）

2007年11月

グリーン・レクイエム／緑幻想

新井素子
解説：星敬
装画：松尾たいこ
装幀：大野リサ

嶋村信彦は子供の頃、迷い込んだ洋館で、緑の髪をした少女に恋をする。そして二十五歳の植物学者の卵になった今、黒髪となった彼女、明日香に再会する。再開する二人の恋は、しかし明日香の正体がゆえに、悲劇への道を歩み始めるのだった。

以上が『グリーン・レクイエム』の概要だ。物語はピアノの調べに導かれて、美しく、幻想的に、悲しく進む。紛れもないSF設定と共に、詩的な表現の数々と、切ない雰囲気が見事。

続編の『緑幻想』の発表は十年後である。舞台は前作の二か月後に設定され、悲劇として幕を下ろした前作のその後を描き、どうやら全き悲劇ではなかったらしいことを徐々に明かしていく。前作でも訪れかけた世界の危機は、続編では更に切迫度を増して再来する。加えて、関係者の数や範囲も拡大し、なんと《世界樹》すら登場して、話のスケールは格段に向上するのである。文章も一層華麗さを増し、悲劇からの救済、慰撫、回復をこれまた幻想的に描く。『グリーン・レクイエム』と『緑幻想』の最大の相違点は、地球の植物の存在感である。前者では影が薄かった彼らは、続編では作品の中心に位置する。終盤で表明される彼らの深い愛は、地球に住む私たちには必見といえよう。

（酒井貞道）

《司政官》シリーズ

2008年1月〜

眉村卓
解説：中村融、牧眞司、児島冬樹
装画：加藤直之
装幀：岩郷重力＋Wonder Workz。

司政官とは、外宇宙への進出を果たした人類が、軍による強引な植民惑星の統治がさまざまな軋轢を生じさせたことから、軍に代わって連邦が派遣した行政官僚である。彼らは専門的な訓練を受けたエリートであり、官僚ロボットたちを従え植民者と原住者（異星人）の間に立ち、両者を融和させ惑星を統治する。惑星の中では最高権力者だが、巨大な連邦組織の中では末端の一行政官に過ぎず、連邦が掲げる理想を現実に適合しなければならない義務を負っている。植民者たちはみな自然発生的にそれぞれの社会を作り出しており、原住民は人類と異質な存在として固有の文明を持っていて、どちらも連邦の理想などには無関心だが、その権力に阿るもの、あるいはあからさまに敵対し、高度な技術を持つ植民者と原住者が結託して覇権を狙うものも存在する。また、権力の座を奪われた軍は何かにつけ司政官制度への不信や軽侮を隠そうとしない。さらには連邦が司政官を評価するために派遣する巡察官という役職者もいる。司政官は植民惑星での植民者と原住者の融和関係を段階化して把握し、それぞれに相応しい統治形態を取らねばならないので、その理想から言えば原理的に過渡的な存在として最終的にはそれぞれの惑星に任せて退場しなければならないはずで、シリーズはそのような司政官の存在容態の変化を一種の未来史として七作の短編と二作の長編で描いている。本文庫に収録されているのは一九七一年から八〇年までの全短編を物語内の年代順に配列した一冊と、七九年の長編で星雲賞と泉鏡花文学賞を受賞した『消滅の光輪』の上下巻である（十二年にわたって連載されたもう一つの長編『引き潮のとき』は未収録）。

シリーズは作品ごとに違う惑星に派遣された司政官個人の視点から、巨大な官僚機構が支配する社会の中で、組織の一員でありながらも体制に迎合せず、しかし反体制派として敵対するのでもなく、個人として理想と責任を全うしようとする人間を描く、作者が提唱した「インサイダー文学論」を体現する作品群だ。ロボット官僚に囲まれながら、惑星の利害調整者でありかつ意思決定者としてひたすら孤独な思索者であるほかない司政官は、年代が進むに従って、自身の職務が孕む矛盾に直面し一人懊悩する。この一種の閉塞感は、七〇年代以降の日本経済の長期停滞をいくらかは反映しているようだ。作者は最初は異星人を人間から隔絶した存在としてアイディアストーリーの範疇で書いていたのが、政治経済的なものから存在論的なもので司政官の置かれた状況と思慮をつぶさに描いていくうち、異星人はほぼ人間と同じ存在となり、作品はどんどん長大化したという。それがこのシリーズにポストコロニアルな側面を強く与えていて、現在のシステム化されたグローバル経済の中での人間的自由を問う視点からも読むことができる。（渡邊利道）

2008年3月

遙かなる巨神

夢枕獏最初期幻想SF傑作集

夢枕獏
解説：大倉貴之

装画装幀：岩郷重力＋Wonder Workz。

副題の「夢枕獏最初期幻想SF傑作集」が示すように本書には作者が商業誌デビューを果たした直後に発表された様々なスタイルの作品が収録されている。短編と中編が十編、タイポグラフィクションとしか呼びようのない九つの掌編である。

久しぶりに読み返してみるとデビュー直後の新人作家らしい実験的な作品から完成度の高い作品まで、多彩な印象を受ける。中でも中編の完成度と凝縮感がよく、アクション小説界に革命を起こした《サイコダイバー》シリーズの先駆けとなった「てめえらそこをどきやがれ！」、現在と戦前と戦後を金木犀の花の匂いがつなぐ叙情的な幻想譚「木犀のひと」、山で遭難した男と山そのものの階層が重なる「山を生んだ男」、そして、あらゆる進化と物理法則の外に存在する完璧な運動体である巨人を描いた表題作「遙かなる巨神」は現在でも作者の代表作と云っていい読み応え。

短編では、SF同人誌〈宇宙塵〉初出「蒼い旅籠で」の短編らしい冴えが見事。巻末には「カエルの死」から始まるタイポグラフィクションを文庫版で初めて収録。ここでは、フリージャズに触発されて生まれたという「どんたとぴ──山下洋輔氏に──」が見事。（大倉貴之）

2008年5月

ひとめあなたに…

新井素子
解説：東浩紀

装画：松尾たいこ
装幀：大野リサ

冒頭、女子大生の圭子が突然恋人から別れを告げられ、その恋人は癌で余命いくばくもなく、しかも、あと一週間で地球に隕石が衝突し人類は滅亡する……と一気に告げられる読者は、ふつう驚く。本作が刊行された一九八一年はそうだった。しかし、現代の読者には、近景と遠景とが同一平面上にあり、中景がすっ飛ばされた（あるいは、折り畳まれた）世界の捉えかた、描写のしかたは、むしろリアルに感じられると思う。

本作は破滅SFと分類されることが多いが、破滅SFのパースペクティブに必ず入ってくる〝種としての人類〟を描く視点が、明示的には表れない。ひたすら〝個としての人間〟を描くことが、暗示的には〝種〟に繋がってゆく。人生最後の一週間を練馬から鎌倉の恋人の元へと歩いて費やす圭子が、道中遭遇する四人の歪んだ人物を巡る物語には、のちに『おしまいの日』などで大きく花開く新井素子のサイコホラー作家としての萌芽が早くも見られる。

本書での初期・新井素子は、いま振り返ると、いわゆる〝セカイ系〟に通底するものを持っているが、現代の鳥の直系の祖先ではない始祖鳥のような存在として筆者は捉えている。（冬樹蛉）

風前の灯！　冥王星ドーム都市

2008年7月

野田昌宏
解説：日下三蔵
装画：鶴田謙二
装幀：岩郷重力

最果ての冥王星の通信施設を狙った連続爆破事件に出動したフューチャーメンは、古代火星人のミイラが犯人であることを見破った。背後でうごめく陰謀の目的とその首謀者とは……!?

ハミルトン（享年七二）が没した一九七七年、野田昌宏はリイ・ブラケット夫人と新たな《キャプテン・フューチャー》の共作を約束した。だがブラケットも翌七八年に他界、野田が単独で完成させ夫妻に捧げた作品が本書である。〈SFマガジン〉八三年七月増刊『キャプテン・フューチャー・ハンドブック』に一挙掲載された際の前書きでは「そんなわけで、私はこの号に〈新キャプテン・フューチャー〉の第一作を書いてみた」とシリーズ化の構想を窺わせるも、続編が執筆されなかったのは原作に対する想いの大きさと矜持の表れだったのだろうか。本書は本文中も鶴田謙二の挿絵が彩っているのが大きな特長で、これも含め《キャプテン・フューチャー全集》のイラストを集大成した大判画集『FUTURE』が二〇一一年に出版された。

スペースオペラを日本に紹介し、誰よりも愉しんだ著者による本作を別巻に配して全集は完結した。本書に寄せて「あとがき」も追加された。しかし本書は追悼出版でもある。ただそれだけが悔しい。（代島正樹）

レモン月夜の宇宙船

2008年11月

野田昌宏
日下三蔵／編　**解説：高橋良平**
装画：加藤直之
装幀：東京創元社装幀室

野田昌宏は二〇〇八年六月に亡くなっており、同年に出た本書は、追悼本の位置付けになっている。前半は小説、後半はエッセイで、単行本未収録作三編を含む内容である。短編はもともと少なく、収録作の大半は、一九六〇年代後半から七〇年代半ばの短期間に書かれたものと分かる。野田昌宏の主な著作というと、やはり、長編シリーズ《銀河乞食軍団》やキャプテン・フューチャーなどの翻訳が主体だろう。

本書を今読むと、著者やその周辺と思われる登場人物を配し、当時の時事風俗を描いているにもかかわらず、どの作品も現実味を欠いている。何というか、独特の非日常感が滲んでいるのだ。エッセイ編はネタ的なエピソードが多い。たとえば「SFってなァ、結局のところ絵だねェ」は、実は友人の言葉だったことになっている。半分嘘のようなエッセイなので、（一部を除けば）フィクションと思って読んだほうがいいのかもしれない。野田昌宏は、福岡の裕福な家庭に生まれ、父は発明狂めいた大学教授、母は社長令嬢、オール電化の三階建て邸宅に住んでいた。戦争中に焼け出された後、テレビの盛衰に直に関わる。その生涯は、スラップスティックなコメディみたいだ。（岡本俊弥）

2008年12月〜

《年刊日本SF傑作選》全十二巻

大森望・日下三蔵編

装画装幀：岩郷重力＋Wonder Workz。

英米における年次傑作選の系譜は一九四〇年代末にまで遡り、同一年度で複数の傑作選が編まれることも珍しくない。このうちメリル編《年刊SF傑作選》、ウォルハイム＆カー編《ワールズ・ベスト》、ハリスン＆オールディス編《ベストSF》については、それぞれ部分的にではあるが邦訳も出版されている。ひるがえって日本はと見れば、七〇年代に出た筒井康隆編《日本SFベスト集成》全六巻のみという、実に寥々たる有様であった。このような状況の中、星新一のデビューから半世紀を閲し、日本SFも歴史として記録すべき厚みを持つに至ったという認識の下に、大森望と日下三蔵の共編で二〇〇八年（収録作の対象は〇七年発表のもの）から刊行されたのが《年刊日本SF傑作選》であり、一九年までに全十二巻が刊行された。

編集に際して編者が範としたのがメリルと筒井のアンソロジーであり、内容・掲載媒体のレンジを極めて広くとることが目指された。その結果、小説のみならずコミック・エッセイ・短歌などが収録されたほか、小説も境界作品が積極的に収録された。また媒体も商業誌のみならず同人誌に加え、時代を反映してウェブサイトやSNSにまで目配りしたものとなっている。

本傑作選が〝発掘〟した最大の作家は伴名練であろう。当時すでにプロデビューしていたものの発表場所に恵まれなかった伴名は、なんと同人誌に作品を発表しては本傑作選への収録を待つという作戦に出た。この一見無謀とも迂遠ともとれる作戦は大成功を収めることになる。一九年に刊行された伴名の短編集『なめらかな世界と、その敵』がSFの枠を超えて反響を呼んだことは記憶に新しいが、収録作六編のうち四編が本集と重複している事実は、編者の鑑識眼の確かさを物語っている。

さらに第三巻にあたる『量子回廊』からは、新設された創元SF短編賞の発表という新たな役割が付け加えられることになった。同賞は第一回正賞受賞の松崎有理を筆頭に、のちに日本SF大賞を受賞する宮内悠介・酉島伝法、芥川賞を受賞する高山羽根子など多くの才能を輩出し、本傑作選終了後も継続している。

今、本傑作選に収録された作品を読むと、伊藤計劃のデビューと死、東日本大震災、小松左京の死、小惑星探査機「はやぶさ」の帰還など、SF自体の歴史と共にSFに影響を与えた事件も刻印されていることに気づかされる。その意味で本傑作選は年次選集であるだけでなく十二年に及ぶ日本SFの年代記でもあり、メリル・アンソロジーがニューウェーブ運動の激動を、筒井アンソロジーが日本SF興隆期の熱気を伝えているように、二十一世紀初頭の日本SFの肖像画として今後も価値を持ち続けるだろう。第四十回日本SF大賞特別賞受賞。　（鈴木力）

2010年6月～

《ＭＭ９》シリーズ

山本弘
解説：山岸真
装画：開田裕治
装幀：岩郷重力＋Wonder Workz。

円谷プロと出版社とのコラボが二〇一五年頃から始まる前、著作権の関係でウルトラマンなどをそのまま作中に出せない作家は、さまざまな工夫をした。小林泰三は『ΑΩ』でそっくりな超人を描いたし、山本弘は本シリーズ《ＭＭ９》で科学特捜隊＝科特隊ならぬ、気象庁特異生物対策部＝気特対を書いた。なぜ気象庁なのかといえば、怪獣が自然災害（地震、台風）そのものであるからだ。しかし本シリーズは、設定を似せたトリビュート作品ではあっても、二次創作やパロディではない。オリジナルなのである。

第一巻『ＭＭ９』は五作品からなる短編集である。さまざまなＳＦ映画やＳＦ、ホラー小説の元ネタが鏤められている。「危険！　少女逃亡中」がコットレルの短編の表題だなんて、おそらく誰も気がつかない。登場人物にも、伴野英世（＝天本英世）、稲本明彦（＝平田明彦）などというクスグリがある。

真骨頂は、怪獣出現の科学的根拠に多重人間原理（多元宇宙＋人間原理）を設けたことだ。神話宇宙（怪獣の存在が許される）とビッグバン宇宙（我々の物理法則が成り立つ）とのせめぎ合いが、怪獣を自然災害として出現させるという説明である。いかにもＳＦ的な理屈で面白い。ウルトラマンは出ないのか、というと、オタク的な意味でやはり登場する。

続く『ＭＭ９ —invasion—』、『ＭＭ９ —destruction—』は長編である。二つの作品は、エピソードとしては独立しているが、一連の時間軸上にあるので、この順番に読むほうが良い。

巨大な少女の姿をした怪獣を移送するヘリが青い火球と衝突、それ以降少女には宇宙人の精神寄生体が棲みつき、少年と精神交感できるようになる。そこで少年は、異星の神話宇宙の宇宙人たちが、怪獣を連れて侵略を試みていることを知る。まず東京スカイツリーを目指し首都圏を蹂躙（invasion）、続いて怪獣の神を伴って再び襲来する（destruction）。追い詰められた少女は、かつての仲間の巫女や日本土着の怪獣たちとともに、異星の怪獣に立ち向かう。

ウルトラマンへのオマージュと、怪獣大決戦が描きたかった、という著者の願望そのものが長編になっている。ガメラ風、ゴジラ風、モスラ風（それらしいが、そのものではない）怪獣対宇宙怪獣も、夏休み、冬休み東宝特撮の定番だったものだ。怪獣ものが全盛だった頃に小中学生だった世代、一九六〇年代前後生まれにとっては、特に説明不要なサービス満載の作品に仕上がっている。

頼りない少年と、少女の姿をした怪獣、恋人を自称する同級生、超常能力を持つ巫女など、コミック風の三角関係ネタが新味だが、これは（怪獣特撮から少し時代は下る）高橋留美子へのリスペクトなのだろう。

（岡本俊弥）

2010年10月

《ゼロ年代日本SFベスト集成》全二冊

大森望／編
解説：編者
装画：HighBISS/VANne
装幀：岩郷重力＋Wonder Workz。

二〇〇〇年代に発表された作品を、大きく『ぼくの、マシン』《宇宙・未来編》（S）と、『逃げゆく物語の話』《世界・奇想編》（F）に分け、計二十三編を収録したもの。過去の筒井康隆アンソロジイ『60年代日本SFベスト集成』などに準え、『ゼロ年代日本SFベスト集成』としている。つまり、年代別傑作選なのだ。収録範囲は十年ながら、新陳代謝の激しい出版界では、これらを個別の書籍や雑誌から見つけ出すのは容易ではない。その点に本書の意義はあるだろう。

S編では、設定のスケールで上田早夕里「魚舟・獣舟」（未来史ものの一環）、稠密さで飛浩隆「ラギッド・ガール」（連作中編の一つ）が、F編では描写が濃厚な石黒達昌「冬至草」、他にない抒情性で牧野修「逃げゆく物語の話」が印象に残る。

ハヤカワ文庫からも『ゼロ年代SF傑作選』が出ているが、そちらは同年代にデビューした作家が対象だった。しかし、本書の視点はあくまでもゼロ年代に書かれた作品であり、結果として、二十一世紀初頭のSF（仮想空間と現実あるいはロボットやクローンと本物との相似性、並行宇宙に対する様々なヴァリエーション等）を反映した、時代のトレンドを物語るものになっている。（岡本俊弥）

2011年6月

宇宙大密室

都筑道夫
解説：日下三蔵
装幀：岩郷重力＋Wonder Workz。

ミステリの実作者であり評論家であった都筑道夫氏は、同時に編集者であり紹介者でもありました。その立場はSFにおいても同様ですが、日本人にとってよりなじみの薄かったこのジャンルをとりあげるときには、少しスタンスが違うというか、より手練手管を駆使し、ひねりと技巧が色濃くなるようなのです。それはSFという未知の小説を日本の読者に、そして都筑氏自身にも受け止めさせるため必要な作業だったのでしょう。

一九七四年にハヤカワ文庫JAとして刊行された短編集を増補し、貴重なインタビューを付した本書は、表題作からしてSFとミステリのハイブリッドを想像させますが、SFの奔放な世界観をミステリのルールで律し、同時にその設定でしか成り立たない不可能興味を強調しており、それは前半に収録された他のSF作品に共通する特色となっています。また後半の、民話的世界を舞台にした連作では、何でもありなようで限界だらけな仙術を用いての問題解決を迫られる見習い天狗の奮闘を描いて不思議な読後感を与えます。奔放な物語を愛する少年と、冷徹すぎるほどの分析眼を持つ大人が同居しているかのような都筑氏の、これはいかにも氏らしい一冊と言えましょう。（芦辺拓）

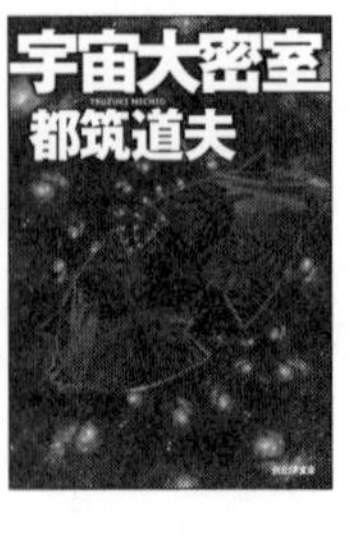

2010年12月〜

《原色の想像力》全二冊

大森望・日下三蔵・山田正紀・堀晃／編
解説：小浜徹也
写真：祥
装幀：岩郷重力＋Wonder Workz。

新人賞の選評を読んでいて、残念ながら受賞はかなわなかったものの選考者が熱く語っている作品が気になって仕方がない、という経験をした人は少なくないのではないだろうか。それらの作品は詳細が明らかになることもなく、ただ選考委員の言葉から長所や短所、筋の一部だけが伝わってくるのに過ぎない。だが、そうした群盲象を撫でるがごとき状況によって、こちらの想像力はただひたすらにかき立てられていくのだ。SFとして強いとか弱いとか、語り口の滑らかさは飛び抜けているとか、バカSFだけどアイデアはとんでもないとか言われたら、お願いだから自分にもその作品を読ませてくれと思ってしまうのはもう必然であろう。

昨今では、そうした作品がネットで公開されることもあるが、それらを探し出すのは公開の場や方法が多様になったからこそ容易ではない。それにできればやはりちゃんと本の形でまとめられたものが読みたい——そんな読者の要望に応えたのが本書、『原色の想像力』及び『原色の想像力2』だ。

この二冊は、第一回創元SF短編賞の最終候補作から九作、第二回の最終候補作から七作がそれぞれ選りすぐられ、それに各回の正賞受賞者の受賞後第一作を加えた、全員が新人作家による書き下ろしSF短編アンソロジーである。

なお、第二回までの創元SF短編賞では、大森望・日下三蔵両選考委員が応募された全作品を読む、即ち一次選考から全工程を直接担当するという選考方法が取られていた（なお参考までに記しておくと、応募作は四百字詰め原稿用紙で百枚相当までが文字数の上限であり、かつ第一回の応募作は六一二作、第二回の応募作は五九四作であった）。つまり収録されているのは、選考委員が全応募作の中から自らの手で選びに選び抜いた、「これは活字にするべき」とした作品群なのだ。

選考委員の見る目の確かさは、この二冊についてだけでも複数の収録作がドラマ化され、また著者の多くがその後多方面で作品を発表するなどの活躍を続けているということからも証明されていると言えるだろう。

加えて特筆すべきことに本書には、それらの優れた作品の他に、各回の最終選考座談会の様子が詳細に収録されている。各選考委員が受賞作・収録作をどのように読み、どういった点を評価し、どんな部分を過剰あるいは不足と捉えたのか。そしてどのように話し合いが重ねられ、評価がすり合わされて結論へと至ったのか——その過程は息詰まるドキュメンタリーそのものであると同時に、新人賞に応募しようと志す者たちにとっては学ぶものの多い情報の宝庫であった。その有用性は、刊行から十年以上を経た今もなお、全く色褪せることがない。

（門田充宏）

2011年11月

マインド・イーター【完全版】

水見稜
解説：飛浩隆、日下三蔵
写真：瀬戸羽方
装幀：岩郷重力＋Wonder Workz。

M・Eと呼ばれるそれは石として存在し、人の心と身体を貪(むさぼ)り尽くす。多くは彗星(すいせい)か小惑星の姿で宇宙に現れ、接近する人間を恐怖の極致と不可避な死に誘い込むのだ。僅(わず)かな破片や粉末でも、その禍(わざわい)が減ずることはない。さらに被害者の心の奥底にある人の多くも、同じ症状を呈するという。本書はそんなM・Eと人間のありようを、多角的に描いた全六編の連作集である。読み始めてまず驚くのは、「野生の夢」冒頭の一文で、そこには全宇宙のたゆたいとM・E誕生の理由が提示され、それが物語全体の前提と視座になっている。続くはM・Eの殲滅(せんめつ)を一義とするハンターの物語で、そこでは生きる意味さえ問われることになる。さらにニューヨークの音楽家の悲劇である「サック・フル・オブ・ドリームス」。月そのものに根源的な疑義を呈する「夢の浅瀬」。液体化したM・E被害者との同調の試みとしての「おまえのしるし」。植物との関係性についてM・Eとの交信を企てる「緑の記憶」。古代の記憶に刻まれたM・Eの印を探る「憎悪の谷」。M・Eの幼い先鋒(せんぽう)を描く「リトル・ジョー」。そして人類の正体を探るM・Eの物語「迷宮」で、初めてマインド・イーターは大団円の中、その姿を現わすのである。（忍澤勉）

2013年3月

てのひらの宇宙

星雲賞短編SF傑作選
大森望／編
解説：編者
装画：岩郷重力
装幀：Wonder Workz。

日本SF大会参加者の投票によって決められる星雲賞。その星雲賞のうち日本短編部門の受賞作を集めたアンソロジーである。ただし刊行時点で星雲賞はすでに一九七〇年創設以来の歴史を重ねてきていたため、いくつかの条件（一作家一作品、原稿用紙約七十枚以内、二十世紀の受賞作から選ぶ、など）を課した上で十一編がセレクトされた。収録作は筒井康隆の記念すべき第一回受賞作「フル・ネルソン」を筆頭に、巨匠・小松左京からミュージシャン・大槻ケンヂまで、ハードSFからニューウェーブまで、シリアスからドタバタまでと、作者もテーマも味わいも完全にバラバラだが、このバラバラ感こそが何でもアリな星雲賞の祝祭性を物語っている。本書からあえて一編を選ぶなら菅浩江(すがひろえ)「そばかすのフィギュア」。おたくを主人公とした切ないラブストーリーで、SFファンのひとつの趣味嗜好(しこう)を代表する作品といえる。また単行本未収録だった草上仁(くさかみじん)「ダイエットの方程式」を収録し、おまけとして各作品に著者による回想コメントを付したのは（一部例外あり）、日本のSF史的にも貴重。これで本書も星雲賞自由部門を受賞すればきれいにオチがついたのだが、そうならなかったのは残念至極(しごく)である。（鈴木力）

2011年8月〜

《妖精作戦》四部作

笹本祐一
解説：有川浩、ほか
装画：D.K
装幀：岩郷重力＋Wonder Workz。

一九八四年にソノラマ文庫から刊行された笹本祐一のデビュー作である第一巻『妖精作戦』は、若い書き手が、同世代の読者に向けて、自分たちの言葉で書くというYA文学の要件を満たしながら、そこにSFならではのスケール感と、おたく文化への言及性を併せ持つ新しい物語だった。

物語は二学期の初日、早朝の新宿駅から始まる。前日からオールナイト上映を含め、映画九本をはしごした榊は、そこで榊の通う全寮制の高校に今日から転入するという少女・小牧ノブと出会った。その日から榊の周囲では、小型ヘリの墜落や、無人戦闘機の爆発など、尋常ではない事件が相次ぎ、さらにノブが何ものかに誘拐されてしまう。実は彼女は超能力者で、彼女の力を利用したい超国家組織SCFが身柄を狙っていたのだ。榊とそれに寮が同室でクラスも同じという腐れ縁の沖田と真田の三人、それにノブの同室で女子部の新聞部部長・つばさの四人は、改造バイクを駆り、原潜に密航し、スペースシャトルをのっとり、誘拐されたノブを追う。異能もなければ、天才でもスポーツ万能というわけでもない。だから、学校から始まった物語は、スケールアップを繰り返し、とんでもない場所まで到達しながら、最後は再び学校へと帰結する。彼らの武器は、好きなものへのオタク的知識と、あとはノリと勢いだけだ。その姿が実に楽し気に描かれている。

『ハレーション・ゴースト』は、文化祭に向けて自主制作SF映画を撮影する榊たちが巻き込まれる怪現象の顛末が描かれる。ノブとSCFの攻防とは切り離した独立したエピソードで、全編が『うる星やつら』の劇場版アニメ「ビューティフル・ドリーマー」へのオマージュ。ほとんど友引町と化した学園に、幻獣、怪人、怪獣が次から次へと現れるトリッキーな展開ながら、読後感は実に切なくノスタルジック。番外編的内容ながら、シリーズ一の人気作だ。『カーニバル・ナイト』と『ラスト・レター』ではふたたび、SCFの魔手がノブに伸びる。

ライトノベルの嚆矢と位置づけされる本シリーズから影響を受け、後に作家となった者も多く、解説を執筆している有川浩、小川一水、谷川流はその代表格だ。有川浩は『レインツリーの国』の中で、主人公たちに本シリーズの内容を語らせており、谷川流は『カーニバル・ナイト』に登場する和紗結希へのオマージュとして長門有希（《涼宮ハルヒ》）を描いた。《妖精作戦》シリーズの結末をトラウマとして語る読者も多く、小川一水は『ラスト・レター』の結末に異を唱えるために作家を志したとも語っている。

なお『妖精作戦』は十周年を迎えた一九九四年に大幅に改稿した新版が刊行されたが、本文庫版は、八四年のオリジナル版を底本にしている。

（三村美衣）

2011年10月

《山野浩一傑作選》全二冊

山野浩一
解説：高橋良平
装画：塩田雅紀
装幀：岩郷重力＋Wonder Workz。

戦後の日本SFを取り巻く内輪の同質主義に、敢然と立ち向かった革命家。それが山野浩一である。〈日本読書新聞〉や〈週刊読書人〉での時評を中心に忖度抜きのSF評論を書き続け、私財をなげうってオルタナティブ・マガジン〈NW－SF〉を創刊し（一九七〇～八二）バラードやメリルらのニューウェーブSF運動を日本語圏においても定着させた。のみならず、サンリオSF文庫（一九七八～八七）の編集顧問として、SFと世界文学を連関させもしたのである。

かような批評的営為と山野の創作は表裏一体をなす。その小説世界を概観することで再評価の先鞭をつけたのが、この《山野浩一傑作選》だ。告知から実際の発刊までには時間がかかったが、その甲斐あってか構成はよく練られ、過去の作品集に採られていない作品までもがいくつも掘り起こされている。何よりこの選集があったからこそ、山野の仕事は一九六〇年代から七〇年代という時代性の枠に閉じ込められることがなくなった。

一巻目では、並行世界テーマをパラグラフの並列という形で遊戯的に再構築した「鳥はいまどこを飛ぶか」（表題作、一九七一）や、現代の鉄道網の迷宮性に着目した「X電車で行こう」（一九六四）等の有名作に触れることができるが、山野自身の評価が高くない「消えた街」（一九六四）も充分面白い。〝心理爆撃隊〟の一員として〝戦争の夢〟に切り込む「カルブ爆撃隊」（一九七四）から、ローリング・ストーンズの曲より内宇宙へ誘われる「虹の彼女」（一九七二）へと繋がり、不在証明のあり方と登攀のイメージが融合した「霧の中の人々」（一九七五）で結ぶ流れには美学が宿る。二巻目の構成は第一巻と好対照をなす。カフカ的な都市の不条理をポップに書き直した「メシメリ街道」（一九七三）、〝SFらしいSF〟への決別宣言とも取れる「開放時間」（一九六六）、『ビッグX』や『戦え！　オスパー』等、草創期アニメの脚本を思わせる「闇に星々」（一九六五）、出口なき学生運動の内ゲバの意味を存在論的に捉え返した「殺人者の空」（表題作、一九七四）等と来て、一つの到達点を示す大傑作「内宇宙の銀河」（一九八〇）へたどり着く。そこから掉尾を飾る「ザ・クライム（The Crime）」（一九七五）のラストに触れれば、ニューウェーブ運動が目指した批評性を、スローガンの域を超えて体感できよう。

収録作には各々、長編一冊ぶんを超える思弁が凝集されている。日本的な抒情を排し、ありていな教訓とは異なる形で権力の構造を炙り出しつつ、同調せずに実存の深みを探究する点が一貫しており、だからこそ古びない。唯一の長編『花と機械とゲシタルト』（一九八一）や『いかに終わるか　山野浩一発掘小説集』（二〇二一）といった、小鳥遊書房から再刊されている作品群と往還しながら、再読を重ねてほしい。（岡和田晃）

2013年4月

世界の果ての庭

ショート・ストーリーズ

西崎憲
解説：円城塔
装画：塩田雅紀
装幀：東京創元社装幀室

いくつもの物語が短い断章に分けられ、並行して語られる。庭園に魅せられた日本人作家リコと、日本に縁のあるアメリカ人スマイスの出会い。出奔先の函館から年月を経て帰宅した、若くなる病気にかかった母。太平洋戦争の敗戦後に捕虜収容所から脱走した日本兵の、この世ならぬ場所での彷徨。江戸時代の文人による和歌の探求。辻斬りにまつわる怪談。庭園についての随想……。それらは互いにどこかでつながっていたり、入れ子の関係をなしたりしている。どの物語にも謎があり、その不思議さによって、そしてそれぞれの謎が違う形をしていることによって、読者にページをめくらせる。

この作品が本文庫の一冊にふさわしいのは、書かれている内容よりも、読む体験のほうがSF的であるからだといっていいかもしれない。この本を読むことは美しい庭園を歩くのに似ている。ただ、その庭園のなかでは時空がねじれてつながっていて、どれだけ歩いてもすべてを見終えることはできないし、始めにいた場所へ戻ることもままならない。

さまざまな形の小説の愉しみが層をなし、謎を追う喜びに満ちている。第十四回日本ファンタジーノベル大賞受賞作。

（倉田タカシ）

2013年10月

あがり

松崎有理
解説：三村美衣
写真：Science Source ／ PPS 通信社
装幀：岩郷重力＋Wonder Workz。

本書は北の街にある大学、その理系研究室を舞台とした連作短編集だ。作者の松崎有理は東北大学の理学部を卒業後、医学系研究所に勤務しており、研究室の抱える悩みや実情に詳しい。第一回創元SF短編賞受賞の表題作「あがり」が醸し出すリアリティは、瀬名秀明以来の秀逸さで、選者の山田正紀に「嫉妬さえ覚えた」と言わせしめた。本書は文庫版に追加された「幸福の神を追う」を含めた六編から成る。各エピソードがおこる現場は研究室、そのシャーレや試験管の中など、とても小さい。だが発生する現象は壮大、扱う題材も多彩だ。自然淘汰は個人と遺伝子どちらに働くのか、幸運と不運の予測、自己免疫寛容、遺伝子複写、長寿がもたらす意外な不幸。実験室の流しに廃棄しただけのものが全世界を変えてしまうかも知れない。その恐怖といったら。予測不可能な結末ゆえに、読者に緊張感をあたえる。「あがり」の「ある遺伝子が大量に増えたら、進化の終着点がやってくる。さいころと盤の遊びみたいに、あがって、おわる」をはじめとして、方言を活かした「おらほさきてけさいん」、「微生物に不可能はない」など、意味がわかってみると、もう一度短編を読み直してみたくなる文言がちりばめられている。

（後藤郁子）

2014年2月

未来警察殺人課【完全版】

都筑道夫
日下三蔵／編　解説：編者、ほか
装画：瀬戸羽方
装幀：岩郷重力＋Wonder Workz。

東京警察三課の腕利き刑事の星野が、任務遂行に世界を駆けるハードボイルド連作短編集。著者が技巧派として知られる都筑道夫だけにミステリとして一級品なのは間違いないが、収録作品はもともと〈奇想天外〉や〈SFアドベンチャー〉などに発表されたもので、SFとしても保証付き。全十五編を合本集成した「完全版」の収録先として本文庫はうってつけだろう。

馴染みのある地名で再現されていても、舞台は太陽系第三惑星を棄て移住した惑星。進歩した科学技術とテレパシー能力者の登場によって、殺人事件が根絶された未来社会。そして殺人衝動を内に秘めた潜在的犯罪者を、事件を起こす前に殺害して未然に防ぐのが、各国の〝三課〟の任務なのである。……と聞けば、やはりアニメ「PSYCHO－PASS」にどうしても触れないワケに行かなくなるが、日下三蔵の編者解説に詳しいのでぜひご参照を。ここではいまだ斬新さを失わないアニメ作品と通ずる、時代を超越した先駆性の証左として言及しておく。矯正された殺人衝動を仕事で発散する星野が内包する緊張感と、細かなディテール描写を操る著者の筆さばきが織りなすSFミステリの傑作。インタビュー「僕のSF個人史を話そう。」も貴重な証言。（代島正樹）

2014年4月

盤上の夜

宮内悠介
解説：冲方丁
装画：瀬戸羽方
装幀：岩郷重力＋Wonder Workz。

六編からなる連作集。表題作「盤上の夜」は、第一回創元SF短編賞（二〇一〇年結果発表）で選考委員特別賞にあたる山田正紀賞を受賞した、宮内悠介のプロデビュー作。切除された四肢の代償として、囲碁盤に身体感覚を拡張し圧倒的なセンスを発揮するに至った女流棋士、灰原由宇の奇跡の物語である。彼女は石の形勢を言語化することで何十手も先を読むが、複雑な手順を検討するために独自の言語さえ創出してしまう。

この作品につづき、宮内は盤上遊戯や卓上遊技を題材に人間の知性や感情の根源にふれる連作を書きあげた。「人間の王」ではチェッカー、「清められた卓」では麻雀、「象を飛ばした王子」では古代チェス、「千年の虚空」では将棋が取りあげられ、最終編の「原爆の局」ではふたたび灰原由宇が登場し、全体がひとつらなりの物語としてまとまる。

二〇一二年に《創元日本SF叢書》の一冊として刊行。第百四十七回直木三十五賞の候補となり、デビュー短編を含む最初の著書にして、SFレーベルで出版された作品ということで注目を集めた。ジャンル内での評価もきわめて高く、第三十三回日本SF大賞を受賞した（月村了衛『機龍警察 自爆条項』と同時受賞）。（牧眞司）

2014年7月

銀河盗賊ビリイ・アレグロ／暗殺心

都筑道夫
日下三蔵／編　**解説：編者、ほか**
装画：瀬戸羽方　装幀：岩郷重力＋Wonder Workz。

日本SF界の揺籃期、著者は、早川書房の編集者時代に同い年の同僚・福島正実と共に海外SFの翻訳出版企画に尽力したSF通として、また、数々の短編SFをものする実作者としても知られていた。そして、SF出版が軌道に乗った早川書房では、福島が満を持して書き下ろしを謳う本格長編SF叢書〈日本SFシリーズ〉第一期全六巻を企画。一九六四年八月刊の小松左京『復活の日』でスタートしたこの叢書に、都筑も〝本格スペース・オペラ〟（ちなみに当時、スペース・オペラ作品は本邦未訳）『地球強奪計画』で執筆陣に加わっていたが、ついに未刊のままとなった。それは、職人・スタイリストの著者がSFを書くことに違和感を覚え、筆が進まなかったからだ。

それから十年ほどたち、そんなスランプが嘘のように、SF&ファンタジーの長編や短編連作を矢継ぎ早に発表するようになる。旧い革袋に新しい酒を注ぐ要領で、定番的フォーミュラに新趣向を凝らす仕掛けで、著者ならではのけれん味たっぷりな作品群が生まれた。『銀河盗賊ビリイ・アレグロ』は怪盗物ミステリが下敷き。『暗殺心』は東洋的異世界を舞台にしたニンジャ戦敵討ち旅で、意表を突く展開の面白さを堪能できる。

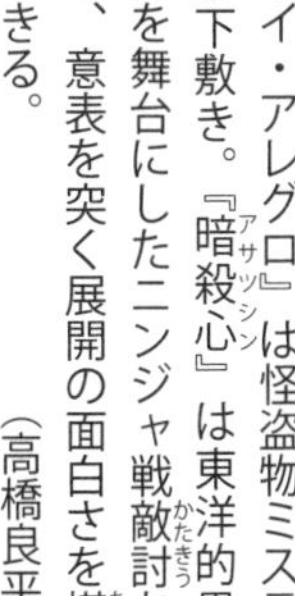

（高橋良平）

2015年7月

皆勤の徒

酉島伝法
解説：大森望
装画：加藤直之
装幀：岩郷重力＋Wonder Workz。

脳の中を掻き回されるのを好む読書人には、必読の一冊。奇怪な造語によるダブルミーニングを楽しめるし、ぬるぬるした宇宙の感触を味わうこともできる。

表題作は第二回創元SF短編賞受賞作で、本書は連作四編を収めた第一作品集。第三十四回日本SF大賞を獲得した。冒頭、現代社畜を遠未来に投影したセンスと得も言われぬ世界の仕組みは、とびきりの幻想文学としても味わえる。しかし、解説の大森望が言うように、実は緻密に構築されたSFの骨子を持っている。最終話「百々似隊商」までたどりつくと、世界設定の本意が分かるしくみ。巻頭で面食らった人は、この中編から読みはじめるのもいいかもしれない。

酉島伝法は、デザイナーでもありイラストレーターでもある。彼の頭の中にはユニークな宇宙観が展開されていて、自著イラストや〈SFマガジン〉で長期連載しているビジュアルストーリーでもその独自性を遺憾なく発揮している。

なお、『隔世遺傳』という本書の設定集が電子書籍版のみ存在し、世界観を堪能したい人に役立つ。私自身は、作品中で描ききれなかったものはないものとする主義だが、この作品は例外だった。

（菅浩江）

2015年8月

プリズムの瞳

菅浩江
解説：三村美衣
装画：松尾たいこ
装幀：波戸恵

専門分野に特化し、人間を凌駕する性能を有したプロフェッショナル・ロボット（ピイ）たちは、しかし社会には受け入れられず、今では画家として放浪するのみ。彷徨の中でさまざまな人間たちが、感情を持たない彼らを媒介として思いを吐露していく。

絵を描くロボットというと、古いＳＦ雑誌のメル・ハンターや、ヴァージル・フィンレイの表紙絵を思い出す。彼らは、荒涼とした遺跡の中で、油彩らしき風景画を淡々と描いているのだが、そこに人の姿はない。本書ではその立場が逆転しており、滅びゆく人型ロボットに対する、愛憎を交えた人間たちの葛藤がテーマである。ある者はピイのおかげで人生、幸福を台無しにされたと怒り、ある者はその存在に生き甲斐を感じている。ポイントは、このロボットには知能、感情がないということ。人間がピイから感じ取る苦悩は、全て自身の感情の反射、裏返しに過ぎないのである。九つのお話は独立している。ただし、伏線が最終話で収斂する構造を取っており、物語と物語の間に書き下ろされた語り手の正体は……という仕掛けも面白い。この著者の姿勢は一貫しており、現在でも変わりがない。

（岡本俊弥）

2015年10月〜

《星のダンスを見においで》全三冊

笹本祐一
解説：堺三保、佐藤竜雄
装画：鈴木康士
装幀：岩郷重力＋T.K

冬月唯佳は横須賀に住む平凡な女子高生。そんな彼女の前に、突然宇宙海賊を名乗る男が現れたかと思うと、彼を追う他の宇宙海賊たちまで登場、唯佳は宇宙をまたにかけた謎のお宝争奪戦に巻き込まれていく……。

自称〝日本最古のライトノベル作家〟笹本祐一の面目躍如たる一作。ライトノベルと呼ばれる若者向けジャンル小説は、ジュヴナイル小説から派生したものだが、最初期のライトノベル作家である笹本の作品には、その両者の特徴が合わさっていることも多い。本作はそんな笹本作品の両義性を特に色濃く反映している。

実はＴＶアニメ版『宝島』を下敷きにしたという基本設定は、少女が謎めいた海賊と出会って宝探しに巻き込まれるという、まさにジュヴナイルものらしさに溢れている。だが、その少女が大人顔負けの大活躍で、徹頭徹尾物語を引っぱっていくという展開は、まさにライトノベルの有り様そのものなのだ。

確信犯的に、異星人の設定には脇の甘さを残しつつ、古典的な児童向け冒険譚を現代的なスペースオペラらしいアクション活劇に換骨奪胎した手際がすばらしい一作だ。

（堺三保）

2016年4月〜

《BISビブリオバトル部》シリーズ

山本弘
解説：池澤春菜、ほか
装画：pomodorosa
装幀：岩郷重力＋S.K

面白いと思った本を持ち寄り、五分間で紹介しあう。全ての発表後に一番読みたくなった本に投票し、チャンプ本を決める——それがビブリオバトル。本シリーズの魅力は何よりもまず、物語の中で行われる様々なビブリオバトル自体の、知的ゲームとしての楽しさだ。

だが同時に読者は、登場人物がなぜその本を好きになったのか、どうしてその本を取り上げることにしたのかといった疑問を通じてキャラクターの内面に入り込んでいくことになる。主人公の空はなぜSFが好きなのか、武人はどうしてノンフィクションしか読まないのか——そうした彼ら彼女らがビブリオバトルを通じてぶつかり、お互いを理解して変化し成長する姿が、その場に居合わせるかのような臨場感と共に綴られていく。本を語ることは自分を語ることと同じだ。だからこそ登場人物たちは、ビブリオバトルを通じて自分を主張し、紹介される本を介して自分とは異なる者のことも理解しようと試みる。そのまっすぐな姿勢は、読む者の心を深く激しく揺さぶるだろう。

加えて、本書は優れたブックガイドでもある。読み終えた読者はきっと、次に読みたい本を何冊も見つけた自分に気づくはずだ。（門田充宏）

2016年7月

躯体上の翼

結城充考
解説：牧眞司
装画：toi8
装幀：岩郷重力＋R.F

〈共和国〉の航空船団を人狗から護る対狗衛仕である人工生命体・員は、互聯網の片隅で、cyと名乗る存在の接触を受ける。生きることに飽いていた員はcyとのささやかな交流に慰めを見出すが、cyのいる東景には〈共和国〉の船団による細菌兵器散布が迫っていた。員はcyを救うため、二百二十一隻の船全てを撃沈することを決意するが……。

文明が衰退しつつも、テクノロジーの残滓で人類が存続する遠未来を舞台に、人工生命の壮絶な戦いを描いた本書は、著者初の本格的な長編SFでもある。基本的には直線的に進行するコンパクトな作品だが、多視点の描写によって、世界に十分な厚みが生まれており、ダークでゴシックな未来の情景や社会描写には、弐瓶勉のコミック『BLAME!』に通じる部分も。

視点人物としては、冷凍された遺体に人格をダウンロードされ、員と攻防を繰り広げることになる国家元首直属の軍師である〈道仕〉が秀逸。冷酷無比で任務のことしか考えない存在だが、腐りかけの肉体に入れられ、劣化した装備と人員で員と渡り合う彼の姿には若干の同情を禁じ得ない。結末は賛否分かれるところだろうが、員の鮮烈な生を感じさせるものとなっている。（縣丈弘）

2016年7月

裏山の宇宙船

笹本祐一
解説：山本弘
装画：uki
装幀：冷麦西瓜＋S.K

高山高校民俗伝承研究会は、廃部の危機に瀕していた。会長の文は、活動実績を作るため、来る文化祭で地元に伝わる天人伝説についての研究発表を計画する。江戸時代に落ちたという天女の岩舟を見つけようと意気込む文だが、部員たちのノリはいまいち。しかし一学期末テスト最終日、犬の散歩中に通った裏山で、文は怪しく光る物体の一部が露出しているのに遭遇する。呼ばれてやって来た部員の昇助も「これは宇宙船だ」と確信し、裏山で宇宙船を発掘する夏休みが始まった。

一九九四年にソノラマ文庫から刊行され、二〇〇五年に新書化された作品の再刊。この時期の作品には、ネットやスマホが当たり前になった今読むとすでにノスタルジックに感じられるものも多いが、本作はまだまだ古びていない。それは笹本SFが〝自ら手を動かす〟喜びを中心に据えているからだろう。高校生たちは情報収集や推理もするが、何より行動第一。自分の目や耳で感じたものを、手と足を使って確かめる。さらに口もよく動くので話運びは軽快で、大人の介入も最小限。自分たちで宇宙船を掘り出して異星人とコンタクトするなんて、最高に羨ましい。夏休みの読書にぴったりの、王道のジュヴナイルSFだ。

（香月祥宏）

2016年11月

うどん　キツネつきの

高山羽根子
解説：大野万紀
装画：本気鈴
装幀：岩郷重力＋S.K

表題作は、第一回創元SF短編賞で佳作を受賞しているが、選考時にはSFらしさが薄いと危惧されたという。しかし本書収録の五編を一読すれば、その危惧は一瞬で払拭されるだろう。「うどん　キツネつきの」は、三姉妹と拾った犬、もしくは犬らしきものの成長譚といえる。やや奇抜な家族の物語が懐かしいテイストで進む。そこに突然、奇想天外なことが起こるのだが、彼らは意に介せず、何事もなかったように日常が先にある。次の「シキ零レイ零　ミドリ荘」では、さらに奇抜さに磨きがかかる。ドタバタ活劇を繰り広げるオンボロアパートの住人は、疑似家族でありながらも、共通の言語を持たない。しかしそれゆえに逆説的に彼らの意思伝達はスムーズなのだ。その妙は深い。続いて十五人姉妹の物語である「母のいる島」、ネット上の書き込みが現実を侵食し始める「おやすみラジオ」、大震災とねぶたを題材とする壮大な絵巻たる、「巨きなものの還る場所」が所収されているが、それぞれに以後、著者が長編で描くことになる精緻で静謐な味わいがすでにある。そしてこれらすべてに通底しているのは家族の物語であることだ。著者はデビュー時から、家族の多面的なありようを書いていることになる。

（忍澤勉）

2017年7月

エクソダス症候群

宮内悠介
解説：牧眞司
写真：(C)G.iwago
装幀：岩郷重力＋S.K

火星に唯一ある精神科病院に、火星で生まれ地球に移り住んでいた主人公カズキが着任する。そしてその瞬間から物語が動き出す。その物語はカズキ一人のものではない。彼が反芻(はんすう)するように、日々は現実の医療史によって検証されていく。その証のように巻末には参照した文献が掲載されているが、多くは精神医療やその周辺の書籍や論文である。作者はＳＦという形態をして、精神医療への問題提起をしているのかもしれない。しかもそれは魅力に満ちたミステリーとして描かれる。冒頭の「湯の出ないバスタブ」「明滅する信号」などの脳機能を探る文言がまず不思議な魅力を放つ。登場人物の表出された性質と内容されている性質の転回は、医者と患者の転倒を誘い、やがて病の領域を曖昧にしていく。さらに度重なる危機を経て、主人公は自身の出生の秘密に到達し、問題提起は一層鋭さを増す。ノスタルジアは内なる故郷を求めて死にも至る病だという。題する症候群も存在しない場所、つまり死への切なる願望なのだろう。やがて読者は火星という環境の息苦しさを実感することになる。ただ地球もまたしかり。その伝でいけば、すべて人はエクソダスの病を内包しているといえる。驚愕(きょうがく)の長編デビュー作である。

（忍澤勉）

2017年9月

《田中芳樹初期短篇集成》全二冊

田中芳樹
解説：末國善己
装画：鈴木康士
装幀：岩郷重力＋T.F

《田中芳樹(よしき)初期短編集》全三巻（東京書籍→中公文庫）に収録されていた一九七八～八五年の短編全十二作を、ほぼ発表順に並べて二冊にまとめ直した初期作品集成。田中作品と言えば個性的なキャラクターたちが印象に残るが、のちに《銀河英雄伝説》などの大長編を支えることになるその魅力が、ここに収められた作品にも詰まっている。

李家豊(りのいえゆたか)名義で《幻影城》第三回新人賞を受賞した「緑の草原に……」は、消息を絶った惑星調査隊の謎を探るＳＦミステリ。後発の調査隊として現地入りした〝私〟は、他の隊員とは一線を画す冷静さの持ち主だ。しかもその個性が、物語の鍵にもなっている。「炎の記憶」は、ある手術によって超人的な能力を得た青年・冬木涼平を描くシリーズの第一作。設定的には《創竜伝》の原点とも言えるが、涼平が背負う孤独の影には、竜堂兄弟とは異なる暗い魅力がある。また、個人を押し潰そうとする権力者たちの醜悪さや欺瞞(ぎまん)を暴く筆致も容赦ない。この背景との対比で、体制におもねることのない〝個〟が一層輝きを増す。その他にも、ストーリーの重厚さ、随所に漂う冒険小説の香りなど、長編の読者が改めて読んでも発見の多い作品集だ。

（香月祥宏）

2017年9月

海王星市(ポセイドニア)から来た男／縹渺譚(へをべをたむ)

今日泊亜蘭

日下三蔵／編　解説：山田正紀、日下三蔵

装画：瀬戸羽方
装幀：岩郷重力＋Wonder Workz。

本書は、ハヤカワ文庫JAから刊行されていた『海王星市(ポセイドニア)から来た男』（一九七七）と『縹渺譚(へをべをたむ)』（一九七八）を合本し、未収録短編二編を加えた八編収録の作品集。博覧強記で知られ、日本作家による初の長編SFとされる『光の塔』（一九六二）の著者による中短編の精華を堪能(たんのう)できる一冊となっている。

今日泊(きょうどまり)作品の特徴としては、講談風の江戸っ子べらんめえ口調や擬古文などを縦横無尽に駆使する文体の妙、トリッキーな設定、どこか無常を感じさせるテーマ性などが挙げられるが、本書収録の中短編も各々そうした要素が見出せるユニークな作品群といえる。

中でも、著者の代表作ともいえる「縹渺譚――大利根絮二郎(おおとねわたじろう)の奇妙な身ノ上話――」と「深森譚(しむしむたむ)――流山霧太郎の妖しき伝説――」の連作が読みどころだろう。ある孤児の遍歴を、輪廻(りんね)転生の物語として自在な文体で描いた伝奇浪漫(ろまん)SFの傑作である。この連作には完結編となる三作目が「曠茅譚(くわうばうたむ)」又は「茫洋譚(ばうやうたむ)」のタイトルで構想されていたとのことだが、残念ながら執筆には至らなかった。とはいえ、本書の刊行で、長らく入手困難となっていた作品が手軽に読めるようになったのは意義あることだろう。（縣丈弘）

2019年2月

カムパネルラ

山田正紀

解説：牧眞司

装画：山本ゆり繪
装幀：東京創元社装幀室

宮沢賢治の『銀河鉄道の夜』ほど愛された物語はないだろう。しかしゆえにそれを利用しようとする輩(やから)が現れる。それが国家の機関であれば穏やかではない。本書はその国家の企てに果敢に挑む少年の物語である。近未来、宮沢賢治の研究者を母に持つ少年は、彼女の遺骨を散骨するために北へ向かう列車が出る駅へ向かうが、いつのまにか『銀河鉄道の夜』の世界に迷い込む。そこには賢治自身やその家族がいて、さらに賢治は史実よりも早い死を迎えていたのだ。この世界は賢治の自己犠牲の精神を利用しようとする政府のメディア管理庁が作り出したものだった。彼らは子供たちをシステムと呼ばれる疑似体験に没入させて、国家賛美の精神を植えつけようとしていたのだ。そのために主人公の少年を利用する手はずだったが、彼はそれを逆手にとり、アバターのジョバンニとなって、『銀河鉄道の夜』の物語に従いながらも、彼の親友であるカンパネルラを救い出すことで、賢治の作品を守ろうとする。彼はその行動の中で、同じような試みをしていた母のアバターとも出会うことになる。しかしメディア管理庁はさらに巧妙な手法で彼を惑わそうとする。彼の乗った銀河鉄道はいったいどこに向かうのだろうか。（忍澤勉）

2019年10月

《宙を数える／時を歩く》全二冊

東京創元社編集部／編
解説：編集部
装画：瀬戸羽方
装幀：岩郷重力＋S.K

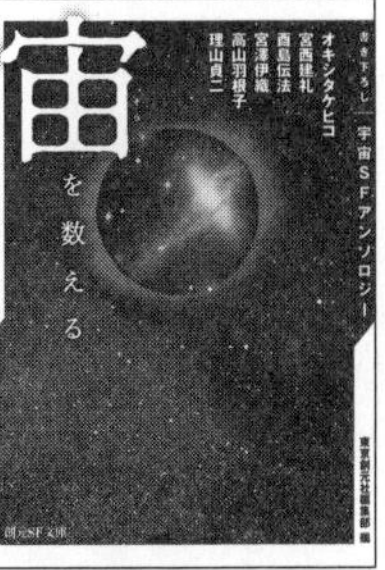

少しだけ日本のSF小説から離れていたけど、今はどんな感じの作品が書かれているのだろうか、と思う人にお薦めしたいのがこの二冊だ。ＳＦ関連の新人賞が無かった時代、大胆にも東京創元社は創元ＳＦ短編賞の公募を開始し、その第一回受賞作が発表されたのが二〇一〇年だった。以降、毎年この賞は多士済々の作家と百花繚乱の作品を生み出し続けている。これら二冊は一九年までの十年間に、その正賞と優秀賞（佳作）を受賞した総勢十三名の作家による書下ろし短編集である。作品は宇宙をテーマにした『宙を数える』と、時間をテーマとする『時を歩く』に大別されてはいるが、宇宙を舞台する小説と時間に関連する作品だなと単純に考えていると、度肝を抜かれることになる。『宙を数える』には以下の六編、オキシタケヒコの銀河の交易船を舞台に、一風変わった戦闘と生命の起源を提示する「平林君と魚の裔」。宮西建礼の隕石墜落の阻止に挑戦する高校生たちの緻密で静謐な物語、「もしもぼくらが生まれていたら」。酉島伝法の異形として異空間に生息する音を操る生命体とその成長譚が身に沁みる、「黙唱」。宮澤伊織のネット配信の少女キャラクターとマッドサイエンティストが興じる宇宙規模のドタバタコメディ、「ときときチャンネル＃１【宇宙飲んでみた】」。高山羽根子の異国情緒の中での少年と少女のパラレルな出会いを描く、「蜂蜜いりのハーブ茶」。そして理山貞二の密室たる宇宙船でスリリングに展開するタイムラグ発生装置を巡るノンストップ・サスペンス、「ディセロス」が所収されている。これらの六つの宇宙それぞれが、読者の想像の上に広がっているに違いない。またいっぽうの『時を歩く』には以下の七編、松崎有理の刑務所内で製作されるタイムマシンのほろ苦い顛末を描く、「未来への脱獄」。空木春宵の流麗な文語調で女の死と夢幻が綿々と語り継がれる、「終景累ヶ辻」。八島游舷の神話をモチーフに危機に直面した人類が時間的感覚を倍加することで回避しようとする、「時は矢のように」。石川宗生のとある紀行文を巡る紀行文に沿う紀行文の書き手と熱狂的読者たちによるパラドキシカルな紀行小説、「ＡＢＣ巡礼」。久永実木彦の事故や災害の寸前にワープしてそれを未然に防ぐ者たちの密かな企みを描く、「ぴぴぴ・ぴっぴぴ」。高島雄哉の全人類がＶＲ空間に移住した世界で一人の男が地球を太陽膨張から守るために悠久の時間を費やす、「ゴーストキャンディカテゴリー」。門田充宏の死が迫る男が拡張された残りの人生を逆手に取ってナビ役のＡＩとともに意外な贈り物を後世に残す、「Too Short Notice」が所収されていて、こちらも七つの時間の渦に巻かれること必至である。ここにはまさに日本ＳＦの想像力を担う総勢十三名の書き手による宇宙と未来が存在している。その極上を心してご賞味いただきたい。

（忍澤勉）

2020年8月

ランドスケープと夏の定理

高島雄哉
解説：堺三保
装画：加藤直之
装幀：岩郷重力＋T.K

表題作発表時、最も記憶に残った読者の賛辞は「最高の姉SF」である。さもあらん、なんせ史上最高の物理学者であるテアは常軌を逸した天才で、弟の魂をふたつに分けて妹を作ったり自分を十兆に分裂させてみたり、ボール宇宙を丸ごと計算機にしてみたりとやりたい放題、しかし実は弟思いだったりするのだ。これに反応しない読者はそうはいまい。

だが本書に収められた三つの短編を貫くのは、姉に振り回され通しの主人公、ネルスが作り出した知性定理だ。〝全ての異なる知性の会話を成立させる完全辞書が存在することを示した定理〟——その本当の価値を私が正確に理解できているとは思わないが、これだけはわかる。背景にあるのは、知性に対する絶対的な信頼だ。

その強固な信頼を礎(いしずえ)に、ネルスは様々な事件に巻き込まれ、姉に振り回されつつも第二の定理、第三の定理を生み出していく。そしてその先には、これまで誰も見たことがない、SFだからこそ描くことができる、知的な驚きに満ちたランドスケープが姿を現すのだ。なお重要なポイントとして、文庫化に際し姉を主人公としたボーナストラックが追加されたことを付け加えておく。（門田充宏）

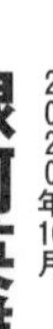

2020年10月

銀河英雄伝説列伝1

晴れあがる銀河
田中芳樹監修
装画：星野之宣
装幀：岩郷重力＋T.K

田中芳樹『銀河英雄伝説』および『外伝』の完結から三十一年——『銀英伝』をこよなく愛する六人の作家によって書かれたトリビュート・アンソロジーである。収録作六編はミステリ／歴史小説／SFと多彩で、それは六人の書き手それぞれの属性であると同時に、『銀英伝』自体が持つ多様性を示している。

小川一水「竜神滝(ドラッハ・ヴァッサーフェル)の皇帝陛下」は新婚旅行中のラインハルトが釣りをする軽快な一編で、本伝第十巻にある侍従エミールの言葉に基づく。石持浅海(いしもちあさみ)「士官学校生の恋」では銀河帝国発祥の菓子のレシピからキャゼルヌの（この時は）恋人であるオルタンスが隠された真相を解き明かし、小前亮(こまえりょう)「ティエリー・ボナール最後の戦い」では『銀英伝』に欠かせない艦隊戦と諜報戦(ちょうほうせん)が華麗に展開する。太田忠司(ただし)「レナーテは語る」ではオーベルシュタインの元部下が殺人事件を捜査しながら元上司の真意に迫る。高島雄哉(ゆうや)「星たちの舞台」ではヤンが音楽学校の寮を守るため異性装をして演劇に出演する。藤井太洋の表題作はルドルフ帝に航路図作成を命じられた者たちの圧政への密(ひそ)やかな反抗を描く。列伝らしく様々な人物に焦点が当たり、書き手ごとの人選も興味深い。『銀英伝』の新たな魅力があふれる充実の一冊。（高島雄哉）

2020年10月～

《記憶翻訳者》シリーズ

門田充宏
解説：長谷敏司、ほか

装画：日田慶治
装幀：楠目智宏(arcoinc)

『記憶翻訳者　いつか光になる』『記憶翻訳者　みなもとに還る』は、第五回創元ＳＦ短編賞受賞作を表題とする連作短編集『風牙』に収録された四つの短編に、書き下ろしの短編ふたつと挿話ふたつをくわえ、二分冊して文庫化されたものである。

受賞時の選評や本書所収の解説にもあるとおり、《記憶翻訳者》シリーズは小松左京「ゴルディアスの結び目」に代表される、いわゆるサイコダイビングもののひとつであるともいえる。しかし、主人公の珊瑚が潜行するのは対象者の精神世界ではなく、あくまで対象者から抽出された記憶データだ。記憶主体がある記憶を想起する際のシナプス発火状態が保存された記憶データは、そのままでは他者の脳で再生することができない。脳のつくりはひとりひとりちがっており、刺激にたいする反応部位も異なるからだ。これを誰にでも理解できるよう翻訳し、汎用化処理を施すのが記憶翻訳者の仕事である。

インタープリタは過剰共感能力と呼ばれる、社会的には障害と考えられてきた力を駆使して記憶を翻訳する。最高グレードの過剰共感能力をもつ珊瑚はうなじのスロットに差しこまれた抑制装置なしには自他の感情を区別し、自我を確立することさえままならないが、それゆえにインタープリタとしてトップクラスの実力者なのだ。

さまざまな背景をもつ登場人物の記憶に潜行し、そこに隠された秘密を解き明かす物語は上質なミステリとしても読めるが、本書の最大の魅力はそこに立ちあがる人間の心の機微にある。記憶とは真実ではなく、あくまで主観的なものだ。だからこそ、その傾きや揺らぎに記憶主体の心からの恐怖や、偽りのない愛情があらわれる。こうした感覚、感情を繊細かつ丁寧に掬いあげる筆致は、著者の洞察力と人間性の賜物であろう。

また、プロフェッショナルな技術系お仕事小説としても逸品である。社長の不二をはじめ、珊瑚の同僚は魅力的な職業人たちばかりだ。記憶翻訳だけでなく、同技術を応用したＶＲ空間である擬験都市や、記憶の公開共有による映画プロモーションといったさまざまな新技術に発生する諸問題に取り組む彼らの姿は、よりよい生活と社会のために真摯に研鑽を積む、人間の美しさにあふれている。

記憶翻訳者の物語はこの二冊にとどまらない。『風牙』につづいて刊行された、やはり単行本の連作短編集『追憶の杜』のほか、『創元日本ＳＦアンソロジー　Ｇｅｎｅｓｉｓ　白昼夢通信』所収の短編「コーラルとロータス」、著者のＷｅｂサイトにて限定公開された公式スピンオフ作品「ファースト・エクスペリエンス・エクスペリメント」、「チビ先生の煙草」がある。珊瑚と仲間たちのさらなる活躍から、目が離せない。

（久永実木彦）

2021年1月

半分世界

石川宗生
解説：飛浩隆
装画：千海博美
装幀：鈴木久美

会社帰りの吉田さんが突然一九三二九人に増殖する、という異常現象が報告書さながらの筆致で書かれ、最後には類のない収容所小説となる第七回創元SF短編賞受賞作「吉田同名」、突如家が半分となり室内が露出しているというのにいつも通りに過ごす家族と、その生活に魅了され外から眺め続ける人々を描く表題作「半分世界」、三百年前から全住民が白黒チームに分かれてサッカーに似た競技で昼夜問わず白黒をつけ続けている街の歴史を思弁的に紐解(ひもと)いていく「白黒ダービー小史」、荒野のバス停でいつ到着するとも知れないバスを待ち続ける人々がいつしか共同体をなしていく情景を種々雑多なテキストで多声的に描く「バス停夜想曲、あるいはロッタリー999」――という四編からなる著者の鮮烈なデビュー短編集で、第三十九回日本SF大賞の最終候補作となった。コルタサル等のラテンアメリカ文学やカルヴィーノあたりの影響を色濃く受けながら、前触れなく生じる、あるいははなから当然の顔をしている不条理状況にロジックを積み重ねていく手腕に独自の作家性がある。評価はSF界に留まらず、次作の『ホテル・アルカディア』は、第三十回Bunkamuraドゥマゴ文学賞を受賞した。

（酉島伝法）

2021年4月

超動く家にて

宮内悠介
解説：酉島伝法
装画：芦野公平
装幀：コードデザインスタジオ

あとがきの一言が本書のすべてを表している。「深刻に、ぼくはくだらない話を書く必要に迫られていた」。まじめな作品が評価されて洒落(しゃれ)や冗談の通じないやつだと思われたくなかったから、だそうである。

本書は、確かに奇妙でとんでもないアイデアで埋め尽くされた爆笑短編を十六編収録している。感想を正直に書くなら、「なんでここまで変なアイデアを書けるの？」と驚いてしまうくらいに笑える。中でも白眉は、東京創元社が行った「最も笑えた短編はどれか？」とのアンケートで第一位を取った「トランジスタ技術の圧縮」だろう。〈トランジスタ技術〉誌は分厚いことで有名だったのだが、本作ではその広告部分を切り取って圧縮することが競技になってしまっている。これに意味を求めてはいけない。のち、同誌二〇二三年三月号（七〇〇号記念号）に転載されて同号に続編が書かれ、フジテレビ「世にも奇妙な物語」でドラマ化までされた。その他にも表題作「超動く家にて」や、ウィキペディアの形式をパロディにした「エラリー・クイーン数」、ヴァン・ダインの二十則が絶対規則になっている「法則」など、知的なバカ遊びを投げかけてくる力量には脱帽する。

（大野典宏）

2021年10月〜

《星のパイロット》四部作

笹本祐一
装画：筑波マサヒロ
装幀：岩郷重力＋N.T

大気圏外での輸送に、大手から零細まで様々な民間企業が参入する航空宇宙業界を舞台に、三人の宇宙飛行士と、癖強めながら腕は抜群に良い技術者を抱えたスペース・プランニング社の活躍を描いた宇宙開発お仕事SF小説。

主人公は、契約料が安いという安易な理由からスペース・プランニングに雇われた新米宇宙飛行士の羽山美紀だ。難関のスペース・スペシャリストの資格を持つのに年齢以上に若く見える童顔が邪魔をしてフライト経験に恵まれなかった彼女が、静止軌道上の放送衛星の点検ミッションに挑む。ファーストミッションを描いた第一巻『星のパイロット』は人物紹介編的な内容であり、シリーズの本領は第二巻『彗星狩り』で発揮される。

宇宙開発を担う大手企業が倒産し、資産処分の一環として企業が所有していた彗星を商品とするレースが開催されることとなった。エントリー手数料さえ支払えば誰でも参加可能、そして一番最初に彗星に辿りついた者は、そこから生じる巨大な利権を手に入れることができるのだ。巨大企業や研究機関に交じり、スペース・プランニング社のプラズマ・ロケット〈プシキャット〉も彗星を目指す。レースといっても一斉にスタートするわけではない。名乗りを上げた企業はそれぞれの飛行計画に基づき、特性の異なる宇宙船を仕立てて順次出発していく。宇宙船や動力の技術やスペック、加速性能などは、飛行計画の提出が義務付けられているためにガラス張り状態だ。そのため、飛び立った瞬間にゴールの予想がつき、後発の方が後出しじゃんけん的に有利になってしまう。そこで、各社共、裏技的再加速の方法を隠し持つ。出発までの準備作業に物語の半分が費やされ、実際に宇宙に出るのは中盤に入ってからだ。準備段階のやっつけ作業っぷりも面白いが、さらに発射後は予想外の事件が次々に勃発、息もつかせぬ怒濤の展開へと加速しつづける。現実の半歩先に存在する、手を伸ばせば届く技術を自在に操り、夢に見た場所へと誘う楽しさはまさに著者の真骨頂であり、ライトノベルが正当な評価を受けるのはまだ少し難しかった時代に、星雲賞・日本長編部門を受賞した（一九九九年）。また、最終巻『ブルー・プラネット』では、宇宙開発の行き詰まりを踏まえた上で、宇宙開発は何を目指すべきなのか、莫大な予算や労力に見合う目標はどこなのかという問題に解答をだし、宇宙への夢を再確認して幕を下ろす。

初刊はソノラマ文庫、その後朝日ノベルスから再刊され、表紙は共に鈴木雅久が担当した。一九九九年には著者自らが脚色したドラマCDがガイナックスより発売されており、美紀を宮村優子、ジェニファーを平野文が演じている。また、二〇二三年より刊行開始の《星の航海者》は、同一設定の続編シリーズである。

（三村美衣）

2021年11月

戦争獣戦争

山田正紀
解説：藤田直哉
装画：山本ゆり繪
装幀：岩郷重力＋R.F

戦争獣とは何か？　戦争によって生まれ、増大するエントロピーを喰らう巨大情報構築体である。四次元生命体である二頭の戦争獣は、広島と長崎への原爆投下の瞬間に生まれた。そして一九九四年冬、査察に訪れた国連職員は北朝鮮の核処理施設のプールで泳ぐ二体の生物を見た……。戦争獣を扱うことができるのは〈異人〉だけ。生命の側に立つのが人間ならば、死命の側に立つのが異人であり、彼らの視点から物語は進む。

戦後史を辿り、朝鮮戦争、ヴェトナム戦争などを経るたび戦争獣は強大になっていく。戦争とは、人類とその文明に蓄積された負のエントロピーを一気に清算するものなのだ。そして異人は人類を最終戦争から救うため、時空を跳梁し奔走する！

常に新たな挑戦で第一線に立つ巨匠による、〈創元日本ＳＦ叢書〉への書下ろし長編を文庫化。著者がデビュー以来信条としてきた「想像できないことを想像する」を謳った自信作であり、凝りに凝った造語とフリガナの大量投入による異形の世界観の醸成は、まさに山田節全開だ。

そして文庫化の三ヶ月後、想像もできなかった侵攻戦争が、二十一世紀になっても現実に起きている。今の想像力を越えて、著者が示すその先の姿に期待したい。（代島正樹）

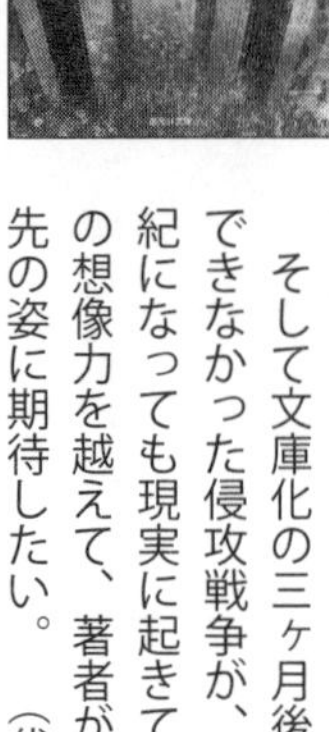

2021年11月

ＳＦマンガ傑作選

福井健太／編
解説：編者
装幀：岩郷重力＋W.I

現在ＷＥＢ漫画誌が数多く存在するように、メジャーからマイナー、少年少女青年大人向けと、多くの版元から続々と紙の漫画誌が創刊した一九七〇～八〇年代。雑誌の多様化はさまざまなジャンルの作品を生む。そんな漫画文化（だけではないけど）百花繚乱の時代に発表されたＳＦ短編漫画の中から名作中の名作を厳選したのが、この「ＳＦマンガ傑作選」である。

ラインナップを見るだけでクラクラするレジェンド作品は、手塚治虫「アトムの最後」松本零士「ヤマビコ13号」筒井康隆「急流」佐藤史生「金星樹」佐々木淳子「リディアの住む時に…」星野之宣「残像」など十四編。収録作の掲載誌を見てみると、少女漫画率が高い。もともと少女誌には読切作品が多かったが、それプラス編集部がＳＦというジャンルに寛容だったのかも。とはいえ、〈少年マガジン〉系も三作あるし手塚賞入選の諸星大二郎「生物都市」は〈週刊少年ジャンプ〉掲載作だ。かつて存在したＳＦ漫画アンソロジー誌〈ＳＦマンガ競作大全集〉〈マンガ奇想天外〉を思い出した（私は萩尾望都「あそび玉」を前者で初めて読んだ）。ＳＦと漫画好きにはたまらない雑誌であった。本書は世代を超えて、広く読者の琴線に触れるだろう。（本気鈴）

2022年4月

エンタングル：ガール

高島雄哉
解説：花澤香菜

装画：あきづきりょう
装幀：東京創元社装幀室

二〇〇六年放送のテレビアニメ『ゼーガペイン』は、高校生の男女を主役とするロボットアニメにして、大胆な設定に基づくハードSFでもあった。そのスピンオフ小説『エンタングル：ガール　舞浜南(まいはまみなみ)高校映画研究部』は、一六年から一七年までサンライズの公式サイト〈矢立(やたて)文庫〉に連載された後、加筆修正を経て『エンタングル：ガール』として一九年に上梓(じょうし)された。本書はその文庫版である。

舞浜南高校映画研究部の一年生・守凪了子(カミナギリョーコ)は、舞浜で語られる七不思議を題材として、高校映画コンテスト提出作を撮ることにした。了子は映研部員や友人たちとチームを組み、地下迷宮で謎の少女に出逢い、様々な異変に遭遇する。

隠された〝世界の綻び(ほころび)〟が可視化され、物語はエキセントリックな真実に辿(たど)り着くが、本著の肝(きも)は逆転劇だけではない。量子論をベースにした世界造型のポテンシャルを活かし、了子の立場からエピソードを再構築することで、瑞々(みずみず)しさと切なさに満ちた青春SFになり得ているのだ。文庫化時に増補された「ホロニックワールド・エンタングルメント」は了子の一人称で書かれた掌編(しょうへん)。二四年には姉妹編『ホロニック：ガール』が刊行予定である。（福井健太）

2022年12月

シュレーディンガーの少女

松崎有理
解説：著者

装画：佐藤おどり
装幀：西村弘美

小説の目的とは、試練に立たされた魂を描くことだとベン・ボーヴァ『SF作法覚書(おぼえがき)』を引いてあとがきに書く著者による、さまざまなディストピア世界で強(したた)かに生きる女性たちの六つの物語。遺伝子で寿命が六十五歳に決定された世界に必須の民間治療を担う老女がスラム街の少女を拾う「六十五歳デス」、肥満者を集めて政府主催の公開デス・ゲームが行われる「太っていたらだめですか？」、数学が苦手な女子高校生が数学を禁止する異世界に転生する「異世界数学」、小学五年生の女子が、夏休みの自由研究の題材に絶滅したサンマを選ぶ「秋刀魚(さんま)、苦いかしょっぱいか？」、南の島に漂着した少年が生贄(いけにえ)の少女と出会う現代パートと、ブラックホールからエネルギーを取り出す宇宙人の少女が現代の情報を読む未来パートがメタフィジカルに並行する「ペンローズの乙女」、致死率百パーセントのゾンビ化ウイルスのパンデミックに陥った渋谷で、量子ロシアン・ルーレットで生き残りを賭ける少女とフレンドAIを描く表題作。諧謔(かいぎゃく)的であれロマンティックであれ「死」のテーマが全編を覆い、密度の濃いアイディアと冷静な文明批評とエンターテインメントな語りが絶妙に融けあった作品集だ。（渡邊利道）

2023年3月

星の航海者1

笹本祐一
解説：著者
装画：ああもんど
装幀：岩郷重力＋N.T

本書は《星のパイロット》シリーズと同じ世界の、さらに未来を描いた続編シリーズの一作目だ。前シリーズが極近未来における太陽系内の宇宙開発をリアルに描こうとしていたのに対して、ここでは太陽系外への人類の進出を、やはりできる限りリアルにやってみようとしている。つまりは、SF的なガジェットである超光速航法、慣性制御、人工重力といった超科学技術を一切使わず、亜光速で飛ぶ宇宙船に頼って太陽系外の恒星間宇宙に進出していった場合、どんな未来社会ができるのかという、SFにおいてはある意味古典的な問いかけを、現代のライトノベルとしておこなってみようというのである。

だからこそ著者は、この第一作では前提となる未来世界の描写にかなりの分量を割いていて、そのストーリー展開には物語的なダイナミックさには少々欠けるきらいがある。

だがその代わり、様々な「外挿（がいそう）」の結果として立ち現れる未来世界の描写は、SFにしかない魅力に満ちている。この作品をステップボードとして第二作以降、どんな物語が展開するのか、楽しみに待ちたい。前シリーズの登場人物たちが意外な形で再登場するところも、ファンには見逃せないポイントだろう。

（堺三保）

対談

草創期の創元SF

創元SF文庫は、一九六三年九月に
創元推理文庫SF部門として誕生しました。
その草創期のあれこれについて、
当時をよく知るお二人に語っていただきました。

Ryohei Takahashi　Yasunobu Togawa

高橋良平×戸川安宣

——小社が文庫ＳＦを始める前の翻訳ＳＦの出版を簡単にまとめます。大人向けの出版としては、一九五〇年代後半に室町書房や元々社、講談社が叢書を出しましたが、どれも長続きしませんでした。早川書房が五七年に〈ハヤカワ・ファンタジイ〉（のちの〈ハヤカワ・ＳＦ・シリーズ〉）を出し始め、また五九年十二月に専門誌〈ＳＦマガジン〉を創刊しました。

六三年九月にスタートした創元推理文庫ＳＦ部門は、日本で初めての文庫のＳＦシリーズでした。九一年十月に創元ＳＦ文庫と改称して現在に至っています。

高橋　創元推理文庫にＳＦ部門ができたころは、新聞・週刊誌などのマスメディアが大衆文学を紹介するなんてことがほとんどない時期でした。ＳＦやミステリというのは「目に見えない」存在で、そうした本を「見つけて読む」のが大変。読者は書店店頭で初めて出くわすものだった。

日本の戦後の出版界に最初の文庫ブームというものがあって、六〇あまりの文庫が出ていたんですが、五九年に創元推理文庫が始まったころは、ほとんどが消えてしまっていたんですね。書店に必ずあるのは岩波文庫、新潮文庫、角川文庫……という感じ。青木書店の青木文庫や、社会思想社の現代教養文庫、春陽堂の春陽文庫もありましたが、どこの書店でもマイナーな文庫の棚自体が少なかったですよね。

そして当時はまだ「ＳＦ」という言葉自体がたいして流通していなかった。

〈ＳＦマガジン〉はありましたが、僕が住んでいたような人口三十万の地方都市では市内の大きな書店に五冊しか入らない。その街にSFファンが五人いたらもう大変（笑）、新しい号が買えない。SFが平積みになっているのを僕が初めて見たのってエドガー・ライス・バローズの『火星のプリンセス』（邦訳六五年）なんですよ。それまでの新刊は、フレドリック・ブラウンやレイ・ブラッドベリでも一冊しか入らなくて棚差しにされていました。

でも不思議なことに、古本屋には出回っているんです。というのは、SFもミステリも今と読者傾向が違うんですね。大学時代まで熱中していても、社会人になったら「現実の社会には関係ない」と卒業するジャンルで、溜めていた雑誌も含めて古本屋に売ることが多かった。

当時はまだSFって儲かってなかったんですよね。でも、ミステリやSFといった熱狂的なファンがいるものは、書店に置いておけば必ず売れる。回転が速いわけではないけれど、知らないうちになくなっていく。書店の棚を少しずつ取っていけるという点では、着実な商品ではあったんです。

戸川　五〇年代の後半は、銀河書房石泉社や講談社が翻訳SFの児童向け叢書を出していましたよね。

高橋　児童書って書店にはあまりなかったんです。あったとしても、ハードカバーだったり函入りだったりして高価だった。学校図書館には入っていたので、そこでSFに出会う人はいたと思いますけど。

戸川　そのころから、これから育っていく子供たちにとって面白い話といえば、いわゆる純文学じゃなくてSFなんじゃないか、という風潮があったようです。

講談社は五六年から〈少年少女世界科学冒険全集〉を出して、これが当たって、じゃあミステリもやろうとなりました。翌年から〈少年少女世界探偵小説全集〉を始めるんですが、児童ものの世界ではミステリよりSFのほうが盛況だったと思います。面白いことに、SFのほうは「科学冒険全集」で、「小説」とうたってないんですね。なかに科学読物も混ざっていたんです。そうした科学や未来、宇宙といった知識を、これからの子供たちに向けて送り出す、という感じがしました。

高橋　どうして児童ものだったかというと、大人が相手にしなかったからですよ。「荒唐無稽」「バカバカしい」と切り捨ててしまっていた。幼年・少年世代、小中学生はそういうことがなくて、受け入れてもらいやすかった。

「科学冒険」という名称ですが、つまりはSFという言葉を日本語で定義できなかったからですよね。

科学小説という言葉は明治時代からありましたが、空想科学小説／サイエンス・フィクションというのは、ジャンルを示す言葉としては非常に茫洋としている。明治以来、SFではジュール・ヴェルヌが一番たくさん翻訳されてますけど、戦前の、だいたい昭和ヒトケタ世代の少年たちは、海野十三をはじめとした軍事科学小説に慣れ親しんで育っていて、それとは違う言葉をつくろうとしてうまくいかなかったということもあると思うんです。

そうした児童もので育った、いわゆる団塊の世代（四七～四九年生まれ）が主な読者になっていく時期に、創元の文庫

ＳＦが出始めた。中学生ぐらいなら楽に読めたし、しかも百円とちょっとで買えるという値段の安さもありました。

非常にタイミングがよかったわけですが、今思うとセレクションはとても不思議でした。

最初はすでに推理文庫で出していたブラウンのような、ＳＦとミステリを両方書ける作家を出して、その後は五〇年代後半に出していた、厚木淳(あつきじゅん)さん（当時の編集長）がラインナップを決めた〈世界大ロマン全集〉に収録されていた古典名作を文庫化していった。それまでのミステリ読者も読むであろう作品に古典を加えていったので、作品の幅が広かった。

当時の自分の購書リストを持ってきたんですが、その二冊目が『スポンサーから一言』（ブラウン）、三冊目が『10月はたそがれの国』（ブラッドベリ）、四冊目が『銀河パトロール隊』（Ｅ・Ｅ・スミス）。非常にいいものを出しているなと思います。ＳＦ入門として豊かだった。けっして敷居が高いものではなく、魅力の異なる作家を引き寄せている。

文庫でＳＦのシリーズを出そうというのは本当に冒険だったと思うんですよね。すでに創元推理文庫があったとはいえ、ミステリのほうがはるかに読者層は厚いし、一方で、ＳＦファンは必ず何か一言いいたがる（笑）。編集部も対応は大変だったろうと思うんですが、そうした読者を、付録の「創元推理コーナー」がうまく引きつけたと思います。

戸川　「創元推理コーナー」というのは、創元推理文庫が創刊した二年後の六一年四月から、新刊と一緒に書店に少部数配られていた文庫サイズのミニＰＲ誌ですが、当時中学生だったぼくはほとんどお目にかかったことがありませんでしたね。これは十号まで出て、しばらくお休みしてから、《火星シリーズ》が刊行された六五年四月に、「新」でも「十一号」でもなしに、ただ「創元推理コーナーＳＦ特集号」として発行されました。翌年七月、《レンズマン》シリーズ刊行に合わせて創られた号は、「ＳＦ特集号その２」、その翌年六月の号は「ＳＦ特集号その３」と銘打たれ、六八年六月、ミステリの話題も載せた号からようやく「創元推理コーナー４」となり、こちらも旧コーナー同様十号まで出ています。

高橋　他で読めない情報やアンケート類も載っていて、読者のお便りまである。当時の《火星シリーズ》の読者がそうなんですけど、十五〜十七歳のミドルティーンがすごく多いんですよね。

バローズやスミスのシリーズものが主だったところへ、若い読者を増やす、読む習慣をつけてもらうのに非常にうまく作用した気がします。つづきものじゃなくても、ひとつ面白かったら、既刊をチェックして他のＳＦも全部読みたいと思うじゃないですか。

戸川　厚木さんを中心に、数人で創元推理文庫を始めたんですが、海外著作の版権を取って出すという翻訳出版は、小出版社を続けていくのに一番よかったんです。小規模なお金で健全に出版を続けられる手法でした。欲をかくと難しいけれど、回転させて少しずつ利益が出て読者も増えていくというのは、ＳＦやミステリといったジャンル出版のいいところだと思います。

高橋　一方で、編集部内にSFに見識のある人や、造詣の深い人がいなくて、編集方針が一定していなかった感じも受けます。SF部門が立ち上がってから、五所英男さんという方が岩崎書店から移ってこられて厚木さんと二人三脚でやっていたころ、参考にしたのは翻訳エージェントから送られてくる原書と〈SFマガジン〉だった、と五所さんにうかがいました。野田昌宏さんと伊藤典夫さんの連載を読んで原書を手に入れていたと。

《火星シリーズ》は相当なヒット作でしたけど、当時野田さんが〈SFマガジン〉で「SF英雄群像」という人気コラムを連載していて（六三～六五年）、読者をうまくガイドして、みんなが読みたいと渇望していたところに出たことも売れた理由だったと思います。

　一定の方針がなかったと思えるのは、シリーズものの第一弾が《火星シリーズ》で、第二弾が《レンズマン》だったから。投げ込みチラシで「《火星シリーズ》に続くスペースオペラ第二弾」とうたっている。さらに、アイザック・アシモフの『銀河帝国の興亡』が「スペース・オペラの名作」（笑）。いまからすると《火星シリーズ》と《レンズマン》を並べて「同じものだよ」と言うのはとても無理がある。でも野田さんの紹介記事もあったし、カラー口絵や挿絵を入れたことなど、いろんなプラスがあって、とにかくみんなが読んだ。しかもヒットしたから、その後リライトした児童書版もたくさん出たし、それもあって新しい若い読者が育つことにもなり、非常にうまく循環しましたね。

戸川　五所さんの話で言いますと、これまで一般的には、創元のSFは厚木さんが一人で始めて、イラストレーターの武部本一郎さんも厚木さんが見つけてきて頼んだ、という話になっていますが、実を言うと、創元のSFに口絵や挿絵を入れたのは五所さんなんです。

　岩崎書店は六〇年から〈少年少女宇宙科学冒険全集〉を、六三年から〈ベリヤーエフ少年空想科学小説選集〉を出していて、そこでイラストを描いていたのが武部さんや依光隆さんでした。五所さんはその刊行が終わったあたりで創元に移ってきて、厚木さんがバローズなどを出したいと言ったときに、「そういうものだったら絵を入れたらどうか」と提言した。岩崎時代に知り合った画家がたくさんいるからということで、武部さんや金森達さんらを起用したのが大当たりに結びついたんです。五所さんのそうした功績は強調しておきたいですね。

高橋　『火星のプリンセス』に絵を入れたのは、本当に常識破りでした。当時は小説の中に絵があるのは下品な、二流の読み物だというのが一般通念でした。新聞や週刊誌なら許せるけど、単行本に挿絵は入れるものではないという考え方だったころに、口絵も挿絵も入れるという児童書的なアプローチで、若い読者や光景をイメージしづらい読者に訴求した。

戸川　僕は七〇年に東京創元社に入社したんですが、そのころも、企画を立てようというときには、ひとつ成功すれば数年は保つというシリーズものをいくつか出す、ということをよくやっていました。

高橋　そう、創元は「作家主義」というか、一人の作家をずっと出すということを当時からよくやっていました。なんなら全部出しちゃおう、というような、シリーズものは当然として、作家で読み継いでいくという、単発ではない形での企画がうまく進んでいたと思います。

《火星シリーズ》が翻訳された頃に話を戻すと、六〇年代半ばというのは世界中でイアン・フレミングの《００７》が売れに売れまくって、映画も当たり始めたころで、世界の娯楽小説界は大騒ぎになっていた。《００７》はそれまでにない、大統領まで読むようなエンターテインメントだというので、英米の出版界、とくにペーパーバックの出版社は、その対抗馬を探そうと必死だったんです。

　そのときにアメリカで復活したもののひとつに《ターザン》があった。めちゃくちゃだけれど楽しい冒険活劇。その後、《火星シリーズ》も再発見されて、バローズが人気になる。そしてスペースオペラが、さらには『指輪物語』までが、初めてペーパーバック化されるのがその時期なんです。

　六〇年代後半というのは過去の小説を掘り起こしてシャッフルして、《００７》的な、あるいはそれに対抗できるような娯楽読物をペーパーバックで大量に売った時代でした。といっても、英米のペーパーバックも名作やベストセラーが中心の時期だったから、通俗的なものは一部の出版社でしか出していなかったんだけど、ヒロイック・ファンタジーなどもその時代に復活して、各社が気づいて争って出し始めた。

　創元にもいろんな情報が入ってきたでしょうけど、そうした時代的な背景とうまく合っていたんだと思います。

　もうひとつ五所さんにまつわる話なんですが、〈ＳＦマガジン〉の伊藤さんの連載コラムを一生懸命読んで、ジュディス・メリルの《年刊ＳＦ傑作選》とかＪ・Ｇ・バラードを出しちゃうんです。あれは五所さんの企画だったらしい。

　そうやって、誰が読んでも面白いものから、難解と言われるニューウェーブまで出しちゃった。五所さんというプレイヤーが一人いたおかげで、創元のＳＦの文庫の幅が一挙に広がりました。

　それまではヴァン・ヴォークトとか、とにかく破天荒で面白いもの、すごくＳＦファン受けするものばかりだったところへ、「こんなの読むの？」というのを出しちゃう。あるいは日本ではほとんど知られてなかったドイツＳＦを出すとか、目の付けどころが面白い。

戸川　ドイツＳＦは、のちに《ペリー・ローダン》シリーズを翻訳する松谷（まつたに）健二さんがいらっしゃって、いくつか企画を持ち込まれ、「じゃあお願いしましょう」ということになってハウザーの『巨人頭脳』やＫ・Ｈ・シェールを訳していただきました。英仏以外の言語のＳＦは、翻訳者にそうした読み手がいたおかげでした。
　いくつか出したあと、また松谷さんがいらして、「ちょっと大部なんだけど、こういうのはどうですか」とおっしゃったのが《ペリー・ローダン》でした。そのころ原書はもう何十冊も出ていました。厚木さんが「はい」と言っていれば創元で出ていたんだけど、断っちゃったんですね。

持ち込みといえば、ヴァン・ヴォークトは沼沢洽治さんが選んで持ち込んでいただいたものです。

　英米の作品でも、初期は翻訳家の確保にずいぶん苦労したようです。

高橋　やっぱりＳＦ用語や造語のようなものをどう訳すかがいちばん問題でしたよね。ミステリではそういう問題は出てきませんから。日常的、風俗的なトリビアではなくて、教養だとか知識だとは言わないけれどＳＦならではの用語に精通している人がいなかった。だから〈ＳＦマガジン〉では創刊号からＳＦ用語のグロッサリーをつけて用語を統一しようとしたし、翻訳者を探すのも大変だった。

　創元の場合は、〈世界大ロマン全集〉のときからそうですが、大学の先生が多かったですよね。

戸川　そうですね。それまでの出版物でお世話になった先生が多かった。

　専業の翻訳家として出てきたのが、厚木さんの同級生だった小西宏さん。それから福田恆存門下の中村保男さんと沼沢洽治さん、このお二人にはＳＦをかなりやっていただきました。あとは若手だった永井淳さんなど。

高橋　元編集者で翻訳業を始めた方ならキャッチしやすいでしょうけど、フルタイムの翻訳家は創元には多くなかった気がしますね。

　矢野徹さんや浅倉久志さん、伊藤典夫さんにつづく、ＳＦ畑から専門の翻訳者が現れるのは、もうちょっとだけ待たないとならなかった。

（二〇二三年五月一五日、小社にて収録）

高橋良平　たかはし・りょうへい

一九五一年生まれ、愛知県出身。中央大学卒業後、すばる書房に入社。のち、ＳＦヴィジュアル雑誌〈スターログ〉副編集長を経てフリーに。編著に『東京創元社文庫解説総目録』（東京創元社編集部と共編）がある。

戸川安宣　とがわ・やすのぶ

一九四七年長野県生まれ。立教大学卒。元・東京創元社取締役。編集者としてミステリ作家を多数育成する傍ら、文庫解説や書評、コラム等の執筆を行う。著書に『ぼくのミステリ・クロニクル』（空犬太郎編）がある。

対談

創元SF文庫の装幀

**創刊以来、創元SF文庫のカバーは
数多くのイラストとデザインに彩られてきました。
SF小説のカバーを長年手がけられてきたおふたりに
装画・装幀についてうかがいました。**

Naoyuki Katoh　Jyuryoku Iwago
加藤直之×岩郷重力

——まずは加藤さんの創元ＳＦ文庫との出会いについて教えてください。

加藤　最初に読んだのは中学生の頃、友達が貸してくれたバローズ《火星シリーズ》の三巻目『火星の大元帥カーター』でした。そこから一巻と二巻にさかのぼって読みました。それで創元推理文庫と文庫本のＳＦに目覚めて、創元から出てるものを片っ端から買ったんですよ。一番最初は火星つながりでラッセル『金星の尖兵』（笑）、その後はブラウン『スポンサーから一言』を買い……そのうちすぐにＳＦは買いつくしてしまった。そのあとは本格推理の方に移って、エラリー・クイーンなどに手を伸ばした。

その後、仕事としてＳＦの絵を描きたいと思い、東京に来て勉強をしているうち、一九七〇年にハヤカワＳＦ文庫（現ハヤカワ文庫ＳＦ）が創刊されました。だから基本的に僕を生み出したのは東京創元社みたいなところがあって、《火星シリーズ》をはじめ全ての文庫のカバーが、僕の将来設計に関わっています。

——中高生の頃に児童書は読まれていたのですか？

加藤　小松崎茂さんが表紙を描かれていた、講談社のザレム『緑の宇宙人』が印象に残っています。他にも学研〈中学コース〉の付録冊子の翻訳ＳＦがあって、そこにヴァン・ヴォークトやハインラインの作品を福島正実さんが短く平易に改めたものが読めた。だから全訳でＳＦを読んだのは《火星シリーズ》が最初です。武部本一郎さんのイラストは日本の挿絵画家の絵とまったく違い、欧米人の顔がきちんと描かれていたのできっと原書のイラストを採用したんだろうと（笑）。

――岩郷さんの場合はいかがでしょう。

岩郷　はじめて買った創元SF文庫ではないんですが、鮮明に覚えているのが、加藤さんが装画を手がけられたニーヴン＆パーネル『神の目の小さな塵』とプリースト『スペース・マシン』。この時にちょうど高知の島内書店の店先で大森望と、「ニュー創元だ！」って叫んだのを覚えています（笑）。それが高校生のころですね。

加藤　『神の目の小さな塵』は僕が東京創元社ではじめてやった仕事ですね。戸川安宣さんが来てくれて、喫茶店で打ち合わせた記憶がある。

――黎明期の創元SF文庫のカバーは抽象画がたいへん多かったですが、加藤さんにはどう見えていましたか？

加藤　司修さんと金子三蔵さん、このお二人がいる中に真鍋博さんが混じっていた、みたいな感じでした。僕が好きだったのは、武部さんはもう別格として、スミス《レンズマン》シリーズなどの真鍋さんの絵でした。金子さんの作品は正直に言うともともとSFの絵ではなくて、編集部がたくさん預かった絵の中から本に合わせて選んでいたそうですね。小説の内容と関係ない絵が表紙を飾っていた時代がけっこう長かったので、それはすごく不満でした。

岩郷　僕は逆に、「SFって自由なんだ」とすごく思いましたけどね。

――加藤さんは真鍋さんの絵をどういうふうに受け止めていましたか？

加藤　ちゃんと小説を読んで描いてるところが好きでしたね。例えば、《レンズマン》シリーズの最初に出てくる無慣性航法が、ちゃんと挿絵で出てたりとか。

――《火星シリーズ》で文庫に初めてカラー口絵がついたのですがやはり驚きでしたか。

加藤　むしろ、《火星シリーズ》でカラー口絵があるのが当たり前だと思っていたので、他の創元の文庫に口絵がないのが僕にとっては不満でした。

――ハヤカワ文庫との個性の違いは感じていましたか？

加藤　基本的には、武部さんの《火星シリーズ》を受け継いだのがハヤカワ文庫だと考えているので。だから僕にとってはその早川の最初の流れはすごく嬉しかったですね。武部さんの表紙のハワード《英雄コナン》シリーズが入ってたので、そのままハヤカワ文庫も読みはじめた。

岩郷　早川と創元でどうカラーが違うのかということは僕もずっと考えていて、それはなぜかというと、早川で装幀の仕事をすると「創元っぽいね」って言われ、創元ですると「早川っぽい」って言われて、「どっちなんだよ！」みたいなことがずっと続いてるんです（笑）。

――創元のカバーイラストが写実系中心になっていくのは、やはり加藤さんにお願いしはじめてからでしょうか。

加藤　スタージョン『原子力潜水艦シービュー号』なんてかなりリアルでしたよね。抽象的なカバーで僕の印象に残ってるのが司さんですね。

――司さんの装画ではどれが印象に残っていますか？

加藤　ブラウン編の『SFカーニバル』ですね。司さんって、抽象画ですごい有名な人なんですよね。

岩郷　僕はハインライン『異星の客』の司さんが衝撃でした。当時文庫SFとしてはいちばん分厚かったこともあってびっくりした。それからやっぱりメリル編《年刊SF傑作選》。これは装幀が日下弘さんでした。

――創元SF文庫の装画を手がけはじめる前、一読者として読んでいた頃の思い出は他にありますか?

加藤　僕自身は十代の頃はSFの編集者になって、僕の好きな人にイラストを頼みたいと思っていたんです。だから、カバーを見る時には、「このカバーをもっとこうして欲しかったな」と思ってはいました。

当時は金子三蔵のような例が多かったことを知らなかったので「なんでこの作品にこんなカバーがついてるんだ」と思っていました。

――アメリカのペーパーバックがそうで、昔から中身と関係がない絵ばかりだった。かなり最近までそうでしたよね。

加藤　うん。最近だとマイケル・ウィーランが中の描写をすごく読み込んで描いてたりします。

だけど例えば野田昌宏さんが訳したチャンドラー《銀河辺境》シリーズも、原書ではやっぱり中身と全然違う。一方でジョン・バーキーは宇宙船の推進システムの描写なんかをちゃんと絵にしてるんですね。人によって違う。

――加藤さんのように小説の描写に即して描くというのは、アメリカの絵と比べてもやはり早い方でしたか?

加藤　中を読んで描くのは珍しがられましたね。オースン・スコット・カードに会ったときに、「アメリカの単行本の表紙はどうして描写と違うんだ」って言ったら、彼は「いや、それが当たり前だ」って(笑)。「ちゃんと中を読んで書くのが僕の考え方だ」って返したら「いや、それは違うだろう。でもお前の言いたいことはわかる」って言われましたから。作家の人たちは気にしてなかったんでしょうね。

フランク・フラゼッタが描いたアメリカ版の《火星シリーズ》や《金星シリーズ》や《月シリーズ》にしても、作中の描写と合っているようでも結構大事な部分を変えちゃってる。だけど武部さんの絵は正確だったんです。

――小説の描写に合わせて描くのが加藤さんのスタイルという印象ですが、そもそも武部さんが正確に描かれる方だったんですね。

加藤　そうです。武部さんもそうですし、例えばお仲間だった依光隆さんが小説の挿絵を描く時には、ネクタイの柄まで描写に合わせた。依光さんは資料を保管する専用の部屋を持っていて、その資料をあてにしていろんな新聞社や出版社から借りに来る人がいたそうです。

だから僕がやっている、正確に小説の描写に合わせて描くというのは、この世界の伝統的なやり方なんです。山中峯太郎『敵中横断三百里』で、樺島勝一が物語の流れに合わせて月の満ち欠けまで再現したとか、そういう伝統がある。

――作中の整合性や事実関係をチェックする、校閲者のような側面がありますね。

加藤　そうそう、校閲者。そのとおりです。

岩郷　内容に即した装幀にしたいという点では、僕もやっぱりちゃんとゲラを読んだ上でタイトルの書体を決めたいと、ずっと思ってました。逆に作り込みすぎて漫画や映画みたいにはならないようにとも。

――タイトルの組み方に関しては、次第に横縦の一直線でなくなっていく時期があったように思いますが、そういうタイプフェイスの工夫が広まったのはいつ頃からなんでしょう？

岩郷　それは多分、僕のせいなんじゃない？（笑）

加藤　扶桑社文庫なんかはタイトルの位置がすごいですよね。

岩郷　やっぱりジュブナイル、スニーカー文庫のようなレーベルが伸びてきた時に、かなり工夫するようになりましたよ。ライトノベルが興隆してからは、漫画的、アニメ的なタイトルの組み方が増えた。一九九〇年代のどこかでそうなっていたと思います。

加藤　たとえば矢島高光さんがデザインした、テニスラケットがモチーフに使われているカバーで、ラケットの面に沿って文字が歪んでいる例がありましたよね。

――抽象的な装画が多いラインナップではじまった創元SF文庫ですが、その後具象画の比率がどんどん上がっていきます。SF装画の世界を俯瞰したときに、変化の流れを感じられることはありますか？

加藤　全体の流れで見るとリアルな方向に来てはいるんだろうけど、もともとハヤカワ文庫FTでは八〇年代から少女漫画家がカバーを描いていたし、松本零士さんも七〇年代のはじめからハヤカワのカバーを描いていたので、いろんなタイプの絵がバラバラにあるというのが当たり前だった。その中で自分ができるのはリアルに描くことしかない、小説の描写に忠実にいくしかないと考えていたので、他の絵に関心を持つ暇はなかったですね。

――岩郷さんからイラストレーターの方々への思いはありましたか？

岩郷　これは初期に言っていたことなんですが、僕は広告畑から来ているので、文庫本でも小さいながらポスターみたいだというイメージをすごく抱いてるんですよ。そこに帯が付いてチラシになるというような。

　それもあって、イラストの中で説明はしなくてもいいから、ちゃんとした構図で描いてほしいという思いが最初はありました。色々な方と仕事をする中で、だんだんと変わっていきはしましたが。

――創元SF文庫では、加藤さんと岩郷さんには、新装版のお仕事をお願いすることも多くありました。カバーを新しくする際の心構えについて教えてください。

加藤　自分の昔の絵を新しくする仕事も多いんですが、そのときはやっぱり過去の自分に挑戦したい。絵描きって、昔の人でも、若い頃に描いた絵の顔だけ描き直している例があるんですね。ジョン・エヴァレット・ミレーとか。手塚治虫さんが昔の絵をまるっきり描き直してるとか、ページ全体描き直しているとか、あと横山光輝さんですとか、基本的に同じことですよね。

岩郷　漫画の単行本のデザイン仕事で生原稿を見ると、やっぱり顔のところを直されている方は多いですね。

加藤　手塚さんなんか綺麗に切り抜いてますもんね。

岩郷　ええ。しかも紙がすごい薄いんで、もう触るのが怖いくらいなんです。

加藤　金森達(かなもりとおる)さんもスミスの《スカイラーク》シリーズの挿絵の原画を見ると結構切り抜いて貼ってるんですよ。

岩郷　基本的に原画よりも印刷物が大事、みたいな方も多かったでしょう。

加藤　そうですね。僕自身も紙に描いたものを修正するってことはやってなくて。デジタルで複写してから修正してるんです。

――他の方が描いたイラストをカバー替えで描く場合はどうでしょうか？

加藤　その時々で依頼があったらもう一回作品を読み込んで、その時点の自分を全部出すつもりで描いていますね。昔の絵は忘れて。

――他の方がやっている場合であれ、前の絵のことは一切気にしないということですね。

岩郷　カバーの掛け直しといえば、クレメントの『20億の針』と『一千億の針』は加藤さんに二回お願いしました。まったく絵が違うので、タイトル周りのレイアウトが二回とも変わった。

――つまり、加藤さんは『20億の針』のカバーを三回描いたんですよね。記録的でした。

加藤　あれは面白かったですね。〈紙魚(しみ)の手帖〉vol.12に寄せたエッセイでも書いたけど、読み直すと絵にできていなかったところが見つかるんですよね。

――イラストの描き直しの話をうかがってきましたが、創元SF文庫では意識的に他社の旧版に使われていた装画を継承した場合もあります。具体例としてはシュミッツ『惑星カレスの魔女』の宮崎駿(はやお)さんがそうで、新潮文庫版の絵をそのまま使わせていただきました。サンリオSF文庫版の装画を使わせていただいた、ディック『ヴァリス』の藤野一友(かずとも)さんの装画もそうですね。

　ここでおふたりが創元SF文庫でされた、思い出の仕事についてお聞かせください。

岩郷　復刊フェアやカバー替えの機会に加藤さんとよく仕事をしましたね。たぶん一番たくさんやったんじゃないかな。

加藤　僕が印象に残ってるのはピーター・ワッツの『エコープラクシア』で、真上に進む宇宙船を左右シンメトリーで描いたら、岩郷さんから斜めにしたいという希望があった。

　岩郷さんと組んでいるとお互いにやり取りができるので、すごく安心してできる面はありますよね。これは単行本の話ですが、カバーの表紙と裏表紙の両方に絵が入っている宮澤伊織(いおり)『神々の歩法』で、バーコードの入る部分を白い煙で処理した例なんかは、デザイナーがやらないと無理だもんね。

――加藤さんが特に気合を入れて取り組まれた仕事といえば何でしょうか。やはり最初に手がけられた『神の目の小さな塵』でしょうか？

加藤　東京創元社で思い切り力を入れて書いた作品といえば、ホーガンの『造物主(ライフメーカー)の掟』ですが、いま考えるとこれはイラストが作中の描写と違いますね。もっと機械っぽい機械、いわゆる工業用ロボットのようなロボットが活躍するんだけど、僕はそれを人間っぽく描いてしまった。原書のカバーの方がじつは内容に忠実でした。でも、原作の描写そのままのカバーだと、読者はついてこられないと思うけど、もう一度カバーやカラー口絵を描いてみたいですね。

——ホーガンが八六年に来日した際に加藤さんに、『星を継ぐもの』三部作のどの話だったか、「この装画はいったいどのシーンを起こしたんだ」と訊いていたことを覚えています。

加藤　結局小説の一番肝心な部分じゃなくて、最後のほうの、それも主人公たちがちょっと語り合う数行の描写をカバーにしたんですね。だから当然、ホーガンさんもそんな描写は覚えていないだろうし。当時は文庫カバーの表と裏にわたる横長の絵を描けたからこそできた表紙なんですよね。

　後になって裏の部分がなくなったら全然意味がなくなって。

岩郷　『星を継ぐもの』は僕は新刊時に買ったので知ってるんですが、いまはもう裏側まで絵が続いていたことをみんな知らないんですよね。

——〈紙魚の手帖〉vol.12に掲載された、加藤さんのエッセイでも書かれていた話ですね。

岩郷　二巻目、三巻目も裏まで絵が回ってました。

——ＳＦ文庫にそういう試みをとり入れたという点で、加藤さんはアイデアマンというか、改革者ですよね。

加藤　裏までイラストを描くというのは、実は生賴範義(おうらいのりよし)さんが平井和正『ウルフガイ』の単行本の時、七〇年代のはじめにやられています。同じく平井さんの『狼男だよ』も、裏側に狼の紋章が小さく入ります。それが印象に残っていたからのような気がしますね。

——表紙と裏表紙がつながる仕様と同様に、複数巻のカバーがつながる形式も、加藤さんは積極的に採り入れてこられたように思います。

加藤　そういうことをやっていって行き着いた先が、全十巻を並べるとすべての絵がつながる、角川文庫の《機動戦士ガンダムＵＣ》シリーズでした。

——岩郷さんは思い出の仕事などはありますか？　ハインライン『宇宙船ガリレオ号』の時には模型を作りましたね。

岩郷　あの本のカバーに使ったロケットの模型は、友達の美術家にカツオのタタキ一本と交換で作ってもらいました。今でも実物が残ってますが、ＦＲＰ製のちゃんとしたものです。

——私はホーガン『マルチプレックス・マン』のカバー制作でモチーフに迷った際に加藤さんからうかがった、「困った時には未来都市を描け」という教えが印象深いです。

加藤　あの頃はまだパソコンで絵を描きはじめた直後で、ＣＰＵもメモリも足らなくて複雑な「描線」を使えなかったんです。だから東京創元社には結構申し訳ないことをしたなあと。

——逆に「今回は筆で描いてください」とプリースト『逆転世界』の時にお願いしたのもよく覚えてます。

加藤　『逆転世界』って都市が移動する話ですよね。あの都市はもともと船だったという作中の描写があって、僕は絵を描きあげた後で気がついたんですが、もうすでに鉄道の機関車のイメージで描いちゃってたんです。本当はもっと前後に長かった。

――今まではカラーイラストの話をしてきましたが、モノクロについてはいかがでしょうか。

加藤　モノクロってすごく難しいんですよね。栗本薫さんの《グイン・サーガ》のときにはモノクロの絵がなかなか描けなくて。

依光さんが《ペリー・ローダン》（K・H・シェール他）を描くときに使っていた、絹目（きぬめ）ケント紙を使ってダーマトグラフのタッチをつける技法があるんですが、あのタッチを出したくて、ペンで細かく線を描き込んでいました。

岩郷　このあいだ再読したばかりなんですが、山田正紀（まさき）『機械獣ヴァイブ』の挿絵がそうでしたね。

加藤　山田さんは作中に現用兵器を出されるので大変でした。例えば爆撃機とか。

――そうか、実在するものを書かれてしまうと大変になるんですね。

加藤　今はいろんなものを動画で見られるけど、昔はインターネットがなかったから、爆撃機を別の角度から見た資料を見つけるのが大変だった。『ロボット・アップライジング　ＡＩロボット反乱ＳＦ傑作選』の扉絵にも爆撃機を描いたんですが、ネットがあっても探すのが大変でした。

ＡＩといえば、その本で描いたロボットを真ん中に置いて、PhotoshopのＡＩ生成で左右に絵を伸ばしてみたら、そのロボットを後ろから見たところと横から見たところが出力された。デッサンは狂ってるけど、デザインは僕のものです。あれがもしちゃんとできるようになったらと思いますね。僕が考えてもいないような、思いもよらない構図を僕の画風で作ってくれるかというのを、今ＡＩを使って試しています。

岩郷　他の人が「加藤直之風で」と指示を出すんじゃなくて、ご自身で探求されるのがいいですね。

加藤　だけどPhotoshopのＡＩって著作権に配慮してるので、元のデータが限られていて、例えばＳＦに出てくるロボットなんかはむちゃくちゃ下手ウマなんですよ。でもその下手さ加減が僕に描けないバランスなので、参考になるんですね。

岩郷　最終的には、加藤さんが加藤さんの絵を全部入力して、ＡＩに望みの絵を生成してもらうことになりますよね。

加藤　そういうことです。でもそれをやってしまうと、創作する楽しみがなくなるので。背景に使うくらいならいいんだけど。

――自分が描いていないにもかかわらず、明らかに自分の絵に見える絵が出力されると、気持ち悪く感じるイラストレーターさんも多そうです。

岩郷　それはでも昔で言うと、アシスタントが描くようなものじゃないのかな。

――生成ＡＩ自体に対しては、加藤さんはどのように思っていらっしゃいますか？

加藤　生成ＡＩ画像は今、著作権の問題が提起されていますよね。僕はＡＩが何を参考にその絵を作り上げていったかがわかるんです。「これは権利的にも大丈夫」「これはダメだろうな」というのがわかる。例えばイギリスの巨大な植物園の絵があったとして、図書館や古物商の店の写真を取り込んで作り上げた絵だろうな、とわかるんですね。元の著作権をどのくらいクリアしているかをＡＩは判断できないけど、僕は判断できるので、これはただ単純なパクリだなというのはわかるんですよ。

ＡＩが生成した画像でも素晴らしい絵はいっぱいあるんですが、ＡＩが生成しやすい素晴らしい絵というのはだいたいワンパターンなので、それを避ければこれからも生きていけるかなと思っています。

僕もＳＦの絵をはじめた後に絵の勉強をして、いろんな絵をたくさん見ましたから、ＡＩの限界もある程度はわかる。だから武部さんの仕事をＡＩが学んで、武部さんの新しい絵を出してほしいな。

（二〇二三年九月一九日、オンライン会議システムにて収録）

加藤直之　**かとう・なおゆき**

一九五二年静岡県出身。七四年に〈ＳＦマガジン〉でデビューしたのち、一貫してＳＦとファンタジイのイラストを描き続ける。ハインライン『宇宙の戦士』のパワードスーツや田中芳樹（よしき）『銀河英雄伝説』の艦船のデザインで知られ、創元ＳＦ文庫ではホーガン《星を継ぐもの》シリーズをはじめとする数多くの作品で装画を担当。

岩郷重力　**いわごう・じゅうりょく**

一九六〇年高知県出身。大阪芸術大学卒。広告業界を経て九〇年にワンダーワークスを設立。多くのＳＦ・ミステリ作品のブックデザインを手がける。創元ＳＦ文庫での代表的な担当作品は、ハインライン『異星の客』、イーガン『万物理論』、酉島伝法（とりしまでんぽう）『皆勤の徒』など。

創元SF文庫史概説

大森望
Nozomi Ohmori

SFマーク誕生

「草創期の創元SF」（高橋良平×戸川安宣）で語られているとおり、一九六三年九月に誕生した創元推理文庫SFマークは、日本初の文庫SFレーベル。そもそも、五九年に創刊された創元推理文庫が日本初のミステリ専門文庫だったが、四年後、その一部門としてSFマークが誕生する。SFが推理小説のサブジャンル（下位カテゴリー）に分類された格好だが、これには理由がある。『東京創元社文庫解説総目録［資料編］』収録の厚木淳インタビューによれば、

「僕はね、SFマークを作るとき、創元SF文庫として名前も変えたほうがいいと提案したの。そしたら、営業部から猛烈に反対されたんだよ。書店でもうひとつ棚を取るのが大変だって理由で。推理文庫の一部門の拡大と言うなら、書店のほうも気づかないで（笑）受け入れてくれるって言うんだ」（聞き手・高橋良平、戸川安宣）

そのため、「創元SF文庫」の誕生は、二十八年後の一九九一年十月まで待たなければならない。もっとも、読者はカバーに「SF」のロゴがあればSFの文庫だと思って手にとるから、実質的に大きな違いはない。「SF部門もすべりだしからうまくいきましたね」（同前）とのことなので、営業部の作戦勝ちだったと言うべきか。

ちなみにハヤカワSF文庫（現・ハヤカワ文庫SF）の創刊は一九七〇年八月なので、創元推理文庫SFマークからは七年遅れ（当時、早川書房の翻訳SFフラッグシップはポケット判の〈ハヤカワ・SF・シリーズ〉だった）。それより早く、角川文庫が一九六六年からカバーにSFマークをつけ、ヴェルヌ『地底旅行』を皮切りに、ウェルズ、ドイル、チャペック、バローズ、スミスなどの古典を精力的に出していた（七二年まで）。創元SFマークが成功した証なのかどうか、ラインナップ的にも創元の後追いっぽい。しかし、この角川文庫SFマークは比較的短命に終わり（七〇年代後半に〈SFジュブナイル〉として復活するが、そちらも十冊で終了）、ハヤカワ文庫SFも創刊当初は古典的な冒険SF／ファンタジーが主流だったため、（少なくとも七五年ごろまでは）創元推理文庫SFマークは、翻訳SF文庫の中核を担う存在だった。私事ながら、七二年に小学六年生だった僕は、当時、地元・高知の図書館で〈ハヤカワ・SF・シリーズ〉を読み漁り、古本屋で安い創元SFを買い漁っていた。

では、その時代、創元はどんなSFを出していたのか。第一弾は、ブラウンの掌編集『未来世界から来た男』。創元推理文庫ではすでにブラウンのミステリを二十冊以上刊行していたので、SFマーク誕生を機にブラウンのSF作品の刊行に乗り出

したかたち。当時のブラウンはまだ現役。『未来世界から来た男』は、原書が六一年に出たばかりの最新作品集だった（『73光年の妖怪』の原書も同じ六一年刊）。

現代作家の短編集から出発したせいかどうか、初期の創元SFは、以後もブラッドベリやバラードなどの短編集や各種アンソロジーを比較的たくさん出している。

長編（連作含む）では、ウェルズやヴェルヌ、ドイルなど古典の一方、五〇年代の本格SF名作群を精力的に刊行した。創刊から二年弱に限っても、ウィンダム『トリフィド時代』、ヴァン・ヴォークト『宇宙船ビーグル号の冒険』、ハインライン『太陽系帝国の危機』（新訳時に『ダブル・スター』と改題）、ブラッドベリ『何かが道をやってくる』、クラーク『銀河帝国の崩壊』、アシモフ『暗黒星雲のかなたに』、ベスター『分解された男』、シュート『渚にて』、クレメント『重力への挑戦』……という具合。まるでSFマニア促成栽培キットのようなラインナップだ。いまから見ると古典だが、原書刊行から十年以内のタイトルが多く、同時代のSFと言っていいだろう。

『火星のプリンセス』降臨

そして六五年十月、満を持して『火星のプリンセス』が登場する。草創期の創元SFの大看板となるバローズ《火星シリーズ》の第一弾。カバー、カラー口絵、本文イラストは武部本一郎。なにしろ日本にSFアートが存在しない時代なので、厚木淳氏によれば編集者は児童読み物を大量に買い集め、名前も知らなかった挿絵画家たちの中から〝半分手探りみたいに〟武部本一郎を見つけ出したという。

「武部先生だってSFなんか読んでないんですよ、全然。初体験同士なんですよね（笑）」と、厚木氏は当時を振り返っている。「翻訳家に困って解説家に困って、イラストレーターに困って、全部に困ったもんですね。読者はいたけど（笑）。読者はいて、紹介すべきものはあるんだけどね。（中略）極端に言やあ、蘭学事始ですよね。杉田玄白ですよ（笑）」（〈SFイズム〉7号「SF文庫列伝・創元推理文庫　厚木淳インタビュー」より）

翌六六年には、『銀河パトロール隊』を皮切りにE・E・スミス《レンズマン》シリーズも開幕する。この二大シリーズの翻訳はともに小西宏が手がけた。元同級生だった厚木淳から《火星シリーズ》の翻訳を依頼された小西氏は、もともとライダー・ハガードの大ファンだったこともあり、「第一巻から通読するや忽ち夢中になってしまった」と書いている（六五年九月刊『創元推理コーナー　SF特集号』より）。

その小西宏は一九二九年生まれで（厚木淳は同学年だが一九三〇年生まれ）、当時三十代後半。翻訳家として活動した時期は十年ほどだが、初期の創元SFに大きな足跡を残した。そのほか、吉田誠一、中村保男（ともに三一年生）、沼沢洽治（三二年生）、永井淳（三五年生）ら、三十代の若手翻訳家たちが、初期の創元SFを支えることになる。ちなみに七〇年代から大谷圭二名義で創元の翻訳も手がけた浅倉久志は三〇年生まれで、厚木淳、小西宏と同学年だった。

同時代SFの変化をリアルタイムで紹介する試みとして、僕を含めた日本の若いSF読者に大きな影響を与えたのは、その浅倉久志も翻訳に参加した（五巻と七巻）メリルの《年刊SF傑作選》だった（邦訳六七年〜七七年。全七巻と『ベスト・オブ・ザ・ベスト』がある）。ニュー・ウェーブを精力的にプロモートしたメリルのアンソロジーとともに、六八年からはJ・G・バラード作品の紹介も始まり、創元SFの中では異彩を放った。

というのも、ハインライン『異星の客』のような例外はあるものの、創元SFのラインナップが年を追うごとにクラシックと冒険ものに偏り、（若い読者の目には）いささか野暮ったく見えていたから。その傾向は七〇年代も続き、七五年にハヤカワ文庫SFの本格SFライン（通称〝青背〟）がスタートすると、創元の古さがますます目立つようになった。七〇年代の創元SFは、バローズ《地底世界》、ヴァンス《アダム・リース》、ムアコック《ルーンの杖秘録》、ノーマン《反地球》、ノートン《ウィッチ・ワールド》など新旧含めたシリーズ作品の刊行を継続。単発では、シルヴァーバーグの長編群や、ミラー『黙示録三一七四年』、ライバー『放浪惑星』、ベスター『分解された男』なども出ていたが、新しい作品は少なかった。

『星を継ぐもの』の衝撃

その状況に危機感を抱いたのかどうか、サンリオSF文庫創刊の直前にあたる七八年四月、珍しくピカピカの新作（原書七四年刊）が刊行される。ニーヴン&パーネル『神の目の小さな塵』である。王道のファーストコンタクトものながら、時代に合わせてアップデートされた同時代SFだ。その後は、プリースト『スペース・マシン』『ドリーム・マシン』、アンソロジー『究極のSF』、ルポフ『神の剣 悪魔の剣』、ハーバート『鞭打たれる星』『ドサディ実験星』、エイヴァリー《コンラッド消耗部隊》……と、七〇年代SFの刊行ラッシュとなった。さらにSF専門レーベルらしく、日本オリジナル編集の『ロシア・ソビエトSF傑作集』『東欧SF傑作集』も刊行している。

そんな状況下、一九八〇年、創元SF最大のヒット作が登場する。言わずと知れたホーガン『星を継ぐもの』。《巨人たちの星》シリーズ第一弾にあたる同書は以後四十年以上にわたって売れ続ける驚異的なロングセラーになり、百刷を突破。二三年には『ガニメデの優しい巨人』『巨人たちの星』『内なる宇宙』ともども新版が刊行された。ホーガンは創元SFを代表する顔になり、二十冊を超える長編が訳されている。

シリーズものの時代

八二年にはタブ《デュマレスト・サーガ》が開幕、八九年の邦訳最終巻『最後の惑星ラニアン』まで三十一冊を出した。八三年にはロード《リチャード・ブレイド》十四巻が開幕し、この年は刊行点数が過去最多の年間三十二点を記録している。シリーズもので新刊点数を確保し、その合間に単発作品を出していくというのが当時の創元SFの基本戦略だった。

八六年にはブラッドリー《ダーコーヴァ年代記》がスタートし、八八年までに二十二冊を刊行した。このシリーズでは、まだ訳書のない二十代の新人を積極的に起用。赤尾秀子、浅井修、内田昌之、嶋田洋一、中原尚哉、中村融、古沢嘉通、細美遙子（幹遙子）らが長編翻訳デビューを果たした。

それに先立つ八四年にはマキャフリー『歌う船』を刊行。のちに若手女性作家との合作でシリーズ化され、全七冊が邦訳された。九一年には、ビジョルド《ヴォルコシガン・シリーズ》が開幕し、創元ＳＦの看板シリーズに成長する。こうして見ると、女性作家の宇宙ＳＦは（翌年出たメリッサ・スコット《サイレンス・リー》三部作や、後年のレッキー《叛逆航路》三部作、マーサ・ウェルズ《マーダーボット》などを含め）創元ＳＦの大きな柱の一本かもしれない。

八五年には『レッド・プラネット』を新訳で刊行。以後、『スターファイター』（のちに『大宇宙の少年』と改題）『ラモックス』『ルナ・ゲートの彼方』などハインラインのＳＦジュブナイルの新訳が長く続く。

八九年には、休刊したサンリオＳＦ文庫の企画を引き継ぐかたちでＰ・Ｋ・ディックの未訳ＳＦ長編の邦訳がスタート。一五年の『ヴァルカンの鉄鎚』まで、既訳の再刊や新訳も含めて二十二冊を出した。同じ八九年にはベイリー『時間衝突』も刊行。さらに四冊のベイリー長編が続いた。

九一年になると、ようやく創元推理文庫から改称し、「創元ＳＦ文庫」が誕生。ＳＦマーク時代の既刊も、一部ジャンル分類を見直されたものを除き、（重版されていないものまで含めて）創元ＳＦ文庫に再編された。

九〇年代には、ほかに、レズニック『サンティアゴ』、シェフィールド《マッカンドルー航宙記》、マーティン編のモザイクノベル《ワイルド・カード》、キュービー＝マクダウエル《トライゴン・ディスユニティ》三部作、ワトスン《黒き流れ》三部作などが出た。

翻訳ＳＦ激減時代を経て現代へ

九九年、グレッグ・イーガン初の邦訳長編を出したのも創元ＳＦ文庫だった。この『宇宙消失』は、〇四年に出た『万物理論』ともども、その年のベストＳＦ投票で一位を獲得。後者は〈本の雑誌〉が選ぶオールタイムベストＳＦでも一位にランクインした。

二十一世紀に入ると、《レンズマン》を小隅黎の新訳で再刊。さらにハヤカワ文庫の《キャプテン・フューチャー》（野田昌宏訳）を、一巻に長編二冊分を収め短編集成を加えた全十一巻からなる《キャプテン・フューチャー全集》として、鶴田謙二のカバーでリニューアルした。創元ＳＦにとっては原点回帰とも言える時期で、ヴェルヌの再刊やウェルズの新訳も出している。新作では、ニーヴン＆パーネル＆フリン『天使墜落』がＳＦファンの人気を集めたほか、ヴィンジ『最果ての銀河船団』、ハギンズ『凶獣リヴァイアサン』、ピーター・ハミルトン『マインドスター・ライジング』、ハリス『フラクタルの女神』、リーヴ『移動都市』などが出た。

二〇〇七年からは日本ＳＦの刊行も始まり（詳細は後述）、単発の翻訳ＳＦの刊行点数は激減。一一年には、翻訳ＳＦの刊行が年間三点にまで減少する（訳し下ろしの新刊は一点のみ）。この時期のめぼしい作品は、三部作の第一作となるウィルスンの『時間封鎖』、ヴィンジ『レインボーズ・エンド』、フリン『異星人の郷』あたりか。

　状況に変化の兆しが見えてくるのは、一三年のワッツ『ブラインドサイト』から。一四年のヴィンジ『星の涯の空』やウォルトン『図書室の魔法』を経て、ティドハー『完璧な夏の日』、レッキー『叛逆航路』をはじめ、新しい作品の翻訳が一気に増えてくる。一七年にはヌーヴェルの巨大ロボットSF三部作の第一弾『巨神計画』が刊行。ロビンスン《火星三部作》が『ブルー・マーズ』でついに完結。一九年に出たウェルズ《マーダーボット》シリーズの第一作『マーダーボット・ダイアリー』（中原尚哉訳）は大人気を博し、翌年の星雲賞のみならず、日本翻訳大賞を受賞した。

　この時期には、単行本の〈創元海外SF叢書〉から刊行された（どちらかと言えば）文学寄りのSFの文庫化も始まり、マクドナルド『旋舞の千年都市』、ジョンスン『霧に橋を架ける』、『月の部屋で会いましょう』が出て、創元SF文庫に新しい色彩をつけ加えた。

　二〇年にはリー《六連合》三部作が『ナインフォックスの覚醒』で開幕。前人未踏の三年連続ヒューゴー賞長編部門受賞の快挙をなしとげたN・K・ジェミシン《破壊された地球》三部作の第一弾『第五の季節』、マスカレナス『時間旅行者のキャンディボックス』など、英語圏SFの最新モードをいちはやく翻訳紹介することが創元SF文庫の特徴になり、十年前とは見違えるような変貌を遂げた。

　翻訳SF短編の刊行も復活。〇〇年の『影が行く』に始まる中村融編のテーマ・アンソロジー（『地球の静止する日』『時の娘』『時を生きる種族』など）や日本オリジナル編集の短編集（ハミルトン『反対進化』など）に加え、ゲームSFアンソロジー『スタートボタンを押してください』を皮切りに、海外で編まれたテーマ・アンソロジーの邦訳企画も軌道に乗り、多くの新しい作家が紹介された。

創元SF文庫と星雲賞

　星雲賞は、日本SF大会の参加者が投票で選出する、歴史の長いSF賞。海外長編部門は、一九七〇年の第一回を創元のバラード『結晶世界』（中村保男訳）が受賞。その後、七五年はシルヴァーバーグ『時間線を遡って』（中村保男訳）、八一年と八二年はホーガンの『星を継ぐもの』（池央耿訳）と『創世記機械』（山高昭訳）が連続受賞。八九年〜九四年には、ニーヴン&パーネル『降伏の儀式』（酒井昭伸訳／八九年）、ベイリー『時間衝突』（大森望訳／九〇年）、シェフィールド『マッカンドルー航宙記』（酒井昭伸訳／九二年）、アンダースン『タウ・ゼロ』（浅倉久志訳／九三年）※、ホーガン『内なる宇宙』（池央耿訳／九四年、単行本）※と、六回のうち五回を創元SFが受賞している。以後の星雲賞受賞作を一覧にすると、以下のようになる。

98年　ニーヴン&パーネル『天使墜落』（浅井修訳）
99年　ロビンスン『レッド・マーズ』（大島豊訳）
05年　イーガン『万物理論』（山岸真訳）※
07年　リーヴ『移動都市』（安野玲訳）

09年　ウィルスン『時間封鎖』（茂木健訳）※
11年　フリン『異星人の郷』（嶋田洋一訳）※
14年　ワッツ『ブラインドサイト』（嶋田洋一訳）
16年　レッキー『叛逆航路』（赤尾秀子訳）
18年　ヌーヴェル『巨神計画』（佐田千織訳）
23年　アシモフ『銀河帝国の興亡』（鍛治靖子訳、新訳）

末尾に※印を付した作品は、『SFが読みたい！』掲載の「ベストSF」投票海外部門で刊行年度の一位を獲得している（『宇宙消失』は「ベストSF1999」海外部門一位だが、星雲賞は受賞していない）。

創元SF文庫の日本SF路線

二〇〇七年二月には、堀晃『バビロニア・ウェーブ』と田中芳樹『銀河英雄伝説1　黎明編』を皮切りに日本SFの刊行がスタート。SFマーク誕生から四十四年を経て、創元SF文庫は海外、国内両方のSFを出す文庫に生まれ変わった。菅浩江、川又千秋、鏡明、新井素子、夢枕獏、眉村卓、野田昌宏、山野浩一、水見稜らの名作群の再刊・再編集とともに、日本SFラインの柱になったのは『銀河英雄伝説』。〇七年から〇九年にかけて、正伝十巻、外伝五巻の合計十五冊が刊行された。

〇八年には、大森望・日下三蔵編の《年刊日本SF傑作選》もスタート。十二年にわたって続いたこの企画をきっかけに、東京創元社初のSF新人賞となる「創元SF短編賞」も創設された。日本SFのアンソロジーでは、ほかに、創元SF短編賞最終候補作を集めた『原色の想像力』『同2』、『ゼロ年代日本SFベスト集成〈S〉』『同〈F〉』、宇宙SFテーマと時間SFテーマの書き下ろしアンソロジー『宙を数える』『時を歩く』が出ている（二一年には福井健太編『SFマンガ傑作選』も出た）。〇八年に創元SF文庫から刊行された国内作品が十四冊だったのに対し、翻訳作品はわずか四冊で、むしろ日本SF専門文庫と呼んでもいいような激変ぶりだった。

二〇一一年からは笹本祐一作品の刊行がスタート。《妖精作戦》《星のダンスを見においで》《星のパイロット》の再刊につづき、文庫書き下ろしの新シリーズ第一作、『星の航海者1　遠い旅人』も出ている。ほかに、都筑道夫、今日泊亜蘭や山田正紀、山本弘などの作品が文庫化・再文庫化されている。

同じ一一年には、創元SF短編賞からデビューした新鋭たちの作品を中心とする単行本の〈創元日本SF叢書〉が創刊、一三年以降、松崎有理、宮内悠介、酉島伝法、高山羽根子、高島雄哉、門田充宏（新作を加えた再編集）、石川宗生の連作集・短編集がそこから文庫化されている。

あまり変わっていないように見える創元SF文庫も、こうして時代を追って見てくると、何度か大きな変化の波をくぐりぬけていることがわかる。現在の創元SF文庫は、最新の海外SFと日本SF、海外名作の新訳・再刊、国内名作の発掘など、新旧バランスのとれたラインナップに落ち着いている。いまから四十年後、創刊百周年を迎える二〇六三年に創元SF文庫がどうなっているのか、長生きして見届けたい。

SF文庫以外のSF作品

牧眞司
Shinji Maki

SF文庫以外のSF作品を総まくりで紹介する。境界作品まで含めるとても収まりきらないので、内容面もしくは歴史的位置づけにおいてジャンルSFに近いものを優先した。たとえば、叢書〈海外文学セレクション〉に多くの境界作品があるが、取りあげはじめるときりがないので、思い切って割愛した。創元推理文庫の〈ゲームブックス〉も同様。作品評価とは別なので、その旨ご理解いただきたい。

SF文庫以外のSF作品・文庫本編

創元SF文庫の前身は、一九六三年九月にはじまった創元推理文庫「SFマーク」だが、その初期において作品の出入りがあった。蒐集家以外にはどうでもよいトリヴィアだが、こんかいの総解説の企画構成上、詳しくふれておこう。

そもそも創元推理文庫は五九年四月の創刊で、当初は「おじさんマーク」の本格推理小説、「拳銃マーク」のハードボイルド派、「猫マーク」のスリラー・サスペンス、「時計マーク」のその他の推理小説（法廷もの・倒叙もの etc）の四分類だった。コナン・ドイル『クルンバーの謎』は当初「猫マーク」で刊行されたが、「SFマーク」創設後はこちらへ移籍となる。いっぽう、「SFマーク」で初版が出たブラム・ストーカー『吸血鬼ドラキュラ』は、六五年に「猫マーク」へ、さらに六九年には怪奇と冒険部門として新設された「帆船マーク」へと移籍となる（八九年より「ホラー&ファンタジイ部門」と改称）。『クルンバーの謎』は神秘主義的な色彩の濃い復讐譚、『吸血鬼ドラキュラ』はあまりにも有名な怪奇小説の古典だ。両作品とも、もともとは東京創元社の大ヒット叢書〈世界大ロマン全集〉（一九五六〜五九年、全六十五巻）で刊行されたものである（『吸血鬼ドラキュラ』は、大ロマンでは『魔人ドラキュラ』の題名）。

こうした作品が「SFマーク」で刊行された経緯について、当時の編集担当だった厚木淳氏は「今の目で見ると不可解なんでしょうけど、最初のころのSFマークは空想科学小説と怪奇小説を一緒にした部門だった」と述懐している（「厚木淳インタビュー」、『東京創元社 文庫総解説目録［資料編］』所収、聞き手：戸川安宣・高橋良平）。ちなみに『吸血鬼ドラキュラ』は当初、抄訳だったが、現在は創元推理文庫のホラー&ファンタジイ部門に完訳版が収録されている。『クルンバーの謎』は、創元推理文庫の北原尚彦・西崎憲編《ドイル傑作集》第三巻『クルンバーの謎』に表題作として収録されている。

創元推理文庫初期のマーク間移籍ということでは、ジェームズ・ブリッシュ『暗黒大陸の怪異』もそうだ。こちらは当

初「SFマーク」だったが、のちに「帆船マーク」へ移った。

逆に、初刊時に「帆船マーク」だったが、現在は創元SF文庫に入っている作品もある。ジュール・ヴェルヌの『サハラ砂漠の秘密』『必死の逃亡者』『八十日間世界一周』『海底二万里』『動く人工島』だ。内容的にSFというよりも冒険小説にカテゴライズされる作品もあるが、作者がSFの鼻祖(びそ)たるヴェルヌなので、SF文庫にまとめられた。ちなみに、ヴェルヌ作品のうち、『悪魔の発明』『オクス博士の幻想』は当初から「SFマーク」、『十五少年漂流記』『地軸変更計画』は創元SF文庫創設後の刊行である。

さて、「SFマーク」から名称を変更して創元SF文庫がはじまったのが一九九一年十月。この直前に、創元推理文庫そのものの整理番号変更によってマーク表示がなくなった。「帆船マーク」も、ホラー&ファンタジイ部門として創元推理文庫F分類となる。これ以降、従来「SFマーク」で刊行されていたもののうち、ホラー&ファンタジイ部門へと移籍となった作品がいくつかある。コリン・ウィルソン『賢者の石』のほか、ヒロイック・ファンタジイのシリーズであるマイケル・ムアコック《ルーンの杖秘録》全四巻、おなじく《ブラス城年代記》全三巻、フリッツ・ライバー《ファファード&グレイ・マウザー》全五巻である。厳密に言うと、《ファファード&グレイ・マウザー》の第四巻『妖魔と二剣士』と第五巻『ランクマーの二剣士』はホラー&ファンタジイ部門設立後の刊行なので、移籍ではなく最初からこの分類だが。

アンドレ・ノートン《ウィッチ・ワールド》全五巻も、「SFマーク」からホラー&ファンタジイ部門へ移籍になったが、これは目録上の変更にすぎず、実際にホラー&ファンタジイ部門の当該書が印刷・発行されたわけではない。このシリーズは、地球人の主人公が異星へと転移して冒険がはじまる、バローズ《火星シリーズ》の系列であり、その点でSF色が強い作品と言える。

創元SF文庫となる前の時期において、「SFマーク」以外で刊行された創元推理文庫のSF作品としては、なによりもまずメアリ・シェリー『フランケンシュタイン』をあげなければならない(当初は「帆船マーク」で刊行、現在はF分類)。ブライアン・W・オールディスをはじめ多くの論者がSFの草分けとして位置づける古典にして、いくどとなく舞台化・映画化・コミカライズされて人口に膾炙(かいしゃ)した作品である。

そのほか、「帆船マーク」で刊行されたなかで特筆すべき作品として、次のようなものがある。

レナード・ウイバーリー《小鼠シリーズ》全四巻は、アルプスの架空の小国が世界中で大騒動を巻き起こすユーモア作品。第一巻『小鼠 ニューヨークを侵略』はアメリカへの宣戦布告を寓話的展開で描き、ジャック・アーノルド監督で一九五九年に映画化された（邦題『ピーター・セラーズのマ☆ウ☆ス』）。第二作『小鼠 月世界を征服』は有人月飛行を扱い、リチャード・レスター監督で六三年に映画化（邦題『月ロケット・ワイン号』）。

マーク・トウェイン『アーサー王宮廷のヤンキー』は、現代人がアーサー王時代へとタイムスリップする風刺作品。いくどとなく舞台化・映像化されている。有名なのはテイ・ガーネット監督の一九四九年作品『夢の宮廷』。

テア・フォン・ハルボウ『メトロポリス』は、当初「帆船マーク」で刊行され、のちに創元SF文庫へと移った珍しいケース。巨大機械都市を舞台にしたディストピアSF。フリッツ・ラング監督による一九二六年の映画化では、アンドロイドのヒロイン、マリアのイメージがあまりにも鮮烈だった。

ヤン・ヴァイス『迷宮1000』は、記憶をなくした主人公が千もの階層からなる超巨大建築を彷徨う、ディストピア的な不条理感に覆われた異色作。

スリラー・サスペンスの「猫マーク」では、モーリス・ルブラン『ノー・マンズ・ランド』と『三つの目』が要チェック。前者はヨーロッパの大地殺変動を描いた冒険サスペンスで、ベテランSFファンには『驚天動地』の邦題（日本出版協同《アルセーヌ・ルパン全集》別巻）でお馴染みだろう。後者は実験室の壁に歴史上の光景を映しだす〝三つの目〟が突如あらわれるミステリSFである。

「猫マーク」では、ジョン・ブラックバーン『小人たちがこわいので』も見逃せない。物語はオカルティックな匂いが立ちこめるスリラーとして進行するが、終盤に至って古代からつづく失われた種族の実相があらわになる。この手の作品はSF的な部分について触れるとネタバレになってしまうので、紹介がしにくい。

創元推理文庫のホラー&ファンタジイ部門の創設については先述したとおりだ。F分類とされるこの部門には、境界作品が山のようにあってどこまでをSFと見なすか線引きが困難だ。なので、ここでは涙をのんですべて除外する。いずれ企画されるであろう『創元推理文庫F分類総解説』に期待したい。

それ以外では、創元ノヴェルズが一九八九年三月に創刊。欧米で増えていたジャンル横断的作品に対応する目的のレーベルである。テクノスリラーや現代ホラーなどエンターテインメント性の高い作品がひしめくなか、刊行当時、多くのSF関係者から称賛された注目作がジョージ・R・R・マーティン『フィーヴァードリーム』だ。十九世紀アメリカ南部ミシシッピ川を舞台に、吸血鬼と人間との友情を描く。この作品は現在、創元推理文庫F分類に収められている。

創元ライブラリは一九九五年九月の創刊。単行本では手に入りにくくなった名著を、手に取りやすいフォーマットで届けるというコンセプトである。そのなかに、ロボットSFの古典、ヴィリエ・ド・リラダン『未來のイヴ』が含まれている。この作品は、第二次大戦前から白水社版、岩波文庫版（どちらも渡辺一夫訳）が刊行されていたが、東京創元社版としては一九七五年に刊行された限定版《ヴィリエ・ド・リラダン全集》第二巻への収録が最初である（七七年に普及版も出ている）。創元ライブラリ版は、この訳の文庫化である。

　創元SF文庫創設以後、F分類ではない通常の創元推理文庫（つまりM分類）に収録された作品のなかで、まず目につくSF作品は、リチャード・バウカー『約束の土地』だ。核戦争後の荒廃したアメリカで私立探偵の看板をかかげたばかりの主人公のもとへ、風変わりな依頼が持ちこまれる。依頼人は自分が著名な生化学者のクローンだと主張し（その背後には戦前の極秘プロジェクトがあるという）、オリジナルの生化学者を探しだしてほしいという。原書はSF専門レーベルのバンタム・スペクトラから一九八七年に出版され、フィリップ・K・ディック賞にノミネートされた。《最後の私立探偵》シリーズの第一作にあたる。このシリーズは続編 *The Distance Beacons* と *Where All the Ladders Start* があるが、これらは未訳。

　ヘレン・マクロイ『歌うダイアモンド　マクロイ傑作選』は収録されている九編のうち、四作品がSFだ。滅びゆく世界を静虚に描いた小品「風のない場所」と、空飛ぶ円盤を目撃した少年が宇宙飛行士をめざす叙情的な物語「八月の黄昏（たそがれ）に」は、ともに一九五〇年代後半にSF雑誌に発表された。「Q通り十番地」では、合成食品だけで生きることを強制されるディストピアが描かれる。「ところかわれば」は、ファーストコンタクトを扱ったユーモラスな作品。

　芦辺拓（あしべたく）『スチームオペラ　蒸気都市探偵譚』も、マークによる分類が廃されてのちに創元推理文庫から出たSF。エジソン考案のエーテル推進機を搭載した空中船《極光号》が、惑星探査を終えて倫敦港（ロンドン）へと帰還し、その様子がレンズと鏡の仕掛けによる幻灯新聞で配信される。開幕場面からスチームパンク全開だ。そして、プロットは本格ミステリ、結末は王道のSFという、欲張りなエンターテインメントである。

　ジャンルSFからは少し外れるかもしれないが、日本における特殊設定ミステリの代表作として山口雅也『生ける屍（しかばね）の死』を、ここであげておきたい。アメリカで死者が甦（よみがえ）る怪奇現象が頻発していた。そうした状況のなか、蘇生した死者のひとりである主人公がその事情を隠して、自分の死の真相を究明していく。もともとは東京創元社の書き下ろし推理小説シリーズ《鮎川哲也と十三の謎》の一冊として一九八九年に刊行された、この作者の小説デビュー作である。創元推理文庫版は九六年。のちに全面改稿版された版が光文社文庫に収録されている。

　今村昌弘《屍人荘（しじんそう）の殺人》シリーズも特殊設定ミステリだ。神紅大学ミステリ愛好会の葉村譲（はむらゆずる）が主人公、同じ大学の剣崎（けんざき）比留子（ひるこ）が探偵役となって謎に挑む。第一作『屍人荘の殺人』は第二十七回鮎川哲也賞を受賞したデビュー作で、限定された状況における怪奇現象（この作品の特殊設定たるゆえんだが、踏みこむとネタバレになるのでここでは伏せる）が事件の背景をなす。第十八回本格ミステリ大賞を受賞したほか、各種の年間ミステリ・ランキング第一位を獲得した。二〇一九年に創元推理文庫に収録。同年、木村ひさし監督による映画が公開され、話題を撒いた。

第二作『魔眼の匣の殺人』は的中率が高い予言者が、第三作『兇人邸の殺人』は廃墟テーマパークに潜む巨人が題材となる。ともに東京創元社から単行本として刊行された。『魔眼の匣の殺人』は二〇二二年に創元推理文庫に収録。『兇人邸の殺人』は未文庫化だが、分けてしまうのも収まりがよくないので、ここで紹介しておく。

東京創元社の文庫レーベルとしてもっとも新しいものが二〇二二年二月創設の創元文芸文庫だ。ここに収められているＳＦ作品に、高山羽根子『暗闇にレンズ』がある。横浜の娼館「夢幻楼」から発する女系家族の年代記の向こう側に、謎の映像兵器開発が垣間見えるマジックリアリズム長篇。もともとは二〇二〇年に単行本出版されたものの文庫化。

ＳＦ文庫以外のＳＦ作品・単行本編

第二次大戦後の日本出版界において東京創元社がその存在感を示したのは、まず〈世界推理小説全集〉全八十巻（一九五六年一月〜六〇年五月）と〈世界大ロマン全集〉全六十五巻（五六年九月〜五九年十月）だった。このうち後者には、多くのＳＦおよび境界作品があった。主だったものをあげると、ブラム・ストーカー『魔人ドラキュラ』、Ｈ・Ｇ・ウェルズ『透明人間』、ジュール・ヴェルヌ『八十日間世界一周』、コナン・ドイル／エドガー・アラン・ポオ『マラコット深海／ゴードン・ピムの冒険』、Ａ・ベリャーエフ『ドウエル教授の首』、コナン・ドイル『クルンバーの謎・コロスコ号の悲劇』、ジュール・ヴェルヌ『月世界旅行』。いずれものちに文庫化されている。

これにつづく〈世界恐怖小説全集〉全十二巻（一九五八年八月〜五九年十一月）も好企画だった。こちらは、現在の創元推理文庫Ｆ分類の源流と言えよう。本稿でのＦ分類の扱いと同様、個別タイトルは割愛する。

この時期で珍しいものとして、新書版の創元ブックスで一九六一年七月に刊行されたフレドリック・ブラウン『スポンサーから一言』がある。ご存知のとおり、のちに創元推理文庫「ＳＦマーク」に収録された。

東京創元社のＳＦ専門叢書としては、まず、一九八〇年九月〜八二年七月に八冊を刊行した〈イラストレイテッドＳＦ〉がある。毎巻に百枚以上のイラストを付したヴィジュアル志向の企画である。イラストも含めて、原書エース・ブックスを踏襲したものだ。全作品がのちに創元ＳＦ文庫に収録されているので、ここではリストだけを掲げておこう。

〈イラストレイテッドＳＦ〉

1 ラリー・ニーヴン『魔法の国が消えていく』
2 ジェリー・パーネル『地球から来た傭兵たち』

3 ゴードン・R・ディクスン『宇宙士官候補生』
4 ロジャー・ゼラズニイ『魔性の子』
5 ラリー・ニーヴン『パッチワーク・ガール』
6 ハル・クレメント『窒素固定世界』
7 ゴードン・R・ディクスン『ドルセイ魂』
8 ゴードン・R・ディクスン『ドルセイの決断』

一九八〇年代までの東京創元社のSF出版に関しては文庫が主体であり、〈イラストレイテッドSF〉は例外的な単行本企画だった。七八年からスタートした早川書房の〈海外SFノヴェルズ〉の成功に触発されたものである。また、九〇年代に入ってからは、九一年十月にジェイムズ・P・ホーガンの『ミラー・メイズ』（上・下）、九三年十二月に同じくホーガンの『内なる宇宙』（上・下）が単行本で出ている。どちらものちに創元SF文庫に収録された。このような単行本↓文庫化のケースは、とくに二〇一一年以降、日本作家の作品が刊行されるようになって増えていく。煩雑になるので、これ以降は、創元SF文庫に既収録の作品は原則として言及しない。

さて、東京創元社で現在も継続中のSF専門叢書と言えば、〈創元日本SF叢書〉と〈創元海外SF叢書〉である。それぞれ二〇二三年十月現在での一覧を掲げ、そのうちの未文庫化作品については短く紹介を加えよう。

〈創元日本SF叢書〉（★は文庫化ずみ）

1 松崎有理『あがり』★
2 宮内悠介『盤上の夜』★
3 酉島伝法『皆勤の徒』★
4 高山羽根子『うどん キツネつきの』★
5 宮内悠介『エクソダス症候群』★
6 山田正紀『カムパネルラ』★
7 石川宗生『半分世界』★
8 宮内悠介『超動く家にて』★
9 高島雄哉『ランドスケープと夏の定理』★
10 門田充宏『風牙』★（文庫は作品が増補のうえで『記憶翻訳者 いつか光になる』『記憶翻訳者 みなもとに還る』に分冊）
11 酉島伝法『宿借りの星』
この著者の初長編。異形の殺戮生物たちが暮らす惑星を舞台に、祖国を追われた主人公の流浪を描くロードノベル。第四十回日本SF大賞を受賞。
12 門田充宏『追憶の杜』
デビュー作『風牙』につづく、《記憶翻訳者》シリーズ。三つのエピソードを収録。
13 高島雄哉『エンタングル：ガール』★
14 山田正紀『戦争獣戦争』★
15 松崎有理『イヴの末裔たちの明日』
短編集。汎用AIを搭載したロボットの普及によって、人間が職を追われるようになった未来で、切羽詰まった主人公が新薬の治験アルバイトに志願する表題作など、全五作品。

16 山田正紀『デス・レター』

「おまえの大切な人がもうすぐ死ぬ」と不吉な予告を告げる手紙が、不特定多数のひとに届く。その差出人と思しき少女を追う語り手のぼく。ミステリアスな展開から意外な結末へと至る、ベテランの衝撃作。

17 久永実木彦『七十四秒の旋律と孤独』

短編集。第八回創元SF短編賞を受賞した表題作に、人間が消えた惑星Hで、ひたすら観察をつづけるロボットたちの運命を描いた年代記《マ・フ クロニクル》五編を併録。

18 空木春宵『感応グラン゠ギニョル』

短編集。表題作は、昭和初期の浅草六区、どこかに欠損のある少女ばかりを集めたアングラ劇団に、他人の思考や感覚を読む新入りが連れてこられる。全五作品。

19 宮澤伊織『神々の歩法』

第六回創元SF短編賞を受賞した表題作をはじめ、全四作からなる連作集。米軍の最新鋭戦争サイボーグ部隊と異様な〝憑依体〟との戦いを描く。

20 久永実木彦『わたしたちの怪獣』

短編集。表題作は短編として初めて日本SF大賞候補となった作品で、主人公は妹を守るために、怪獣の暴れる東京へ父親の死体を捨てに行く。全四作品。

21 倉田タカシ『あなたは月面に倒れている』

短編集。「ネタもコードも書く絵描き」として幅広い活躍をつづける著者による、さまざまな趣向の九作品。表題作は、記憶を失った男が月面に横たわり、何者ともわからない相手から不可解な質問を受ける。

22 宮澤伊織『ときときチャンネル 宇宙を飲んでみた』

六編からなる連作集。主人公の十時さくらは、ネット配信《ときときチャンネル》を開設し、同居人であるマッドサイエンティスト・多田羅未貴の発明品を紹介していく。登録者数を増やして収益化を目ざしているが、毎回、実況中にハプニングが起こるのだ。物語自体は軽妙なユーモアSFだが、発明品のアイデアは現代物理理論にかかわるハードなもので、そのアンバランスが面白い。

〈創元海外SF叢書〉（★は文庫化ずみ）

1・2 イアン・マクドナルド『旋舞の千年都市』上・下★

3 キジ・ジョンスン『霧に橋を架ける』★

4 レイ・ヴクサヴィッチ『月の部屋で会いましょう』★

5・6 マーク・ホダー『バネ足ジャックと時空の罠 大英帝国蒸気奇譚1』上・下

7・8 マーク・ホダー『ねじまき男と機械の心 大英帝国蒸気奇譚2』上・下

9・10 マーク・ホダー『月の山脈と世界の終わり 大英帝国蒸気奇譚3』上・下

《大英帝国蒸気奇譚》は、蒸気機関や遺伝学が著しく発達した別な時間線の大英帝国を舞台に繰りひろげられるスチームパンク。第一作『バネ足ジャックと時空の罠』は、フィリップ・K・ディック賞を受賞。同シリーズは現在まで六作品が発表されており、後半三作が未訳。

11 グレアム・ジョイス『人生の真実』

空爆の爪痕が癒えきらない町で生まれたフランクは、千里眼を持つ女家長マーサをはじめ、風変わりな家族のなかで育てられ、やがて彼自身にも不思議な能力があることがわかってくる。世界幻想文学大賞受賞作。

12 G・ウィロー・ウィルソン『無限の書』

中東の専制都市国家に暮らす凄腕ハッカー、アリフは検閲官から逃れるため、神話とテクノロジーが混淆（こんこう）する裏社会の奥深くに足を踏みいれていく。世界幻想文学大賞受賞作。

13 ウィル・ワイルズ『時間のないホテル』

建築・デザイン関係のライターとしても活躍する著者による巨大建築SFにして、新世紀版の幽霊屋敷小説。J・G・バラード『コンクリート・アイランド』を髣髴（ほうふつ）とさせる。

14 リリー・ブルックス＝ダルトン『世界の終わりの天文台』★

15 チャーリー・ジェーン・アンダーズ『空のあらゆる鳥を』

魔法が使えるパトリシアと二秒だけ未来へ飛べるタイムマシンを発明したロレンスの青春小説。人類が壊滅的な危機に瀕し、ふたりの運命の歯車が大きく回転していく。ネビュラ賞・ローカス賞・クロフォード賞を受賞。

16 エリザベス・ハンド『過ぎにし夏、マーズ・ヒルで』

日本オリジナル編集の短編集。ネビュラ賞や世界幻想文学大賞を受賞した作品ばかり四編を収める。どの作品も、世界と人生に織りこまれた不思議を独特の抒情（じょじょう）で描く。

17 チャーリー・ジェーン・アンダーズ『永遠の真夜中の都市』

常に太陽に同じ面を向ける植民惑星を舞台に、革命を志すビアンカ、彼女の親友ソフィー、都市に属さない〈道の民〉一族のマウスの運命がつれあう。ローカス賞受賞作。

SF専門叢書以外の単行本として出版されたもので、未文庫化のSF作品には、次のものがある。

平田真夫（まさお）『水の中、光の底』は、水と光をモチーフとした十の世界を、桟橋にある酒場のマスターと客とのやりとりでつなぐ連作集。ノスタルジックな味わいが印象的だ。

高野史緒（ふみお）編『時間はだれも待ってくれない』は、東欧十カ国のファンタスチカ作品十二作を紹介するアンソロジー。「もうひとつの街」（長篇からの抜粋）は、重なって存在する二つの都市のシュールな物語。ジヴコヴィッチ「列車」は、日常のなかでの神と遭遇を描く寓話。

パトリック・ネス『心のナイフ』（上・下）、『問う者、答える者』（上・下）、『人という怪物』（上・下）は、互いの考えがすべて聞こえてしまう世界を舞台とした《混沌（カオス）の叫び》

三部作。ガーディアン賞、コスタ賞、カーネギー賞を受賞。

方丈貴恵（きえ）『時空旅行者の砂時計』『孤島の来訪者』『名探偵に甘美なる死を』は、《竜泉家の一族》シリーズ。巻ごとに凝った趣向のシチュエーション（順に、時間旅行、異世界からの怪物襲来、バーチャル空間）で繰りひろげられる、特殊設定ミステリだ。前述した山口雅也『生ける屍の死』や今村昌弘《屍人荘の殺人》シリーズと比べても、ガジェットやアイデアが直球のSFである。

高山羽根子・西島伝法・倉田タカシ『旅書簡集 ゆきあってしあさって』は、三人の作家が個別に架空の土地をめぐる旅をし、旅先から書簡を送りあう。アンリ・ミショーやイタロ・カルヴィーノの系譜につらなる幻想旅行記。

先にふれた〈創元日本SF叢書〉は創元SF短編賞と関連の深い叢書だが、その姉妹シリーズとも言えるアンソロジーが《Genesis》だ。これまで、『一万年の午後』『白昼夢通信』『されど星は流れる』『時間飼ってみた』『この光が落ちないように』の五冊が刊行されている。

東京創元社のSF単行本で忘れてはならないのは、つぎのふたつの個人作家全集だ。

《J・G・バラード短編全集》全五巻は、ニューウェーブ運動の旗頭（はたがしら）として知られる鬼才のすべての短編、九十七作品を発表順に集成したもの。柳下毅一郎（やなしたきいちろう）監修。

《フレドリック・ブラウンSF短編全集》全四巻は、アイデアとユーモアの名手ブラウンのSF短編、百十一作品を網羅した決定版全集。

SF文庫以外のSF作品・評論書編

新たな読書の指針になる評論・資料の叢書として一九八〇年十月からスタートしたのが〈KEY LIBRARY〉だ。そのうちSF関連は以下のとおり。原則として刊行順の配置だが、続編がある場合は便宜的に連続して並べた。

〈KEY LIBRARY〉（キイ・ライブラリー）

- ブライアン・オールディス『十億年の宴（うたげ） SF——その起源と歴史』
- ブライアン・W・オールディス&デイヴィッド・ウィングローヴ『一兆年の宴』
- ピーター・ニコルズ編『解放されたSF SF連続講演集』
- リチャード・A・ルポフ『バルスーム E・R・バローズの火星幻想』
- ベン・ボーヴァ『SF作法覚え書 あなたもSF作家になれる』
- エリック・S・ラブキン『幻想と文学』
- 野田昌宏『「科學小説」神髄 アメリカSFの源流』
- 森下一仁『思考する物語 SFの原理・歴史・主題』
- マイク・アシュリー『SF雑誌の歴史 パルプマガジンの饗宴（きょうえん）』
- マイク・アシュリー『SF雑誌の歴史 黄金期そして革命』

・リン・カーター『ファンタジーの歴史　空想世界』
・リン・カーター『クトゥルー神話全書』
・北原尚彦『ＳＦ奇書天外』
・北原尚彦『ＳＦ奇書コレクション』
・Ｊ・Ｇ・バラード『人生の奇跡　Ｊ・Ｇ・バラード自伝』
・柴野拓美『柴野拓美ＳＦ評論集　理性と自走性　黎明より』
・東浩紀『セカイからもっと近くに　現実から切り離された文学の諸問題』

各書籍の内容は書名もしくは副題名に端的に示されているが、いくつか補足を加えておこう。

『十億年の宴』とその続編『一兆年の宴』は、文芸評論・文化論的見地からまとめられたＳＦ史のスタンダード。

『解放されたＳＦ』には、アーシュラ・Ｋ・ル・グイン「ＳＦとミセス・ブラウン」、トマス・Ｍ・ディッシュ「ＳＦの気恥ずかしさ」、フィリップ・Ｋ・ディック「人間とアンドロイドと機械」など、のちに繰り返し引用されるようになった貴重な論考が含まれている。

『「科學小説」神髄』は、〈ＳＦマガジン〉連載の「ＳＦ実験室」を再編集したもので、図版百三十余点を収録したＳＦ紹介＆エッセイ。第十六回日本ＳＦ大賞特別賞を受賞。

『思考する物語』も、〈ＳＦマガジン〉連載を加筆して書籍化したもの。心理学・認知科学・フェミニズムなど幅広い分野の知見を取りこみ、概括的にＳＦを考察する長編評論。

『セカイからもっと近くに』はジャンル横断的な現代批評だが、全四章構成のうち新井素子と小松左京にそれぞれ一章が当てられており、全体としてもＳＦ作品への言及が多い。

『幻想と文学』『ファンタジーの歴史』『クトゥルー神話全書』はジャンルＳＦではなく境界分野を扱ったものだが、ＳＦを論じるうえでの示唆が含まれた重要な評論書なので、例外的に取りあげた。

［や］

［ら］

［わ］

執筆者索引

［あ］

［か］

［さ］

［た］

［な］

［は］

［ま］

［ま］

［や］

著者名索引

【海外編】

［ア］

［カ］

［サ］

【国内編】

［ま］

［や］

［な］

［は］

［さ］

書名索引

【海外編】

［あ］

本書は〈Ｗｅｂ東京創元社マガジン〉二〇二二年九月二十九日、十一月三十日、二〇二三年一月三十一日、三月三十一日、五月三十一日、七月三十一日掲載の記事を加筆修正し、さらに多数の書き下ろし記事を加えたものです。

東京創元社編集部・編　創元SF文庫
創元SF文庫総解説

2023年12月22日　初版
2024年 2 月29日　3 版

発行者　渋谷健太郎
発行所　(株)東京創元社
　　　　〒162-0814　東京都新宿区新小川町1-5
電　話　03-3268-8231（代）
U R L　https://www.tsogen.co.jp

装　幀　岩郷重力+W.I
D T P　キャップス
印　刷　萩原印刷
製　本　加藤製本

乱丁・落丁本は、ご面倒ですが小社までご送付ください。送料小社負担にてお取替えいたします。

 ISBN978-4-488-00399-9 C0095